HANES PRYDAIN
1914–1964

HANES PRYDAIN
1914–1964

Geraint Lewis Jones

Cyhoeddwyd dan nawdd Cynllun Gwerslyfrau Cymraeg
Cyd-bwyllgor Addysg Cymru

CAERDYDD
GWASG PRIFYSGOL CYMRU
1988

Manylion Catalogio Cyhoeddi (CIP) y Llyfrgell Brydeinig

Jones, Geraint Lewis
Hanes Prydain 1914–1964.
1. Prydain Fawr—Hanes—20fed ganrif
I. Teitl
941.082   DA566

ISBN 0-7083-0972-0

Cyfieithwyd y manylion catalogio cyhoeddi gan y cyhoeddwyr.

Dymuna'r cyhoeddwyr gydnabod cymorth a chyfarwyddyd Adran Ddylunio'r Cyngor Llyfrau Cymraeg a noddir gan Gyngor Celfyddydau Cymru.

Argraffwyd yng ngwledydd Prydain gan The Alden Press, Rhydychen.

Cyflwynir y gyfrol hon i
Eileen
fy ngwraig
ac i'm rhieni

Rhagair

Er i'r cyfnod 1914–1964 gael triniaeth fanwl gan nifer fawr o awduron yn y Saesneg, ychydig o sylw a roddwyd iddo yn y Gymraeg ac yn ystod fy nghyfnod fel Pennaeth yr Adran Hanes yn Ysgol Maes Garmon, Yr Wyddgrug, teimlais fod gwir angen am ddeunydd yn y Gymraeg ar gyfer yr ysgolion hynny sy'n arloesi ym myd addysg ddwyieithog. Felly rhwng 1979 a 1982 euthum ati i baratoi deunydd y gyfrol hon gyda'r safon wedi ei hanelu yn fwyaf arbennig at ddisgyblion y chweched dosbarth.

Hoffwn bwysleisio fodd bynnag nad oedd yn bosibl manylu ar yr holl ddatblygiadau hanesyddol mewn un gyfrol ac felly penderfynais ganolbwyntio ar y pynciau hynny a haeddai sylw yn ôl yr hyn y tybiwn i fel athro a oedd ar y pryd yn dysgu hanes y cyfnod hwn.

Fe welir felly fod pwyslais amlwg ar bynciau fel effeithiau'r Rhyfel Byd Cyntaf ar y gymdeithas ac ar y pleidiau gwleidyddol; ar y cyfnod tyngedfennol yn hanes Iwerddon rhwng 1916 a 1922; ar bolisi tramor Prydain yng nghyfnod yr unbeniaid Ffasgaidd a'r newid a fu yn y polisi wedi 1945 wrth i lywodraeth Prydain orfod cydnabod y cyfyngiadau ar rym ei hymerodraeth.

Prin yw'r sylw a gaiff hanes Cymru yn y cyfnod hwn yn ein hysgolion er bod llyfr ardderchog Dr K.O. Morgan *Wales: Rebirth of a Nation* wedi darparu digon o ddeunydd yn y Saesneg. Fy mwriad i fodd bynnag oedd crisialu'r prif ddatblygiadau yng Nghymru yn y cyfnod hwn am fod gwerslyfrau ar hanes Prydain yn tueddu i anwybyddu'r dimensiwn Cymreig. Er nad yw'r llyfr yn gwneud cyfiawnder â phob agwedd o'r cyfnod, eto gobeithiaf ei fod yn llenwi ambell i fwlch ym maes Hanes drwy gyfrwng y Gymraeg.

Yn yr holl waith paratoi'r llawysgrif ar gyfer ei chyflwyno i Gydbwyllgor Addysg Cymru hoffwn ddiolch i'm rhieni – inhad am ei awgrymiadau gwerthfawr ynglŷn â thrywydd ambell bennod ac am ddarllen y proflenni ac i'm mam am deipio'r llawysgrif wreiddiol. Diolch hefyd i Howard Alun Williams a Rebecca Powell am eu gofal wrth baratoi'r deipysgrif ar gyfer y Wasg ar ran Adran Gymraeg Cyd-bwyllgor Addysg Cymru. Yn olaf diolch i Eileen, fy ngwraig, am ei chymorth a'i gwaith ymchwil ar rai o'r penodau. Oni bai am ei hanogaeth gyson hi, go brin y byddai'r gyfrol wedi gweld golau dydd.

GERAINT LEWIS JONES
Caerdydd
Gorffennaf 1987

Cynnwys

Darluniau a Mapiau

Cydnabyddiaeth

Dymunir diolch i'r canlynol am ganiatâd i atgynhyrchu lluniau a dyfyniadau:

Allen and Unwin: Alun Lewis, *Raiders' Dawn*
BBC Hulton Picture Library: 7, 8, 9, 11
Cyngor Celfyddydau Cymru: 16
Gwasg Gee: T. Rowland Hughes, *Cân neu Ddwy*
      Alun Llywelyn-Williams, *Y Golau yn y Gwyll*
Gwasg Gomer: Gwenallt, *Eples*
      Gwenallt, *Gwreiddiau*
      gol. Islwyn Jenkins, *The Collected Poems of Idris Davies*
Gwasg Prifysgol Cymru: Kenneth O. Morgan, *David Lloyd George 1863-1945*
Gwasg Rhydychen: P. O'Farrell, *England and Ireland Since 1800*
Imperial War Museum: 1, 10, 15
Richard Jenkins: 2
Llyfrgell Ffotograffig y Blaid Lafur: 12, 13
Punch: 3, 5, 6, 14
Western Mail and Echo Limited: 4

Ni fu'n bosibl olrhain perchennog hawlfraint pob llun. Gwahoddir perchenogion y cyfryw luniau i gysylltu â'r cyhoeddwyr.

Nodyn am y ffynonellau: Mae rhai o'r dyfyniadau o'r ffynonellau gwreiddiol wedi eu talfyrru ac wedi eu rhydd-gyfieithu i'r Gymraeg.

PENNOD 1

Cyfnod o Argyfwng, 1914–1918

Roedd y Rhyfel Byd Cyntaf yn brofiad newydd i holl wledydd Ewrop. Nid oedd yr un ohonynt wedi cymryd rhan mewn rhyfel ar y fath raddfa erioed o'r blaen. Roedd y Pwerau Mawrion o'r farn y byddai buddugoliaeth wedi'i hennill o fewn chwe mis ond erbyn diwedd 1914 roedd yn amlwg y gallai'r rhyfel lusgo ymlaen am flynyddoedd. Roedd Asquith yn arweinydd ar lywodraeth glymbleidiol ond ychydig o effaith a gafodd hyn ar gwrs y rhyfel. Presenoldeb Lloyd George yn y Weinyddiaeth Arfau oedd un o agweddau pwysicaf a mwyaf arwyddocaol y blynyddoedd hyn. Yn groes i bob traddodiad rhyddfrydol, sefydlodd ffatrïoedd gwladwriaethol ledled Prydain i ganolbwyntio ar wneud cyfraniad pwysig i'r rhyfel. Darbwyllodd yr undebau llafur i beidio â rhwystro gweithwyr heb hyfforddiant i wneud gwaith arbenigol. Oherwydd hyn bu cynnydd yn lefelau cynhyrchu Prydain. Erbyn 1915 roedd Lloyd George hefyd o'r farn y dylid cyflwyno gorfodaeth filwrol er mwyn sicrhau cyflenwadau digonol a chyson o filwyr i ymladd ar y cyfandir. Ond ar wahân i hyn, teimlai fod y drefn wirfoddol yn denu gormod o weithwyr profiadol ac felly fod y ffatrïoedd yn colli llawer o fedrusrwydd arbenigol. Effaith hyn yn aml oedd prinder perianwyr a oedd mor hanfodol i waith y ffatrïoedd arfau. Yn ogystal, roedd angen gorfodaeth filwrol i sicrhau buddugoliaeth yn y pen draw.

Erbyn 1916 roedd yr angen am filwyr wedi cynyddu'n sylweddol ac yn naturiol roedd mwy o alw am arfau. Felly pasiwyd mesur ar ddechrau'r flwyddyn yn cyflwyno gorfodaeth filwrol. Sicrhaodd hyn y byddai dros filiwn o filwyr Prydeinig yn ymladd yn Ffrainc am gyfnod hir.

Roedd y rhyfel erbyn hyn yn dechrau achosi newidiadau cymdeithasol ym Mhrydain. Wrth i fwy o ddynion adael y ffatrïoedd i ymuno â'r fyddin roedd merched yn cymryd eu lle ac yn gwneud pob math o waith. Yn ystod y rhyfel arweiniodd hyn at leihad o 25 y cant yn rhengoedd y merched a weithiai fel morwynion neu mewn swyddi eraill yng nghartrefi pobl. Er bod llawer o ferched y dosbarth gweithiol yn gweithio mewn melinau a gweithfeydd cyn y rhyfel, nid oedd hyn yn wir am ferched o

1. Merched yn gweithio mewn ffatri arfau yn ystod y Rhyfel Byd Cyntaf

deuluoedd mwy 'parchus'. Felly roedd y newid yn statws merched yn amlycach yn y dosbarth canol nag mewn rhannau eraill o'r gymdeithas.

Nid oedd yr undebau llafur yn fodlon ar y sefyllfa yn y gweithfeydd ar ddechrau'r rhyfel oherwydd polisi'r llywodraeth o gyflogi pobl heb sgiliau penodol. Serch hynny, gweithwyr yr undebau a gafodd y rhan fwyaf o'r gwaith gan y llywodraeth am ddau reswm. Yn gyntaf, teimlai Lloyd George fod angen bod yn deg â'r undebau, ac yn ail roedd yn haws trafod problemau gydag undebau na chyda gweithwyr di-undeb. Efallai mai'r polisi hwn oedd un o'r rhesymau am y cynnydd sylweddol yn aelodaeth undebau llafur rhwng 1914 a 1918.

Wrth i'r rhyfel barhau roedd y gwrthwynebiad iddo yn cynyddu. Roedd rhai yn gwrthod ymladd am resymau crefyddol ac eraill am resymau gwleidyddol. Gorfodwyd rhai i weithio i'r fyddin, carcharwyd eraill, a saethwyd rhai milwyr yn Ffrainc am wrthod ymladd.

Ar faes y gad roedd 1916 yn flwyddyn bwysig oherwydd brwydrau'r Somme, Verdun a Jutland. Cymysglyd iawn fu effaith y rhain ar ysbryd y bobl ym Mhrydain, yn arbennig o gofio i dros filiwn o filwyr farw ym Mrwydr y Somme yn ystod y pedwar mis a hanner o ymladd. Yna, ym mis Mehefin y flwyddyn honno, boddwyd Kitchener, yr Ysgrifennydd Rhyfel, ar ei ffordd i Rwsia. Er bod digon o le i amau ei allu fel arweinydd milwrol a'i effeithiolrwydd fel Ysgrifennydd Rhyfel, roedd ei ddelwedd gyhoeddus yn un dda ac roedd yn boblogaidd ymhlith pobl gyffredin. Felly roedd ei farwolaeth yn ergyd bellach i ysbryd y bobl. Efallai bod hyn yn esbonio cefnogaeth y Torïaid i Lloyd George yn hytrach nag i Asquith wrth ddewis olynydd i Kitchener fel Ysgrifennydd Rhyfel.

Teimlai'r llywodraeth fod ganddi ddigon o broblemau heb yr anhawsterau ychwanegol a gododd yn Iwerddon y flwyddyn honno. Ceisiodd y Gweriniaethwyr yno ddymchwel rheolaeth Llundain a sefydlu gwlad annibynnol. Methiant fu eu hanes, ond drwy ladd yr arweinwyr llwyddodd y llywodraeth i greu merthyron a chryfhau teimladau gwrth-Brydeinig yn Iwerddon. Un rheswm am ymateb llym Prydain oedd y sefyllfa ddifrifol ar y cyfandir. Nid oedd hi'n barod i dynnu llawer o filwyr o feysydd y gad yno a'u hanfon i Iwerddon, ac ofnai y gallai'r Almaen ddefnyddio Iwerddon rydd i'w dibenion ei hunan.

Erbyn 1916 teimlai llawer o bobl Prydain yn ddigalon ac ansicr ac amlygodd hyn wendidau Asquith fel arweinydd rhyfel. Roedd angen person llawer mwy penderfynol, gŵr a allai ysbrydoli pobl ac adfer eu hyder. Lloyd George oedd yr ymgeisydd cryfaf ar gyfer y gorchwyl hwn, er nad oedd ef ei hun wedi dangos unrhyw ddiddordeb amlwg yn y brifweinidogaeth.

Ym mis Tachwedd cynigiodd rhai Ceidwadwyr y dylid sefydlu pwyllgor o dri, gan gynnwys Lloyd George, i arwain ymdrechion Prydain yn y rhyfel. Gwrthododd Asquith ei dderbyn am ei fod yn meddwl nad oedd y rhan fwyaf o'r Ceidwadwyr yn gefnogol i'r syniad. O ganlyniad, ymddiswyddodd Lloyd George ac oherwydd hyn methodd Asquith ag ailffurfio ei lywodraeth am na allai gael rhywun i gymryd lle Lloyd George. Felly ymddiswyddodd yntau fel Prif Weinidog.

Gwahoddwyd Lloyd George i fod yn Brif Weinidog. Er nad oedd hyn yn anochel roedd yn ddatblygiad buddiol o safbwynt Prydain a'r rhyfel. Dywedodd L. C. B. Seaman am Asquith a'i gefnogwyr:

Ar ddiwedd 1916, trigent o hyd mewn byd dychmygol lle y gallai dynion ddewis rhwng da a drwg; heddwch a rhyfel. Yn y byd gwirioneddol yr adeg honno, roedd y dewis rhwng y da a'r gwaeth, rhwng ymdrech ryfel genedlaethol filwrol a gorchfygiad cenedlaethol. Gogoniant Lloyd George oedd iddo sylweddoli hyn a chondemniad ar y Rhyddfrydwyr oedd iddynt fethu â gwneud hynny.

(L. C. B. Seaman, *Post Victorian Britain*)

Roedd hi'n hawdd deall pam y dewiswyd Lloyd George. Roedd ei lwyddiannau mor amlwg yn Awdurdod Porthladd Llundain, gyda

3

Phensiynau, Cyllideb y Bobl, Yswiriant Cenedlaethol, a'r Weinyddiaeth Arfau. Gwyddai pawb am ei effeithlonrwydd. Roedd cefnogaeth y Torïaid a'r Blaid Lafur iddo yn dystiolaeth bellach i'w allu ac yn brawf nad uchelgais personol ar ran Lloyd George yn unig a'i dyrchafodd i fod yn Brif Weinidog Prydain.

Erbyn dechrau 1917 roedd yn amlwg i'r llywodraeth fod angen gwella cryn dipyn ar drefniadaeth ryfel y wlad. Tuedd Asquith yn ystod cyfnod ei brifweinidogaeth oedd gadael y cyfrifoldeb am y rhyfel a'r problemau perthynol i nifer o bwyllgorau. Teimlai Lloyd George fod y dull hwn yn aneffeithiol ac yn rhy araf. Felly sefydlodd Gabinet Rhyfel gyda Bonar Law, Curzon, Milner, Henderson ac yntau yn aelodau ohono. Gweithredai hwn yn gyflymach na Phwyllgor Rhyfel Asquith ac nid oedd angen iddo ymgynghori â Chabinet y llywodraeth ynglŷn â phenderfyniadau.

Yn ogystal sefydlodd sawl gweinyddiaeth newydd i helpu'r ymdrech ryfel Brydeinig. Un ohonynt oedd y Weinyddiaeth Fwyd o dan yr Arglwydd Devonport ac yna'r Arglwydd Rhondda. Anogwyd ffermwyr i drin mwy o dir a chyflwynwyd polisi rhannu bwyd o ganlyniad i ymgyrchoedd llongau tanfor yr Almaen. Ad-drefnwyd y diwydiant llongau, y diwydiant awyrennau, a'r Gwasanaeth Cenedlaethol gan ddynion busnes a benodwyd gan Lloyd George. Roedd eu cyfraniad yn un pwysig oherwydd eu profiad blaenorol mewn diwydiant neu ym myd masnach.

Y flwyddyn 1917 oedd blwyddyn waethaf y rhyfel o safbwynt prisiau uchel. Ar y pryd nid oedd gan y llywodraeth ddigon o reolaeth ar yr economi i fedru sefydlogi prisiau. Felly roedd yn anos fyth i rwystro codiadau cyflog sylweddol. Gwaethygodd y sefyllfa economaidd ond llwyddodd Lloyd George i sicrhau nad oedd streiciau'n parhau'n rhy hir er mwyn diogelu cyflenwadau cyson o arfau i'r cyfandir.

Wedi'r chwyldro yn Rwsia ym mis Chwefror 1917, arwyddodd y Bolsieficiaid Gytundeb Brest-Litovsk gyda'r Almaenwyr. Canlyniad hyn oedd tynnu Rwsia allan o'r rhyfel a galluogi'r Almaen i symud mwy o filwyr o'r ffrynt dwyreiniol i'r ffrynt gorllewinol.

Erbyn hyn, teimlai rhai ym Mhrydain, er enghraifft Henderson, arweinydd y Blaid Lafur mai da o beth fyddai cynnal trafodaethau heddwch ac y dylid ystyried y mater yn ofalus. Dadleuent y gallai'r rhyfel barhau am flynyddoedd heb unrhyw obaith y byddai'r naill ochr na'r llall yn ennill. Byddai'r fath sefyllfa yn golygu colli llawer iawn o fywydau ac yn cael effaith ddinistriol ar economi a chymdeithas pob gwlad.

Gwrthwynebai Lloyd George y farn hon ac roedd yn benderfynol o drechu'r Almaen. O dan ei arweinyddiaeth trawsnewidiwyd economi'r wlad i gefnogi ymdrech y milwyr ar y cyfandir. Ymhellach, ystyrid Lloyd George yn berson digon penderfynol a digon llawn syniadau i lwyddo yn y rhyfel. Ym mis Mawrth 1917 penderfynodd arweinwyr yr Almaen mai'r ffordd fwyaf effeithiol o drechu Prydain oedd suddo'r llongau masnach a ddeuai â bwyd i'r wlad. Gwendid y polisi oedd y byddai'n sicr o orfodi'r Unol Daleithiau i ymuno â'r rhyfel, felly amcanodd yr Almaenwyr i drechu Prydain, ac yna Ffrainc, yn weddol gyflym — cyn i'r Unol Daleithiau allu ymarfogi'n effeithiol. Er i'r Unol Daleithiau gyhoeddi rhyfel yn erbyn yr Almaen ar 6 Ebrill 1917, ychydig o effaith ymarferol a gafodd hyn ar ymdrechion y Cynghreiriaid ar y dechrau. Felly penderfynodd Lloyd George ymyrryd yn uniongyrchol yn y maes milwrol. Gorchmynnodd, fwy neu lai, fod yn rhaid defnyddio'r system confoi i ddiogelu llongau masnach. Nid oedd arweinwyr y llynges yn hapus ond roedd yn rhaid iddynt blygu i'r drefn. Er na chafwyd lleihad sylweddol yn syth yn y nifer o longau a suddwyd, o leiaf roedd yr argyfwng drosodd.

Nid oedd dulliau'r Prif Weinidog o ymdrin ag arweinwyr y fyddin yn llawer mwy diplomataidd. Roedd Lloyd George o'r farn fod angen canoli arweinyddiaeth ymdrech ryfel y Cynghreiriaid ar y cyfandir. Yn hytrach na thrafod hyn gydag arweinwyr milwrol Prydain a Ffrainc, ac yn wir, gyda'i Gabinet Rhyfel ei hun, cododd Lloyd George y mater mewn cynhadledd gyda'r Ffrancwyr ar drafnidiaeth. Derbyniwyd y Ffrancwr Nivelle gan y Cynghreiriaid fel arweinydd ar gyfer y cam nesaf. Nid oedd yr ymosodiad ym mis Ebrill yn llwyddiannus iawn ac felly roedd cryn wrthwynebiad o du'r milwyr Ffrengig i unrhyw ymdrech sylweddol bellach yn ystod y flwyddyn honno.

Gwaethygodd y sefyllfa oherwydd y digwyddiadau yn ardal Ypres yng ngorllewin Gwlad Belg. Yno, ym mis Awst, ymdrechodd Haig a'i filwyr Prydeinig i wanhau safle'r Almaenwyr. Ymladdwyd y frwydr ar yr un egwyddorion â chynt, sef defnyddio magnelau i ddinistrio ffosydd blaen yr Almaenwyr cyn ymosod gyda milwyr. Roedd profiadau 1915 a 1916 wedi dangos nad oedd ymosodiadau o'r fath yn effeithiol am nad oedd y ffrwydron yn lladd llawer o filwyr y gelyn. Yn waeth byth, dinistriodd y ffrwydron y dyfrffosydd yn yr ardal honno ar adeg pan oedd mwy o law nag arfer wedi disgyn yn yr haf. Erbyn mis Hydref roedd milwyr Prydain wedi cyrraedd Passchendaele a bu'n rhaid iddynt ymladd yno o dan amgylchiadau enbyd — amgylchiadau a oedd ymhlith y gwaethaf a'r mwyaf gwaedlyd yn hanes y rhyfel. Roedd y caeau a'r tir o gwmpas, er enghraifft, yn debycach i gors fawr nag i faes brwydr. Yn ychwanegol, ni fu'r brwydro erchyll yn Passchendaele o unrhyw fantais i'r Cynghreiriaid. Erbyn 1918 roedd yn anodd gwybod pwy fyddai'n ennill y rhyfel. Ar ôl Ypres a Passchendaele credai Lloyd George fod angen gwell rheolaeth ar benderfyniadau'r cadfridogion. Ond roedd hyn yn anodd am ei fod yn dibynnu ar y Ceidwadwyr yn y Senedd am gefnogaeth, ac nid oeddynt hwy yn cytuno â hyn. Felly aeth ef a'i Gabinet Rhyfel ati i feddwl am ffordd arall o ddatrys y broblem. Ym mis Chwefror, sefydlwyd Bwrdd Rhyfel arbennig gan y Cynghreiriaid i fod yn gyfrifol am yr arfau a'r milwyr wrth gefn yn y rhyfel. Argymhellodd Lloyd George i Syr Henry Wilson gael ei benodi'n bennaeth arno, a phwysleisiodd nad oedd gan Robertson, pennaeth y fyddin Brydeinig, unrhyw awdurdod drosto ef. Nid oedd Robertson yn fodlon derbyn y fath raniad mewn awdurdod milwrol, ac ymddiswyddodd. Wedyn penodwyd Wilson yn ei le.

Rhwng misoedd Mawrth a Gorffennaf llwyddodd yr Almaenwyr i dorri trwy linellau'r Cynghreiriaid sawl gwaith. Penodwyd Foch yn arweinydd ar fyddinoedd Prydain, Ffrainc, a'r Unol Daleithiau ond gwelwyd yn fuan nad oedd y penodiad wedi cael fawr o effaith.

Roedd y gefnogaeth ym Mhrydain i'r syniad o drafod cytundeb heddwch â'r Almaen yn cynyddu, ond roedd Lloyd George yn bendant fod yn rhaid trechu'r Almaenwyr. Erbyn dechrau mis Medi roedd yr Almaenwyr wedi defnyddio eu milwyr i gyd, gan gynnwys y rhai wrth gefn. Ymosododd y Cynghreiriaid yn ffyrnig a daeth yr ymladd i ben ym mis Tachwedd gyda'r Almaenwyr yn gofyn am heddwch.

Roedd pedair blynedd o ymladd, lladd a dioddef ar ben. Roedd y buddugwyr yn falch ond yn flinedig. Yn fwy na dim, roedd arweinwyr y Cynghreiriaid yn benderfynol o sicrhau na fyddai trychineb fel hyn byth eto yn parlysu Ewrop.

PENNOD 2

Y Cytundeb Heddwch

Newidiwyd map Ewrop gan y Rhyfel Byd Cyntaf. Dinistriwyd ymerodraethau Ottoman, Habsburg, a Romanov ac ymddangosodd cenhedloedd newydd ar hyd a lled y cyfandir. Roedd angen adeiladu byd newydd heddychol ac roedd angen sicrhau heddwch ar gyfer y dyfodol. Y rhain oedd prif amcanion Prydain, Ffrainc, yr Unol Daleithiau a'r Cynghreiriaid eraill yn Versailles ym 1919.

Teimlai Lloyd George fod angen cosbi'r Almaen ond nid i'r un graddau â Clemenceau a oedd am sicrhau nid yn unig ddiogelwch Ffrainc ond hefyd na fyddai'r Almaen byth yn gallu achosi'r fath ddinistr eto. Gwyddai Wilson, Arlywydd yr Unol Daleithiau, gryfder y teimladau yn Ewrop yn erbyn yr Almaen; gwyddai hefyd yr angen am sicrhau heddwch yn y dyfodol drwy fodloni gofynion gwahanol genhedloedd a gobeithiai wneud hyn trwy sefydlu corff a allai ymdrin ag unrhyw wrthdrawiadau a fyddai'n fygythiad i heddwch o hynny ymlaen.

Roedd cymysgedd o ddifaterwch a gelyniaeth ym Mhrydain ym 1919 tuag at y syniad o gydweithrediad rhyngwladol er enghraifft, gwrthwynebiad y *Daily Mail* a'r *Daily Express* i Gynghrair y Cenhedloedd. Hefyd roedd ymdeimlad cryf yn erbyn unrhyw ymrwymiad Prydeinig gyda gwledydd unigol Ewrop. Yn ystod y trafodaethau yn Versailles roedd Lloyd George yn ymwybodol o'r agweddau hyn ac o'r teimladau gwrth-Almaenig cyffredinol.

Ond nid oedd dulliau Lloyd George o ymdrin â gwahanol faterion yn Versailles yn llwyddo i ennill llawer o gefnogwyr y tu mewn i'w lywodraeth. Tueddai i anwybyddu ei ymgynghorwyr yn gyson yn y Gynhadledd Heddwch. Roedd awyrgylch chwerw yn Versailles a thybiai'r Prif Weinidog y byddai cael cyfarfodydd cyson â'i ymgynghorwyr yn cymhlethu pethau ac y byddai nid yn unig yn arafu ei ddull o weithredu ond hefyd yn rhwystro'i amcan i beidio â dieithrio'r berthynas â'r Almaen.

Roedd agwedd Ffrainc yn wahanol gan fod llawer o'r brwydro wedi digwydd ar ei thir hi ac roedd yr Undeb Sofietaidd, dan lywodraeth Lenin, wedi troi ei chefn ar faterion Ewropeaidd. Roedd diogelwch

7

Gwledydd Newydd

RWSIA

Y FFINDIR

ESTONIA
LATFIA
LITHWANIA
GWLAD PWYL

SWEDEN

Y MÔR BALTIG

NORWY

DENMARC

YR ISELDIROEDD

YR ALMAEN

TSIECOSLOFACIA

AWSTRIA

HWNGARI

ROMANIA

BWLGARIA

IWGOSLAFIA

ALBANIA

Y MÔR DU

TWRCI

GROEG

Y MÔR CANOLDIR

MÔR Y GOGLEDD

YR ALBAN

LLOEGR

CYMRU

IWERDDON

GWLAD BELG

Y SWISTIR

FFRAINC

YR EIDAL

CEFNFOR IWERYDD

SBAEN

PORTIWGAL

AFFRICA

2. Ewrop ar ôl Cytundeb Versailles

8

ffiniau yn broblem fawr i lywodraeth Ffrainc ac roedd yn anodd i Clemenceau, y Prif Weinidog, gytuno â Lloyd George y byddai cytundeb cymedrol yn llesol i Ewrop yn gyffredinol. Credai Clemenceau fod sefydlu gwladwriaeth annibynnol o ryw fath dan oruchwyliaeth milwyr Cynghreiriol yn y tiroedd Almaenig i'r gorllewin o Afon Rhein yn hanfodol i ddiogelwch Ffrainc. Ond gwrthwynebwyd hyn gan Lloyd George a Wilson gan y byddai sefyllfa o'r fath yn creu gelyniaeth barhaol a thyndra mawr y tu mewn i'r Almaen.

Cafwyd anghytundeb cyffelyb ar fater yr ad-daliadau, gyda'r Ffrancwyr yn mynnu iawndal uchel am y dinistr materol a achoswyd gan yr Almaenwyr. Addawodd yr Almaenwyr dalu am yr holl eiddo sifil a ddinistriwyd ond roedd hyd yn oed Lloyd George yn anfodlon ar hyn oherwydd golygai ychydig iawn o iawndal i Brydain, ac ni fyddai hynny'n bodloni'r farn gyhoeddus gartref. Felly argymhellodd y Prif Weinidog y dylai'r Almaen hefyd dalu am bensiynau rhyfel, a derbyniwyd hyn. Ymosododd yr economegydd enwog J. M. Keynes ar hyn yn ei lyfr *The Economic Consequences of the Peace*, gan ddadlau bod y swm yn afresymol o uchel. Byddai cynnwys pensiynau rhyfel yn codi'r ad-daliadau o £2,000 miliwn (nad oedd yn afresymol) i £8,000 miliwn, ac yn golygu y byddai adfywiad economaidd yr Almaen yn amhosibl. Yn y diwedd penderfynwyd sefydlu pwyllgor arbennig i bennu'r ffigur terfynol ac argymhellwyd £6,600 miliwn. Er bod y swm hwn hefyd yn uchel byddai'n cael ei leihau gan gymorth ariannol oddi wrth yr Unol Daleithiau a chan Gynlluniau Dawes a Young.

Gwanychwyd yr Almaen ymhellach pan feddiannwyd ei threfedigaethau yn Affrica a'r Cefnfor Tawel. Rhannwyd y mwyafrif ohonynt rhwng Prydain a'r Dominiynau. Rheolid y tiroedd newydd gan fandadau o dan oruchwyliaeth Cynghrair y Cenhedloedd, er enghraifft, De Affrica yn Ne Orllewin Affrica (Namibia), Awstralia yn Guinea Newydd, a Phrydain yn Tanganyika (Tanzania). Roedd rhaniad ymerodraeth Twrci eisoes wedi'i benderfynu yng Nghytundeb Sykes-Picot ym 1916. Derbyniwyd dosbarthu Syria a Libanus i Ffrainc, ac Iraq, Trawsiorddonen, a Phalesteina i Brydain.

Gyda Wilson a Lloyd George yn pwyso'n drwm o blaid yr egwyddor o annibyniaeth i genhedloedd bychain, penderfynodd y gynhadledd sefydlu nifer o wledydd newydd, yn rhannol fel cydnabyddiaeth o hawliau cenedlaethol ac yn rhannol er mwyn chwalu maint a grym yr Almaen ac Awstria. Ymhlith y gwledydd newydd yr oedd Tsiecoslofacia, Iwgoslafia, a Gwlad Pwyl. Roedd Ffrainc o blaid creu Gwlad Pwyl gref iawn er mwyn gwanhau'r Almaen a chryfhau ei diogelwch hi.

9

Gwrthwynebwyd hyn gan Lloyd George a Wilson ac yn y diwedd cytunwyd i ffurfio Gwlad Pwyl, ond gyda Gdańsk (Danzig) yn ddinas rydd ac annibynnol dan oruchwyliaeth Cynghrair y Cenhedloedd. Gan y byddai'r wlad newydd yn cynnwys dros ddwy filiwn o Almaenwyr beth bynnag, dadleuai Lloyd George y byddai peidio â chynnwys Gdańsk, gyda 412,000 o Almaenwyr, yn gymorth i sicrhau sefydlogrwydd mewnol yn y dyfodol.

Yn y pen draw bu raid i Ffrainc gyfaddawdu hefyd ar fater Afon Rhein. Cytunwyd y byddai glannau dwyreiniol yr afon yn ardal ddi-filwyr am bellter o ryw ddeng milltir ar hugain tra byddai milwyr Cynghreiriol yn amddiffyn y tir ar y glannau gorllewinol am bymtheng mlynedd. Addawodd Prydain a'r Unol Daleithiau ddiogelu'r drefn ac felly sicrhau parch tuag at ffiniau Ffrainc.

Y tu cefn i'r ymdrechion hyn gan Lloyd George i gymedroli'r amodau oedd ei bryder ynglŷn â heddwch yn y dyfodol. Ofnai y gallai rhai o'r teimladau dialgar a chwerw a oedd mor amlwg ym Mharis ddinistrio unrhyw obaith am heddwch parhaol. Byddai gwanhau'r Almaen i'r graddau y dymunai Clemenceau yn gwneud adfywiad economaidd y wlad bron yn amhosibl. Gallai arwain at fwy o dlodi ac anfodlonrwydd ac ehangu apêl comiwnyddiaeth. Nid oedd angen ond cyfeirio at y gwrthryfeloedd comiwnyddol yn Hwngari, Odessa, a rhannau o'r Almaen i bwysleisio hyn.

Y pryder hwn ynglŷn â bygythiad comiwnyddiaeth oedd y tu ôl i ymdrechion y Cynghreiriaid i sefydlu gwledydd bychain fel Latfia, Estonia, Lithwania, y Ffindir, Iwgoslafia a Tsiecoslofacia ar ffiniau yr Undeb Sofietaidd. Byddai hyn nid yn unig yn lleihau cyfoeth yr Almaen, ond, drwy newid ffiniau rhyngwladol, yn creu rhanbarth glustog rhwng yr Undeb Sofietaidd a gwledydd gorllewin Ewrop. Cefnogai'r prif arweinwyr y syniad hwn ond nid oedd Balfour yn fodlon iawn. Ofnai y byddai llywodraethau'r gwledydd newydd yn wan ac yn aneffeithiol, ac y byddai hynny gydag amser yn arwain at bolisi ehangu unwaith eto ar ran yr Almaen. Fodd bynnag roedd Lloyd George yn fodlon cefnogi'r egwyddor, er nad oedd yn hollol sicr lle roedd ffiniau'r gwledydd newydd i gyd. Ond nid oedd pawb ym Mhrydain yn cytuno â safbwynt y Prif Weinidog. Ymosododd *The Times* a'r *Daily Mail* arno am fod yn rhy gymedrol ac ar 8 Ebrill 1919 anfonwyd telegram ato gan 233 o aelodau seneddol Ceidwadol yn cwyno am ei safbwynt ar fater yr ad-daliadau.

Ar 28 Mehefin arwyddodd yr Almaenwyr y Cytundeb Heddwch ym Mhalas Versailles. Roedd dadleuon ynglŷn â thegwch neu annhegwch y cytundeb wedi dechrau eisoes ym Mhrydain, Ffrainc, a'r Almaen. Ond gallai Lloyd George o leiaf hoelio ei sylw unwaith eto ar yr argyfwng yn Iwerddon a'r anghydfod diwydiannol gartref. Roedd ei safbwynt ef yn Versailles yn un cymedrol ond roedd hefyd i raddau yn garcharor i'r farn gyhoeddus Brydeinig. Rhagwelai Lloyd George adwaith anffafriol yn yr Almaen i gytundeb hallt ac nid oedd gan Brydain yr un diddordeb â Ffrainc mewn cadw'r Almaen yn wlad ddi-rym. Dibynnai economi Prydain ar fasnach ryngwladol ac yn draddodiadol roedd yr Almaen yn rhan bwysig o'r fasnach honno. Hefyd roedd gan Brydain broblemau yn tarddu o'i buddiannau imperialaidd ledled y byd a oedd yn sicr o ddylanwadu ar ei hagwedd tuag at ymrwymiadau Ewropeaidd. Prif effaith twf cenedlaetholdeb yn yr Aifft ac India, cwymp ymerodraeth Twrci, a thwf yr Undeb Sofietaidd oedd gorfodi Prydain i ganolbwyntio a defnyddio ei hadnoddau yn effeithiol yn y rhannau hynny o'r byd lle roedd bygythiad amlwg i'w goruchafiaeth.

PENNOD 3

Problemau ar Bob Llaw, 1918–1922

Ychydig o bolisïau cyson sy'n amlwg yn ystod y blynyddoedd hyn oherwydd effeithiau dinistriol y rhyfel ar yr economi a'r gymdeithas. Wynebodd y wlad anawsterau o bob math ar ôl 1918 gan gynnwys dadfyddino, anniddigrwydd diwydiannol, dirwasgiad, problemau Iwerddon, India a'r Dwyrain Canol, ac ailadeiladu yn Ewrop. Ni allai unrhyw lywodraeth obeithio datrys yr holl broblemau hyn o fewn ychydig o flynyddoedd.

Roedd y pris a dalwyd am y rhyfel mewn bywydau dynol yn aruthrol, gyda mwy na thri chwarter miliwn wedi eu lladd a mwy na 1,700,000 wedi eu niweidio. Collodd 160,000 o wragedd eu gwŷr a 300,000 o blant eu tadau. Ni chafodd effaith ddirfawr ar yr economi ond roedd masnach dramor Prydain wedi lleihau a cholli dros draean o'i llongau masnach. Cynyddodd gwariant y llywodraeth o £197.5 miliwn ym 1913–14 i £2,500 miliwn ym 1918–19.

Nid yw'n hawdd ychwaith i fesur effaith seicolegol rhyfel o'r fath. Yn sicr ni ddylid diystyru'r golled o 10 y cant o ddynion rhwng 20 a 45 oed, ond rhaid cofio hefyd fod y mwyafrif helaeth o'r milwyr wedi dychwelyd o faes y gad. Yn ddiamau cafodd yr holl ymladd a'r lladd yn amgylchiadau erchyll y ffosydd, effaith ar feddyliau llawer o'r milwyr a ddychwelodd o'r rhyfel. Mynegwyd teimladau llawer ohonynt ym marddoniaeth Siegfried Sassoon, Robert Graves, Rupert Brooke, Studdert Kennedy a Wilfred Owen. Roedd Studdert Kennedy yn gaplan gyda'r fyddin yn Ffrainc a lluniodd ei gerddi mewn arddull seml, uniongyrchol er mwyn bod yn gwbl ddealladwy i'r milwyr:

> I was crucified on Cambrai
> And again outside,
> I was scourged for miles along the Albert Road,
> I was driven pierced and bleeding
> With a million maggots feeding
> On the body that I carried as my load.
>
> (Studdert Kennedy, 'Dead and Buried')

Y broblem fawr ar ôl y rhyfel oedd y broses o ddadfyddino. Roedd angen llenwi swyddi pwysig mewn diwydiant ar fyrder gan obeithio y byddai hynny'n ysgog creu mwy o waith yn y wlad. Ond er gwaetha'r pwysau economaidd ar y llywodraeth i ryddhau nifer helaeth o'r milwyr roedd dylanwad arall yn ei thynnu i gyfeiriad tra gwahanol. Roedd cryn anesmwythyd ymhlith aelodau o'r Cabinet fod Rwsia bellach nid yn unig yn nwylo'r comiwnyddion ond ei bod hefyd wedi cefnu ar y rhyfel cyn iddo ddod i ben.

Ym mis Rhagfyr 1917 lluniodd yr Ysgrifennydd Tramor Arthur Balfour femorandwm yn nodi'r angen i gefnogi'r carfannau a wrthwynebai'r Bolsieficiaid yn Rwsia ond yr un pryd yn nodi y dylai'r llywodraeth ddatgan yn gyhoeddus nad oedd ganddi unrhyw fwriad i ymyrryd yn Rwsia. Ond o fis Chwefror 1918 ymlaen roedd miloedd o filwyr Prydain a Ffrainc wedi symud i mewn i wahanol rannau o Rwsia — o'r gogledd, y Dwyrain Pell, y Môr Du a thrwy Awstria a Hwngari. Y nod oedd cefnogi'r mudiadau a charfannau hynny oedd am ddisodli Lenin fel arweinydd y wlad honno. Yn ystod 1918 a 1919 galwodd gwahanol gymdeithasau a oedd yn cynrychioli'r gweithwyr, ar y llywodraeth i adael Rwsia — yn eu plith roedd cynrychiolwyr dros ddeg ar hugain o gyfrinfeydd y glowyr yn ne Cymru ym mis Medi 1918. Ym mis Ionawr y flwyddyn ganlynol daeth dros dri chant a hanner o gynrychiolwyr yr undebau llafur ynghyd ar gyfer cynhadledd yn Llundain er mwyn rhoi mwy o bwysau ar y llywodraeth ac ym mis Mehefin gwnaed yr un alwad gan gynhadledd flynyddol y Blaid Lafur yn Southport.

Cyn diwedd y rhyfel roedd modd cyfiawnhau presenoldeb milwyr y Cynghreiriaid yn Rwsia i'r cyhoedd drwy ddweud eu bod yno i gryfhau y ffrynt dwyreiniol yn erbyn yr Almaen. Pan ddaeth y rhyfel i ben ceisodd y llywodraeth barhau â'u cyrchoedd gwrth-gomiwnyddol heb dynnu gormod o sylw atynt. Nid oedd Churchill yn gweld dim o'i le yn hyn am ei fod o'r farn fod Rwsia yn fwy o fygythiad i'r gorllewin na'r Almaen cyn hynny. Ond roedd Lloyd George fodd bynnag yn gweld peryglon parhau â rhyfel yn erbyn Rwsia ar ôl pedair blynedd o ryfela'n erbyn yr Almaen. Byddai'n rhaid parhau gorfodaeth filwrol ac fe allai hynny arwain at wrthryfeloedd ymhlith y milwyr cyffredin.

Roedd pwysau amlwg felly ar y Prif Weinidog i arafu'r broses o ddadfyddino er mwyn cadw o leiaf filiwn neu fwy o filwyr yn y fyddin i ymladd yn erbyn y Bolsieficiaid. Cafodd y safbwynt yma a fynegwyd yn gyson gan Winston Churchill a Syr Henry Wilson gefnogaeth y papurau ceidwadol fel y *Daily Telegraph* a *The Times*. Wrth i'r llywodraeth barhau i ohirio penderfyniadau ynglŷn â dadfyddino cynyddodd anesmwythyd ymhlith y milwyr a oedd am fynd adref a dechreuodd rhai o'r papurau ymosod ar y llywodraeth. Roedd y *Daily Express* a'r *Daily Mail* o'r farn mai cyfuniad o fiwrocratiaeth a bwriad y llywodraeth i anfon mwy o filwyr i Rwsia oedd yn gyfrifol am yr arafwch. Ffactor arall oedd y polisi er y cadoediad o roi gwaith i'r milwyr hynny a allai ddychwelyd i swyddi allweddol, er, yn aml iawn mai hwy oedd y dynion diwethaf i ymuno â'r lluoedd arfog. Fel papurau gyda chylchrediad eang yn y fyddin cawsant gryn ddylanwad.

Ym mis Ionawr 1919 protestiodd miloedd o filwyr mewn gwersylloedd ledled Prydain yn erbyn arafwch y broses o ddadfyddino ac yn erbyn unrhyw amcan oedd gan yr Ysgrifennydd Rhyfel Winston Churchill ac aelodau eraill o'r Cabinet i'w hanfon dros y dŵr unwaith eto — y tro hwn i ymladd yn erbyn Rwsia. Bu protestiadau yn Dover, Folkestone, Manceinion, Bae Cinmel, Y Rhyl, Leeds, Bedford, Caeredin, Stirling, Rosyth, Felixstowe, Maidstone, Bryste, Southampton, Gwastadedd Salisbury, Blackpool a Lerpwl. Cynhaliwyd gwrthdystiadau tebyg mewn gwersylloedd yn Ffrainc ac yn Rwsia ei hun.

Roedd y math yma o ymateb yn ddigon i berswadio Lloyd George fod yn rhaid rhoi'r gorau i unrhyw gynlluniau pellach i gefnogi'r byddinoedd gwyn yn y rhyfel cartref yn Rwsia. Felly ar ddiwedd y mis doedd dim dewis gan Churchill ond i newid y rheolau ynglŷn â rhyddhau milwyr o'r fyddin. Penderfynwyd rhyddhau milwyr yn ôl cyfnod eu gwasanaeth. Ymhen tri mis roedd dros ddwy filiwn wedi gadael — ffigur oedd yn cymharu â chyn lleied â chwarter miliwn yn Nhachwedd a Rhagfyr 1918. Yna, erbyn diwedd 1919, roedd dros bedair miliwn wedi ymadael â'r lluoedd arfog.

Bu tipyn o fentro ariannol ar ôl y rhyfel ar ran nifer o gwmnïau, er bod y farchnad erbyn hynny wedi crebachu. Amlygir hyn yn y ffordd y prynwyd y melinau cotwm, a hefyd yn y diwydiannau peirianneg, adeiladu llongau a glo — diwydiannau a wnaeth elw mawr yn ystod y rhyfel a hynny wrth gwrs mewn cyfnod pan oedd gwerth cyflogau'n disgyn. Ond erbyn 1919 roedd y sefyllfa economaidd wedi dechrau dirywio ac roedd prisiau'n codi'n weddol gyflym.

Er i'r llywodraeth reoli'r economi'n effeithiol yn ystod y rhyfel, daeth ei rheolaeth i ben yn raddol rhwng 1918 a 1921. Gwerthwyd dros 100 o'r 245 o ffatrïoedd oedd dan reolaeth y llywodraeth. Daeth dogni bwyd a rheoli prisiau i ben ym 1920. Dilewyd y gweinyddiaethau arfau, bwyd a llongau erbyn 1921 ond gwrthodwyd cynlluniau'r llywodraeth i wladoli system drafnidiaeth Prydain.

Roedd aflonyddwch ac anghydfod diwydiannol ar gynnydd, yn

arbennig mewn diwydiannau megis glo lle'r oedd llai o alw am eu cynnyrch wedi diwedd y rhyfel. Cynhaliwyd streic gan yr heddlu ym mis Awst 1918 er mwyn hyrwyddo eu cais am godiad cyflog, ond rhoddwyd terfyn ar honno yn gyflym. Ym mis Ionawr 1919 dechreuodd streic enwog y peirianwyr a'r gweithwyr llongau yn Glasgow dan arweiniad William Gallacher ac Emanuel Shinwell. Bwriad y streic oedd cwtogi'r oriau gwaith i ddeugain awr yr wythnos er mwyn creu rhagor o waith i ysgafnhau problem diweithdra'r ddinas. Codwyd y faner goch yng nghanol Glasgow ac ofnai'r llywodraeth y byddai'r streic yn ymestyn i drefi eraill ac yn arwain at chwyldro. Nid oedd agwedd o'r fath yn hollol afresymol o safbwynt y Wasg oherwydd y sefyllfa yn yr Undeb Sofietaidd a'r anghydfod cymdeithasol a gwrthryfeloedd comiwnyddol mewn rhannau o'r cyfandir. Felly anfonwyd milwyr a thanciau i amgylchynu'r ddinas. Rhoddwyd taw ar yr arweinwyr trwy eu carcharu a thorrwyd y streic.

Yn ôl y llywodraeth a phapurau newydd megis *The Times*, y *Daily Express*, y *Daily Mail* a'r *Daily Telegraph* roedd y streic yn enghraifft dda o agwedd gweithwyr tuag at eu gwlad. Portreadwyd hwy, fel arfer, fel pobl hunanol dan ddylanwad comiwnyddion a oedd yn ceisio tanseilio sylfeini democrataidd y wladwriaeth. Ond polisi Lloyd George, wrth ymdrin â'r problemau diwydiannol hyn, oedd ceisio osgoi gwrthdrawiad difrifol rhwng y llywodraeth a'r undebau.

Gweithredwyd y polisi hwn ym 1919 er mwyn atal streic yn y meysydd glo. Gyda datblygu ardaloedd glo newydd ledled y byd a'r newidiadau graddol yn y math o ynni a ddefnyddid gan wahanol wledydd, roedd y diwydiant ar drothwy dirwasgiad. Roedd bywyd y glowyr yn mynd yn fwy anodd ac ansicr ac yn dibynnu fwyfwy ar ffactorau a oedd y tu hwnt i'w rheolaeth.

Gofynnodd y glowyr ym mis Ionawr am ddiwrnod gwaith o chwe awr, codiad cyflog o 30 y cant a gwladoli'r diwydiant. Daeth yn amlwg nad oedd y Glymblaid yn awyddus iawn i barhau â'i rheolaeth am gyfnod amhenodol ac felly pleidleisiodd y glowyr o blaid cynnal streic gyffredinol. Ofnai Lloyd George y byddai Ffederasiwn y Glowyr yn ceisio gweithredu ei gytundeb â'r undebau trafnidiaeth a rheilffyrdd ac y byddai hyn yn arwain at streic fawr a gwrthdrawiad â'r llywodraeth. Dywedodd wrth arweinwyr y glowyr y byddai'n galw ar y milwyr i drechu'r streic arfaethedig ac y byddai'n well iddynt gyfaddawdu a chytuno â'i syniad ef o sefydlu Comisiwn Diwydiant Glo dan Syr John Sankey i wyntyllu problemau'r diwydiant. Gohiriwyd y streic ac aeth y comisiwn, a oedd yn cynnwys cynrychiolwyr o blith y glowyr, y

15

3. 'Oliver asks for more'

perchenogion, economegwyr, a diwydianwyr, ati i lunio ei adroddiad ac i ffurfio polisïau ar gyfer y diwydiant cyfan.

Ym mis Mawrth argymhellwyd cwtogi'r oriau gwaith o saith i chwe awr, codi treth ar y perchenogion i wella cartrefi ac amgylchiadau gweithio'r glowyr, codi'r cyflogau ychydig, a gwladoli'r diwydiant. Derbyniwyd yr argymhellion cyntaf hyn gan y llywodraeth a'r glowyr. Yna ym mis Mehefin ymddangosodd yr ail adroddiad yn ymdrin yn fanylach â gwladoli'r diwydiant. Ym marn Sankey, roedd angen ei wladoli oherwydd y berthynas anfoddhaol rhwng y gweithwyr a'r perchenogion a chyflwr hollol anhrefnus y diwydiant ei hun. Ond anghytunodd 6 o blith 13 aelod y comisiwn â'r argymhelliad hwn, a defnyddiodd y llywodraeth y diffyg unfrydedd fel rheswm dros beidio â'i weithredu. Yn naturiol, teimlai'r glowyr fod y llywodraeth, ac yn arbennig y Prif Weinidog, wedi eu bradychu. Erbyn yr haf roedd pobl wedi colli diddordeb yn y datblygiadau yn y diwydiant glo a chanolbwyntiodd y Wasg ei sylw ar y trafodaethau ym Mharis. Pasiodd y llywodraeth ddeddfau ym 1919 a 1920 a sefydlodd ddiwrnod gwaith o saith awr, ac a roddodd ychydig o arian tuag at wella amgylchiadau'r glowyr, er enghraifft, darparu baddonau yn y glofeydd. Anghofiodd y llywodraeth am ei chefnogaeth i wladoli'r diwydiant ond nid anghofiodd y glowyr y driniaeth sâl a gawsent.

O ganlyniad i bropaganda y Blaid Lafur, dylanwad y chwyldro yn yr Undeb Sofietaidd, a llwyddiant polisi rheolaeth y llywodraeth yn ystod y rhyfel, cynyddodd cefnogaeth ymhlith gweithwyr i'r syniad o wladoli diwydiannau a thyfodd y teimlad y dylent fod yn cymryd rhan fwy blaenllaw yn rheolaeth eu ffatrïoedd. Hefyd clywyd mwy o sôn am y cynnydd yng nghryfder y dosbarth gweithiol yn ystod y rhyfel ac ar ei ôl. Serch hynny, ni chaewyd ond ychydig ar y bwlch rhwng safonau byw y dosbarth gweithiol a'r dosbarthiadau eraill.

Achosodd y rhyfel fwy o newid y tu mewn i'r dosbarth canol a'r dosbarth uchaf, yn arbennig ymhlith tirfeddianwyr a fuasai'n arweinwyr cymdeithasol mor bwysig cyn 1914. Rhwng 1918 a 1921 gwerthwyd mwy o dir nag erioed o'r blaen yn hanes Prydain a diflannodd y mwyafrif o'r stadau mawr o ganlyniad i'r datblygiad hwn. Y prif resymau am hyn oedd bod prisiau tir amaethyddol yn disgyn a bod y trethi ar ystadau yn codi. Roedd yn rhy gostus i'w cadw bellach a gwerthwyd y rhan fwyaf ohonynt i denantiaid a gwŷr busnes. Roedd y rhyfel felly nid yn unig wedi lladd llawer o dirfeddianwyr ond hefyd wedi lleihau eu dylanwad yn gyffredinol.

Yn ystod y rhyfel daeth dynion busnes i'r amlwg yng ngweinyddiaeth

Lloyd George ac roedd eu dylanwad a'u pwysigrwydd ar gynnydd. Cyfrannodd llawer ohonynt i Gronfa Lloyd George, a gwobrwywyd hwy drwy roi teitlau o bob math iddynt. Condemniwyd Lloyd George yn hallt am hyn ond roedd 'gwerthu' anrhydeddau o'r fath yn hen draddodiad ym Mhrydain. Yr unig wahaniaeth oedd bod Lloyd George yn eu gwerthu i ddynion busnes yn hytrach nag i dirfeddianwyr.

Roedd defnyddio gwŷr busnes i reoli diwydiannau yn un o ddulliau Lloyd George o ad-drefnu'r economi yn ystod blynyddoedd y rhyfel. Arweiniodd y rhyfel hefyd at gynnydd sylweddol yn rheolaeth y wladwriaeth. Dechreuodd y llywodraeth ymyrryd llawer mwy nag o'r blaen yng ngweithrediad yr economi, er enghraifft, rheoli'r rheilffyrdd a nifer sylweddol o ffatrïoedd. Dechreuodd ymyrryd hefyd yn null pobl o fyw, er enghraifft, iechyd, tai a bwyd. Cyflwynwyd y syniad o gydraddoldeb gan bolisi'r llywodraeth o rannu bwyd yn sgil llwyddiant ymgyrchoedd y llongau tanfor Almaenig. Tyfodd nifer y staff yn y Gwasanaeth Sifil o 57,000 ym 1914 i 116,000 a rhagor ym 1923 ac ychydig o leihad a fu yn y ffigur hwn wedi hynny.

Parhaodd Lloyd George i wneud penderfyniadau ar ôl ymgynghori â'r *Garden Suburb*, sef ei ysgrifenyddiaeth breifat a oedd yn cwrdd yn rheolaidd mewn siediau a gafodd eu hadeiladu yng ngardd 10 Downing Street, yn hytrach nag â'i gabinet llawn, a chynyddodd ei amhoblogrwydd ymhlith rhai o aelodau'r llywodraeth a Thŷ'r Cyffredin oherwydd hyn.

Ledled Prydain dirywiodd y sefyllfa ddiwydiannol. Ceisiodd Lloyd George dawelu pethau drwy sefydlu Cynhadledd Ddiwydiannol Genedlaethol ym mis Chwefror 1919 i gynghori'r llywodraeth ar sut i osgoi gwrthdrawiadau â'r gweithwyr. Argymhellwyd na ddylai pobl weithio mwy na 48 awr yr wythnos, ac y dylid darparu cynlluniau newydd ar gyfer gwaith cyhoeddus ac ar gyfer sicrhau gwelliannau mewn tai ac yn y taliadau i'r rhai a oedd yn sâl neu'n ddi-waith. Daeth y gynhadledd i ben ym mis Gorffennaf 1921, ac ni chymerodd y llywodraeth fawr o sylw o'r argymhellion. Yn ogystal, sefydlwyd Cynghorau Whitley ar lefel leol, er mwyn galluogi undebwyr a chyflogwyr i drafod problemau diwydiannol, ond unwaith eto ychydig iawn a enillwyd drwyddynt. Llwyddodd Lloyd George, serch hynny, yn ei brif fwriad i osgoi gwrthdrawiadau difrifol rhwng y gweithwyr a'r llywodraeth.

Er hynny, roedd y llywodraeth yn gorfod wynebu streiciau am fwy o gyflog yn y cyfnod hwn, gan gynnwys rhai gan yr heddlu, yn arbennig yn Llundain ym mis Awst 1918 ac ym 1919. Cawsant eu datrys yn gyflym, ond cafodd Lloyd George lai o lwyddiant wrth geisio trin y gweithwyr rheilffyrdd. Ym mis Medi 1919 arweiniodd ymdrech y llywodraeth i leihau cyflogau yn y diwydiant at streic gyffredinol ar y rheilffyrdd. Ymsododd y Wasg Geidwadol yn ddidostur ar y streicwyr, ac er mwyn dwysáu a dramateiddio'r sefyllfa a dylanwadu ar y farn gyhoeddus, galwyd ar wasanaeth milwyr a defnyddiodd y llywodraeth ddulliau eraill o gludo nwyddau. Y tro hwn roedd y streic wedi ei threfnu'n dda gan arweinydd y gweithwyr rheilffyrdd, J. H. Thomas. Drwy ddefnyddio pamffledi, hysbysebion yn y papurau — y *Daily Herald* yn arbennig, a dangos ffilm i esbonio ei safbwynt mewn sinemâu, llwyddodd yr undeb i argyhoeddi'r cyhoedd o gyfiawnder ei achos. Ar ôl wythnos addawodd y llywodraeth na fyddai'n gostwng cyflogau ac y byddai'n rhoi'r gwaith yn ôl i'r streicwyr.

Dirywiodd y sefyllfa ddiwydiannol ymhellach ym 1920 o ganlyniad i ddigwyddiadau tramor. Wedi'r chwyldro ym 1917 bu gwrthwynebiad cryf ymhlith yr undebau a'r Blaid Lafur i bolisi'r llywodraeth tuag at Rwsia, ac yn arbennig yr ymyrraeth uniongyrchol yn rhyfel cartref y wlad honno ym 1919. Ym mis Mai 1920 gwrthododd docwyr yn nociau East India, Llundain lwytho llong o'r enw *Jolly George* am y tybient ei bod yn cludo arfau i helpu'r Pwyliaid yn erbyn Rwsia. Ond ym mis Gorffennaf newidiodd y sefyllfa pan lwyddodd byddin Rwsia i daro'n ôl a bygwth Warszawa (Warsaw). Ofnai'r llywodraeth y byddai hyn yn arwain at ledaeniad comiwnyddiaeth i'r gorllewin ac roedd cynlluniau eisoes ar y gweill i gryfhau presenoldeb milwrol Prydain yn Rwsia. Ond wedi trafferthion mewnol y fyddin ym 1919 ac amhoblogrwydd y syniad o unrhyw frwydro pellach ymhlith pobl gyffredin yn ogystal â rhybudd Arthur Henderson, ysgrifennydd y Blaid Lafur, y gallai rhyfel yn Rwsia arwain at streic gyffredinol, penderfynodd Lloyd George beidio ag ymyrryd. Yn y diwedd ni fu raid i'r llywodraeth ymyrryd oherwydd gwrthymosod llwyddiannus gan y Pwyliaid, ond cyhuddwyd y Prif Weinidog o fod yn wan yn wyneb bygythiad undebol.

Ym mis Hydref 1920 cafwyd mwy o anghydfod yn y meysydd glo pan ofynnodd y glowyr am gyflogau uwch a gostyngiad ym mhris glo. Gwrthodwyd eu cais a dechreuodd y streic y mis hwnnw gyda chefnogaeth Undeb y Gweithwyr Rheilffyrdd. Penderfynodd y llywodraeth ddefnyddio eu Pwerau Argyfwng, ac ar ôl pythefnos daeth y streic i ben gyda'r streicwyr yn ennill codiad bychan mewn cyflog.

Ond o fewn ychydig o fisoedd achosodd dirwasgiad cyffredinol gwymp ym mhrisiau glo ynghyd â gostyngiad sylweddol mewn allforion.

Dychwelwyd rheolaeth y pyllau i ddwylo preifat ym mis Mawrth 1921, heb gymhorthdal gan y llywodraeth, a phenderfynodd y cyflogwyr ostwng y cyflogau (er enghraifft, gostyngiad o rhwng 10 a 25 y cant ym mhyllau Nottingham, a rhwng 40 a 50 y cant yn ne Cymru) a sefydlu cytundebau lleol ynglŷn â chyflogau a lefelau cynhyrchu. Fe ddadleuodd Ffederasiwn y Glowyr y byddai hyn yn arwain at wahaniaeth sylweddol mewn cyflog rhwng un ardal a'r llall, gan ddibynnu ar ffactorau daearegol. Galwodd am drafodaethau cenedlaethol i sicrhau cyflogau teg i bawb, ond mynnodd y cyflogwyr nad oedd unrhyw bolisi arall yn ymarferol. Roedd nifer y glowyr wedi cynyddu o 980,000 ym 1912 i 1,197,000 ym 1924 a sicrhaodd y rhyfel brisiau uchel — 115s. y dunnell am lo tramor er enghraifft, ond roedd y sefyllfa bellach wedi newid yn llwyr ac roedd angen toriadau mawr yng nghostau'r diwydiant. Penderfynodd y glowyr alw am streic genedlaethol o 1 Ebrill ymlaen pan ddeuai rheolaeth y llywodraeth i ben.

Unwaith eto roedd ymateb y llywodraeth yn ddramatig. Gweithredwyd y Pwerau Argyfwng — meddiannwyd cerbydau o bob math, rhybuddiwyd y milwyr i fod yn barod am wrthdrawiad neu i symud nwyddau, a ffurfiwyd Llu Amddiffyn Gwirfoddol o 75,000 o bobl, aelodau o'r dosbarth canol yn bennaf. Penderfynodd undebau eraill y Cynghrair Triphlyg — Undeb Gweithwyr Trafnidiaeth ac Undeb y Gweithwyr Rheilffyrdd — streicio o 15 Ebrill ymlaen. Gyda streic gyffredinol ar y gorwel ysgrifennodd Lloyd George at arweinwyr y glowyr yn galw am gyfarfod i drafod cytundeb cyflogau dros dro ac i ohirio am ysbaid y trafodaethau ynglŷn â Bwrdd Cyflogau Canolog. Gwrthodwyd y cais gan yr arweinwyr a fynnai fod yn rhaid sefydlu'r bwrdd yn gyntaf. Credai J. H. Thomas, arweinydd Undeb y Gweithwyr Rheilffyrdd, fod ymateb y glowyr yn afresymol o gofio cyflwr y diwydiant glo a pharodrwydd y cyflogwyr a llawer o bobl yn y llywodraeth i drechu streic gyffredinol trwy ddefnyddio milwyr. Felly tynnodd Thomas ei gefnogaeth yn ôl a pharhaodd streic y glowyr heb gefnogaeth allweddol yr undebau eraill. Daeth y streic i ben ar 1 Gorffennaf a gostyngwyd cyflogau'r glowyr, ond cytunodd y llywodraeth i roi cymhorthdal o £10 miliwn i ysgafnhau baich ariannol y diwydiant. Sefydlwyd Bwrdd Cyflogau Canolog ond cyfyngwyd ei awdurdod i oruchwylio trafodaethau lleol.

Er i Lloyd George lwyddo i osgoi streic gyffredinol, collodd lawer o gefnogaeth ymhlith y dosbarth gweithiol. Edrychai'r gweithwyr arno fel gŵr a oedd wedi gwrthod gofalu am fuddiannau'r glowyr drwy wladoli'r diwydiant, fel un a oedd wedi brwydro yn erbyn democratiaeth ddiwydiannol ac a oedd bob amser yn cefnogi'r cyflogwyr a syniadau economaidd y Ceidwadwyr.

Efallai ei fod ef ei hun o'r farn mai dim ond trwy dderbyn yn bersonol yr holl gyfrifoldeb am ddatrys problemau diwydiannol y gallai osgoi gwrthdrawiad difrifol rhwng y gweithwyr a'i lywodraeth, lle roedd y Ceidwadwyr mewn mwyafrif sylweddol. Credai hefyd mai'r ffordd orau i osgoi chwyldro oedd trwy basio mesurau cymdeithasol i wella amgylchiadau byw pobl.

Galluogodd Deddf Addysg 1918 awdurdodau lleol i sefydlu cyfundrefn addysg gyfun gydag addysg yn orfodol hyd at bedair ar ddeg oed. Ond roedd y dasg o weddnewid trefn addysg Prydain yn ormod o faich i unrhyw lywodraeth. Nid oedd gan y Glymblaid yr adnoddau (yn arbennig ar ôl bwyell Geddes) na'r ewyllys i sicrhau ad-drefniant o'r fath a rhaid oedd aros tan ar ôl yr Ail Ryfel Byd cyn cael unrhyw newidiadau sylweddol ym myd addysg.

Ar ôl y rhyfel amcangyfrifwyd bod angen codi o leiaf 800,000 o dai newydd i sicrhau cartrefi i bawb. Felly ym 1919 pasiwyd Deddf Tai Addison a roddodd gymhorthdal i'r awdurdodau lleol i brynu tai a'u gosod ar rent i deuluoedd a oedd heb yr adnoddau ariannol i brynu eu tai eu hunain. Erbyn i gyfnod y llywodraeth ddirwyn i ben roedd mwy na 200,000 o dai wedi eu hadeiladu gan yr awdurdodau lleol.

Ym 1920 pasiwyd Deddf Yswiriant y Di-waith gyda'r bwriad o sicrhau na fyddai teuluoedd ym Mhrydain yn llwgu yn ystod cyfnod o ddirwasgiad. Deuai'r arian oddi wrth gyfraniadau gan gyflogwyr a gweithwyr a thelid budd-dâl o 15*s*. yr wythnos i ddynion a 12*s*. i wragedd, ond ni thelid unrhyw lwfans ychwanegol ar gyfer plant. Sicrhaodd y drefn newydd fudd-dâl am bymtheg wythnos ar sail o leiaf ddeuddeg cyfraniad, ond nid oedd gan bobl a oedd heb dalu unrhyw gyfraniadau o gwbl hawl i wneud cais. Cododd nifer y rhai yswiriedig i 11 miliwn a rhagor, ac er ei gwendidau amlwg gosododd y ddeddf esiampl ar gyfer y dyfodol.

Yn ystod y 1920au gostyngodd cyflogau'r rhan fwyaf o weithwyr oherwydd y dirwasgiad, er enghraifft, docwyr, adeiladwyr llongau, peirianwyr a gweithwyr rheilffyrdd. Ofnent effaith diweithdra ar eu teuluoedd ac felly nid oedd ganddynt lawer o ddewis ond i dderbyn y gostyngiadau. Ymhellach, credai rhai o'r arweinwyr undebol, fel Ernest Bevin, nad oedd gan yr undebau ddigon o nerth, undod ac ewyllys i ymladd yn erbyn y llywodraeth yn effeithiol. Cododd diweithdra o 5.8 y cant (691,103) ar ddiwedd 1920 i 17.8 y cant (2,171,288) ym mis Mawrth 1921. Erbyn diwedd y flwyddyn honno roedd y sefyllfa waethaf yn y diwydiant adeiladu llongau (36.1 y cant), y diwydiant peirianyddol (27.2 y

21

cant) a'r diwydiant haearn a dur (36.7 y cant). Roedd diweithdra yn broblem ddifrifol yn yr ardaloedd hynny a oedd yn ddibynnol ar y diwydiannau hyn, er enghraifft, maes glo de Cymru, glannau Afon Clud (Clyde), swydd Gaerhirfryn, Gogledd Iwerddon a dyffrynnoedd Tees a Tyne. Ni ostyngodd nifer y di-waith yn is na 1.25 miliwn yn ystod y pymtheng mlynedd nesaf, ac nid oedd y ffigur hwn yn cynnwys gweithwyr annibynnol, gwragedd a phobl a oedd heb dalu yswiriant. Roedd Deddf Yswiriant 1920 eisoes yn enghraifft o ymateb y llywodraeth i'r sefyllfa, ond wrth i lefelau diweithdra barhau i gynyddu daeth yn amlwg nad oedd y mesur yn ddigonol. Pan orffennai'r taliadau budd-dâl dibynnai'r di-waith ar arian oddi wrth drethi Deddf y Tlodion, ond roedd y diweithdra uchaf yn yr ardaloedd hynny na feddai ar yr adnoddau i ymdrin â'r sefyllfa. Felly ym mis Mawrth 1921 pasiwyd deddf arall yn ymestyn y cyfnod yswiriant i ddau gyfnod o 16 wythnos gyda bwlch rhwng y ddau gyfnod. Golygai'r drefn newydd y gallai'r di-waith gael eu budd-daliadau yn y cyfnewidfeydd llafur a byddai'r arian yn dod oddi wrth y Trysorlys. Bwriad y mesur oedd sicrhau cymorth ariannol (y *dole*) i deuluoedd heb ystyried nifer a gwerth eu cyfraniadau. Cyfyngwyd ar nifer y rhai a oedd yn derbyn cymorth gan y rheidrwydd a osodwyd arnynt i brofi eu bod yn chwilio am waith. Roedd y dadlau gwleidyddol bellach yn ymwneud â maint y budd-daliadau yn hytrach nag â diweithdra ei hun. Tra derbyniai'r di-waith gymorth gan y llywodraeth roedd diweithdra rywsut yn fwy derbyniol. Ni fu unrhyw ymdrech o bwys i'w leihau hyd ddiwedd y 1930au, a daeth y newid cyfeiriad hwnnw yn bennaf oherwydd bygythiad ffasgiaeth Ewropeaidd yn hytrach nag unrhyw bwyslais newydd mewn polisi economaidd. Ym mis Tachwedd 1921 pasiwyd mesur pellach gan y llywodraeth a roddodd ychydig o gymorth ychwanegol ar gyfer parau priod a oedd â phlant yn ddibynnol arnynt.

Achosodd y mesurau newydd gryn ddadlau yn y Senedd gyda'r Blaid Lafur yn mynnu eu bod yn sarhad ar bobl, ac yn sicr o greu chwerwder yn yr ardaloedd mwyaf dirwasgedig. Roedd llawer o'r Ceidwadwyr yn anfodlon am resymau cwbl wahanol. Iddynt hwy roedd trefn o'r fath yn gwastraffu arian y trethdalwyr, yn meithrin diogi ac yn rhoi llawer gormod o gymorth diangen i bobl a allai ofalu amdanynt eu hunain. Er i ddadleuon felly barhau hyd ein dyddiau ni, gosododd Deddfau Yswiriant y Glymblaid batrwm ar gyfer y dyfodol, a chryfhawyd y gred na ddylai trigolion Prydain wynebu newyn ar adegau o gyni economaidd.

Cynhaliwyd gwrthdystiadau gan y di-waith ledled Prydain, er enghraifft, yn Glasgow, Dundee, Caerdydd, Llundain a Sheffield, ond heb unrhyw effaith. Wrth i'r dirwasgiad waethygu, roedd yr elfennau ceidwadol yn y llywodraeth yn benderfynol o ymwrthod â cheisiadau'r undebau am godiadau cyflog. Cawsant gefnogaeth gref gan bapurau newydd a'r arbenigwyr ariannol a ddadleuai mai'r ffordd orau i wella'r sefyllfa economaidd a chadw chwyddiant i lawr oedd trwy gwtogi ar wario'r llywodraeth. Oherwydd y pwyso cynyddol a chyson gan y dylanwadau ceidwadol hyn am doriadau mewn gwariant cyhoeddus, penderfynodd y llywodraeth sefydlu pwyllgor ym mis Awst 1921, dan arweinyddiaeth gŵr busnes o'r enw Syr Eric Geddes, i drafod y sefyllfa economaidd a llunio polisïau addas.

Argymhellodd y pwyllgor doriadau sylweddol yn y gwariant cyhoeddus — £75 miliwn i gyd. Awgrymwyd cwtogi ar y gwario ar amddiffyn (£46. 5 miliwn), addysg (£18 miliwn) a'r gwasanaethau cymdeithasol (£5.8 miliwn). Golygai hyn ostyngiad yng nghyflogau athrawon a heddweision a chyfyngu ar gyfraniad y llywodraeth i'r Cynllun Yswiriant Iechyd Cenedlaethol. Gyda chymeradwyaeth y Wasg Geidwadol, gwnaethpwyd toriadau o £64 miliwn. Hefyd pasiwyd Deddf Diogelu Diwydiant a osododd doll o 33.33 y cant ar rai mewnforion, gan gynnwys mewnforion cemegol, trydanol a gwydr.

Ond prif arwyddocâd Pwyllgor Geddes oedd y modd y dylanwadodd ar agwedd meddwl pobl tuag at faterion economaidd a chymdeithasol ar ôl y rhyfel. Ystyrid bod gweithgareddau'r llywodraeth yn rhy gostus ac felly roedd angen cyfyngu arnynt er mwyn gostwng chwyddiant. Daeth yn gred gyffredinol bod ymdrechion gan y llywodraeth i gynorthwyo'r gwan yn y gymdeithas yn wastraff arian ac yn debygol o arwain at fethdaliad cenedlaethol.

Oherwydd hyn, bob tro yr wynebodd Prydain anawsterau economaidd ar ôl 1918, yr ymateb cyntaf oedd ymosod ar yr elfennau gwannaf yn y gymdeithas — er enghraifft teuluoedd ar gyflogau isel a'r di-waith. Ar y rhain, ac ar bolisïau'r llywodraeth tuag atynt, y rhoddwyd y bai am chwyddiant a phroblemau economaidd yn gyffredinol.

Roedd y Blaid Lafur yn ystod y cyfnod hwn yn gryf yn erbyn polisïau economaidd y llywodraeth. Roedd y rhyfel ei hun wedi cryfhau'r undebau o 4 miliwn ym 1913 i 8 miliwn ym 1919 a rhoddodd hyn well sylfaen i'r Blaid Lafur yn y trefi. Er gwaethaf rhaniadau cyfnod y rhyfel roedd y blaid yn unedig ar ôl 1918, a chanddi gyfansoddiad newydd. Golygai hyn y gallai unrhyw berson ymaelodi, ac nid undebwyr llafur ac aelodau cymdeithasau sosialaidd (er enghraifft, y *Fabians*) yn unig. Roedd amcanion y blaid yn ddigon clir gyda'r pwyslais ar newid dosbarthiad cyfoeth. Yn ogystal â hyn roedd ganddi bolisi pendant ynglŷn â dileu diweithdra, sefydlu cynlluniau gwaith cyhoeddus, a gwladoli'r prif ddiwydiannau.

Ychydig o wahaniaeth oedd rhwng polisïau'r ddwy blaid arall; tebyg oedd eu safbwynt ar addysg, yr economi, Ewrop, a'r Ymerodraeth Brydeinig. Sicrhaodd yr undod hwn gefnogaeth i Lloyd George fel Prif Weinidog y tu mewn i'r Glymblaid ond roedd y gwrthwynebiad iddo ar gynnydd, yn arbennig ymhlith y Ceidwadwyr. Roeddynt yn anfodlon â'r cytundeb ynglŷn ag Iwerddon, yn arbennig yn sgil y rhyfel cartref a oedd wedi dechrau yno; roedd y berthynas â Ffrainc yn dirywio ac roedd y tebygolrwydd y ceid cytundeb rhwng yr Almaen a Rwsia yn cynyddu. Parhaodd diweithdra uchel yn broblem ym Mhrydain ac roedd anniddigrwydd ynglŷn â chefnogaeth Lloyd George i'r mesurau cymdeithasol. Roedd gwrthwynebiad cryf hefyd i ddull y Prif Weinidog o werthu anrhydeddau a'i agwedd ddirmygus tuag at y teitlau, a ddangoswyd gan ei benderfyniad i osod prisiau unigol arnynt, er enghraifft, £50,000 am arglwyddiaeth. Ofnai llawer o Geidwadwyr y byddai'r Cymro yn rhannu'r blaid rhwng ei gefnogwyr ef ac aelodau'r adain dde. Gallai rhaniadau o'r fath ymhlith y Ceidwadwyr a'r Rhyddfrydwyr gryfhau apêl y Blaid Lafur ymhellach, neu, efallai, gynorthwyo Lloyd George yn ei ymgais i ledaenu poblogrwydd ei syniad o sefydlu plaid ganolig Brydeinig.

Cryfhawyd y gwrthwynebiad iddo gan ymddiswyddiad Curzon, yr Ysgrifennydd Tramor, ar 14 Hydref 1922 oherwydd agwedd Lloyd George tuag at y sefyllfa yn Nhwrci ac yn Ewrop. Mewn cyfarfod yng Nghlwb Carlton ar 19 Hydref, pleidleisiodd 187 o'r 275 aelod seneddol Ceidwadol o blaid dod â'r Glymblaid i ben.

David Lloyd George a Gwleidyddiaeth Prydain, 1890–1919

Er pob dadansoddi a dehongli a fu ar bersonoliaeth a gwleidyddiaeth David Lloyd George yn ystod y cyfnod hwn, anodd yw gwadu'r ffaith, pa safbwynt bynnag a gymerir, ei fod yn bersonoliaeth gymhleth a grymus ac yn un o wleidyddion pwysicaf y cyfnod.

Anodd hefyd yw anwybyddu'r holl ddadlau a fu yn ei gylch, ei fywyd cyhoeddus yn ogystal â'i fywyd personol. Mor ddiweddar â 1980, pan ddarlledwyd cyfres deledu a fwriai olwg sinigaidd ar ei fywyd, anfonwyd llu o lythyrau emosiynol at bapur newydd *The Times*. Mae'n anodd meddwl am unrhyw Brif Weinidog arall y byddai ei gymeriad a'i yrfa wedi ysgogi'r fath ddadlau ffyrnig.

Fodd bynnag, mae modd taflu rhywfaint o oleuni ar ddirgelwch ei fywyd a'r dadlau sydd wedi casglu o gwmpas y cymeriad enigmatig hwn. Yr oedd ei gefndir yn un rheswm pam oedd rhai o'i gyd-aelodau yn San Steffan yn amheus ohono. Er bod rhai o'i gofiannau cynnar wedi gorliwio'r ddelwedd o 'hogyn bach o'r wlad', roedd y ffaith mai Cymro cyffredin ei gefndir a'i fagwraeth ydoedd, ac na fu mewn ysgol fonedd na cholegau Rhydychen na Chaer-grawnt, yn sicr wedi peri iddo gael ei ystyried yn 'ŵr dieithr' gan y sefydliad Seisnig. Bu ei gefndir ymneilltuol Cymreig yn bwysig iddo ar hyd ei yrfa, ond nid yw hyn yn egluro'n llawn pam y safai ar ei ben ei hun i'r fath raddau ymhlith gwleidyddion ei gyfnod. Er enghraifft, er bod Tom Ellis yn llawn cymaint o anghydffurfiwr ag ef, ni chynhyrfodd ef hanner cymaint o deimladau cryfion ac o amheuon ag a wnaeth Lloyd George.

Yn yr un modd ag yr oedd cefndir Lloyd George yn rhannol gyfrifol am yr agwedd gymysglyd tuag ato yng ngwleidyddiaeth Prydain, yr oedd ei natur ef ei hun fel dyn a'i werthoedd gwleidyddol personol hefyd yn ffactorau allweddol. Yr oedd yn ŵr unigryw o gymhleth ac amlochrog, yn ŵr nad oedd modd egluro'i gymeriad yn llawn. Nid oes amheuaeth nad oedd yn wleidydd greddfol ac ymroddedig, er bod rhai pobl yn amau hyn am fod ei wreiddiau gwleidyddol yn ymddangos yn amheus a'i safiad gwleidyddol yn anwadal oherwydd ei feddwl byw a gwibiog. Dywedodd Keynes ei fod heb wreiddiau gwleidyddol, ac mae'n wir fod ei ddatganiadau a'i weithrediadau gwleidyddol yn gwrthddweud ei gilydd yn aml. Fel y dywed Kenneth Morgan:

Ar hyd ei yrfa bu, fel petai, yn newid cwrs yn wyllt ac yn ddirybudd o'r naill ddyfais i'r llall. Roedd yn anodd gweld cysondeb mewn gŵr a wrthwynebai ryfel ym 1900 a chymeradwyo 'brwydro hyd y diwedd' ym 1918, a safai ymhell i'r chwith radicalaidd ac yna ffurfio clymblaid gyda'r Ceidwadwyr, a fu ar wahanol adegau o blaid ac yn erbyn sosialaeth, o blaid ac yn erbyn imperialaeth, yn heddychwr ac yn rhyfelwr.

(Kenneth O. Morgan, *David Lloyd George 1863–1945*)

Dyma'r croesddweud cyson sy'n nodweddu ei yrfa wleidyddol, ac sydd wedi rhoi inni ddau ddarlun hollol wahanol o Lloyd George.

Ar y naill law mae carfan o 'ddelfrydwyr' gyda llawer iawn o Gymry yn perthyn iddi, megis J. Hugh Edwards a Beriah Gwynfe Evans. Gwelant hwy ei yrfa fel taith ramantus o'r bwthyn i 10 Downing Street a phortreadir Lloyd George ei hunan fel y bachgen tlawd o'r pentref yng nghefn gwlad Cymru sy'n ennill enwogrwydd fel arwr Cymru ac fel Meseia i'r rhai llai breintiedig.

Ar y llaw arall mae carfan fwy beirniadol — pobl fel J. M. Keynes ac A. G. Gardiner sy'n ei bortreadu fel dewin geiriau diegwyddor a didostur. Cyhuddir ef hefyd o amrywiol feiau megis dinistrio'r Blaid Ryddfrydol, rhannu'r Blaid Geidwadol, twyllo'r Blaid Lafur a diraddio bywyd cyhoeddus Prydain.

Byddai astudiaeth fanwl o'i yrfa yn dangos bod peth gwir yn y ddau safbwynt eithafol yma, ond ceir darlun mwy cyflawn a realistig os dilynir y llwybr canol. Cynigir y dadansoddiad isod ar sail astudiaeth o rai agweddau ar fywyd Lloyd George, ond, wrth gwrs, un farn yw hon, barn y gellir ei beirniadu ar sawl cyfrif, gan ddibynnu ar safbwynt personol y darllenydd.

Mae agwedd y Cymry tuag at Lloyd George yn pendilio rhwng dau begwn. Mae rhai haneswyr, er enghraifft, W. Hugh Jones wrth ysgrifennu amdano ym 1937, yn gweld Lloyd George a Tom Ellis fel arwyr cendlaethol Cymru Fydd yn negawd olaf y ddeunawfed ganrif: 'gwŷr o weledigaeth ynghanol cydwladwyr dall'. Fodd bynnag, mae Cymry eraill wedi bod yn llawer mwy beirniadol ohono, gan ei weld fel un a fradychodd y cenedlaetholdeb Cymreig a fu'n llwyfan iddo yn ei ddyddiau cynnar. Mae'n ddiamau fod llawer o'r 'rhamantiaeth genedlaethol' yn deillio o sentiment, oherwydd er creu prifysgol, llyfrgell, ac amgueddfa genedlaethol ac er datgysylltu'r Eglwys yng Nghymru, ni wnaeth rhagolygon cenedlaetholdeb Cymreig wella dim. Mae'n deg dod

4. D. Lloyd George

i'r casgliad mai cyfyng iawn oedd unrhyw dueddiadau gwladgarol a berthynai i Lloyd George, yn enwedig ar ôl ei ddyrchafu'n Brif Weinidog.

Ni wnaeth ddim mwy na 'chodi het' i weithgareddau Cymreig, ac yr oedd hyn yn wrthun i Gymry a ddisgwyliai iddo fod yn brif symbyliad i'r dyheadau cenedlaethol a oedd yn cyniwair ar ddiwedd y bedwaredd ganrif ar bymtheg. Mae rhai o'r beirniaid yn gweld Lloyd George fel gŵr a ddefnyddiodd genedlaetholdeb Cymreig fel gris cyfleus ar ysgol llwyddiant, fel cyfrwng i hyrwyddo ei yrfa wleidyddol. Ond nid dyna'r holl wir amdano.

Yr oedd cariad amlwg Lloyd George tuag at ei wlad yn tystio'n groes i hyn. Pe bai mewn gwirionedd wedi gwadu ei fagwraeth a'i dreftadaeth, ni fyddai wedi cadw cyswllt mor agos ar hyd y blynyddoedd â'i etholaeth a'i fro, na chymryd diddordeb mor fyw mewn materion Cymreig. Yr oedd materion Cymreig yn ei gynhyrfu ac yn ei ysgogi i siarad yn y Senedd trwy gydol ei yrfa, hyd yn oed yn y blynyddoedd olaf. Yn ychwanegol tystiai pawb a fu'n ymweld â 10 Downing Street, yn ystod ei gyfnod fel Prif Weinidog, i gynhesrwydd yr awyrgylch Gymreig yno. Roedd y teulu yn siarad Cymraeg ac yr oedd holl fywyd y cartref yn Gymreig ei naws, yn amlygu ffordd gynnil o fyw gyda'r ddolen deuluol yn amlwg yn un glòs iawn. Gwrthododd Lloyd George wadu ei fagwraeth er mwyn troi yng nghylchoedd gwleidyddol a chymdeithasol Llundain. Nid yw hyn yn golygu nad oedd yn credu yn undod y Deyrnas Unedig; os gwadwyd Cymru ganddo o gwbl, gwadu gwleidyddol ydoedd, ac nid gwadu emosiynol.

Mae'n werth nodi hefyd mai cenedlaetholdeb ac ymneilltuaeth oedd y ddau rym pwysicaf yng ngwleidyddiaeth Cymru yn ystod blynyddoedd cynnar Lloyd George, sef ei gyfnod fel cyfreithiwr ifanc. Roedd yn naturiol felly fod gan Lloyd George fel gwleidydd ifanc brwdfrydig gysylltiad â'r agweddau hyn, ond gan mai diddordeb llencyndod ydoedd, efallai na ellid disgwyl iddo gadw'n ffyddlon i'r achos wedi iddo aeddfedu fel gwleidydd. Wedi'r cyfan, nid Lloyd George oedd y gwleidydd cyntaf na'r olaf i newid ei safbwynt wrth heneiddio!

Mae hefyd yn anodd anghofio'r ffaith fod gwerthoedd Lloyd George, waeth pa mor simsan oeddynt, yn rhai hanfodol Gymreig, ac mae meini prawf unrhyw benderfyniad a wnâi oedd adwaith tebygol Rhyddfrydwyr Cymru i'r penderfyniadau hynny. Er na wnaeth ef lawer i hyrwyddo achos cenedlaetholdeb yn ystod ei brifweinidogaeth, eto i gyd, yr oedd y ffaith seml fod Cymro'n dal y swydd allweddol honno, yn codi calon a hunanhyder y Cymry. Ystyrid ei benodiad fel Ysgrifennydd y Bwrdd Masnach ym 1895 yn fuddugoliaeth i radicaliaeth Gymreig.

Ym 1895 roedd Lloyd George yn weithgar iawn gyda mudiad Cymru Fydd, a hyd yn oed wedi i'r mudiad chwalu roedd ei gefndir Cymreig yn bwysig iawn iddo. Dywed rhai fod Lloyd George wedi anghofio'i dueddiadau cenedlaethol ar ôl 1906, a bod ei hunan-les wedi dod yn bwysicach iddo bryd hynny. Ond teg yw dweud hefyd iddo ddefnyddio'r achos cenedlaethol yn yr un modd ag y bu i'r achos cenedlaethol ei ddefnyddio ef. Ar ôl 1906 newidiodd radicaliaeth Gymreig ei ffurf: roedd llawer o dyndra chwerw blynyddoedd ieuenctid Lloyd George yng Nghymru wledig wedi diflannu ac mae'n bosibl iddo droi ei sylw yn naturiol at frwydrau eraill ar lwyfan ehangach.

Er yr holl feirniadu a fu ar Lloyd George oherwydd iddo wadu'r achos cenedlaethol yng Nghymru, yr oedd yn amlwg o'r dechrau ei fod yn gogwyddo tuag at sosialaeth amaethyddol yn hytrach na chenedlaetholdeb diwylliadol. Fodd bynnag, bu cryn feirniadu yn ddiweddar ar ei sosialaeth, yn enwedig o gofio iddo dwyllo'r glowyr yn y cyfnod wedi'r rhyfel ac iddo ddod benben â'r undebau ar achlysur y Streic Genedlaethol. Eto, ar adegau eraill roedd yn ymddangos ei fod o blaid rhyfel dosbarth rhwng yr 'arglwyddi' a'r 'bobl'.

Yn ei hanfod nid oedd Lloyd George yn sosialydd: prif sylfaen ei sosialaeth gymdeithasol oedd cyfiawnder (nad oedd yn gyfystyr â sosialaeth iddo ef) a'i ffurf arbennig ef ei hunan ar foesoldeb.

Cyllideb y Bobl ym 1909 oedd un o'r pynciau mwyaf dadleuol y bu'n ymwneud ag ef, enghraifft dda o'r 'rhyfel dosbarth' a oedd mor agos i'w galon ac o'r frwydr am gydraddoldeb cymdeithasol. Lluniodd y ddelwedd hon ohono'i hun yn fwriadol. Trwy godi trethi ar incwm 'heb ei ennill' oddi ar y tir a threthi ar elw, yn hytrach na threthu holl bobl y wlad, ceisiodd Lloyd George hyrwyddo achos radicaliaeth yn erbyn gorthrwm y meistri tir. Eto i gyd gellir dadlau nad croesgad gymdeithasol yn unig oedd y mesurau hyn, ond economeg seml. Mae'n sicr bod y ddau gymhelliad wedi ei ysgogi, ond byddai'r ddadl ei fod yn hybu amcanion cymdeithasol yn llawer iawn cryfach pe na bai wedi defnyddio £9 miliwn o'r cyfanswm o £15 miliwn a godwyd trwy'r gyllideb i dalu am longau rhyfel *Dreadnought* yn y ras arfogi.

Dywed eraill fod Deddf y Senedd 1911 yn enghraifft bellach o atgasedd Lloyd George tuag at deuluoedd bonedd Lloegr. Roedd ei anerchiadau yn Limehouse, Newcastle, a mannau eraill yn rhai arbennig o danllyd. Eto, yng nghanol holl chwerwedd pleidiol y cyfnod hwn, Lloyd George a awgrymodd wrth Balfour ym 1910 y dylid ystyried ffurfio clymblaid o'r pleidiau i gyd. Efallai bod hyn yn dangos nad oedd ei egwyddorion sosialaidd yn ddidwyll iawn hyd yn oed os oedd yn cael ei gorddi gan atgasedd gwirioneddol ddwfn tuag at yr aristocratiaeth. Ceir llawer o enghreifftiau o feirniadaeth hallt ar sosialaeth, yn arbennig perchenogaeth gyhoeddus, yn ei areithiau a'i ysgrifau, er enghraifft, yn ei anerchiad i Gyngor y Rhyddfrydwyr Cenedlaethol Cymreig yng Nghaerdydd ym 1906. Yn ei hanfod, safiadau pragmatig yn hytrach na dogmatig a nodweddai yrfa wleidyddol Lloyd George. Yr oedd yn barod i fenthyca a mabwysiadu pob peth a oedd yn ddefnyddiol a pherthnasol yn namcaniaethau'r sosialwyr, ond yr un pryd anwybyddai bopeth oedd, yn ei dyb ef, yn amherthnasol.

Un o'r materion llosg wrth ystyried bywyd a gwaith Lloyd George yw ei gyfraniad i'r Blaid Ryddfrydol ac i ba raddau y gellir ei ddal yn gyfrifol am ddirywiad y Rhyddfrydwyr yn negawdau cynnar yr ugeinfed ganrif. Nid oes amheuaeth nad oedd yn berson dadleugar a chanddo ddull unigryw o arwain y blaid, dull na fu ei debyg cyn hynny. Ond i ba raddau y bu hyn yn gyfrifol am dynged ei blaid?

Tuedd beirniaid heddiw yw bod yn llym iawn arno, gan edrych arno fel gŵr dichellgar, uchelgeisiol, heb deyrngarwch i'w blaid. Rhaid cofio, serch hynny, fod y Blaid Ryddfrydol ar ddechrau'r ugeinfed ganrif yn blaid oedd yn llawn tyndra ac nad Lloyd George oedd yn gwbl gyfrifol am hynny. Roedd ganddo elynion o fewn y blaid, ac am ei fod yn un o'r tu allan i'r 'sefydliad' edrychid arno gydag amheuaeth. Gellir dadlau hefyd fod llawer i'w ganmol yn y dull arbennig o arweinyddiaeth a ddatblygwyd ganddo.

Cyhuddwyd Lloyd George gan lawer o hollti'r Blaid Ryddfrydol ym 1916; ond i fod yn deg a chytbwys, dylid cofio mai ef a unodd y blaid rhwng 1902 a 1905, ffaith a wnaeth lwyddiant ysgubol y Rhyddfrydwyr yn etholiad cyffredinol 1906 yn bosibl. Roedd y diwygiad ymneilltuol yng Nghymru ar ddechrau'r ganrif ynghlwm wrth yr adfywiad Rhyddfrydol a ddigwyddodd tua'r un adeg; ysbardunwyd y ddau adfywiad gan ddau fater y bu Lloyd George yn ymwneud â hwy yn amlwg iawn. Y cyntaf o'r rhain oedd ei agwedd bleidiol tuag at y Boeriaid ym 1902, ac er mai rhesymau economaidd a'i symbylai, eto i gyd bu ei safiad yn gymorth i uno'r Rhyddfrydwyr a'r ymneilltuwyr. Yr ail fater oedd addysg. Beirniadwyd Deddf Addysg 1902 yn llym gan yr ymneilltuwyr, a bu Lloyd George yn amlwg yn y feirniadaeth honno. Hefyd, ym 1903, bu'n flaenllaw yn yr ymosodiad ar y cynlluniau diwygio tariff a gynigiwyd gan Chamberlain. Yn ei feirniadaeth llwyddodd Lloyd George i uniaethu egwyddorion masnach rydd â gwladgarwch, a bu hyn yn gyfrwng pellach i ailuno'r Rhyddfrydwyr. Gellir dadlau felly mai Lloyd George a fu'n bennaf gyfrifol am ailuno'r Blaid Ryddfrydol trwy ddod â gwahanol garfanau'r blaid at ei gilydd.

O ran personoliaeth wleidyddol nid oedd Lloyd George yn cydymffurfio ag unrhyw safbwynt traddodiadol, a dyma reswm pellach pam yr oedd llawer o'i gyd-aelodau Rhyddfrydol yn ddrwgdybus ohono hyd yn oed pan oedd ei bolisïau yn rhai cwbl gydymffurfiol. Mae'n ddiddorol sylwi mai'r Rhyddfrydwr y llwyddodd Lloyd George i nesáu ato'n fwy na neb arall oedd Winston Churchill — gŵr tebyg iddo ef ei hun o ran anian.

Mae'r ddadl fawr a fu ym 1916, pryd y disodlwyd Asquith a phenodi Lloyd George yn Brif Weinidog yn ei le, yn destun trafod mawr ymhlith haneswyr hyd heddiw. Gwêl rhai Lloyd George fel cynllwyniwr yn ymosod ar bersonoliaeth genedlaethol barchus fel Asquith. Ond nid yw'r darlun hwn yn un cyflawn. Rhaid cofio bod Asquith a Lloyd George yn ymrafael am y swydd ar adeg pan oedd y blaid yn ddigon simsan ac ansefydlog. Heb ysgogiad newydd yn arweinyddiaeth y llywodraeth tua 1916, ni fyddai gobaith am weld terfyn ar y rhyfel. Lloyd George oedd yr unig un a allai gynnig arweinyddiaeth ddeinamig o'r fath.

Roedd Asquith ei hunan yn ddigon cefnogol i'r newid ar y dechrau. Ni byddai'n colli ei awdurdod yn gyfan gwbl a byddai ganddo rym o hyd yn nhrafodaethau'r Pwyllgor Rhyfel. Prif nod Lloyd George ar yr adeg yma oedd ceisio dod â'r rhyfel i ben yn hytrach nag ymgiprys am y brifweinidogaeth, er i Asquith, o bosibl, dybio oddi wrth rai o anerchiadau Lloyd George yn y cyfnod hwn ei fod yn ceisio ei ddisodli (er enghraifft, yr araith 'Rhy hwyr'). Mae'n ddigon posibl bod y feirniadaeth ar Lloyd George mor llym a chwerw oherwydd nad oedd pobl yn ymddiried ynddo ac am eu bod o'r farn mai uchelgais ac nid ennill y rhyfel oedd y peth pwysicaf yn ei feddwl.

Beirniadwyd llawer ar ei ddull o arwain yn ystod cyfnod y rhyfel. Âi Lloyd George yn fwy o unben wrth i'r misoedd fynd heibio, a gwnâi benderfyniadau pwysig heb ymgynghori ag eraill. Fel y sylwodd Arthur Henderson yn ddiweddarach: 'Lloyd George ei hunan oedd y Cabinet Rhyfel — nid oedd neb arall yn cyfrif'.

Trasiedi mwyaf y Blaid Ryddfrydol yn y cyswllt hwn oedd sefyllfa fregus Lloyd George ei hunan o fewn y sefydliad. Un o'r tu allan ydoedd, ac felly roedd yn anodd i Ryddfrydwyr blaenllaw dderbyn ei awdurdod. Roedd ei afael ar y Senedd yn sigledig iawn gyda thua dwsin o'i gyd-Ryddfrydwyr yn debygol o newid eu teyngarwch o ddydd i ddydd. Ond nid yw'n deg rhoi'r bai am dranc y Blaid Ryddfrydol ar ddull Lloyd George o'i harwain yn ystod y rhyfel, gan i'r dull hwn brofi'n gymaint o lwyddiant ar y pryd. Ei fai pennaf oedd iddo beidio â newid ei ddull o arwain yn y cyfnod wedi'r rhyfel a chanlyniad y diffyg gweledigaeth hwn oedd cwymp ei blaid.

Cyfeirir at 'Etholiad Cwponau' 1918 fel enghraifft o Lloyd George yn manteisio ar gyfle i hyrwyddo ei yrfa wleidyddol ac i gryfhau ei rym personol. Ysgogwyd y syniad o ffurfio llywodraeth Glymbleidiol newydd ar ôl y rhyfel gan y rhwyg yn y Blaid Ryddfrydol a achoswyd pan ddaeth Lloyd George yn Brif Weinidog ym 1916. Roedd ei gynghreiriaid Ceidwadol yn barod i ymladd etholiad ac yntau'n arwain. Disgrifiad sarhaus Asquith oedd y gair 'cwpon' yn cyfeirio at lythyr a arwyddwyd gan Lloyd George a'r arweinydd Torïaidd Bonar Law yn galw am sefydlu llywodraeth Glymbleidiol newydd. Defnyddiwyd y llythyr gan ymgeiswyr Torïaidd a Rhyddfrydwyr a oedd â'r un safbwynt er mwyn ei gwneud hi'n haws i bleidleiswyr wybod pa wleidyddion oedd yn bleidiol i lywodraeth o'r fath. Er gwaethaf y cyhuddiadau yn ei erbyn yr oedd Lloyd George wedi dosrannu'r 'cwponau' yn weddol deg yn ôl teimlad y blaid ym 1916 a gellir dadlau nad oedd yn rhesymol i ddilynwyr Asquith gwyno'n ormodol gan nad oeddynt wedi gwneud dim byd ond gwrthwynebu arweinyddiaeth Lloyd George drwy gydol yr amser. Yn yr etholiad clywyd y sloganau 'Crogwn y Kaiser' a 'Gwnawn i'r Almaen dalu' o lwyfannau gwŷr Asquith ac o lwyfannau'r Blaid Lafur fel ei gilydd, yn ogystal â chan cefnogwyr Lloyd George. Er bod y Blaid Ryddfrydol yn chwilfriw erbyn 1918, amlygodd yr etholiad gefnogaeth frwd i ddull Lloyd George o arwain.

Gwêl rhai haneswyr baradocs yn agwedd Lloyd George tuag at y rhyfel. Ni allant weld fod modd cysoni'r arweinydd tanbaid a'i waith brwdfrydig o blaid yr ymdrech ryfel â'i athroniaeth ryddfrydol a heddychol. Eto i gyd, nid athronydd, Rhyddfrydwr na heddychwr yn unig oedd Lloyd George. Fel Rhyddfrydwr ni wrthwynebai'r syniad o fynd i ryfel gan ei fod yn ystyried ei hun yn amddiffynnwr y gwledydd bychain (er enghraifft, Gwlad Belg a Serbia). Heb ei arweiniad ef mae'n ddigon posibl y byddai Prydain wedi colli'r rhyfel. Roedd yn ddigon craff i sylweddoli bod y rhyfel hwn yn wahanol i bob rhyfel arall — nid rhyfel i fyddinoedd yn unig, ond rhyfel rhwng gwahanol wareiddiadau, a rhyfel economaidd.

Roedd gan Lloyd George feddwl deallus a miniog a gallai ddirnad a mesur sefyllfa'n gyflym. Oherwydd hyn roedd yn ymwybodol o gyfyngiadau meddyliol rhai o'r arweinwyr milwrol. Sylweddolodd o flaen neb arall fod prinder arfau yn broblem fawr, yn bennaf oherwydd natur y rhyfel a pholisi Kitchener, yr Ysgrifennydd Rhyfel, o ddibynnu ar y ffordd draddodiadol o gynhyrchu arfau yn y ffatrïoedd arferol yn unig. Ni wnaed unrhyw ymdrech i addasu ffatrïoedd eraill nac i brynu arfau gan wledydd tramor. Llwyddodd Lloyd George ym 1914 i argyhoeddi'r Cabinet y dylid sefydlu pwyllgor i archwilio'r sefyllfa, ond wynebodd ormod o rwystrau oherwydd agwedd Kitchener.

Ym mis Awst 1914 gweithredodd yr Almaenwyr Gynllun Schlieffen i drechu'r Belgiaid a'r Ffrancwyr. Glaniodd milwyr Prydain ar y cyfandir dan arweiniad Syr John French. Yn ystod y tri mis cyntaf bu'r colledion yn drwm, er enghraifft 50,000 yn Ypres, ac ymosododd Lloyd George yn hallt ar ddull cadfridogion o ennill ychydig o filltiroedd o dir trwy gloddio ffosydd a symud ymlaen o un i'r llall ar ôl defnyddio'r magnelau mawr i wanhau'r gelyn. Roedd y dull yn wastraff ar fywydau, ond penderfynodd Asquith mai'r milwyr a ddylai benderfynu strategaeth y rhyfel.

Cyn diwedd y flwyddyn, fodd bynnag, penderfynodd Twrci gefnogi'r Almaen ac achosodd hyn anghydweld ynglŷn â'r strategaeth yn y gorllewin. Dadleuai Churchill a Lloyd George y dylid anfon lluoedd i gulfor y Dardanelles er mwyn agor llwybr cyflenwadau i Rwsia a sefydlu ffrynt arall i'r dwyrain o'r Almaen ac Awstria. Byddai hyn yn tynnu peth o'r baich oddi ar y byddinoedd gorllewinol ac yn lleihau'r colledion. Gwrthwynebwyd hyn gan y cadfridogion a ddadleuai y dylid canolbwyntio'r adnoddau milwrol i gyd yn y gorllewin.

Ym mis Ionawr 1915 cytunodd Asquith i weithredu'r cynllun trwy ddefnyddio'r llynges yn unig heb gefnogaeth byddinoedd tir. Erbyn mis Mawrth roedd y llynges Brydeinig wedi teithio 11 milltir i fyny'r culfor. Pan benderfynodd y Cabinet lanio milwyr yn Gallipoli roedd yn rhy hwyr. Cafodd y Twrciaid ddigon o amser i atgyfnerthu eu rhengoedd, a lladdwyd dros 20,000 o filwyr Cynghreiriol. Yn sgil hyn, ac yn sgil penderfyniad *The Times* i gyhoeddi cwynion Syr John French ynghylch prinder ffrwydron ar 14 Mai, galwodd y Ceidwadwyr, dan arweiniad Bonar Law, am sefydlu clymblaid ac am ymddiswyddiad Winston Churchill.

Sefydlwyd y Glymblaid a phenodwyd Lloyd George yn bennaeth y Weinyddiaeth Arfau. Drwy ffurfio'r Glymblaid agorwyd llwybr i'r brifweinidogaeth i Lloyd George, ac ni fyddai hynny wedi bod yn bosibl pe bai'r Rhyddfrydwyr wedi aros mewn grym. Nid oedd Lloyd George am redeg y weinyddiaeth yn ôl y dulliau arferol ond yn hytrach fel busnes, ac anwybyddwyd y protocol traddodiadol o ymgynghori ag unigolion a phwyllgorau gwahanol cyn penderfynu ar bolisi. Yn hytrach na dibynnu ar Kitchener a'r Swyddfa Ryfel am wybodaeth a chyngor, deliodd Lloyd

33

George yn uniongyrchol â'r arweinwyr milwrol a oedd ar flaen y gad yn Ffrainc. Roedd ganddo bellach y grym i ddarparu unrhyw swm o arfau yn ôl gofynion y Morlys a'r fyddin. Anwybyddodd ofynion y Swyddfa Ryfel am fwy a mwy o filwyr. Ceisiodd gael gwared ar Kitchener ond roedd ei ddylanwad a'i boblogrwydd yn rhy gryf.

Ar ôl 1915 sicrhaodd ymdrechion a gweithgaredd Lloyd George fod cyflenwadau digonol o arfau yn cyrraedd y ffrynt. Yn unol ag argymhelliad Kitchener cynyddodd nifer y gynnau mawr i bob bataliwn o 4 i 64. Ym 1915 cynhyrchwyd 6,102 ohonynt ond erbyn 1918 roedd y ffigur wedi codi i 120,864. Yn ogystal, darparwyd mwy o ffrwydron ac aed ymlaen â'r gwaith o ddatblygu'r tanc.

Aeth Lloyd George ati hefyd i gryfhau gafael y llywodraeth ar yr economi. Ar ddiwedd 1915 sefydlwyd 73 o ffatrïoedd arbennig i gynhyrchu cyflenwadau rhyfel ac erbyn 1918 roedd y nifer wedi cyrraedd 218. Llwyddodd drwy ei fedrusrwydd a'i ymroddiad personol i ymestyn rheolaeth y llywodraeth dros chwareli, pyllau a chwmnïau preifat er mwyn sicrhau eu bod i gyd yn cydweithio o blaid yr ymdrech ryfel.

Ar ôl cyfarfod ag Emmeline Pankhurst, arweinydd y swffragetiaid, ym 1915, cytunodd ei chefnogwyr hi i roi'r gorau i'w hymgyrch ac annog merched i lenwi swyddi'r dynion a oedd wedi ymuno â'r fyddin. I sicrhau hyn addawodd Lloyd George gyflwyno mesur yn rhoi'r bleidlais i ferched ar ddiwedd y rhyfel. Golygai'r dylifiad o ferched i'r ffatrïoedd fod pobl heb hyfforddiant cymwys yn gweithio mewn diwydiant, ond sicrhaodd Lloyd George y byddai hawliau undebol yn cael eu diogelu ac y byddai'r milwyr yn cael eu hen swyddi yn ôl ar ddiwedd yr argyfwng. Pasiwyd mesurau ym mis Gorffennaf yn rhoi sylfaen gyfreithiol i'r cytundebau undebol ac i rwystro cwmnïau, er enghraifft, cwmnïau arfau, rhag gwneud gormod o elw yn ystod y rhyfel.

Drwy'r holl benderfyniadau hyn dangosodd Lloyd George y gallai'r llywodraeth reoli'r economi yn effeithlon a rhoi cyflogau da i bobl yr un pryd. Yn wir, gwnaeth lawer o syniadau'r Blaid Lafur yn fwy derbyniol i'r cyhoedd. Ond i sicrhau fod y drefn newydd yn gweithio teithiodd Lloyd George ar hyd a lled Prydain gan annog pobl i weithio mor galed ag oedd bosibl er mwyn helpu'r milwyr i ennill y rhyfel.

Oherwydd colledion trwm y rhyfel yn Ewrop dechreuodd y llywodraeth ystyried gorfodaeth filwrol. Roedd y Rhyddfrydwyr yn anfodlon i gefnogi mesur o'r fath am ei fod yn amharu ar ryddid yr unigolyn. Roedd y Blaid Lafur o'r un farn ac yn ofni hefyd y gallai arwain at bolisi tebyg mewn diwydiant. Ond haerodd Lloyd George fod y mesur yn hanfodol i lwyddiant y rhyfel a bod rhaid aberthu rhai egwyddorion o

34

gofio'r sefyllfa yn Ewrop erbyn Rhagfyr 1915. Pasiwyd y ddeddf ym mis Ionawr 1916.

Cynyddodd y colledion ymhellach ym 1916 yn dilyn methiant yr ymgyrchoedd yn y Dardanelles, a methiant ymdrech byddin India i ymosod ar Dwrci o'r dwyrain. Methodd Rwsia ag ysgafnhau'r baich ar y Cynghreiriaid yn y gorllewin pan drechwyd ei hymosodiadau ar y ffrynt dwyreiniol. Ym mis Chwefror ymsododd yr Almaenwyr yn llwyddiannus ar Verdun ac roedd y colledion unwaith eto yn uchel. Yna, yn ystod y Pasg, dechreuwyd gwrthryfel yn Nulyn a chyhoeddwyd Iwerddon annibynnol gan genedlaetholwyr Gwyddelig. Wedyn, cyflwynwyd mesurau i rannu bwyd oherwydd effaith y rhyfel ar fasnach ryngwladol.

Yn gwbl annisgwyl, ym mis Mehefin, boddwyd Kitchener ym Môr y Gogledd ar ei ffordd i Rwsia. Er mwyn lleihau effaith seicolegol colli dyn mor boblogaidd â Kitchener, penodwyd Lloyd George yn Ysgrifennydd Rhyfel ym mis Gorffennaf. Roedd y swydd wedi colli rhywfaint o'i hawdurdod o ganlyniad i ymdrechion Lloyd George i gyfyngu dylanwad Kitchener, ond aeth ati gyda'r un egni a oedd mor nodweddiadol o'i waith yn y Weinyddiaeth Arfau. Penododd ddyn busnes, Syr Eric Geddes, i ddatrys problemau cyfathrebu y tu ôl i'r llinellau yn Ffrainc a bu'n hynod o effeithiol yn ei waith. Dangosodd bryder agored ynglŷn â'r cynnydd yn nifer y colledion — ym Mrwydr y Somme rhwng mis Awst a mis Tachwedd lladdwyd neu anafwyd dros 400,000 o filwyr Prydeinig a 200,000 o filwyr Ffrengig.

Credai Lloyd George, fel nifer o wleidyddion eraill, nad oedd arweinyddiaeth Asquith yn ddigon pendant a bod hyn yn cael effaith andwyol ar gwrs y rhyfel. Dywedodd Arglwydd Northcliff ac Arglwydd Milner fod angen arwain o'r tu blaen yn hytrach na gadael i bethau ddigwydd. Argymhellodd Bonar Law i Asquith y dylid ffurfio pwyllgor rhyfel dan arweinyddiaeth Lloyd George. Gwrthododd y Prif Weinidog gydsynio am nad oedd pobl yn gallu ymddiried yn Lloyd George ac am ei fod yn creu awyrgylch o ddrwgdybiaeth. Er nad oedd y Toriaid yn gallu ymddiried yn Lloyd George fel cyfaill, roeddynt yn ymddiried llai yn Asquith fel arweinydd rhyfel. Roedd Lloyd George yn fodlon cadw Asquith fel Prif Weinidog ond credai fod ei ddull o arwain yn anaddas ar y pryd ac y byddai'n fwy derbyniol ar gyfer cyfnod o heddwch. Yn y diwedd mynegodd Bonar Law farn y Ceidwadwyr gan ddweud y byddent yn gadael y Glymblaid oni bai bod Asquith yn cytuno i drosglwyddo'r awenau i rywun arall. Ymddiswyddodd Asquith ac ar 7 Rhagfyr 1916 dyrchafwyd David Lloyd George yn Brif Weinidog. Dewiswyd ef yn Brif

Weinidog yn bennaf oherwydd ei boblogrwydd aruthrol ymhlith y bobl a'r gefnogaeth iddo ymhlith y Ceidwadwyr, y Blaid Lafur a llawer o Ryddfrydwyr. Nid ef a holltodd y Blaid Ryddfrydol — roedd y rhaniad yn amlwg cyn llwyddiant Lloyd George fel gwleidydd a rhaid cofio i Asquith ei hun wrthod gweithio dan Lloyd George a Bonar Law.

Ffurfiodd Lloyd George Gabinet Rhyfel er mwyn gwneud penderfyniadau'n gyflymach. Ni fyddai'r Cabinet llawn yn cyfarfod yn aml am y byddai hyn yn gwastraffu amser prin ar adeg pan oedd hi'n holl bwysig i ymateb yn ddi-oed i ofynion y rhyfel, ond roedd cyfathrach agos rhwng y Prif Weinidog a Bonar Law. Penderfynodd hefyd gynnwys Prif Weinidogion y Dominiynau mewn Cabinet Rhyfel Imperialaidd a gyfarfu sawl gwaith ym 1917 a 1918.

Roedd y problemau ym 1917 yn rhai sylweddol. Roedd y colledion yn parhau yr un mor drwm yn y brwydrau yn Ffrainc ac ym mis Chwefror dechreuodd llongau tanfor yr Almaen ymosod ar unrhyw long a oedd o fewn cyrraedd iddynt. Yn ystod yr un mis dymchwelwyd rheolaeth y teulu Romanov yn Rwsia a sefydlwyd llywodraeth sosialaidd dros dro. Roedd gwrthwynebiad cryf y tu mewn i Rwsia i barhad yr ymdrech ryfel a chynyddodd y pwysau ar lywodraeth Lloyd George. Er i'r Americanwyr gyhoeddi rhyfel ar yr Almaen ym mis Ebrill ni chafodd hyn lawer o effaith ar y dechrau. Gwyddai'r llywodraeth hefyd fod y Ddyled Genedlaethol wedi codi o £654 miliwn ym 1914 i £3,856 miliwn erbyn mis Mawrth 1917. Cyfyngodd hyn ar allu'r llywodraeth i brynu cyflenwadau arfau a bwyd oddi wrth yr Unol Daleithiau.

Sefydlodd Lloyd George nifer o adrannau newydd i gryfhau'r ymdrech ryfel. O fewn mis sefydlwyd adrannau llafur, bwyd, llongau a phensiynau, yn ogystal â Gweinyddiaeth Awyr. Penodwyd nifer o ddiwydianwyr i ofalu am yr adrannau, gan gynnwys Syr Joseph Maclay (llongau) a'r Arglwydd Rhondda (bwyd). Parhaodd y llywodraeth i ddogni bwyd megis cig, menyn, wyau a siwgr, tra'n annog ffermwyr yr un pryd i gynhyrchu mwy. Erbyn misoedd cyntaf 1917 roedd y rhan fwyaf o'r economi wedi ei ad-drefnu i sicrhau ymdrech fwy effeithiol.

Ymdrechodd y Prif Weinidog i gydweithio'n agos â'r arweinwyr milwrol megis y Cadfridog Vivelle a'i olynydd Pétain, Syr William Robertson, a Syr Douglas Haig. Roedd y colledion yn Arras a Vimy Ridge ym mis Ebrill 1917 yn drwm, ond cafwyd mwy o lwyddiant ym Messines Ridge ym mis Mehefin. Brwydrodd y Prif Weinidog yn erbyn cyngor rhai o arweinwyr y llynges y dylid darparu diogelwch milwrol i longau masnach. Erbyn mis Gorffennaf roedd ymosodiadau'r llongau tanfor wedi lleihau'n sylweddol.

Ceisiodd Lloyd George gyfyngu ar awdurdod Haig oherwydd y colledion trwm a oedd yn dilyn ei ddulliau o ennill tir trwy ddefnyddio milwyr a ffosydd yn unig. Parhaodd y Cabinet i gefnogi Haig er gwaethaf methiant ei ymosodiad yn ardal Passchendaele yng Ngwlad Belg pan gollwyd dros 400,000 o ddynion yn ystod misoedd yr haf. Fodd bynnag, erbyn hyn roedd cryfder milwrol yr Americanwyr yn dechrau cynorthwyo Ffrainc a Phrydain yn Ewrop.

Erbyn 1918 roedd Rwsia wedi cilio o'r rhyfel ac roedd yr Almaenwyr yn wynebu problemau difrifol oherwydd prinder bwyd a chyflenwadau milwrol. Oherwydd hyn cafwyd un ymosodiad mawr gan yr Almaenwyr ym mis Mawrth i geisio ennill y rhyfel yn ardal y Somme. Galwodd Lloyd George y milwyr wrth gefn i'r ffrynt ac ymddiriedwyd arweinyddiaeth y byddinoedd Cynghreiriol i'r Cadlywydd Foch. Ym misoedd Mawrth ac Ebrill lladdwyd dros 300,000 o filwyr Prydain ac ym mis Mai ymddangosodd llythyr yn y Wasg gan Syr Frederick Maurice yn cyhuddo'r Prif Weinidog o ddweud celwyddau ym mis Ebrill am gryfder Prydain yn Ffrainc. Rhoddodd hyn gyfle i elynion Lloyd George ymhlith y Ceidwadwyr a'r Rhyddfrydwyr, yn ogystal â'r Wasg, ymosod arno. Ond tawelwyd y cyhuddiadau gan ymateb Lloyd George yn y Senedd pan ddywedodd fod y ffigurau yn seiliedig ar rai a roddwyd gan Maurice pan oedd ef yn Gyfarwyddwr Ymgyrchoedd Milwrol yn y Swyddfa Ryfel.

Ar ôl methiant yr Almaenwyr ym Mrwydr y Marne ym mis Gorffennaf, arweiniodd Haig a Foch wrthymosodiad llwyddiannus ym mis Medi. Erbyn diwedd y mis gorchfygwyd yr Almaenwyr, ond roedd yn rhaid aros hyd 11 Tachwedd cyn i arweinwyr yr Almaen arwyddo'r cadoediad.

Pan gyhoeddwyd heddwch, David Lloyd George oedd arwr y bobl, ond nid oedd pawb yn y Senedd yn fodlon arno fel Prif Weinidog. Cyhuddwyd ef o greu anghytgord rhwng gwleidyddion a chadfridogion ac yn sicr roedd y berthynas rhyngddynt dipyn yn waeth nag oedd o dan arweinyddiaeth Churchill yn ystod yr Ail Ryfel Byd. Ond dylid cofio mai Rhyfel Mawr 1914–1918 oedd y rhyfel byd-eang cyntaf yn hanes y ddynoliaeth ac nid oedd gan bobl brofiad o'r gorffennol i bwyso arno. O'r herwydd, anodd oedd pennu'r ffin rhwng cyfrifoldeb gwleidyddion a dyletswydd cadfridogion. Hefyd ni ddylid diystyru cefndir cyffredin a gwrth-bendefigaidd Lloyd George wrth ystyried ei agwedd tuag at swyddogion uchaf y lluoedd arfog a oedd o gefndir cwbl wahanol.

Oherwydd iddo orfod arwain mewn cyfnod mor argyfyngus, mae modd cyfiawnhau ei ddull unbenaethol o arwain hefyd. Roedd yr amgylchiadau'n galw am benderfyniadau sydyn, a rhaid oedd osgoi'r broses seneddol araf a thrwsgl arferol o ymdrin â phroblemau. Un o gyfraniadau Lloyd George oedd cyflymu'r holl broses er mwyn hyrwyddo'r ymdrech ryfel mewn modd mwy effeithiol. O'u cymharu â rhai prif weinidogion blaenorol, roedd ei ddulliau'n wahanol iawn ond llwyddwyd drwyddynt i uno'r bobl a'r Wasg mewn un ymgyrch fawr, unplyg i sicrhau buddugoliaeth.

PENNOD 5

Iwerddon, 1914–1922

Roedd y berthynas rhwng Iwerddon a Lloegr wedi bod yn ddigon ansefydlog ac ansicr ers y canol oesoedd ac fe waethygodd wedi Deddf Uno 1800. Drwy'r bedwaredd ganrif ar bymtheg roedd y mwyafrif o Wyddelod wedi dioddef cyfnod hir o ddirywiad economaidd, tlodi, a diboblogi. I raddau roedd y problemau hyn yn gysylltiedig â thirwedd, hinsawdd a natur economi Iwerddon. Ond roedd difaterwch a diffyg gwybodaeth gwleidyddion Llundain a'r tirfeddianwyr Seisnig wedi cyfrannu'n helaeth hefyd at gyflwr truenus y wlad.

Roedd y ffactorau hyn, ynghyd â'r ymdeimlad ymhlith y Gwyddelod eu bod yn genedl wahanol i'r Saeson, yn ddigon i osod sylfeini cadarn i genedlaetholdeb Gwyddelig erbyn diwedd y bedwaredd ganrif ar bymtheg. Roedd ymdrechion llywodraethau Lloegr i ddatrys problemau Iwerddon yn annigonol, ac fel rheol, yn rhy hwyr. Ond erbyn 1912 roedd cryfder a dylanwad y cenedlaetholwyr yn Iwerddon wedi arwain at gyflwyno mesur ymreolaeth gerbron Tŷ'r Cyffredin. Yn y cyfamser cryfhaodd y gwrthwynebiad Protestannaidd i ymreolaeth yn y gogledd a chawsant gefnogaeth y Blaid Geidwadol. Ffurfiwyd Gwirfoddolwyr Ulster, 84,000 ohonynt, dan arweiniad Syr Edward Carson, ac roedd y rhain yn barod i ymladd yn erbyn unrhyw fath o ymreolaeth i Iwerddon. Ond ar yr un adeg ffurfiwyd y Gwirfoddolwyr Gwyddelig (tua 100,000 o aelodau), dan arweiniad dynion fel Jim Larkin, i frwydro dros ymreolaeth os nad oedd y llywodraeth yn fodlon pasio'r mesur. Roedd hanes a phrofiad blaenorol wedi dysgu un peth i'r ddwy ochr, sef bod trais yn llawer mwy tebygol o gyflawni rhywbeth yn Iwerddon na dulliau cyfansoddiadol. Felly, gyda byddinoedd preifat yn ymffurfio i ymladd â'i gilydd a mesur ymreolaeth yn mynd drwy'r Senedd, wynebai llywodraeth Asquith sefyllfa anodd erbyn 1914. Ond gohiriwyd penderfyniad terfynol ar Iwerddon oherwydd dechrau'r Rhyfel Byd Cyntaf ym mis Awst y flwyddyn honno.

Pan gyhoeddwyd rhyfel yn erbyn yr Almaen, gwirfoddolodd yn agos i 200,000 o Wyddelod i ymladd yn Ffrainc a chafodd y llywodraeth gefnogaeth lwyr John Redmond a'i Blaid Genedlaethol. Ni chredai

Redmond y byddai ei achos ar ei ennill pe bai'n creu cynnwrf yn Iwerddon tra oedd rhyfel yn mynd ymlaen yn Ewrop. Roedd y ffaith fod cynifer wedi gwirfoddoli yn dangos fod y bygythiad cyfandirol yn bwysicach nag unrhyw fater arall ym 1914, a barn llawer o bobl Iwerddon oedd y byddai eu cefnogaeth yn fwy tebygol o arwain at fesur mwy sylweddol o ymreolaeth. Er i'r mwyafrif llethol o'r Gwirfoddolwyr Gwyddelig ddilyn arweiniad Redmond, penderfynodd rhyw ddeuddeng mil (allan o 180,000 ym 1914) droedio llwybr gwahanol iawn o dan arweiniad eu prif swyddog milwrol Eoin MacNeill. Roedd MacNeill o'r farn na ddylai'r Gwirfoddolwyr gefnogi ymdrech ryfel imperialaidd ond roedd hefyd yn amau gwerth gwrthryfel yn Iwerddon yn ystod y fath ryfel.

Yn ogystal roedd carfan Sinn Féin dan arweiniad Arthur Griffith. Amcan Sinn Féin oedd sefydlu Iwerddon weriniaethol annibynnol ac roeddynt yn erbyn cyfaddawdu â'r llywodraeth yn Llundain. Roedd y rhyfel iddynt hwy yn gyfle i fanteisio ar safle gwannach Lloegr a chryfhau safle Iwerddon yn y trafodaethau ar hunanlywodraeth. Roeddynt o'r farn fod cefnogaeth y Gwyddelod i'r rhyfel yn adlewyrchu'n gryf i ba raddau yr oedd yr ymdeimlad o genedligrwydd ymhlith y Gwyddelod wedi diflannu. Roedd angen gwneud rhywbeth dramatig a phendant yn ystod y rhyfel i atgoffa pobl o'u hunaniaeth a'u nod hwy fel plaid. Dadleuai Pádraic Pearse fod trefnu trais yn anochel ac yn angenrheidiol i buro Iwerddon a'i rhyddhau o'r cysylltiad ysbrydol a gwleidyddol â Lloegr.

Penderfynodd arweinwyr Sinn Féin a Brawdoliaeth Weriniaethol Iwerddon (*Irish Republican Brotherhood*) fod angen gweithred a fyddai'n tynnu sylw'r llywodraeth ac yn ei gorfodi i wynebu'r sefyllfa yn Iwerddon. Penderfynasant hefyd y byddent yn ceisio ennill cefnogaeth o'r tu allan ac anfonwyd Syr Roger Casement â dogfen arbennig i Berlin. Apeliai'r ddogfen ar yr Almaen i wneud annibyniaeth Iwerddon yn un o'i hamcanion rhyfel. Ym mis Rhagfyr 1915 arwyddodd yr Almaen gytundeb yn addo arfau a ffrwydron i'r Gweriniaethwyr. Yn y cyfamser parhaodd Sinn Féin i wrthdystio a chynnal gorymdeithiau er mwyn cadw'r achos yn fyw ym meddwl y bobl gyffredin. Nid ymdrechodd y llywodraeth fodd bynnag i dawelu'r sefyllfa oherwydd y flaenoriaeth oedd yn cael ei rhoi i'r rhyfel. Ymhellach, nid oedd Asquith am ennyn gelyniaeth yr Unol Daleithiau, a oedd yn gefnogol i'r Gwyddelod, am y gallai buddugoliaeth yn y rhyfel yn erbyn yr Almaen ddibynnu ar ei chefnogaeth hi.

Cynllwyniwyd gwrthryfel gan Sinn Féin a Brawdoliaeth Weriniaethol Iwerddon mor gynnar ag Awst 1914 ond ni chafodd y manylion eu llunio tan yr haf canlynol. Roedd y cynllun i gael ei weithredu ar ddydd Llun y

Pasg 1916 ac yn argymell defnyddio 16,000 o Wirfoddolwyr i gipio mannau strategol yn Nulyn, rhwystro symudiadau'r fyddin drwy'r wlad a glanio arfau o'r Almaen ym Mae Tralee. Gwyddai'r IRB, er mor annhebyg yr oeddynt o drechu lluoedd Prydain yn filwrol, y gallent sicrhau buddugoliaeth foesol. Ond llwyddodd y Gwasanaethau Cudd Seisnig i danseilio'r cynllwyn, a restiwyd Casement. Rhwystrwyd y llong rhag glanio a galwodd Griffith ar ei ddynion i beidio â chefnogi'r gwrthryfel. Credai Pearse a'r Frawdoliaeth Werinaethol ei bod hi'n rhy hwyr i droi'n ôl ac ar ddydd Llun y Pasg cipiwyd adeiladau yn Nulyn gan 1,300 o Wirfoddolwyr a chyhoeddodd Pearse sefydlu Gweriniaeth Iwerddon. Ond ni chafodd lawer o gefnogaeth oddi wrth drigolion y wlad, yn bennaf am fod cymaint o berthnasau ganddynt yn ymladd yn Ewrop. Felly, o fewn dyddiau, cafodd y gwrthryfelwyr eu trechu gan 5,000 a mwy o filwyr Prydeinig. Yn y gwrthryfel byr hwn lladdwyd 56 o Wirfoddolwyr a 130 o filwyr ac fe gafodd llawer mwy eu hanafu. Difrodwyd eiddo gwerth dwy filiwn a hanner o bunnau. Byddai digwyddiadau'r diwrnod hwnnw ym 1916 wedi aros yn rhai digon cyffredin yn hanes Iwerddon oni bai am benderfyniad y llywodraeth i ddienyddio'r arweinwyr. Rhwng 3 Mai a 12 Mai saethwyd pymtheg o'r arweinwyr. Daethant felly yn ferthyron dros achos rhyddid a rhoddwyd hwb sylweddol i gefnogaeth Sinn Féin gan eu marwolaethau. Dim ond lleiafrif bychan o Wyddelod a oedd wedi cymryd rhan yn y gwrthryfel ond llwyddodd y Wasg Seisnig i bardduo'r genedl gyfan trwy ei chyhuddo o fod yn euog o greu problemau i'r llywodraeth ar adeg argyfwng. Roedd yr agwedd hon, yn ogystal â dienyddio'r arweinwyr, yn ddigon i achosi cynnydd sylweddol yng nghydymdeimlad y bobl gyffredin tuag at achos y Gweriniaethwyr a dyfnhawyd y cydymdeimlad hwn gan benderfyniad y llywodraeth i garcharu 1,800 o'r Gwirfoddolwyr a chan bresenoldeb 40,000 o filwyr yn Iwerddon. Dangosodd y llywodraeth unwaith eto nad oedd yn deall sut i drin problemau Iwerddon a'i bod yn ymateb i'r problemau hyn dim ond wedi i'r trigolion ddefnyddio dulliau treisgar.

Ym 1917 ceisiodd Lloyd George drefnu cynhadledd ar y sefyllfa yn Iwerddon, ond methodd oherwydd absenoldeb Sinn Féin yn ogystal ag agwedd negyddol yr arweinwyr Protestannaidd yn y gogledd. Cyn diwedd y flwyddyn roedd y Cabinet unwaith eto yn ystyried cyhoeddi gorfodaeth filwrol yn Iwerddon. Roedd hyn yn enghraifft bellach o ddiffyg dealltwriaeth y llywodraeth o'r sefyllfa wleidyddol yn Iwerddon, oherwydd y rhai oedd ar ôl yno oedd y dynion hynny a wrthododd wirfoddoli ac a oedd yn fwy tebygol o ddangos gwrthwynebiad agored i'r

41

syniad o ymladd dros yr Ymerodraeth Brydeinig. Beth bynnag am hynny, cyflwynodd y Prif Weinidog ei fesur ym mis Ebrill 1918, a hynny yn erbyn gwrthwynebiad cryf Plaid Seneddol Iwerddon. Gadawodd aelodau'r blaid San Steffan dan gyfarwyddyd eu harweinydd newydd, John Dillon. Daeth gorfodaeth filwrol yn bwnc llosg ac roedd gwrthwynebiad cryf i hyn yn y de. Condemniwyd y mesur gan yr esgobion a galwyd streic gyffredinol am ddiwrnod. Roedd trawstoriad eang o'r boblogaeth yn erbyn y mesur a methodd y Cabinet â rhagweld mai dim ond Sinn Féin a fyddai'n elwa o hyn.

Cynyddodd poblogrwydd Sinn Féin yn fwy byth yn sgîl y Cynllwyn Almaenig. Haerodd y llywodraeth fod rhai pobl yn Iwerddon yn cydweithio â'r Almaenwyr i drechu'r Cynghreiriaid ac ym mis Mai restiwyd Éamon de Valéra ac Arthur Griffith a'u symud i garchar yn Lloegr. Yr un adeg cafwyd llawer o weithgaredd gan yr heddlu yn erbyn Sinn Féin ond ni chafwyd hyd i unrhyw dystiolaeth a oedd yn profi fod y fath gynllwyn ar droed ac mae'n debyg mai bwriad y llywodraeth oedd ceisio gwanychu cefnogaeth y Gweriniaethwyr. Unwaith eto roedd y gwleidyddion yn Llundain wedi camddeall y sefyllfa yn Iwerddon a phrif ganlyniad datguddio'r 'cynllwyn' oedd cynyddu cefnogaeth Sinn Féin. Felly roedd tebygrwydd amlwg rhwng hanes Iwerddon cyn y rhyfel ac ar ôl y rhyfel, sef methiant polisïau'r llywodraeth i ymdrin yn effeithiol â'r wlad, a'r methiant hwnnw'n cryfhau safle'r rhan honno o'r gymdeithas a gredai mewn defnyddio dulliau trais i hyrwyddo'u hamcanion.

Cynyddodd nifer y Gwirfoddolwyr a oedd am wrthwynebu gorfodaeth filwrol i dros 100,000 ac roedd y Cabinet yn bryderus iawn ynglŷn â gweithredu'r mesur. Yn ddiweddarach y flwyddyn honno, ffurfiwyd Byddin Weriniaethol Iwerddon (IRA) a oedd mewn gwirionedd yn cyfuno cefnogwyr y Frawdoliaeth a'r Gwirfoddolwyr. Yn ffodus, daeth y rhyfel i ben ym mis Tachwedd 1918, ond roedd hi'n rhy hwyr i Lloyd George ddadwneud y difrod a oedd wedi cael ei achosi gan bolisïau llawdrwm y llywodraeth a oedd, erbyn hynny, wedi tanseilio unrhyw obaith y ceid cytundeb cymedrol yn Iwerddon.

Roedd yr holl ddigwyddiadau rhwng 1906 a 1918 wedi polareiddio'r sefyllfa wleidyddol yn y wlad. Roedd Unoliaethwyr y gogledd yn erbyn unrhyw gynllun i gael ymreolaeth ac yn gwrthod cydnabod y syniad o genedl Wyddelig. Gan na chredent fod y llywodraeth yn eu cymryd o ddifrif, aethant ati i ffurfio eu byddinoedd preifat eu hunain i sicrhau fod ganddynt eu hateb arbennig i'r sefyllfa pe bai'r Cabinet yn penderfynu ar gytundeb a'u hanwybyddu hwy. Cryfhawyd eu safiad gan gefnogaeth agored y Blaid Geidwadol o ddiwedd y bedwaredd ganrif ar bymtheg ymlaen. Dadleuodd arweinwyr fel Bonar Law fod undod Iwerddon a Phrydain yn holl bwysig oherwydd y goblygiadau i'r ymerodraeth yn gyffredinol. Hyd at ffurfio'r Glymblaid ym 1916 roedd y Ceidwadwyr hefyd yn ddigon cefnogol i drais yng ngogledd Iwerddon, efallai fel dull anuniongyrchol o danseilio awdurdod Asquith ac o ddymchwel ei lywodraeth. Ar ôl 1916 roedd gan yr Unoliaethwyr ddylanwad eithriadol ar y Ceidwadwyr yng Nghabinet Lloyd George a byddai unrhyw ymdrech gan y Prif Weinidog i orfodi Ulster i ymuno â'r de wedi creu problemau aruthrol y tu mewn i'r llywodraeth ei hun. Cyn y rhyfel ystyrid Ulster yn rhan hanfodol o'r ymerodraeth, ond erbyn 1918 roedd y pwyslais wedi newid — y prif ystyriaeth oedd sut i ymdrin â'r gogledd am fod agwedd yr Unoliaethwyr bellach yn gwneud ymraniad yn anochel.

Ond yn y de edrychai'r Gweriniaethwyr a'r Cenedlaetholwyr ar ymraniad fel brad yn hytrach nag ateb ymarferol i broblemau Iwerddon. Credent fod y llywodraeth, ac yn arbennig y Ceidwadwyr, wedi creu problem Ulster a'u bod bellach yn elwa arni gyda'r bwriad o ddechrau rhyfel cartref. Byddai hynny wedyn yn arwain at sefyllfa lle y byddai pobl yn gofyn am adfer rheolaeth uniongyrchol San Steffan. Teimlai'r Cenedlaetholwyr hefyd fod y llywodraeth yn anghyson, yn cyfaddawdu â chenedlaetholwyr mewn rhannau eraill o'r byd tra'n gwrthwynebu hunanlywodraeth i Iwerddon. Cadarnhaodd hyn y syniad ym meddyliau'r Gwyddelod fod y llywodraeth yn ystyried cenedlaetholdeb yn Iwerddon fel rhywbeth israddol y gellid ei anwybyddu. Yn naturiol, rhoddodd hyn hwb pellach i achos y Gweriniaethwyr a fuasai'n brysur rhwng 1916 a 1918, gyda chymorth llawer o ferched, yn sefydlu celloedd Sinn Féin ar draws y wlad.

Ar ôl i'r rhyfel orffen pasiodd y llywodraeth fesur yn galluogi merched dros ddeg ar hugain oed, a dynion dros un ar hugain oed, i bleidleisio yn Iwerddon, ar yr amod eu bod wedi byw yno am chwe mis o leiaf. Cynyddodd hyn nifer yr etholwyr yn Iwerddon o 701,465 i 1,936,673 ac roedd llawer o'r rhain yn bobl ifanc a oedd yn pleidleisio am y tro cyntaf a merched — dau grŵp a oedd yn sicr o gynyddu pleidlais Sinn Féin. Pan gynhaliwyd yr etholiad cyffredinol ar 14 Rhagfyr 1918, enillodd Sinn Féin 73 sedd, yr Unoliaethwyr 26 sedd a'r Blaid Seneddol 6 sedd. Roedd dros filiwn a hanner o bobl wedi pleidleisio yn erbyn cadw'r cysylltiad â Lloegr ac roedd 315,394 wedi pleidleisio o blaid ei barhad. Roedd Sinn Féin wedi ennill dros 63 y cant o'r bleidlais ar gyfartaledd yn y seddau yr oedd wedi ymgeisio ynddynt. Disgrifiad *The Times* o'r canlyniad oedd: 'The General Election in Ireland was treated by all parties as a plebiscite and admittedly Sinn Féin swept the Country'.

Ym 1912 buasai'n anodd fod wedi rhagweld llwyddiant mor ysgubol i Sinn Féin, ac yn sicr, nid oedd yn anochel. Ond gohiriwyd mesur ymreolaeth y flwyddyn honno ac yn y chwe blynedd a ddilynodd dangosodd y Blaid Seneddol nad oedd hi'n ddigon milwriaethus i ennill cefnogaeth pobl Iwerddon a dangosodd llywodraethau Asquith a Lloyd George nad oedd eu hagwedd tuag at Iwerddon yn wahanol iawn i lywodraethau blaenorol. Roedd gorfodaeth filwrol, y 'Cynllwyn Almaenig', eu hymateb i Wrthryfel y Pasg, carcharu a bygwth arweinwyr ac aelodau Sinn Féin, yn fesurau negyddol a oedd wedi lleihau cefnogaeth i uniad Iwerddon a Phrydain. Nid pleidlais am fath arbennig o lywodraeth oedd canlyniad yr etholiad ond pleidlais am ryddid ac annibyniaeth.

O ganlyniad i'w llwyddiant yn yr etholiad sefydlodd Sinn Féin ei senedd ei hunan yn Nulyn, sef Dáil Éireann. Dim ond 28 o 105 o aelodau Sinn Féin oedd yn bresennol gan fod y gweddill naill ai'n cuddio neu yn y carchar. Oherwydd absenoldeb arweinwyr cymedrol fel de Valéra a Griffith syrthiodd y Dáil i ddwylo arweinyddiaeth fwy milwriaethus a oedd o blaid gweriniaeth annibynnol ac yn erbyn unrhyw gyfaddawd ar fater y gogledd.

Ond nid radicaliaid y chwith oedd yr aelodau newydd hyn. Ychydig o ddylanwad oedd gan yr undebau llafur yn y Dáil, ac ar y cyfan pobl broffesiynol dosbarth canol, braidd yn geidwadol, oedd cynrychiolwyr newydd Sinn Féin. Teimlai'r mwyafrif ohonynt fod yn rhaid i bawb uno yn gyntaf i ennill annibyniaeth, ac wedi hynny gellid rhoi sylw i broblemau mewnol yr ynys. Ni ddylid synnu chwaith mai plaid geidwadol oedd hon yn ei pholisïau cymdeithasol ac economaidd. Wedi'r cyfan, ni fyddai unrhyw agwedd arall wedi bod yn gyson â thraddodiad gwerinol y Gwyddelod a dylanwad cryf yr Eglwys Babyddol.

Yn Lloegr, Cymru a'r Alban cafodd y llywodraeth glymbleidiol fuddugoliaeth sylweddol yn yr etholiad ac er i Lloyd George barhau yn Brif Weinidog roedd dylanwad y Ceidwadwyr yn ei Gabinet yn gryf dros ben. Er cymaint oedd llwyddiant Sinn Féin ac er popeth a argoelai hyn, ychydig o sylw a roddwyd i Iwerddon yn y ddwy flynedd ar ôl y rhyfel. Roedd pobl wedi blino ar ôl pedair blynedd o frwydro a lladd, ac nid oedd llawer o gefnogaeth i unrhyw ymrwymiadau milwrol neu wleidyddol. Roedd y fyddin am weithredu polisi cadarn yn Iwerddon, ond dal yn ôl a wnaeth y llywodraeth, yn bennaf oherwydd y farn gyhoeddus. Yn y cyfamser dirywiodd y sefyllfa yn y wlad.

Roedd aelodau'r Dáil o'r farn fod ymateb y llywodraeth yn adlewyrchiad o bolisïau Lloegr ar hyd y canrifoedd. Esgeulusid Iwerddon oni bai bod y problemau yno yn rhai difrifol iawn, neu oni bai bod ffactorau eraill yn dylanwadu ar y llywodraeth. Cafwyd enghreifftiau o'r polisi hwn ym mhedwardegau, saithdegau ac wythdegau'r bedwaredd ganrif ar bymtheg, o ganlyniad i dlodi, newyn ac ymosodiadau'r bobl ar eiddo tirfeddianwyr. Rhwng 1906 a 1910, a rhwng 1916 a 1920, roedd cefnogaeth agored y Ceidwadwyr i'r Unoliaethwyr, cefnogaeth yr Unol Daleithiau i'r Gweriniaethwyr, ac effeithiolrwydd grwpiau treisgar yn y de, yn ddigon i ysbarduno'r llywodraeth i fod yn fwy ymwybodol o'i chyfrifoldeb gwleidyddol yn Iwerddon. Mae P. O'Farrell wedi crynhoi problem Iwerddon fel hyn:

> Roedd y cysylltiadau Eingl-Wyddelig yn debyg i stori'r to yn gollwng; pan orfodid rhoi sylw iddo oherwydd y stormydd nid oedd yr hinsawdd yn caniatáu gwneud mwy na thrwsio tros dro; wedi i'r tywydd glirio gellid anghofio am y broblem.
>
> (P. O'Farrell, *England and Ireland since 1800*)

Yn hytrach nag aros i Lloyd George weithredu ar fater Iwerddon, ceisiodd y Dáil ennill cefnogaeth Woodrow Wilson, Arlywydd yr Unol Daleithiau. Ond ychydig o gydymdeimlad oedd ganddo ef tuag at y Gweriniaethwyr oherwydd gwrthwynebiad di-ildio Sinn Féin i Brydain a hefyd i Gynghrair y Cenhedloedd a oedd, yn nhyb Wilson, mor hanfodol i heddwch rhyngwladol.

Dirywiodd y berthynas rhwng yr awdurdodau Prydeinig a'r Gweriniaethwyr yn gyflym yn ystod 1919. Bu nifer o ymosodiadau ar yr heddlu a'r fyddin a dechreuodd Michael Collins (aelod o Frawdoliaeth Weriniaethol Iwerddon ac un o arweinwyr amlycaf y Gwirfoddolwyr Gwyddelig) wella trefniadaeth Byddin Weriniaethol Iwerddon trwy'r wlad. Llwyddwyd i smyglo arfau ac i drefnu dihangfa de Valéra a dau arall o garchar Lincoln ym mis Chwefror. Dihangodd eraill o garchardai Mountjoy, Usk a Strangeways a chryfhawyd arweinyddiaeth y Gweriniaethwyr. Penderfynwyd ar bolisi o beidio â chyfathrachu â'r 9,000 o aelodau Heddlu Brenhinol Iwerddon a'u teuluoedd, ac roedd hyn yn y pen draw yn llawer mwy effeithiol nag ymosod arnynt. Arweiniodd at ymddiswyddiad cannoedd ohonynt. Amcan yr IRA wrth ddiddymu effeithiolrwydd yr heddlu oedd gorfodi'r awdurdodau Prydeinig i ddibynnu'n ormodol ar y lluoedd arfog i gadw trefn yn Iwerddon.

Ym mis Mehefin 1919 teithiodd de Valéra i'r Unol Daleithiau i geisio ennill mwy o gefnogaeth. Ond darganfu'n fuan nad oedd yr Americanwyr Gwyddelig yn fodlon dilyn a derbyn popeth yr oedd ef yn sefyll drosto. Bu tipyn o anghytuno rhyngddo a rhai o arweinwyr Cyfeillion Rhyddid Iwerddon, dynion fel John Devoy a Daniel Cohalan.

Gwrthwynebodd y rhain fwriad de Valéra i godi arian yn America a'i ddefnyddio yn Iwerddon yn ôl dymuniadau'r blaid. Yn eu barn hwy byddai'n well yn gyntaf rhoi llawer mwy o gyhoeddusrwydd i'r achos ledled Gogledd America. Serch hynny, cafodd de Valéra gefnogaeth carfan arall o Wyddelod Americanaidd yr oedd Joseph McGarity yn llefarydd drostynt, ac o fewn deunaw mis llwyddwyd i godi dros bum miliwn o ddoleri i helpu achos y Gweriniaethwyr. Er gwaethaf llwyddiant de Valéra i godi arian, methodd â chael cefnogaeth swyddogol y Blaid Ddemocrataidd a'r Blaid Weriniaethol a methodd hefyd yn ei ymgais i ddenu cydymdeimlad yr Arlywydd ei hun. Gwyddai felly y byddai'n anos fyth cael cydnabyddiaeth llywodraeth Lloyd George i annibyniaeth Iwerddon.

Yn y cyfamser gwaethygodd y berthynas rhwng y Gweriniaethwyr a'r awdurdodau yn Iwerddon. Edrychwyd ar Fyddin Weriniaethol Iwerddon (yr IRA) fel adain filwrol y drefn wleidyddol newydd a oedd wedi cael sêl bendith yr etholwyr. Ei phrif anhawster oedd cadw rheolaeth ar yr unedau lleol ar draws y wlad a dueddai i weithredu'n annibynnol. Cyn diwedd 1919 lladdwyd mwy na 180 o bobl yn yr ymladd ar yr ynys. Yr un adeg sefydlodd y Dáil ei llysoedd barn a'i hawdurdodau lleol ei hunan a gydredai â'r rhai Prydeinig yn Iwerddon. Prif amcan y rhain oedd tanseilio'n raddol awdurdod Llundain yn Iwerddon.

Ni allai'r llywodraeth anwybyddu'r sefyllfa ac ym mis Awst cyhoeddodd fod Sinn Féin a'r Dáil yn anghyfreithlon. Ymateb aelodau'r Dáil i hyn oedd cyfarfod yn gyfrinachol dan arweinyddiaeth de Valéra. Roedd y llywodraeth yn benderfynol o gael gwared ar y gwrthwynebiad milwriaethus ar yr ynys a phenderfynwyd dilyn polisi cadarn yno. Penodwyd Syr Neville Macready, pennaeth heddlu Llundain, i reoli gweithgareddau'r fyddin a phenodwyd Syr Hamar Greenwood yn Ysgrifennydd Iwerddon. Roedd y ddau o'r farn fod yn rhaid cynyddu nifer y milwyr yn sylweddol, yn rhannol yn sgîl y gostyngiad yn aelodaeth Heddlu Brenhinol Iwerddon. Cawsant gefnogaeth y Cabinet, yn arbennig aelodau Ceidwadol megis Bonar Law a'r Arglwydd Birkenhead. Roedd Lloyd George dan ddylanwad y Cadfridog Syr Henry Wilson, pennaeth lluoedd arfog yr Ymerodraeth Brydeinig, ac yn bleidiol i bolisi mwy gormesol yn Iwerddon. Gyda phenderfyniad y Cabinet i geisio datrys y sefyllfa yn Iwerddon drwy ddefnyddio dulliau milwrol agorwyd pennod erchyll arall yn hanes Prydain, sef cyfnod y *Black and Tans*. Cyn-filwyr oedd y rhain a wirfoddolodd i fynd i Iwerddon ac a dderbyniai dâl dyddiol am eu gwaith. Yn ogystal, anfonwyd mil o gyn-filwyr eraill i helpu'r heddlu, sef y Milwyr Cynorthwyol neu'r *Auxis*.

46

Cyhuddwyd Lloyd George o ildio i'r arweinwyr hynny oedd o blaid dulliau gormesol, ond credai'r Prif Weinidog y byddai'n well ymladd y Gwyddelod yn hytrach na chael cytundeb gwan. Roedd y farn gyhoeddus ar y pryd yn gefnogol i'r polisi ac yn sicr roedd agwedd y llywodraeth yn gyson ag ymateb llywodraeth Lloegr i'r argyfyngau yn Iwerddon ar hyd y blynyddoedd. Roedd adwaith y Glymblaid i raddau'n adlewyrchiad o agwedd drahaus yr arweinwyr yn Llundain. Yn eu barn hwy dylid beio'r Gwyddelod eu hunain am unrhyw broblemau yn Iwerddon, yn hytrach na pholisïau'r llywodraeth. Credai'r gweinidogion Ceidwadol yn fwy na neb fod y llywodraeth bob amser wedi gwneud ei gorau i gynorthwyo Iwerddon ac i'w llywodraethu'n deg, gan dybio nad oedd y Gwyddelod eu hunain yn ddigon datblygedig ac aeddfed i wneud hynny. Roedd y dybiaeth hon yn adlewyrchiad o ddatganiad y Frenhines Victoria ym 1867: 'These Irish are really shocking, abominable people, not like any other civilized nation'.

Credai gweinidogion y llywodraeth fod ganddynt well syniad na'r Gwyddelod eu hunain o'r math o bolisïau oedd yn angenrheidiol yn Iwerddon a'r math o gytundeb a fyddai'n dderbyniol gan bawb. Yn naturiol, roedd adwaith y Gweriniaethwyr i'r gorthrwm hwn yn chwyrn, a thros y blynyddoedd lledodd y bwlch rhwng y ddwy ochr.

Ym 1920 penderfynodd Greenwood mai grym oedd yr unig ffordd o ymdrin â'r eithafwyr, ond ni allai'r fath bolisi byth lwyddo i ddileu'r pryder, yr ofn, a'r bygwth cyson oedd yn rhan o fywyd beunyddiol yr ynys.

Ym mis Ebrill ymosododd cyrchfilwyr Byddin Weriniaethol Iwerddon ar swyddfeydd cyhoeddus a chanolfannau milwrol ar hyd a lled y wlad. Bu cannoedd o ymosodiadau ar unigolion a dinistriwyd ffyrdd a rheilffyrdd â ffrwydron er mwyn gwneud gwaith yr awdurdodau'n fwy anodd. Problem arall i'r fyddin Brydeinig oedd na wisgai'r cyrchfilwyr lifrai, ac o ganlyniad roedd yn anodd gwybod pwy yn union oedd y gelyn. Erbyn diwedd 1920 roedd mwy na 45,000 o filwyr yn helpu 15,000 o heddlu yn erbyn rhyw 10,000 o gyrchfilwyr gweriniaethol ond dim ond rhwng dwy a thair mil o'r rhain oedd ag arfau.

Credai rhai pobl yn Iwerddon fod angen defnyddio dulliau eraill, ar wahân i rym a thrais, i geisio newid barn y llywodraeth, er enghraifft, ymprydiai'r carcharorion gweriniaethol yng ngharchardai Lloegr. Ym mis Hydref 1920 bu farw Terrence MacSwiney, maer Corc ac aelod o'r IRA ar ôl gwrthod bwyta am 74 diwrnod yng ngharchar Brixton. Ond roedd yn amlwg nad oedd dulliau di-drais yn cael effaith ar y llywodraeth a dirywiodd y sefyllfa ar yr ynys a chynyddodd y gwrthdaro ag arfau. Nid

47

oedd cynnydd mewn grym wedi troi'r Gwyddelod at ddulliau mwy cymedrol yn y gorffennol. Roeddynt wedi dysgu trwy brofiad mai gweithredu'n uniongyrchol yn hytrach na gwleidyddiaeth oedd y ffordd fwyaf effeithiol o newid pethau yn Iwerddon a dylanwadu ar bolisi'r llywodraeth.

Gwaethygwyd y sefyllfa gan ymddygiad y *Black and Tans*. Ymosododd y rhain ar bobl yn ystod y nos, gan losgi eu cartrefi, yn arbennig yn ardaloedd Corc, Limerick a Dulyn. Yna, ym mis Tachwedd, torrodd y Gweriniaethwyr i mewn i bedwar ar ddeg o gartrefi a saethu nifer o swyddogion milwrol. Wedi un digwyddiad ym 1919 pan laddwyd deunaw o Filwyr Cynorthwyol mewn un ymosodiad gan yr IRA aeth yr *Auxis* ati i ddinistrio dinas Corc drwy gynnau tanau yno. Gwnaed gwerth tair miliwn o bunnau o ddifrod. Aeth yr ymladd o ddrwg i waeth a hyd heddiw mae'n anodd cyfrif faint o bobl a fu farw yn ystod y cyfnod hwn. Ond amcangyfrifir bod o leiaf 752 wedi cael eu lladd a 866 wedi eu hanafu rhwng 1919 a 1921. Felly unwaith eto yn hanes Iwerddon roedd trais yn rhan o fywyd dyddiol y bobl ac ofnai llawer ohonynt ddiffyg disgyblaeth ar y naill ochr a'r llall wrth i grwpiau arfog ymosod ar bobl a chartrefi a lladd anifeiliaid. Roedd y ddwy ochr yn gyfrifol am ymosodiadau erchyll ond bu mwy o gollfarnu'r *Black and Tans* gan mai milwyr swyddogol oeddynt hwy i fod, yn cynrychioli safonau gwareiddiedig yr Ymerodraeth Brydeinig.

Er nad oedd y boblogaeth gyfan yn gefnogol i ddulliau'r Fyddin Weriniaethol, roedd y gefnogaeth ar gynnydd oherwydd penderfyniad y llywodraeth i chwilio am ateb milwrol i broblemau'r ynys. Condemniodd yr Eglwys Babyddol y lladd ar y ddwy ochr ond anwybyddwyd hi gan y Gweriniaethwyr a deimlai na ddylai'r Eglwys ymyrryd mewn gwleidyddiaeth. Yn sicr, pe buasent heb gefnogaeth trwch y boblogaeth byddai'r milwyr wedi ennill yn weddol hawdd.

Cynyddwyd problemau'r llywodraeth gan lwyddiant pellach Sinn Féin yn etholiadau lleol 1920. Dangosodd hyn nad pleidlais brotest oedd canlyniad etholiad 1918. Ar ôl yr etholiadau rheolai Sinn Féin y mwyafrif helaeth o gynghorau lleol yn ne Iwerddon. Hyd yn oed yn Ulster rhannwyd rheolaeth y trefi yn weddol gyfartal rhyngddynt a'r Unoliaethwyr. Adlewyrchodd y canlyniadau yn Ulster y rhaniad peryglus a oedd yn datblygu rhwng y Pabyddion a'r Protestaniaid. Roedd hawliau sifil y Pabyddion dan fygythiad yno hefyd a chwynent yn gyson am annhegwch yr heddlu, Protestaniaid yn bennaf, ac ymddygiad y milwyr tuag atynt.

Gwyddai'r ddwy ochr yn Ulster fod awdurdod y Protestaniaid yn seiliedig yn y diwedd ar rym y llywodraeth Brydeinig â'i pharodrwydd i'w cefnogi mewn unrhyw argyfwng. Credai'r Gweriniaethwyr, wrth gwrs, mai'r ffordd orau o newid y sefyllfa oedd trwy greu anhrefn yn y gogledd er mwyn gwneud y *status quo* yn annerbyniol. O gofio'r teimladau cryf ar y ddwy ochr roedd yn gymharol hawdd gwneud hynny, a bu gwrthdaro cyson rhwng Byddin Weriniaethol Iwerddon a Heddlu Arbennig Ulster (y *B Specials*), sef Gwirfoddolwyr Protestannaidd Ulster gynt, a gyflogid gan y llywodraeth.

Collodd cannoedd o bobl eu cartrefi yn Belfast a Londonderry ym 1919 a 1920, ac yn ystod haf y flwyddyn honno sefydlwyd llysoedd milwrol arbennig ar draws yr ynys i gosbi ymladdwyr y ddwy ochr, ond yn arbennig aelodau o'r Fyddin Weriniaethol. Ym mis Rhagfyr 1920 llosgodd y *Black and Tans* dref Corc ac ym mis Mai y flwyddyn ganlynol ymosododd dros 100 o gyrchfilwyr gweriniaethol ar Customs House yn Nulyn a'i losgi. Ychydig o leihad a fu yn yr ymladd ac yn chwe mis cyntaf 1921 lladdwyd dros 200 o heddweision a 94 o filwyr. Nid oedd y sefyllfa yn wahanol iawn yn y gogledd lle y lladdwyd 109 yn ystod 1921. Roedd y cadfridogion am ddefnyddio mwy o filwyr i ddinistrio'r Fyddin Weriniaethol ond roedd y llywodraeth yn anhapus ynglŷn â dilyn y fath bolisi oherwydd eu pryder am y farn gyhoeddus gartref ac yn rhyngwladol.

Yn y cyfamser, fodd bynnag, pasiwyd Deddf Llywodraeth Iwerddon ym mis Rhagfyr 1920. Rhannwyd Iwerddon yn ddwy ran gydag un senedd yn rheoli chwe sir rhanbarth Ulster yn y gogledd a senedd arall yn Nulyn yn rheoli'r gweddill. Er nad oedd yr Unoliaethwyr yn hapus ynghylch hyn roedd o leiaf yn well, o'u safbwynt hwy, na rheolaeth o Ddulyn. Byddai'r senedd newydd yn gyfrifol am faterion mewnol yn siroedd Armagh, Antrim, Down, Derry, Fermanagh a Tyrone. Byddai senedd de Iwerddon yn cael ei sefydlu yn Nulyn a byddai'r ddwy senedd yn anfon 42 o gynrychiolwyr i Lundain. Ym mis Mai 1921 cynhaliwyd etholiad yn y Gogledd. Etholwyd deugain o Unoliaethwyr a dewiswyd Syr James Craig yn Brif Weinidog.

I'r Gweriniaethwyr yn y de roedd y ddeddf yn annigonol am nad oedd siroedd Ulster dan reolaeth Dulyn. Felly parhaodd yr ymosodiadau ar yr heddlu, y milwyr, adeiladau swyddogol, ffyrdd a rheilffyrdd.

Erbyn dechrau'r haf 1921 roedd hi'n amlwg na allai Prydain sicrhau buddugoliaeth filwrol ac roedd y farn gyhoeddus yn dechrau gwrthryfela yn erbyn yr ymrwymiad imperialaidd yn Iwerddon. Roedd rhai o'r papurau newydd, er enghraifft, *The Times*, y *Guardian* a'r *Daily News* am weld y rhyfel yn gorffen a chefnogwyd eu safbwynt gan rai Ceidwadwyr

49

megis yr Arglwydd Robert Cecil a'r Arglwydd Monteagle, a hefyd gan Archesgob Caer-gaint. Roedd adroddiad Comisiwn y Blaid Lafur wedi ymddangos eisoes ar ddechrau'r flwyddyn, ac roedd hwnnw hefyd o blaid dod â'r rhyfel i ben. Ymhellach, roedd agwedd gwledydd eraill tuag at bolisi Lloyd George yn dechrau newid ac roedd yr Americanwyr, erbyn hyn, yn feirniadol iawn. Felly yn wyneb dirywiad pellach yn y sefyllfa yn Iwerddon, ynghyd â'r ffactorau uchod, penderfynodd y llywodraeth ddod â'r rhyfel i ben drwy ofyn am gadoediad â'r IRA ym mis Gorffennaf 1921.

Roedd y llywodraeth wedi sylweddoli na allai dilyn polisi milwrol gormesol yn Iwerddon fod yn llwyddiannus. Nid oedd dwysáu peirianwaith gormesol y wladwriaeth wedi troi'r Gwyddelod at ddulliau mwy cymedrol yn y gorffennol ac nid oedd unrhyw reswm i gredu y byddai'n llwyddo ar ôl y Rhyfel Byd Cyntaf. Y tro hwn, roedd Lloyd George a rhai Ceidwadwyr blaenllaw wedi cyfaddef fod yn rhaid cyfaddawdu llawer mwy â'r Gweriniaethwyr.

Cynigiodd y Cabinet statws dominiwn i Dde Iwerddon, yn debyg i statws Awstralia a Chanada. Ond nid oedd sôn am ganiatáu i'r Dáil sefydlu gweriniaeth. Pwysleisiodd Lloyd George safbwynt y llywodraeth mewn llythyr at de Valéra ar 13 Awst 1921:

> Ond rhaid tynnu eich sylw at un pwynt yr ydych chwi'n rhoi cryn bwyslais arno ac un na all unrhyw lywodraeth Brydeinig gyfaddawdu arno — hynny yw y dylem gydnabod hawl Iwerddon i dynnu'n ôl ei theyrngarwch i'r Brenin. Ni allwn ni byth gydnabod y fath hawl. Mae agosrwydd daearyddol Iwerddon i Brydain yn ffaith sylfaenol. Mae hanes y ddwy ynys dros ganrifoedd lawer, waeth sut y dehonglir ef, yn brawf digonol fod tynged y ddwy ynghlwm wrth ei gilydd. Anfonodd Iwerddon aelodau i senedd Prydain am dros gan mlynedd. Mae miloedd lawer o'i thrigolion yn ystod yr amser hwnnw wedi ymuno'n barod a gwasanaethu'n ddewr yn lluoedd y Goron. Mae nifer fawr yn yr holl ranbarthau Gwyddelig yn bleidiol iawn i'r Orsedd. Nid yw'r ffeithiau hyn yn caniatáu ond un ateb ac un yn unig i'r haeriad y dylai Prydain ddelio gydag Iwerddon fel grym estron ar wahân.

Gwrthwynebwyd y cytundeb yn gryf gan aelodau milwriaethus y Dáil dan arweiniad Cathal Brugha. Nid oedd de Valéra y tro hwn mor elyniaethus ond ni allai fodloni ar weld Iwerddon yn aelod o'r Ymerodraeth Brydeinig. Argymhellodd ei syniad ei hun o 'gysylltiad allanol' â'r ymerodraeth ond gwrthododd y Prif Weinidog drafod y mater.

Er gwaethaf yr anghytuno trefnwyd cynhadledd yn Llundain ar gyfer mis Hydref 1921. Penderfynodd de Valera beidio â mynd ac arweiniwyd dirprwyaeth y Dáil gan Arthur Griffith a Michael Collins. Mae'n bosibl y credai de Valéra y dylai aros gartref er mwyn pwysleisio ei safle fel Arlywydd ac arweinydd cenedlaethol. Nid oedd, chwaith, am roi ei hun mewn sefyllfa lle y byddai'n rhaid iddo gyfaddawdu a bradychu egwyddorion y weriniaeth. Drwy aros yn Nulyn roedd hefyd yn rhoi cyfle i Griffith a Collins ennill amser, pe bai angen, drwy eu gorfodi i ddod yn ôl i'r Dáil i gadarnhau unrhyw benderfyniad pwysig, a phe baent yn methu llunio cytundeb, neu'n ennill cytundeb a oedd yn annerbyniol mewn unrhyw ffordd, byddai'n haws iddo ddatgysylltu ei hun oddi wrth y trafodaethau. Ond nid oes amheuaeth i'r ddirprwyaeth fod yn wannach hebddo. Cydnabyddid ef, yn fwy na neb arall, yn arweinydd Iwerddon ac roedd angen ei feddwl craff a'i allu i ymresymu, dadlau a thrafod mewn cynhadledd oedd yn cynnwys gweinidogion o ansawdd Lloyd George, Churchill, Austen Chamberlain a'r Arglwydd Birkenhead.

Drwy'r gynhadledd ni lwyddwyd i ddatrys y gwahaniaeth barn ar statws Iwerddon ac Ulster, gyda'r Gwyddelod o blaid gweriniaeth unedig mewn 'cysylltiad allanol' â'r Gymanwlad. Credai'r llywodraeth, fodd bynnag, nad oedd uno Ulster â gweddill yr ynys yn ymarferol oherwydd gwrthwynebiad cryf Protestaniaid y gogledd ac nid oedd Lloyd George yn fodlon cyfaddawdu ar fater aelodaeth Iwerddon o'r Gymanwlad.

Roedd yn bwysig i Lloyd George ei fod yn cyrraedd rhyw gytundeb ar bwnc Iwerddon am fod y cynnwrf yno yn bygwth ei safle fel Prif Weinidog. Yn sicr, roedd yn amharu ar effeithiolrwydd ei bolisi tuag at yr Unol Daleithiau oherwydd dylanwad y Gwyddelod Americanaidd ar agwedd eu llywodraeth. Ni chafodd ei gefnogaeth i'r *Black and Tans* fawr o gydymdeimlad y tu allan i wledydd Prydain chwaith, ac roedd ef wedi gwneud camgymeriad drwy ddiystyru'r gefnogaeth a oedd gan Sinn Féin. Prin iawn hefyd oedd profiad y llywodraeth o ymladd rhyfel *guerilla* lle'r oedd gan y cyrchfilwyr gefnogaeth y rhan fwyaf o'r bobl.

Problem fwyaf y Prif Weinidog oedd cael rhyw fath o gytundeb mewn awyrgylch wleidyddol a oedd wedi ei pholareiddio ers blynyddoedd. Erbyn 1921 roedd gan y Pabyddion yn y de a'r Protestaniaid yn y gogledd fyddinoedd preifat i amddiffyn eu safiad. Gwaethygwyd y sefyllfa gan gefnogaeth llawer o'r Ceidwadwyr i Unoliaethwyr Ulster a chredai'r Prif Weinidog mai'r unig gyfaddawd ymarferol oedd rhannu'r ynys, gan ganiatáu i'r Ceidwadwyr a'r Unoliaethwyr gadw eu dylanwad a'u rheolaeth yn Ulster a chan roi annibyniaeth i'r de trwy ei ildio i reolaeth Sinn Féin.

5. 'The Kindest Cut of All'

Yr un pryd roedd Lloyd George yn gorfod tawelu beirniadaeth y tu mewn i'w lywodraeth ei hunan am fod llawer o'r Ceidwadwyr yn anhapus ynglŷn â'r ffordd yr oedd yn trin y sefyllfa yn Iwerddon. O'i blaid roedd y ffaith fod gweithgareddau'r *Black and Tans* wedi pwysleisio methiant dulliau treisgar i ddatrys problemau anghytgord gwleidyddol ac wedi gwanhau safle'r Ceidwadwyr. Byddai ymddiswyddiad Lloyd George oherwydd methiant ei bolisi ar Iwerddon wedi arwain at lywodraeth lawer mwy adweithiol. Gallai hynny fod wedi arwain at ymdrech filwrol fwy eithafol i drechu cenedlaetholdeb Gwyddelig. Roedd yn rhaid i'r Prif Weinidog lunio ei bolisi yn ofalus felly, ond mae'n annhebyg fod y mwyafrif o aelodau'r Dáil yn gwerthfawrogi ei sefyllfa a'r goblygiadau pe bai'n methu.

Er gwaethaf gwrthwynebiad cyfran sylweddol o'r Blaid Geidwadol, enillodd y Prif Weinidog gefnogaeth rhai aelodau blaenllaw fel Austen Chamberlain, a hyd yn oed rhai tirfeddianwyr Gwyddelig, er enghraifft, Dug Swydd Dyfnaint. Llwyddodd hefyd i osgoi gwrthdrawiad agored â Churchill drwy ei gynnwys yn y trafodaethau.

Ar ddechrau'r gynhadledd roedd gwrthwynebiad y ddirprwyaeth o Ddulyn i statws dominiwn yn amlwg. Ond wrth i'r gynhadledd fynd yn ei blaen roedd hi'n amlwg nad oedd Griffith a Collins mor wrthwynebus â de Valéra a Brugha. Credai Griffith y byddai annibyniaeth lwyr yn dilyn yn naturiol o statws dominiwn. Nid oeddynt yn erbyn cadw canolfannau milwrol Prydain yn Iwerddon chwaith, er nad oedd hynny'n gyson â niwtraliaeth yr ynys. Ofnai llawer o'r Ceidwadwyr, er hynny, y byddai rhoi annibyniaeth i Iwerddon yn hybu cenedlaetholdeb mewn rhannau eraill o'r ymerodraeth, er enghraifft, yn India a'r Dwyrain Canol.

Parhaodd y trafodaethau hyd ddechrau mis Rhagfyr pan gyflwynodd y llywodraeth ei hargymhellion terfynol i'r Gwyddelod. Roedd y rhain yn cynnwys:

(a)   annibyniaeth i Iwerddon ar wahân i chwe sir Ulster a oedd i gael eu senedd eu hunain gyda chynrychiolaeth yn San Steffan;

(b)   aelodau o'r Dáil i dyngu llw o ffyddlondeb i'r Goron;

(c)   llywodraeth Prydain i gael defnyddio rhai o borthladdoedd yr ynys am bum mlynedd;

(ch) sefydlu Comisiwn Ffiniau i drafod y gwahaniaethau rhwng Sinn Féin a'r Unoliaethwyr ynglŷn ag Ulster.

Roedd y cymal olaf yn annelwig a chamarweiniol gan iddo awgrymu i Collins a Griffith nad oedd Ulster yn uned economaidd foddhaol ac y byddai uniad â'r de yn anochel ar ôl rhai blynyddoedd. Sicrhaodd hefyd y byddai'r gwahaniaeth barn ar statws Ulster rhwng yr Unoliaethwyr a'r Gwerinaethwyr yn parhau am gyfnod amhenodol.

53

Dychwelodd y ddirprwyaeth i Ddulyn ar ddechrau Rhagfyr i roi cyfle i'r Dáil drafod yr argymhellion. Credai rhai, er enghraifft Brugha, fod Lloyd George mewn safle cryf i roi mwy i Iwerddon ac y dylid gwrthod yr argymhellion. Roedd hefyd yn anfodlon fod y llywodraeth heb gydnabod bodolaeth y Weriniaeth. Ond roedd unigolion fel Griffith a Collins yn ofni y gallai gwrthwynebiad y Dáil i'r termau arwain at ddymchwel Lloyd George ac y byddai llywodraeth Geidwadol lai hyblyg yn dod i rym. Dychwelodd y dirprwywyr i San Steffan lle y dywedodd Lloyd George fod yn rhaid iddynt benderfynu'n fuan heb ddychwelyd i Ddulyn eto. Os nad oeddynt am arwyddo'r cytundeb byddai'n gorfod ailgydio yn y rhyfel. Mae'n anodd gwybod a oedd Lloyd George o ddifrif ond nid oedd Griffith a Collins am ei herio. Felly ar 6 Rhagfyr 1921 arwyddwyd y Cytundeb Gwyddelig.

Rhoddodd hwn yr un statws cyfansoddiadol i Iwerddon ag a oedd gan Awstralia, Seland Newydd a Chanada. Sefydlwyd Gwladwriaeth Rydd Iwerddon a byddai'r llw o ffyddlondeb yn cael ei dyngu'n gyntaf i'r wladwriaeth newydd ac yn ail i'r Goron. Rhoddwyd breintiau llyngesol i Brydain yn Belfast a Queenstown, a gellid ehangu'r rhain ar adeg rhyfel. Cydnabuwyd Iwerddon fel uned ond pwysleisiodd Cymal 12 fod hawl gan Ulster i ymwrthod â rheolaeth Dulyn. Roedd statws y gogledd felly yn amwys o'r dechrau a thrwy gynnwys y cymal hwn credai rhai fod y llywodraeth wedi osgoi derbyn ei chyfrifoldeb.

Yn y trafodaethau ar y cytundeb roedd gwahaniaeth barn yng Nghabinet y Dáil, gyda de Valéra yn honni bod y mwyafrif o drigolion y wlad yn ei erbyn. Ond roedd pobl Iwerddon ar y cyfan yn falch fod y ddwy ochr wedi cytuno, fod yr ymladd ar ben a bod eu cenedl wedi ennill mesur helaeth o hunanlywodraeth. Yn y Dáil ceisiodd de Valéra wthio ei syniad o gysylltiad allanol unwaith eto ond roedd hynny wedi ei wrthod yn barod gan Lloyd George. Gwrthwynebodd Brugha a Stack unrhyw gytundeb nad oedd yn cynnwys gweriniaeth unedig. Dadleuai Griffith yn gryf o blaid y cytundeb gan ymresymu bod ganddo '. . . no more finality than that we are the final generation on the face of the earth'.

Ystyriai Collins fod de Valéra wedi cydnabod nad oedd gweriniaeth yn bosibl am gyfnod pan gytunodd i gynnal trafodaethau â llywodraeth Prydain ym mis Hydref 1921. Dywedodd hefyd fod y cytundeb yn rhoi rhyddid ond nid y rhyddid eithaf y mae pob cenedl yn dyheu amdano ac yn datblygu iddo, ond yn hytrach y rhyddid i sicrhau hynny.

Ym mis Ionawr 1922 pleidleisiodd y Dáil ar fater y cytundeb a chafwyd bod 64 o aelodau o blaid a 57 yn erbyn. Apeliodd Collins am undod yn ystod y cyfnod pan drosglwyddid rheolaeth o ddwylo Prydeinig i ddwylo'r Gwyddelod. Ond i rai Gweriniaethwyr yr oedd cydweithrediad yn amhosibl. Trwy gydol y dadlau a'r trafod yn y Dáil ychydig o sylw a roddwyd i Ulster. Dangosai hyn agwedd anhyblyg tuag at bryderon Protestaniaid Ulster ynglŷn ag undod â'r de. Nid oedd gwaharddiad y Dáil ar fasnachwyr Belfast yn gymorth chwaith i leihau ofnau trigolion y gogledd. Credai Collins a Griffith y byddai ffactorau economaidd a phwysau'r llywodraeth Brydeinig yn y diwedd yn gorfodi Ulster i ymuno â'r de. Ond agwedd ddigon diniwed oedd hon o gofio llewyrch economaidd y gogledd a gwrthwynebiad cryf a milwriaethus y mwyafrif Protestannaidd i unrhyw ymwahanu oddi wrth Lundain. Ymhellach, ni fyddai unrhyw lywodraeth Brydeinig, yn arbennig un Geidwadol, yn cefnogi'r fath ddatblygiad. Yn wir, roedd y Blaid Lafur a'r Blaid Ryddfrydol hwythau'n ddigon ymwybodol y gallai rhyfel cartref gwaedlyd ddilyn unrhyw ymdrech i orfodi'r siroedd gogleddol i ddod yn rhan o Iwerddon unedig.

Yn y gogledd ei hun roedd gwahaniaeth barn pendant yn ôl teyrngarwch crefyddol. Roedd Craig a'r Protestaniaid yn benderfynol o gadw statws newydd Ulster. Bu ymosodiadau cyson ar gartrefi Pabyddion yn Belfast a Londonderry, ac erbyn diwedd Ionawr ofnai'r Dáil y byddai Gweriniaethwyr o'r de yn dechrau croesi'r ffin i gynorthwyo Pabyddion y gogledd. Felly cyfarfu Collins a Craig yn Llundain a chytunwyd i geisio atal yr ymosodiadau a dileu'r gwaharddiad ar fasnach ag Ulster. Ond parhaodd y gwrthdaro rhwng heddlu'r B Specials a Byddin Weriniaethol Iwerddon yn y gogledd ac erbyn mis Mehefin roedd 93 o Brotestaniaid a 171 o Babyddion wedi eu lladd. Un o ganlyniadau hyn oedd i filoedd o Babyddion ffoi dros y ffin i'r de.

Nid canlyniad anochel y Cytundeb Gwyddelig oedd y rhyfel cartref. Roedd y rhan fwyaf o bobl Iwerddon o blaid y Cytundeb ac adlewyrchwyd hyn yng nghanlyniadau etholiadau 1922 a 1923. Nid oedd gwŷr busnes, yr Eglwys, y Wasg, na'r dosbarth canol am i'r rhyfela ailddechrau, ac iddynt hwy roedd y cytundeb yn gam mawr ymlaen tuag at annibyniaeth.

Wrth i filwyr Prydain ddechrau gadael Iwerddon ym mis Mai 1922 daeth y gwahaniaeth barn ymhlith y Gweriniaethwyr yn fwy amlwg. Ffurfiodd de Valéra y Blaid Weriniaethol gydag Erskine Childers yn gyfrifol am bropaganda. Rhannodd Byddin Weriniaethol Iwerddon yn ddwy garfan — un yn bleidiol i'r cytundeb (y *Regulars*) a'r llall yn ei erbyn (yr *Irregulars*). Arfogwyd y *Regulars* gan y llywodraeth a hwy oedd sylfaen y fyddin genedlaethol. Nid oedd yr *Irregulars* am dderbyn awdurdod y llywodraeth newydd ac aethant ati i ymosod ar warchodlu y Pedwar Llys yn Nulyn ym mis Mehefin gan ddal yr adeilad fel pencadlys.

Roedd Collins yn benderfynol o osgoi rhyfel cartref yn y de a galwodd ar de Valéra a'i wrthryfelwyr Gweriniaethol i gydweithio mewn menter newydd yn hanes y genedl. Cafodd y llywodraeth gefnogaeth y bobl yn etholiad 1922 pan etholwyd 58 aelod seneddol oedd yn gefnogol i'r cytundeb a 35 oedd yn ei erbyn, yn ogystal ag aelodau eraill oedd ar y cyfan yn bleidiol iddo.

Ond fel o'r blaen yn hanes Iwerddon dinistriwyd ymdrechion heddychol i ddatrys yr anghydfod gan ddigwyddiadau treisgar. Ym mis Mehefin llofruddiwyd Syr Henry Wilson pennaeth lluoedd arfog yr Ymerodraeth yn Llundain a chipiwyd Dirprwy Bennaeth Byddin Iwerddon. Penderfynodd Griffith a Collins fod yn rhaid iddynt weithredu yn erbyn y bygythiad hwn i'r llywodraeth. Gwrthododd yr *Irregulars* ildio'r Pedwar Llys ac anfonwyd y fyddin i ymosod arnynt. Gyda'r digwyddiad hwn y dechreuodd y rhyfel cartref o ddifrif a bu gwrthdaro ffyrnig yn Nulyn ac mewn trefi eraill ar draws y wlad.

Er na ellid beio de Valéra am y rhyfel nid oedd ei areithiau ar y mater yn niwtral o bell ffordd. Ar adegau ymddangosai ei fod yn annog defnyddio grym yn erbyn y llywodraeth. Pe bai wedi aros yn niwtral mae'n debyg y byddai hynny wedi effeithio ar ysbryd y gwrthryfelwyr ac wedi byrhau'r rhyfel.

Collins oedd arweinydd y fyddin a dechreuodd ymestyn ei gweithgareddau i'r de a'r gorllewin, cadarnleoedd yr *Irregulars*. Lladdwyd Brugha yn Nulyn a bu farw Griffith ym mis Awst. Yn yr un mis llofruddiwyd Collins. Cymerodd Cosgrave yr awenau fel Arlywydd y Dáil ac roedd ei bolisïau yn erbyn yr *Irregulars* yn fwy chwyrn ac effeithiol. Erbyn mis Ebrill 1923 fe gafodd y gwrthryfelwyr eu trechu ond bu'r gost yn uchel. Yn ystod y cynnwrf lladdwyd dros 600 a charcharwyd 11,000, pris a adawodd lawer o chwerwder a dicter ymhlith trigolion yr Ynys Werdd. Bu'n rhaid i'r llywodraeth roi blaenoriaeth i gyfraith a threfn dros faterion cymdeithasol ac economaidd am rai blynyddoedd.

Ond ni ddaeth heddwch felly wedi i'r Cytundeb Gwyddelig gael ei arwyddo. Roedd y gwahaniaethau gwleidyddol a chrefyddol mor gryf erbyn 1922 fel yr oedd creu cytundeb ymarferol a oedd yn dderbyniol i'r ddwy garfan weriniaethol ar y naill law, ac i'r Protestaniaid yn y gogledd ar y llall, bron yn amhosibl. Roedd Iwerddon wedi cael ei chamddeall, ei hanwybyddu a'i cham-drin am gyfnod rhy hir i wneud unrhyw gytundeb yn gwbl foddhaol. Serch hynny, roedd cyfraniad Lloyd George yn sylweddol o gofio'r berthynas hanesyddol anffodus rhwng y ddwy wlad a

gwerthoedd a syniadau imperialaidd cynifer o wleidyddion San Steffan.
Drwy ganiatáu i Ddulyn reoli polisïau economaidd ac ariannol, materion
mewnol a'r rhan fwyaf o faterion tramor, llwyddodd y Prif Weinidog i
ennill cefnogaeth y mwyafrif o genedlaetholwyr Gwyddelig tra'n
gwahanu'r lleiafrif mwy milwriaethus fel Brugha a Stack ac i raddau de
Valéra oddi wrthynt.

Un o ganlyniadau'r rhaniad wrth gwrs, oedd y rhyfel cartref a gellir
cyhuddo Lloyd George o fod yn rhannol gyfrifol gan mai ef oedd prif
bensaer y cytundeb. Cyhuddwyd ef hefyd o greu problemau yn y gogledd
drwy rannu'r ynys. Ym 1922, er enghraifft, lladdwyd 294 o bobl yn Ulster
a'r rhan fwyaf ohonynt yn Babyddion. Gallai'r llywodraeth fod wedi rhoi
mwy o sylw i broblemau mewnol Ulster er mwyn llacio'r tyndra rhwng y
Protestaniaid a'r Pabyddion. Ond gyda'r farn gyhoeddus a barn
ryngwladol yn pwyso ar y llywodraeth ac anfodlonrwydd Lloyd George i
atgyfnerthu'r fyddin yn Iwerddon, rhoddwyd blaenoriaeth i gytundeb
ymarferol a fyddai'n bodloni'r mwyafrif yn y de ac yn y gogledd.

Mae'n bosibl gweld cymhelliad personol yn ymdrech Lloyd George i
ennill cytundeb â'r Gwyddelod a mynnu mai diogelu ei safle a'i
boblogrwydd fel Prif Weinidog oedd bwysicaf iddo. Ar y llaw arall, gellir
ystyried y cytundeb fel uchafbwynt ymdrechion caled a didwyll i ddod â'r
ymladd yn Iwerddon i ben a chytuno â geiriau'r Arglwydd Pakenham:

> Wedi i bob teyrnged gael ei thalu i gefnogaeth deyrngar a galluog,
> erys y Cytundeb yn greadigaeth arbennig Lloyd George. Iddo ef
> mae'r rhan fwyaf o'r clod yn ddyledus am hynny o gytundeb ag a
> gafwyd, ef piau'r holl gyfrifoldeb am yr ystrywiau a ddefnyddiwyd
> i'w gyflawni . . . Roedd Lloyd George wedi gweld y weledigaeth ac
> fe gysylltir y cytundeb bob amser â'i enw a hynny'n gwbl deg.

Byddai rhai pobl yn Iwerddon heddiw yn cytuno â'r cymal olaf ac yn ei
gollfarnu am fod yn bensaer y broblem Wyddelig yn hanner olaf yr
ugeinfed ganrif. Ond nid yw'n gwbl deg beio Lloyd George am yr
ymladd yn y 1960au a'r 1970au. Beth bynnag oedd ei gymhellion ar y
pryd, byddai Cytundeb 1922 wedi bod yn amhosibl oni bai am ei
fedrusrwydd yn ymdrin â'r Ceidwadwyr a'r Gweriniaethwyr mewn
sefyllfa wleidyddol gymhleth ac ansefydlog iawn. Cyn collfarnu mae'n
rhaid gofyn a oedd dewis arall gan y llywodraeth a phobl Iwerddon erbyn
1922.

Y Methiannau Cynnar

Wedi cwymp y Glymblaid, etholwyd Bonar Law yn arweinydd y Ceidwadwyr ym mis Hydref 1922. Yn yr etholiad cyffredinol ym mis Tachwedd pwysleisiodd Bonar Law y byddai'r Ceidwadwyr yn cadw Prydain yn rhydd o ymrwymiadau tramor ac yn diogelu sefydlogrwydd a heddwch gartref. Apeliodd hyn at ddigon o'r pleidleiswyr i sicrhau buddugoliaeth i'w blaid.

Plaid	Cyfanswm y bleidlais	Aelodau seneddol
Ceidwadwyr	5,500,382	345
Rhyddfrydwyr Cenedlaethol	1,673,240	62
Rhyddfrydwyr	2,516,287	54
Llafur	4,241,383	142

Roedd twf y bleidlais Lafur yn arwyddocaol yn arbennig yn yr ardaloedd diwydiannol lle roedd diweithdra yn uchel. Roedd cyfanswm y seddau a enillwyd gan y Blaid Lafur yn gynnydd o 80 ar ganlyniad Etholiad Cwpon 1918. Roedd y rhaniad rhwng Lloyd George ac Asquith wedi gwanhau y Blaid Ryddfrydol a chyfrannodd y diffyg arweiniad pendant hwn, ynghyd ag absenoldeb polisïau cadarn a roddai ddewis clir i'r pleidleiswyr, at ostyngiad sylweddol yn nifer eu cynrychiolwyr seneddol.

Un o'r prif broblemau oedd gan y llywodraeth newydd oedd dyledion rhyfel Prydain i'r Unol Daleithiau. Teithiodd y Canghellor, Stanley Baldwin, i Washington ym mis Ionawr 1923 i drafod y ddyled o £978 miliwn. Ar ôl hir ddadlau cytunodd y Canghellor, ac wedyn y Cabinet, i ddalu'r ddyled yn ôl ar log o 3 y cant am y deng mlynedd cyntaf a $3\frac{1}{2}$ y cant am y 52 o flynyddoedd dilynol.

Yn ystod y mis hwnnw hefyd goresgynnwyd y Ruhr gan y Ffrancwyr er mwyn gorfodi'r Almaenwyr i gynyddu eu had-daliadau. Er nad oedd Bonar Law yn gefnogol i hyn, gwrthododd fynegi ei wrthwynebiad ar goedd ac ni cheisiodd orfodi Ffrainc i dynnu'n ôl.

Ar ôl llai na phedwar mis ymddiswyddodd Bonar Law oherwydd afiechyd ac roedd y dewis o olynydd rhwng yr Arglwydd Curzon, yr Ysgrifennydd Tramor, a Stanley Baldwin. Dewiswyd Baldwin am nifer o resymau. Byddai wedi bod yn annoeth i benodi Prif Weinidog o Dŷ'r Arglwyddi pan nad oedd gan y Blaid Lafur, y brif wrthblaid, gynrychiolwyr yno ac roedd Baldwin yn debycach o apelio at y pleidleiswyr gyda'i bwyslais cyson ar heddwch tramor a pholisi 'canol ffordd' gartref.

Ychydig iawn a gafodd ei gyflawni yn ystod y cyfnod byr y bu'r llywodraeth mewn grym. Yr unig fesur o bwys a basiwyd oedd Deddf Tai Neville Chamberlain. Rhoddodd hon gymhorthdal o £6 y flwyddyn am bob tŷ o faint neilltuol a adeiladwyd gan yr awdurdodau lleol. Roedd y Blaid Lafur yn feirniadol o'r ddeddf oherwydd ei bod yn ffafrio adeiladwyr preifat. Dadleuai hefyd y byddai'r math o dai a gâi eu hadeiladu er mwyn bodloni'r ddeddf a bod yn gymwys i dderbyn y grant yn rhy fach gydag arwynebedd llawn o 850 troedfedd sgwâr, er y codwyd hyn o ychydig i 950 troedfedd sgwâr.

Problem fwyaf y llywodraeth oedd y dirywiad economaidd gyda diweithdra ymhlith oedolion yswiriedig yn codi i 1,350,216 (11.7 y cant) ym mis Hydref 1923. Canolbwyntiodd pob plaid eu sylw ar brif bwnc llosg y dydd, sef y ffordd orau i gynorthwyo'r economi yn y fath amgylchiadau — ai drwy fasnach rydd ynteu drwy godi tollau ar fewnforion. Roedd Baldwin yn gryf o blaid tollau er nad oedd y fath bolisi yn debygol o leihau diweithdra yn yr ardaloedd lle roedd y broblem waethaf.

Nid oedd y Ceidwadwyr yn unedig ar y mater ond credai Baldwin y byddai safiad cryf o blaid tollau yn rhoi delwedd bendant i'r blaid a fyddai'n ei gosod ar wahân i'r Rhyddfrydwyr a'u polisi masnach rydd. Roedd perygl hefyd fod Lloyd George yn ystyried gyrfa wleidyddol newydd fel arweinydd plaid ganolig a fyddai o blaid polisi gwarchodol. Byddai hynny'n dwyn peth o gefnogaeth y Rhyddfrydwyr a'r Ceidwadwyr ac yn creu'r posibilrwydd o lywodraeth arall dan arweiniddiaeth y Cymro o Lanystumdwy. Byddai mabwysiadu polisi ymosodol o blaid tollau yn helpu i ynysu Lloyd George ac i gadw mwyafrif y Rhyddfrydwyr yn bleidiol i fasnach rydd.

Gan fod hyn yn newid cyfeiriad pwysig gan y Ceidwadwyr cynhaliwyd etholiad cyffredinol ym mis Rhagfyr. Y tro hwn penderfynodd Lloyd George ac Asquith uno dan yr un faner o fasnach rydd ond nid oedd hyn yn ddigon iddynt ymddangos fel prif blaid y chwith. Yn yr etholiad disgynnodd cynrychiolaeth y Ceidwadwyr i 258 o aelodau, cododd y gynrychiolaeth Ryddfrydol i 158 a chynyddodd nifer yr aelodau Llafur i 191.

Gwrthododd Baldwin aros yn Brif Weinidog heb sicrwydd y byddai ei bolisi gwarchodol yn cael ei fabwysiadu, felly daeth Ramsay MacDonald yn Brif Weinidog y llywodraeth Lafur gyntaf ym Mhrydain, er ei bod yn ddibynnol ar gefnogaeth y Rhyddfrydwyr.

Ceisiodd MacDonald ddangos y gallai'r Blaid Lafur lywodraethu. Ond gyda dirwasgiad economaidd yn llethu Prydain a phroblemau mewnol yn llesteirio effeithiolrwydd ei blaid, roedd ei dasg yn un anodd eithriadol.

Sail ei awdurdod yn ddamcaniaethol oedd y gynhadledd flynyddol a etholai'r Pwyllgor Gwaith Cenedlaethol. Gan mai undebwyr llafur oedd y rhan fwyaf o'r cynrychiolwyr yn y gynhadledd roedd eu dylanwad ar bolisi'r blaid yn sylweddol. Roedd gwreiddiau'r Blaid Lafur yn ddwfn yn y dosbarth gweithiol trefol, ond yn awr, ar ôl ffurfio llywodraeth, credai MacDonald fod yn rhaid iddi edrych ar ôl buddiannau rhannau eraill o'r gymdeithas yn ogystal. Yn fwy na dim, roedd yn rhaid ehangu apêl y blaid ymhlith y dosbarth canol.

Ond roedd yr undebau yn hanfodol i lwyddiant y Blaid Lafur gan ei bod yn dibynnu arnynt am arian a phleidleisiau. Fe greodd y ddibyniaeth hon anawsterau am mai cymharol gul oedd diddordebau'r undebau mewn gwirionedd — problemau diwydiannol, cyflogau, a buddiannau rhai aelodau o'r gymdeithas — ac nid oedd ganddynt fawr o ddiddordeb ymhob agwedd o waith llywodraeth mewn gwladwriaeth ddemocrataidd. I ychwanegu at y rhwystrau hyn cynhaliai'r Blaid Lafur Annibynnol ei chynhadledd ei hunan gan hawlio mai hi oedd gwir gynrychiolydd y dosbarth gweithiol.

Ym 1924, fodd bynnag, roedd dylanwad yr undebau ar lunio polisi yn fwy o rith nag o ffaith. Roedd MacDonald yn dipyn o unben o fewn y Blaid Lafur Seneddol ac roedd yn benderfynol o lunio llywodraeth gredadwy ag apêl lydan. Ar brydiau roedd ei ddulliau unbenaethol o arwain ei blaid yn debyg i rai Lloyd George. Fel arweinydd ni allai anghofio mai llywodraeth leiafrifol oedd ganddo a bod honno'n ddibrofiad.

Ymgymerodd MacDonald ddyletswyddau'r Gweinidog Tramor yn ogystal â rhai'r Prif Weinidog. Penododd ddynion o feddylfryd tebyg iddo ef i swyddi eraill yn y Cabinet: Henderson i'r Swyddfa Gartref, Philip Snowden i'r Trysorlys, Haldane yn Arglwydd Ganghellor a John Wheatley yn Weinidog Iechyd.

Gyda'r ddwy wrthblaid yn barod i daflu allan unrhyw fesur a oedd yn ymddangos yn eithafol roedd yn anodd i'r llywodraeth gyflwyno unrhyw fesur gwironeddol sosialaidd. Y mesur pwysicaf a basiwyd oedd Deddf Tai Wheatley. Cynyddwyd y cymhorthdal tai o £6 yr uned i £9 ac adeiladwyd dros hanner miliwn o dai dan y drefn hon rhwng 1924 a 1933, pan ddilewyd y cymhorthdal yn gyfan gwbl. Diddymwyd y bwlch rhwng y cyfnodau pan oedd y di-waith yn medru hawlio taliadau yswiriant a chodwyd ychydig ar y budd-dâl i'r di-waith. Yn ei gyllideb cwtogodd Snowden y tollau ar fewnforion bwyd, er enghraifft, coffi, te a siwgr, gostyngodd daliadau teleffon a'r dreth ar geir, a dilewyd y dreth arbennig ar elw corfforaethau.

Er mor newydd oedd y syniad o gael llywodraeth Lafur am y tro cyntaf erioed parhaodd llawer o'r anghydfod diwydiannol, yn arbennig o gyfeiriad yr undebau hynny dan arweiniad dynion a oedd yn elyniaethus i MacDonald. Ym mis Chwefror 1924 galwodd Ernest Bevin, arweinydd yr Undeb Trafnidiaeth a Gweithwyr Cyffredinol, am streic yn y dociau o blaid codiad cyflog bychan iawn. Cafodd Bevin ei ffordd ar ôl parlysu'r porthladdoedd am ddeng niwrnod. Ym mis Mawrth cefnogodd Bevin streic gan yrwyr tramiau Llundain, gan annog gyrwyr bysiau a threnau i'w cefnogi. Ar ôl methiant y llywodraeth i ddatrys yr anghydfod, cyhoeddwyd Stad o Argyfwng.

Dangosodd yr anghydfod diwydiannol nad oedd yr undebau yn fwy parod i gydweithio â llywodraeth Lafur — i'w harweinwyr prif ddiben gweithgarwch undebol oedd gwella safonau byw eu haelodau. Felly ar adeg pan oedd y Blaid Lafur wedi llwyddo i ffurfio ei llywodraeth gyntaf collodd yr undebau gyfle i ddangos i bobl a oedd yn amau cymhellion ac amcanion llywodraeth sosialaidd y gallai gweinyddiaeth o'r fath weithredu polisïau mwy llwyddiannus, ac mewn gwell cytgord â'r gweithwyr, na'r ddwy blaid arall.

Yn ei pholisi tramor roedd ymdrechion y llywodraeth yn fwy cadarnhaol o ganlyniad i waith caled MacDonald. Ceisiodd ddiogelu cytundeb rhwng Ffrainc a'r Almaen, rhoddodd ei gefnogaeth i Gynghrair y Cenhedloedd, diarfogi, a Phrotocol Genefa, a chwiliodd am ddulliau i adfer safle yr Undeb Sofietaidd yn Ewrop.

Ym mis Awst 1924 daethpwyd ag achos yn erbyn J. R. Campbell, golygydd y cychgrawn comiwnyddol *The Workers Weekly*, am annog milwyr i wrthryfela trwy alw arnynt i beidio â saethu at eu cydweithwyr. O fewn yr wythnos tynnwyd yr erlyniad yn ôl gan y Twrnai Cyffredinol ond nid oedd hyn yn ddigon i fodloni rhai o wrthwynebwyr MacDonald. Roedd aelodau adain chwith ei blaid, megis Maxton a Lansbury, yn anfodlon fod y llywodraeth wedi ystyried erlyn Campbell yn y lle cyntaf. Ond pan benderfynwyd peidio â mynd ymlaen â'r achos fe dybiodd rhai

6. 'Vote for Macdonald and Me'

o'r Ceidwadwyr (er enghraifft, Syr Kingsley Wood) fod gormod o ddylanwad comiwnyddol ar y llywodraeth. Yn dilyn hyn trafodwyd y mater yn y Senedd. Argymhellodd y Rhyddfrydwyr y dylid sefydlu pwyllgor seneddol i ymchwilio i'r mater. Gwrthododd MacDonald a chynigiwyd pleidlais o ddiffyg hyder yn y llywodraeth gan y Ceidwadwyr. Collodd y llywodraeth a threfnwyd etholiad cyffredinol arall ar gyfer 29 Hydref.

Bedwar diwrnod cyn yr etholiad ymddangosodd llythyr yn *The Times* yn enw Zinoviev, un o benaethiaid y Comiwnyddion y tu allan i'r Undeb Sofietaidd. Yn y llythyr anogwyd Plaid Gomiwnyddol Prydain i gefnogi cynlluniau MacDonald i gynorthwyo'r Undeb Sofietaidd, nid am eu bod yn arbennig o dda ond am eu bod yn rhoi cyfle i'r Comiwnyddion sefydlu eu hunain mewn swyddi pwysig yn y llywodraeth. Roedd dilysrwydd y llythyr yn amheus iawn a rhoddodd gyfle i'r papurau ceidwadol ymosod ar y llywodraeth. Mae'n anodd gwybod faint o effaith a gafodd 'Llythyr Zinoviev' ar y patrwm pleidleisio ond roedd yn gyfrifol am chwerwi'r berthynas rhwng y Blaid Lafur a'r Wasg am flynyddoedd lawer. Yn yr etholiad enillodd y Ceidwadwyr 415 o seddau (7.4 miliwn o bleidleisiau), y Blaid Lafur 152 (5.5 miliwn o bleidleisiau) a'r Rhyddfrydwyr 42 o seddau.

PENNOD 7

Llywodraeth Stanley Baldwin, 1924–1929

O ganlyniad i lwyddiant y Ceidwadwyr ym 1924 daeth Stanley Baldwin yn Brif Weinidog a phenododd nifer o ddynion galluog i'r prif swyddi Austen Chamberlain yn Ysgrifennydd Tramor, Winston Churchill yn Ganghellor y Trysorlys, yr Arglwydd Birkenhead yn Ysgrifennydd Gwladol India, Balfour yn Arglwydd Arlywydd, a Neville Chamberlain yn Weinidog Iechyd. Gadael i bethau ddigwydd ac yna gweithredu oedd polisi Baldwin. Felly ni roddodd unrhyw gyfeiriad pendant i'r llywodraeth ar wahân i bwysleisio'r thema y byddai'n parhau â'r polisi o gadw heddwch yn Ewrop a heddwch diwydiannol gartref. Er gwaethaf ei ddull hamddenol o arwain, drwy roi cryn dipyn o annibyniaeth i'w weinidogion sicrhaodd fod y llywodraeth yn ystod y cyfnod hwn wedi cyflwyno nifer o ddeddfau pwysig.

Dan ddylanwad y Trysorlys penderfynodd Churchill yn ei gyllideb gyntaf, ar 28 Ebrill 1925, ddychwelyd at y safon aur fel yr oedd cyn y rhyfel (4.86 doler i'r bunt). Bwriad y penderfyniad hwn oedd gwella cyflwr yr economi a chafodd gefnogaeth llawer o economegwyr, ond haerodd Keynes y byddai'n arwain at godiadau ym mhrisiau nwyddau Prydeinig ac yn ei gwneud hi'n anos i gystadlu ac i werthu yn y farchnad ryngwladol. Hefyd ailosododd y gyllideb dollau ar win, siwgr, a thybaco a bu gostyngiad mewn treth incwm o chwe cheiniog.

Yn yr un flwyddyn cyflwynodd Chamberlain fesurau i roi pensiynau i wragedd gweddw a phlant amddifad yn ogystal â gostwng yr oedran y gellid hawlio pensiwn henoed o 70 i 65. Cyn diwedd y flwyddyn llwyddodd hefyd i basio deddf a osodai drefn ar drethi lleol. Rhoddwyd y pŵer i benderfynu gwerth trethiannol a chodi trethi yn nwylo'r awdurdodau lleol er gwaethaf gwrthwynebiad adain dde ei blaid a ofnai oblygiadau'r ddeddf wrth iddi gael ei gweithredu gan y cynghorau Llafur.

Ychydig o lwyddiant, fodd bynnag, a gafodd y llywodraeth yn ei hymdrechion i ddatrys y problemau economaidd. Roedd y diwydiant glo eisoes yn wynebu trafferthion difrifol oherwydd y gostyngiad yn y galw amdano ar ôl y rhyfel, y costau cynhyrchu uchel a cholli marchnadoedd tramor. Roedd y sefyllfa wedi gwella rhywfaint ym 1923 oherwydd y streic gyffredinol yn ardaloedd glofaol y Ruhr, a ddilynodd y goresgyniad Ffrengig, ond nid oedd hyn yn ddigon i atal dirywiad y diwydiant a gwaethygwyd y sefyllfa gan benderfyniad y llywodraeth i ddychwelyd at y safon aur. Cynyddodd hyn bris glo Prydain mewn marchnadoedd tramor a'i wneud yn llai cystadleuol.

Ar ôl codiad cyflog bychan ym 1924, a oedd i barhau am flwyddyn, roedd y glowyr unwaith eto yn barod i drafod y sefyllfa gyda'r perchenogion ym mis Mawrth 1925. Dywedodd y perchenogion fod gostyngiadau cyflog yn hanfodol oherwydd y lleihad yn y galw, y costau cynyddol a pholisi'r llywodraeth o wrthod cymorthdaliadau. Dadleuai'r glowyr fod hyn yn hollol annerbyniol am fod cyflogau'r glowyr yn ddigon isel yn barod. Apeliodd Llywydd Ffederasiwn y Glowyr, Herbert Smith a'r Ysgrifennydd, A. J. Cook, ar Gyngres yr Undebau Llafur (TUC) am gefnogaeth a chafwyd addewid o hyn ar ddydd Gwener, 31 Mehefin. Dywedodd y TUC y byddai gwaharddiad ar symud cyflenwadau glo o hanner nos y noson honno. Er mwyn osgoi gwrthdrawiad ar raddfa eang ac er mwyn osgoi unrhyw newidiadau mewn oriau gwaith a chyflogau addawodd y llywodraeth y byddai'n darparu cymhorthdal am naw mis ac y byddai'n sefydlu comisiwn i ymchwilio i broblemau'r diwydiant, gan obeithio y byddai hyn yn perswadio'r glowyr i beidio â mynd ar streic.

Cytunodd y glowyr i ohirio'r streic ac ar 19 Mawrth 1926 cyhoeddwyd adroddiad Comisiwn Syr Herbert Samuel. Argymhellodd y dylid gwladoli breindaliadau'r diwydiant, uno'r pyllau bach, darparu cartrefi gwell a baddonau ger y pyllau eu hunain, rhoi mwy o wyliau, ac addrefnu'r diwydiant dan berchenogaeth breifat. Yn y cyfamser, er mwyn cyflawni hyn, byddai'n rhaid i'r glowyr dderbyn gostyngiadau yn eu cyflogau. Er nad oedd Smith a Cook yn anghytuno â'r rhan fwyaf o'r adroddiad nid oeddynt yn fodlon derbyn y gostyngiadau, ac roedd y perchenogion, ar y cyfan, yn elyniaethus i'r argymhellion.

Roedd y llywodraeth hefyd o'r farn y byddai angen gostyngiadau cyflog ac wedi rhagweld na fyddai cytundeb yn bosibl ac yn ystod misoedd gwaith y comisiwn roeddynt wedi mynd ati gyda chymorth cannoedd o wirfoddolwyr i baratoi ar gyfer streic fawr. Wedi ildio unwaith, oherwydd y bygythiad o streic ar 31 Mehefin 1925, roedd yn benderfynol y tro hwn na fyddai hanes yn ailadrodd ei hun.

Nid oedd unrhyw arwydd o gyfaddawd ar y naill ochr na'r llall. Credai rhai aelodau seneddol Llafur y gallai streic gyffredinol arwain at derfysg a gwrthdrawiad gwaedlyd â'r llywodraeth. Pwysodd J. H. Thomas ar y glowyr i fod yn fwy hyblyg ond heb lwyddiant. Gwrthododd y llywodraeth barhau â'r cymhorthdal a gwrthododd y perchenogion ystyried gofynion y glowyr.

Ar 30 Ebrill cynhaliwyd cyfarfod o bwyllgor gwaith yr undebau llafur. Roedd 'cloi allan' wedi dechrau yn y pyllau glo ac roedd y Cabinet wedi cwrdd i drafod y sefyllfa. Roedd y mwyafrif o blaid sefyll yn erbyn y glowyr ond credai Churchill hefyd fod safiad y perchenogion yn afresymol ac y dylid ymdrechu i wella amgylchiadau'r gweithwyr.

Ar y diwrnod canlynol penderfynodd Cyngor Cyffredinol Cyngres yr Undebau Llafur gefnogi'r glowyr ond pwysleisiwyd na ddylid amharu ar gyflenwadau bwyd ac angenrheidiau eraill. Un o arweinwyr y Cyngor Cyffredinol oedd Ernest Bevin, Ysgrifennydd Cyffredinol Undeb y Gweithwyr Cludiant a Chyffredinol, a mynnodd fod yr holl undebau yn cydweithredu. Ef a J. H. Thomas, Ysgrifennydd Cyffredinol Undeb Cenedlaethol y Gweithwyr Rheilffyrdd, oedd yn gyfrifol am drefnu'r streic. Yn y trafodaethau rhwng Cyngres yr Undebau Llafur a'r Cabinet argymhellwyd y dylai'r glowyr dderbyn gostyngiad cyflog cyn i addrefniant y diwydiant ddechrau ond nid oeddynt yn barod i wneud hynny ac aeth pwyllgor gwaith eu hundeb ati i baratoi at y streic.

Pan ailddechreuodd y trafodaethau rhwng Cyngres yr Undebau Llafur a'r Cabinet yn y nos nid oedd y glowyr wedi ailymgynnull. Fodd bynnag, argymhellwyd diddymu'r arwyddion 'cloi allan' ar yr amod bod y glowyr yn derbyn argymhellion Comisiwn Samuel.

Yna ar 2 Mai daeth y trafodaethau i ben yn sydyn am hanner nos. Yr esgus a roddwyd oedd amharodrwydd aelodau Cymdeithas Genedlaethol Argraffwyr Gweithredol a Chynorthwywyr (National Society of Operative Printers and Assistants) a staff y *Daily Mail* i gyhoeddi'r papur oherwydd safbwynt golygyddol Thomas Marlowe. Roedd llawer o undebwyr llafur yn teimlo bod helynt y *Daily Mail* yn esgus cyfleus a phe bai'r llywodraeth heb adael y trafodaethau yn ddirybudd, efallai y byddai Cyngres yr Undebau Llafur wedi gohirio neu wedi atal y Streic Gyffredinol ar y sail eu bod wedi sicrhau y telerau gorau o dan yr amgylchiadau i'r glowyr.

Un o effeithiau'r cydweithrediad undebol oedd absenoldeb papurau newydd ar y strydoedd, ond fe wyddai'r llywodraeth fod ennill y frwydr bropaganda o dan y fath amgylchiadau'n allweddol. O dan olygyddiaeth Winston Churchill cyhoeddodd y llywodraeth ei phapur ei hunan — y *British Gazette*. Ymateb yr undebau i hyn oedd cyhoeddi taflen ddyddiol sef y *British Worker*. Yn naturiol roedd safbwynt y *Gazette* yn unochrog ac fe wnaeth Churchill fôr a mynydd o unrhyw wendid yn y streic yn ogystal â honni fod y streic yn un anghyfreithlon ac yn her i gyfansoddiad y deyrnas. Ymunodd y Cwmni Darlledu Prydeinig yn y frwydr bropaganda trwy atal unrhyw newyddion allai fod o gymorth i'r streicwyr. Nid oedd unrhyw sôn er enghraifft am gadernid y streic ledled Prydain na chwaith unrhyw ymdrech i dynnu sylw at y problemau cymdeithasol a'r tlodi yn y cymunedau glofaol. Penderfynodd rheolwr y Cwmni sef John Reith, o wybod safbwynt y llywodraeth, beidio â chaniatáu i Archesgob Caergaint wneud apêl yn erfyn am gytundeb dan nawdd yr Eglwys. Yn y diwedd rhoddwyd caniatâd iddo wneud y darllediad wythnos yn ddiweddarach. Canlyniad hyn i gyd wrth gwrs oedd fod y darlun a gafodd y rhan fwyaf o bobl o'r hyn oedd yn digwydd yn y streic a'i effeithiolrwydd ledled y wlad yn unochrog ac yn blediol i safbwynt y llywodraeth.

Apeliodd yr Ysgrifennydd Cartref am gwnstabliaid arbennig ac fe wirfoddolodd miloedd o bobl, yn bennaf o'r dosbarth canol, i yrru bysiau, lorïau a threnau. O fewn ychydig ddyddiau roedd eu nifer wedi cyrraedd deunaw mil a bu nifer o wrthdrawiadau rhyngddynt a'r streicwyr. Bu dros dair mil o erlyniadau yn y llysoedd oherwydd y fath wrthdrawiadau ond o gofio bod miliynnau o bobl wedi cefnogi'r streic roedd hwn yn gyfanswm cymharol fychan. Fe gyhoeddodd Baldwin fod y streicwyr yn herio cyfansoddiad y wlad a rheolaeth y Senedd ac ychwanegodd Churchill y byddai'r llywodraeth yn cefnogi ymdrechion gan y lluoedd arfog i gadw trefn lle roedd angen hynny.

Yn y cyfamser symudwyd milwyr i wahanol rannau o Brydain. Fe ddefnyddiwyd morwyr y Llynges Frenhinol i helpu yn y dociau, i gludo post dros y môr ac i ddosbarthu cyflenwadau petrol. Yna penderfynwyd symud llongau rhyfel i gyffiniau'r prif drefi gan gynnwys Lerpwl, Bryste, Caerdydd a Harwich ac i afonydd Clud, Tyne a Humber.

O fewn tridiau fe ddechreuodd trafodaethau anffurfiol a chyfrinachol rhwng Syr Herbert Samuel a Phwyllgor Gwaith Cyngres yr Undebau Llafur i geisio dod â'r streic i ben ond gwrthododd y llywodraeth â chymryd rhan. Roedd teimlad fodd bynnag ymhlith rhai arweinwyr undebol fel Walter Citrine a J. H. Thomas nad oedd modd ennill y fath frwydr. Roedd y llywodraeth yn annhebyg o ildio ac roedd perygl yn eu barn hwy pe bai'r gweithredu'n para y byddai gweithwyr yn dechrau dychwelyd i'w gwaith yn wirfoddol neu y byddai arweinyddiaeth y streic yn syrthio i ddwylo pobl oedd yn fwy milwriaethus ac yn fwy cefnogol i ddulliau treisgar. Wrth i'r ymdrechion rhwng Samuel a'r arweinwyr undebol i lunio rhyw fath o gyfaddawd barhau nid oedd unrhyw arwydd fod gweithwyr y tu allan i'r diwydiant glo am roi'r gorau i'r streic. Yn y

67

cyfamser daeth newyddion am wrthdrawiadau rhwng streicwyr a'r heddlu ledled Prydain — yn Lerpwl, Doncaster, Hull, Preston, Aberafan a Llundain.

Ar 8 Mai fe wnaed darllediad gan y Prif Weinidog yn apelio ar y ddwy ochr yn y diwydiant glo i gyfaddawdu. Ond mynnodd na fyddai'r llywodraeth yn gwneud addewidion o unrhyw fath nes bod y streic ar ben a hynny'n ddiamod. Ymhen deuddydd rhoddodd Samuel ei argymhellion gerbron y llywodraeth a swyddogion Cyngres yr Undebau Llafur gan gynnwys cynrychiolwyr y glowyr. Awgrymodd y dylid talu'r cymhorthdal am gyfnod byr eto, y dylid sefydlu Bwrdd Cyflogau Cenedlaethol ac na ddylid gostwng cyflogau hyd nes bod y diwydiant wedi ei ad-drefnu. Roedd Cyngres yr Undebau Llafur yn barod i'w derbyn ond roedd y glowyr yn dal yn anhapus â'r argymhellion ac yn anfodlon hefyd fod y TUC heb ymgynghori â hwy yn ystod y trafodaethau. Er gwaetha'r pwysau gan y Gyngres ar Lywydd y Glowyr, Herbert Smith, i dderbyn cyfaddawd o'r fath, gwrthododd ildio. Ni chredai fod unrhyw sicrwydd y byddai'r llywodraeth a'r cyflogwyr yn cydfynd â Samuel wedi iddynt ddod â'r streic i ben a byddai gostyngiadau cyflog i rai glowyr yn anochel ac roedd hynny'n annerbyniol.

Ar 12 Mai cyfarfu arweinwyr Cyngres yr Undebau Llafur â Baldwin, yr Arglwydd Birkenhead a Neville Chamberlain yn 10 Downing Street gan ddweud eu bod yn barod i roi terfyn ar y streic er mwyn cynnal trafodaethau. Roedd y gweinidogion yn falch ond ni roddwyd unrhyw addewidion i Ernest Bevin a'i gyd-undebwyr. Ymdrechodd Bevin serch hynny i gael addewid gan y Prif Weinidog y byddai'n pwyso ar y cyflogwyr i beidio ag erlid streicwyr a fyddai'n dychwelyd i'w gwaith, ond gwrthododd Baldwin. Yn dilyn y cyfarfod hwn darlledwyd y newyddion am ddiwedd y streic gan Gwmni Darlledu Prydeinig.

Fe gyhoeddodd y *British Worker* fod y streic ar ben a bod y TUC wedi cael sicrwydd y byddai rhai o argymhellion Samuel yn cael eu gweithredu gan gynnwys cymhorthdal i'r diwydiant glo. Nid oedd hyn yn wir ac fe anwybyddwyd y ffaith fod Ffederasiwn y Glowyr wedi gwrthod argymhellion Samuel yn gyfangwbl.

Cyhoeddodd y *Gazette* fod y streicwyr wedi ildio yn ddiamod. Achosodd hyn syndod trwy Brydain am fod y gefnogaeth i'r streic yn parhau'n gryf iawn a lledaenodd yr ymdeimlad ymhlith y gweithwyr fod y Cyngor Cyffredinol wedi bradychu'r glowyr. Penderfynodd cannoedd o filoedd o streicwyr aros allan yn wirfoddol a hysbyswyd eraill gan eu cyflogwyr y byddai rhai ohonynt yn gorfod derbyn gostyngiadau cyflog. Arweiniodd hyn at ddechrau'r ail streic a ysbardunwyd gan yr argyhoeddiad y gellid gorfodi'r cyflogwyr i gyd i dderbyn y streicwyr yn ôl yn ddiamod. Ond dywedodd Baldwin yn y Senedd na fyddai'n fodlon ar unrhyw ymgais gan gyflogwyr i ddefnyddio'r streic fel esgus i newid amodau gwaith. Ar 14 Mai gyda'r rhan fwyaf o'r cyflogwyr yn barod i gydymffurfio â datganiad Baldwin, fe ddychwelodd y mwyafrif o'r streicwyr i'w gwaith. Ni ddaeth streic y glowyr i ben ond roedd Baldwin a'i Gabinet a'r rhan fwyaf o'r dosbarth canol yn falch fod y Streic Gyffredinol drosodd a bod y llywodraeth wedi llwyddo i drechu'r gweithwyr gwrthryfelgar.

Aeth Baldwin ati i gysylltu â'r glowyr gan fynegi parodrwydd y llywodraeth i dderbyn argymhellion adroddiad Samuel. Gwrthododd y glowyr gytuno â hyn a'r maen tramgwydd eto oedd y gostyngiadau cyflog arfaethedig. Yn ogystal, gwrthododd y perchenogion dderbyn yr adroddiad o gwbl. Penderfynodd Baldwin fod trafodaeth o du'r llywodraeth yn wastraff amser a gadawodd i'r ddwy ochr ddatrys yr anghydfod rhyngddynt.

Yn ystod mis Gorffennaf gwrthododd Baldwin geisiadau gan amryw o bobl, gan gynnwys arweinwyr eglwysig, i roi cymhorthdal i'r diwydiant yn ystod cyfnod yr ad-drefnu. Credai'r perchenogion erbyn hynny eu bod wedi ennill cydymdeimlad y llywodraeth ac roedd hyn yn rheswm pellach dros beidio â chyfaddawdu. Nid oedd hyn yn wir am Churchill. Er gwaethaf ei ddatganiadau ymfflamychol yn erbyn peryglon y Streic Gyffredinol, roedd honno drosodd ac roedd angen cymodi. Mewn cyfarfod ag arweinwyr y glowyr ar 25 Awst mynegodd Churchill safbwynt y Cabinet, ond roedd ei gydymdeimlad personol ef gyda'r glowyr ac nid gyda safbwynt anhyblyg y perchenogion.

Dywedodd Baldwin unwaith eto ym mis Medi na fyddai'r llywodraeth yn ymyrryd. Yn y cyfamser dechreuodd y glowyr, oherwydd tlodi a phrinder bwyd, ddychwelyd i'r pyllau. Ar ddiwedd mis Tachwedd gorfodwyd hwy i dderbyn gostyngiadau cyflog, oriau hwy a chytundebau lleol. Roedd y streic wedi parhau felly am chwe mis.

Roedd prinder glo yn ystod y streic wedi effeithio ar ddiwydiannau eraill ac wedi ychwanegu rhagor na hanner miliwn o bobl at ystadegau diweithdra. Gostyngodd cynhyrchiad glo o fwy na 50 y cant o gymharu â 1925, a chwtogwyd allforion o fwy na 25 miliwn o dunelli. Ar wahân i'r tlodi a achoswyd yn y cymunedau glofaol, ysgogodd y streic deimladau chwerw ac atgasedd tuag at y perchenogion a'r Blaid Geidwadol yn gyffredinol.

Trafodwyd y streic gan Gyngres yr Undebau Llafur a'r glowyr am gyfnod wedyn, cyn diweddu â chynhadledd arbennig ym mis Ionawr

1927. I'r mwyafrif bu'r streic yn llwyddiant ysgubol o ran trefniadaeth a chydweithrediad. Ond dangosodd hefyd, i lawer o undebwyr, ffiniau nerth diwydiannol, ac ni fyddai'r rhain yn ymwneud â streic gyffredinol eto. Cwynodd y glowyr fod arweinwyr y Cyngor Cyffredinol ar fai ond dadleuai Bevin a Thomas y gallai parhad y streic fod wedi arwain at wrthdrawiadau llawer mwy gwaedlyd ac ar raddfa ehangach nag a ddigwyddodd.

Bu'r streic yn niweidiol i aelodaeth a chronfeydd yr undebau llafur. Disgynnodd yr aelodaeth o 5 miliwn ym 1925 i 4.5 miliwn ym 1932 a chollwyd £4 miliwn o'r cronfeydd. Felly roedd yr undebau llafur yn wannach o dipyn ar ôl y streic.

Er gwaethaf hyn, penderfynodd y llywodraeth fynd gam ymhellach a phasiwyd Deddf Anghydfod Diwydiannol ac Undebau Llafur (Trade Dispute and Trade Union Act) ar ddiwedd mis Mai 1927. Bellach roedd streiciau cydymdeimladol yn anghyfreithlon, a gwaharddwyd gorfodaeth ar aelodau undebau llafur i gyfrannu i'r Blaid Lafur (rhwng 1926 a 1928 disgynnodd nifer y gweithwyr a gyfrannai i'r Blaid o 3,388,000 i 2,077,000). Yn ychwanegol, gwaharddwyd unrhyw streic a drefnwyd gyda'r bwriad o fygwth y llywodraeth neu ei gorfodi i weithredu polisi arbennig.

I lawer o bobl roedd mesur o'r fath yn ddiangen o gofio methiant y streic, natur gymedrol y mwyafrif helaeth o'r arweinwyr undebol a'r tlodi a oedd yn bodoli mewn llawer o'r ardaloedd diwydiannol. I'r Blaid Lafur roedd y ddeddf yn ymosodiad ar hawl y dosbarth gweithiol i frwydro, pe bai angen, i gynnal eu safonau byw. Hyd yn oed ymhlith y Ceidwadwyr yr oedd anfodlonrwydd. Dadleuodd Harold Macmillan, er enghraifft, mewn llyfr a ymddangosodd ym mis Ebrill 1927, *Industry and the State*, fod angen partneriaeth newydd mewn diwydiant, gyda'r llywodraeth yn rheoli'r cyfeiriad cyffredinol a rheolwyr diwydiannau preifat a chyhoeddus yn gweithio ochr yn ochr â chynghorau diwydiannol i sicrhau ffyniant economaidd. Ond cafodd ei syniadau dderbyniad oeraidd gan Geidwadwyr eraill ac ymosododd y *Daily Mail* a'r *Yorkshire Post* arno'n hallt am feddwl gwyntyllu syniadau 'sosialaidd' o'r fath! Fodd bynnag, pwysodd Macmillan, gyda chefnogaeth Neville Chamberlain, Syr Leslie Scott, Syr Alfred Mond a'r Foneddiges Astor am fesurau cymdeithasol creadigol yn ogystal â'r ddeddf wrth-undebol.

Rhwng 1925 a 1927 fe fentrodd Chamberlain, ar hyd llwybr oedd yn groes i ddymuniadau llawer o aelodau o'i blaid ei hun, ac fe basiodd nifer o ddeddfau yn ymwneud â diogelu safonau byw y di-waith, yr hen, a'r methedig. Nid oedd y mesurau hyn yn ddigonol ym marn y Blaid Lafur ac aethant yn rhy bell ym marn y Ceidwadwyr adain dde. Ond efallai mai gorchest fwyaf Chamberlain oedd ei ddeddf yn ymwneud â diwygio llywodraeth leol. Roedd llywodraeth leol wedi aros yn ei hunfan er diwedd y bedwaredd ganrif ar bymtheg er bod llawer o newidiadau demograffig, economaidd a chymdeithasol wedi digwydd yn y cyfamser.

Ym mis Tachwedd 1928 cyflwynodd Chamberlain y mesur ar gyfer ei ddarlleniad cyntaf yn y Senedd. Yn ôl y mesur byddai Byrddau Deddf y Tlodion yn cael eu dileu a'u pwerau yn cael eu trosglwyddo i'r cynghorau sir. Y bwrdeistrefi a fyddai'n gweithredu'r system newydd drwy bwyllgorau cymorth cyhoeddus. Byddai pwerau'r siroedd yn cael eu hehangu i gynnwys cyfrifoldeb am iechyd, plant, ffyrdd a chynllunio lleol. Dan ddylanwad Churchill diddymwyd trethi lleol ar dir ac ar adeiladau amaethyddol a gostyngwyd yn sylweddol y trethi ar ddiwydiant. I leihau'r colledion oherwydd yr argymhellion hyn derbyniai'r cynghorau grantiau bloc gan y llywodraeth a byddai'r rhain i raddau wedi eu seilio ar gyfanswm poblogaeth yr ardal, gwerth trethiannol, diweithdra, a nifer y plant dan bump oed. Er bod hyn yn cynyddu cyfrifoldeb ariannol y llywodraeth am wasanaethau lleol roedd hefyd yn cryfhau rheolaeth y Weinyddiaeth Iechyd ar wariant, hynny yw, gallai'r weinyddiaeth ostwng grant unrhyw awdurdod oedd yn gwario'r arian mewn 'dull anfoddhaol'. Pasiwyd y ddeddf ym 1929.

Mewn meysydd cwbl wahanol pasiodd y llywodraeth ddeddfau yn ymwneud â'r diwydiant trydan a'r Cwmni Darlledu Prydeinig ym 1926. Yn wahanol i wledydd eraill, ni ddangoswyd llawer o ddiddordeb yn y diwydiant cyflenwadau trydan gan lywodraethau Prydain ac roedd y cyfrifoldeb am y gwasanaeth hwn yn nwylo cannoedd o bwerdai bychain. Ond yng nghanol y dirwasgiad ac yn dilyn adroddiadau gan bwyllgorau ar ynni dan gadeiryddiaeth yr Arglwydd Weir a Lloyd George, penderfynwyd y dylid ad-drefnu'r cyflenwadau. Penododd y llywodraeth fwrdd a fyddai'n gyfrifol am redeg y diwydiant ac a fyddai'n gyfrifol yn ei dro i un o weinidogion y llywodraeth. Dan y drefn newydd byddai trydan yn cael ei gyflenwi gan y gorsafoedd trydan a'i werthu i gwmnïau preifat a fyddai'n darparu cyflenwad i'w cwsmeriaid. Nid y llywodraeth a fyddai'n berchen ar y gorsafoedd trydan, ond byddai pobl a oedd wedi'u henwebu gan y llywodraeth yn eu gweinyddu gyda mesur helaeth o annibyniaeth. Roedd y system hon yn fwy effeithiol na'i rhagflaenydd ac erbyn 1933 roedd y grid yn ymestyn dros bedair mil o filltiroedd ac yn dosbarthu trydan o 130 o orsafoedd trydan i 630 o ganolfannau trydan lleol.

Erbyn diwedd 1926 roedd y llywodraeth ar fin cymryd meddiant o'r Cwmni Darlledu Prydeinig a sefydlu'r Gorfforaeth Ddarlledu Brydeinig yn ei le. Yn y pymtheng mlynedd cyn hynny roedd 33,000 o bobl wedi prynu trwyddedau radio gan y Swyddfa Bost er mwyn gwrando ar yr ychydig o raglenni neu adroddiadau am y tywydd a ddarlledid. Yn gynnar yn y 1920au roedd y cwmnïau a oedd yn gyfrifol am gynhyrchu gwahanol ddarnau o setiau radio wedi cyfarfod i ffurfio un cwmni, y Cwmni Darlledu Prydeinig, ac ym 1922 roeddynt wedi cyhoeddi canlyniadau'r etholiad cyffredinol. Gwrthwynebwyd y datblygiad hwn gan y Swyddfa Bost oherwydd yr elw y gallai'r cwmni ei wneud oddi wrth ddarlledu. Yn ogystal gwrthwynebwyd ef gan y lluoedd arfog oherwydd yr effaith y gallai ei gael ar donfeddi milwrol a chan y Wasg a ofnai golli darllenwyr. Ar ddechrau'r 1920au roedd y rhan fwyaf o'r rhaglenni yn rhai cerddorol, ond roedd Reith, rheolwr y cwmni, yn awyddus i fentro i feysydd addysgol a gwleidyddol. Fodd bynnag, ym mis Gorffennaf 1925 sefydlodd y llywodraeth Bwyllgor Crawford i ymchwilio i'r sefyllfa ac argymhellodd reolaeth gyhoeddus ar y cwmni. Yn y diwedd ychydig o wrthwynebiad a fynegwyd yn erbyn hyn a phenodwyd Reith yn Gyfarwyddwr y Gorfforaeth Ddarlledu Brydeinig newydd. Erbyn dechrau 1927 roedd dros ddwy filiwn o bobl wedi prynu trwyddedau radio.

Pasiwyd mesur diwygio arall gan lywodraeth Baldwin, y tro hwn yn ymwneud â'r bleidlais i ferched. Er 1918 dim ond merched dros ddeg ar hugain oed oedd â'r hawl i bleidleisio. Roedd pob dyn dros un ar hugain oed â'r hawl i bleidleisio ac roedd yr annhegwch hwn yn syfrdanol o gofio cyfraniad merched yn y Rhyfel Byd Cyntaf. Roedd yn adlewyrchiad o barhad gwerthoedd ac agweddau cyfnod Victoria tuag at statws a phwysigrwydd merched yn y gymdeithas. Ym 1928 rhoddwyd y bleidlais i ferched dros un ar hugain oed.

Llwyddodd y llywodraeth i basio'r rhan fwyaf o'i mesurau a pharhaodd y Blaid Lafur i fod yn wrthblaid sosialaidd ond yn pwysleisio amcanion cymedrol ac ymarferol. Er gwaethaf gwrthwynebiad aelodau'r Blaid Lafur Annibynnol credai MacDonald ac undebwyr amlwg fel Bevin fod yn rhaid i'r blaid, yn arbennig ar ôl streic 1926, argyhoeddi pobl o'u cymedroldeb er mwyn cryfhau eu gobeithion mewn etholiad cyffredinol.

Ymhlith y Rhyddfrydwyr nid oedd unrhyw arwydd amlwg o adfywiad etholiadol er gwaethaf arweinyddiaeth Lloyd George ar ôl marwolaeth Asquith ym 1928. Cyhoeddodd Lloyd George lyfrynnau ar amryw o destunau a oedd yn cynnig cynlluniau economaidd ar gyfer y dyfodol. Roedd llawer o'r argymhellion yn *Britain's Industrial Future* (1928) a *We Can Conquer Unemployment* (1928) wedi eu seilio ar syniadau Keynes am greu gwaith i bobl trwy gynlluniau cyhoeddus. Ond cawsant dderbyniad llugoer yn y Senedd ar y cyfan, yn bennaf oherwydd dylanwad prif athroniaeth wleidyddol ac economaidd y cyfnod hwnnw, sef na ddylai'r llywodraeth ymyrryd yn uniongyrchol er mwyn cynorthwyo'r economi ar adeg dirwasgiad. Yn ei pholisi tramor parhaodd y llywodraeth i gefnogi cyfarfodydd Cynghrair y Cenhedloedd a'r Gynhadledd Ddiarfogi. Erbyn 1927 daeth Prydain i gytundeb â'r Americanwyr a'r Japaneaid ynglŷn â maint eu llyngesau ac ym 1928 arwyddwyd Cytundeb Kellogg-Briand gan y prif bwerau i geisio dileu rhyfel fel dull o gyflawni amcanion polisi tramor. Llwyddodd hyn oll i gyfleu bod dulliau'r llywodraeth o gymodi yn Ewrop yn llwyddiannus. Roedd heddwch, wedi'r cyfan, yn parhau a Baldwin a dderbyniodd y clod am hyn.

Fodd bynnag, yn yr etholiad cyffredinol a gynhaliwyd ar 30 Mai 1929, y Blaid Lafur a enillodd y nifer fwyaf o seddau — 289 yn cynrychioli 8,365,000 o bleidleiswyr. Daeth y Ceidwadwyr yn ail gyda 260 o seddau yn cynrychioli 8,664,000 o bleidleiswyr. Dangoswyd annhegwch y drefn bleidleisio gan y canlyniad ar gyfer y Rhyddfrydwyr — 58 o aelodau seneddol yn cynrychioli 5,301,000 o bobl.

PENNOD 8

Yr Ail Lywodraeth Lafur, 1929–1931

Pan aeth MacDonald ati i ffurfio ei Gabinet ei fwriad oedd rhoi gwedd gymedrol iddo. Cafodd llefarwyr y chwith megis Maxton, Jowett a Wheatley eu hanwybyddu. Dewiswyd Henderson fel Ysgrifennydd Tramor, Snowden fel Canghellor y Trysorlys, J. R. Clynes fel Ysgrifennydd Cartref a Sidney Webb fel Gweinidog y Trefedigaethau. Ychydig o wahaniaeth oedd rhwng prif bersonoliaethau'r llywodraeth hon a'r un gyntaf ym 1924.

Er nad oedd gan y llywodraeth fwyafrif clir dros y pleidiau eraill gyda'i gilydd nid oedd ei safle mor wan ag yr oedd bum mlynedd cyn hynny. Y tu mewn i'r ddwy wrthblaid yr oedd gwrthwynebiad sylweddol i'r ddau arweinydd, Lloyd George a Stanley Baldwin. Serch hynny nid oedd unrhyw arwyddion fod y llywodraeth Lafur newydd am gyflwyno mesurau radicalaidd iawn nac am greu trefn sosialaidd o unrhyw fath. Ond fe lwyddodd y llywodraeth i gyflwyno nifer o ddiwygiadau. Ym mis Tachwedd 1929 cyflwynwyd mesur Yswiriant y Di-waith a fyddai'n cynyddu'r nifer o bobl a allai hawlio cymorth ariannol er nad oeddynt wedi talu digon o gyfraniadau. Yn ôl y mesur fe newidiwyd y rheol a osodai'r cyfrifoldeb ar y person di-waith i brofi ei fod yn chwilio am waith o ddifrif cyn y gallai hawlio budd-dâl a'i osod ar ysgwyddau swyddogion y cyfnewidfeydd llafur a fyddai'n gorfod profi bod y person hwnnw wedi gwrthod derbyn cynigion rhesymol o waith. Pasiwyd y ddeddf ym 1930.

Yn yr un flwyddyn pasiwyd deddfau yn ymwneud â'r diwydiant glo a thai. Roedd llawer o aelodau seneddol ym mhob plaid yn gefnogol i ad-drefniant sylweddol yn y diwydiant glo ond y broblem fwyaf oedd gwrthwynebiad unfrydol y perchenogion preifat. Serch hynny, llwyddodd y llywodraeth i ostwng oriau gwaith yn y pyllau o wyth awr i saith awr a hanner, heb ostyngiad mewn cyflogau. Trefnwyd hefyd fod pob ardal i gynhyrchu cwota arbennig o lo er mwyn lleihau cystadleuaeth. Sefydlwyd comisiwn i hyrwyddo ad-drefniant y diwydiant ond gwrthododd y perchenogion gydweithredu mewn unrhyw ffordd â'r syniad o greu Bwrdd Cyflogau Cenedlaethol.

Dan gyfarwyddyd Arthur Greenwood, y Gweinidog Iechyd, penderfynodd y llywodraeth fod yn rhaid cael gwared ar rai o'r tai gwaethaf, a rhoddwyd cymorthdaliadau i awdurdodau lleol er mwyn cyflawni hyn.

Mewn meysydd eraill chwalwyd gobeithion deddfwriaethol y llywodraeth gan y Ceidwadwyr a'r Rhyddfrydwyr. Methwyd â chodi oedran ymadael â'r ysgol i bymtheg oed a methwyd â diwygio'r Ddeddf Anghydfod Diwydiannol ac Undebau Llafur a basiwyd ym 1927. Yn ôl y ddeddf hon roedd streiciau cydymdeimladol yn anghyfreithlon ac nid oedd gorfodaeth chwaith ar undebwyr llafur unigol i wneud cyfraniad i'r Blaid Lafur.

Yn y cyfamser yn rhengoedd y Torïaid bu'n rhaid i Baldwin wynebu gwrthwynebiad cryf i'w arweinyddiaeth o gyfeiriad y Wasg Geidwadol. Cynllwyniodd yr Arglwydd Rothermere a'r Arglwydd Beaverbrook i gael gwared ag ef am nad oedd yn fodlon cefnogi'r syniad o fasnach rydd y tu mewn i'r ymerodraeth a thollau ar fewnforion o wledydd eraill. Aethant mor bell â mynnu bod Baldwin yn dadlennu ymlaen llaw enwau o leiaf deg aelod o Gabinet nesaf y Ceidwadwyr (pe baent yn ennill yr etholiad) a bod eu cefnogaeth hwy yn dibynnu ar ei gydweithrediad yn y mater hwn. Cyrhaeddodd y brwydro mewnol uchafbwynt mewn is-etholiad ym mis Mawrth 1931 pan benderfynodd perchenogion y Wasg enwebu eu hymgeisydd eu hunain i sefyll yn erbyn polisïau'r Blaid Geidwadol a gynrychiolid gan yr ymgeisydd swyddogol Syr A. Duff Cooper. Wedi buddugoliaeth Cooper, ymosododd Baldwin ar y perchenogion yn y Senedd a'u cyhuddo o fynegi safbwynt hollol unbenaethol a thrahaus. Dywedodd hefyd nad oedd ef, fel arweinydd plaid mewn cyfundrefn ddemocrataidd, yn barod i fod dan fawd unigolion o'r fath. Unodd y Ceidwadwyr y tu ôl i Baldwin a chryfhawyd ei safle fel arweinydd. Yr unig eithriad i'r cefnogaeth gyffredinol hon oedd Winston Churchill a ymddiswyddodd o Gabinet yr wrthblaid. Roedd Churchill yn anfodlon iawn gyda chefnogaeth Baldwin i bolisi'r llywodraeth Lafur ynglŷn â datganoli yn India.

Er bod MacDonald yn barod i fanteisio ar y problemau y tu mewn i'r brif wrthblaid, gwyddai nad oeddynt yn ddigon difrifol i sicrhau llwybr llwyddiannus i rai o fesurau'i lywodraeth. Mewn materion tramor, fodd bynnag, cafodd yr arweinydd Llafur a'i lywodraeth fwy o lwyddiant.

Roedd Henderson yn un o amddiffynwyr mwyaf diarfogi rhyngwladol a Chynghrair y Cenhedloedd, ac ym 1932 ef oedd Llywydd y Gynhadledd ar Ddiarfogi yn Genefa. O ganlyniad i'r trafodaethau rhyngwladol ynglŷn â Chynllun Young i gynorthwyo'r Almaen i dalu iawn am ddifrod rhyfel, pwysodd y llywodraeth yn llwyddiannus am gyfran uwch o'r ad-daliadau i Brydain ac am dynnu allan o diroedd y Rhein. Yna arwyddwyd Cytundeb Llyngesol yn Washington gyda'r Unol Daleithiau, Prydain a

Japan yn addo cadw at gynlluniau adeiladu llongau penodol. Ailagorwyd trafodaethau â'r Undeb Sofietaidd ac ym mis Ebrill 1930 cytunodd y ddwy wlad ar dermau masnachu ffafriol er nad oedd manylion y cytundeb yn glir iawn. Ym Mhalesteina nid oedd unrhyw leihad yn y tyndra rhwng yr Iddewon a'r Palesteiniaid ac yn yr Aifft parhaodd Plaid y *Wafd* i geisio newid Cytundeb 1922. Roedd cythrwfl o hyd yn India ac roedd dirywiad y sefyllfa yno yn peri pryder i'r Cabinet. Yn ystod 1930, felly, trefnwyd Cynadleddau'r Ford Gron dan gadeiryddiaeth MacDonald. (Ceir trafodaeth bellach ar y digwyddiadau hyn yn y penodau ar bolisi tramor a'r ymerodraeth.)

Ond, yn ddiamau, y broblem fwyaf i'r llywodraeth oedd y dirwasgiad byd-eang a ddechreuodd yn yr un flwyddyn ag y daeth MacDonald yn Brif Weinidog. Effeithiodd Cwymp Wall Street a'r dirwasgiad yn yr Unol Daleithiau yn drychinebus ar yr economi a chododd diweithdra i dros 3 miliwn ym 1931. Dadleuai Keynes fod angen cynyddu gwariant y llywodraeth er mwyn creu gwaith i bobl, talu cyflog iddynt, a thrwy hynny gynyddu'r galw am nwyddau mewn gwahanol rannau o'r economi.

Ond nid oedd syniadau Keynes yn cyd-fynd â phrif athroniaeth economaidd y cyfnod a fynnai fod angen cwtogi ar wario'r llywodraeth ar adeg dirwasgiad er mwyn rheoli cylchrediad arian a chwyddiant a lleihau'r Ddyled Genedlaethol. Credai Snowden, gyda'i weision sifil yn y Trysorlys, na allai unrhyw wladwriaeth wario ei ffordd allan o ddyled.

Roedd gan J. H. Thomas gyfrifoldeb arbennig am leihau diweithdra a chyda chymorth ei gyfeillion, Oswald Mosley a George Lansbury, aeth ati i baratoi nifer o argymhellion i ymdrin â'r broblem. Ymhlith y rhain oedd cynlluniau i adeiladu ffyrdd, ysbytai ac ysgolion, a chynlluniau i adennill tir, datblygu amaethyddiaeth, gostwng yr oedran ymddeol a rheoli mewnforion. Ynghlwm wrth y syniadau hyn roedd yr angen i ymadael â'r safon aur a chanolbwyntio buddsoddiadau y tu mewn i Brydain yn hytrach na mewn gwledydd tramor. Roedd syniadau o'r fath i'w gweld yn cael eu gweithredu yn yr Undeb Sofietaidd, yr Eidal, Sweden a'r Unol Daleithiau ond golygent ymestyniad sylweddol ar ymyrraeth y llywodraeth yn yr economi. Yn y diwedd gwrthodwyd yr holl syniadau hyn gan Snowden a oedd, wrth gwrs, dan ddylanwad cryf gwasanaeth sifil ceidwadol. Adwaith Mosley oedd ymddiswyddo o'r blaid ar ôl ei chynhadledd yn Llandudno ym mis Hydref 1930. Dywedodd cyn gadael fod y Blaid Lafur wedi colli cyfle ardderchog i weithredu arbrawf sosialaidd. O fewn dwy flynedd roedd wedi ffurfio plaid newydd, sef Undeb Prydeinig y Ffasgwyr.

Ym mis Ionawr 1931 cadeiriodd MacDonald gyfarfodydd y Cyngor Ymgynghorol ar yr Economi. Ymhlith yr aelodau oedd Keynes, Balfour, Tawney, Bevin a phobl busnes. Roedd rhaniad amlwg yn y cyfarfodydd rhwng cefnogwyr gwario a chefnogwyr cwtogi ar wario. Wrth i ddiweithdra godi cynyddodd y baich ar y Trysorlys am fod cronfeydd y cynlluniau yswiriant cenedlaethol yn annigonol. Gellid fod wedi codi'r arian drwy gynyddu trethi ond nid oedd Snowden yn fodlon gwneud hyn ac roedd yn bendant yn erbyn cynyddu'r baich ariannol ar ddiwydiant. I bobl fel Maxton a Jowett ar adain chwith y blaid roedd syniadau fel hyn yn anhygoel — yr hyn oedd ei angen fwyaf oedd i'r llywodraeth gynllunio'r economi â mwy o ddychymyg sosialaidd er mwyn diogelu a chreu swyddi. Ond credai Snowden fod yn rhaid lleihau'r budd-dâl i'r di-waith os oeddynt i gyflwyno cynlluniau gwario trefnus ar raddfa eang.

Ym mis Mehefin ymddangosodd adroddiad Pwyllgor Macmillan ar 'Arian a Diwydiant' a rhoddodd ddarlun tywyll o'r sefyllfa economaidd ym Mhrydain gan bwysleisio'r cysylltiad rhwng dychwelyd i'r safon aur a'r cynnydd mewn diweithdra drwy wneud rhai o nwyddau Prydain yn ddrutach a llai cystadleuol. Dywedodd hefyd fod angen gwell trefn ar batrwm buddsoddi'r wlad a mwy o reolaeth ar gyfeirio cyfalaf er mwyn osgoi hapfasnachu ariannol a lleihau'r buddsoddi gwastraffus mewn cwmnïau a datblygiadau na fyddai o unrhyw les parhaol i'r economi.

Ym mis Gorffennaf ymddangosodd adroddiad Pwyllgor Syr George May ar yr economi. Rhagwelai hwn ddyled o £120 miliwn o fewn blwyddyn. Argymhellwyd codi £14 miliwn drwy gynyddu trethi a £97 miliwn drwy ostwng gwariant cyhoeddus. Goblygiadau'r polisi hwn fyddai toriadau yng nghyflogau gweithwyr yn y sector cyhoeddus yn ogystal â lleihad o 20 y cant ym mudd-dâl y di-waith. Argymhellwyd hefyd fod prawf moddion yn cael ei gyflwyno ar ôl chwe mis o dderbyn budd-dâl er mwyn penderfynu a oedd y derbyniwr mewn gwir angen ac i fesur beth yn union oedd ei anghenion. Yn ystod yr un mis llwyddodd y Ceidwadwyr i basio mesur yn y Senedd a newidiodd rywfaint ar Ddeddf y Di-waith. Prif effaith y newid oedd lleihau nifer y bobl a dderbyniai budd-dâl, yn arbennig gwragedd a phlant.

Yn y cyfamser roedd y sefyllfa economaidd yn Ewrop yn dirywio'n gyflym, gyda'r banciau'n fethdalwyr yn Awstria a'r Almaen. Yn y fath awyrgylch ariannol nid oedd y bancwyr tramor a oedd yn rhoi benthyg arian i Brydain yn hapus ynglŷn â dyfodiad llywodraeth sosialaidd i rym, llywodraeth a allai gynyddu gwario cyhoeddus mewn ymdrech i leihau canlyniadau cymdeithasol y dirwasgiad. Codwyd miliynau o bunnoedd o fanciau Llundain gan fuddsoddwyr a ofnai ddatblygiadau tebyg i'r rhai hynny yn Awstria a arweiniodd at fethdaliad credit Anstalt yn Wien (Fiena). Ar ôl 15 Gorffennaf roedd colledion aur Banc Lloegr cymaint â £2.5 miliwn y diwrnod. Pwysleisiodd bancwyr Paris ac Efrog Newydd na allent roi benthyciadau mawr i'r llywodraeth heb addewidion pendant y byddai'r Ddyled Genedlaethol yn cael ei lleihau ac y byddai'r llywodraeth yn cynllunio cyllideb synhwyrol. O'u safbwynt hwy golygai hynny doriad yn y tâl i'r di-waith. Cefnogwyd hyn, a'r angen am doriadau mewn gwariant, gan *The Times*, y *Daily Mail* a'r *Daily Express*, tra oedd y *Sunday Times* a'r *Observer* yn dechrau trafod y syniad o ffurfio llywodraeth genedlaethol i ymdrin â'r argyfwng economaidd.

Ar 11 Awst, rhybuddiodd Snowden, mewn cyfarfod o'r Cabinet, y byddai'r Ddyled Genedlaethol oddeutu £170 miliwn o fewn deuddeng mis. Esboniodd agwedd y bancwyr, gan ychwanegu na allai'r llywodraeth gadw at y safon aur heb fenthyciadau o Efrog Newydd a Pharis. Ar 18 Awst argymhellodd y Canghellor i Bwyllgor Economaidd y Cabinet fod angen gostyngiad o £78.5 yng ngwariant y llywodraeth. Drannoeth cytunodd y Cabinet i ostyngiad o £56 miliwn ond heb unrhyw doriad ym mudd-dâl y di-waith. Mynnai'r ddwy wrthblaid fod angen y gostyngiad llawn o £78.5 miliwn yn ogystal â chodi £88.5 miliwn trwy gynyddu trethi yn ôl argymhellion Snowden. Dadleuent ymhellach fod y llywodraeth dan fawd yr undebau llafur a bod yn rhaid iddynt ddangos mwy o ddewrder, hyder, a phendantrwydd er lles Prydain. Y mateb Bevin a Citrine i hyn oedd na ddylai unrhyw lywodraeth ddemocrataidd, ac yn arbennig un sosialaidd, ganiatáu i fancwyr tramor ddylanwadu i'r fath raddau ar eu polisïau.

Yn absenoldeb Lloyd George oherwydd salwch, argymhellodd Herbert Samuel ar ran y Rhyddfrydwyr y dylid sefydlu llywodraeth genedlaethol dan arweinyddiaeth MacDonald. Roedd y syniad yn dderbyniol i Stanley Baldwin a gwelodd MacDonald fod modd rhannu'r cyfrifoldeb am gyflwyno mesurau amhoblogaidd rhwng y pleidiau. Roedd Baldwin a Samuel wrth gwrs yn ymwybodol o hyn, ond gwyddent hefyd y gallai llywodraeth newydd o'r fath rannu'r Blaid Lafur.

Mewn cyfarfod pellach o'r Cabinet argymhellwyd toriad o 10 y cant yn y tâl i'r di-waith er mwyn arbed cyfanswm o £76 miliwn. Dadleuai Henderson, Lansbury a Greenwood y byddai gweithredu polisi o'r fath yn aberthu pob egwyddor sosialaidd am ei fod yn rhoi baich annheg ar adrannau tlotaf y gymdeithas. Pleidleisiodd deg allan o un aelod ar hugain y Cabinet yn erbyn y toriad o 10 y cant. Collfarnwyd yr aelodau hyn am roi eu plaid o flaen popeth arall ac am beidio ag argymell polisïau ariannol eraill y gallai MacDonald a Snowden gynnig i'r bancwyr. Ymosododd y Ceidwadwyr arnynt am droi eu cefnau ar y problemau economaidd ac am beidio â wynebu eu hetholwyr â'r unig ateb oedd yn bosibl, sef y toriadau ariannol. Roedd eu safbwynt yn ddealladwy ond hefyd yn sinigaidd iawn.

Ni ddylid anghofio fod y mwyafrif o'r aelodau Llafur yn cynrychioli etholaethau lle roedd diweithdra yn uchel a pharhaol a lle roedd y berthynas rhwng gweithwyr, undebau a pherchenogion yn un wael eithriadol. O gofio amgylchiadau mwy cyfforddus y cyflogedig, y dosbarth canol a'r dosbarth uchaf, roedd yn anodd i unrhyw aelod seneddol Llafur gyfiawnhau toriad yn y budd-dâl truenus a roddid i'r di-waith er mwyn eu cadw rhag newynu. Cymaint yn haws a thecach, o unrhyw safbwynt sosialaidd, oedd gosod y baich mwyaf ar yr ysgwyddau cryfaf drwy gynyddu treth incwm.

Beth bynnag am hynny, penderfynodd MacDonald ar 24 Awst drafod y mater â'r Brenin. Esboniodd na allai ragweld y byddai'r llywodraeth Lafur yn gallu parhau ac argymhellodd sefydlu llywodraeth genedlaethol ac yntau'n Brif Weinidog arni. Cytunodd y Brenin â hyn a phenderfynodd y mwyafrif o'r Cabinet Llafur ymadael â'r llywodraeth a ffurfio gwrthblaid. Y disgwyl oedd y byddai'r Ceidwadwyr a'r Rhyddfrydwyr yn ffurfio clymblaid a chawsant eu siomi gan benderfyniad MacDonald, Sankey, Snowden a Thomas i aros yn y llywodraeth. Penodwyd Baldwin yn Arglwydd Arlywydd, Neville Chamberlain yn Weinidog Iechyd, Samuel Hoare yn Ysgrifennydd Gwladol India, Syr Herbert Samuel yn Ysgrifennydd Cartref a'r Arglwydd Reading yn Ysgrifennydd Tramor.

O fewn amser byr ar ôl ffurfio'r Llywodraeth Genedlaethol gyntaf ar ddiwedd mis Awst collodd MacDonald arweinyddiaeth ac aelodaeth y blaid yr oedd wedi ei chynrychioli ac ymladd drosti ar hyd ei oes. Cyhuddwyd ef o fradychu ei blaid, ei gyfeillion a sosialaeth yn gyffredinol, ac am wneud hynny er mwyn dyrchafiad personol. Mae'n anodd derbyn dyfarniad mor llym ond roedd teimladau ei gyd-Lafurwyr yn ddigon naturiol a dealladwy. Roedd ymadawiad aelod mor flaenllaw yn sicr o achosi niwed i'r blaid ond efallai iddo benderfynu na fyddai hynny'n rhywbeth parhaol. Efallai bod diffyg gweledigaeth i'w ganfod yn rhengoedd y Blaid Lafur am iddynt fethu cydnabod, neu gytuno â MacDonald, y buasai'n fwy buddiol i aelodau'r blaid yn y pendraw pe baent wedi aros ymlaen i wynebu'r dirwasgiad mewn llywodraeth yn hytrach na dewis encilio i seddau cefn y Senedd i weiddi rhethreg ac ymosod yn gyson ar yr arweinydd a drodd ei gefn arnynt. Beth bynnag oedd cymhellion MacDonald dros aros ymlaen yn ei swydd, pa un ai statws personol neu gadw at yr egwyddor o roi ei wlad o flaen ei blaid, nid oes amheuaeth iddo gyflawni hunanladdiad gwleidyddol, a gwyddai hynny cyn gwneud y penderfyniad.

Yr Ymerodraeth rhwng y Ddau Ryfel Byd

Mae'n bosibl gweld y Rhyfel Byd Cyntaf fel trobwynt yn hanes yr ymerodraeth. Gellir dadlau fod imperialaeth Brydeinig wedi dechrau chwalu ar ôl Cytundeb Versailles ond fe fyddai hynny'n gorbwysleisio arwyddocâd y newidiadau yn y cyfnod rhwng y rhyfeloedd.

Roedd cymdeithas y 1920au yn wahanol iawn i'r gymdeithas a aeth i ryfel ym 1914. Effeithiodd y rhyfel ar y mwyafrif llethol o deuluoedd a bu'n straen aruthrol ar yr economi. Erbyn 1918 roedd pobl am anghofio ymrwymiadau cyfandirol a chanolbwyntio ar wella a datblygu eu cymdeithas eu hunain. Nid ysgogai rôl imperialaidd Prydain lawer o frwdfrydedd ymhlith pobl gyffredin bellach ac roedd y mwyafrif yn ymwybodol o gostau ariannol a milwrol cynnal yr ymerodraeth. Baich ychwanegol ar Glymblaid Lloyd George oedd ei bod yn dal i dalu'n ôl i'r Unol Daleithiau am fenthyciadau a dderbyniwyd yn ystod y rhyfel.

Roedd nifer y pleidleiswyr wedi cynyddu'n sylweddol ac roedd twf y Blaid Lafur yn arwydd o newid pwysig yn natur a syniadau gwleidyddol y boblogaeth. Nid oedd yr un o'r pleidiau, fodd bynnag, am ddatgymalu'r ymerodraeth. Roedd y Ceidwadwyr yn arbennig yn benderfynol o beidio â chyfaddawdu â chenedlaetholwyr yn unman. Roedd bodolaeth a pharhad yr ymerodraeth yn dibynnu ar lwyddiant y famwlad i oresgyn unrhyw ymdrechion gan genhedloedd darostyngedig i ennill hunanlywodraeth.

Gwaethygodd y berthynas rhwng Prydain a rhai o'i threfedigaethau o ganlyniad i'r rhyfel. Roedd y cyfraniad mewn bywydau dynol ac yn economaidd mewn rhannau o'r ymerodraeth i'r ymdrech ryfel Brydeinig yn sylweddol ac roedd eu gobeithion a'u disgwyliadau ym 1918 yn uchel. Yn ogystal, rhoddodd syniadau'r Arlywydd Wilson, ac ambell gymal yng Nghytundeb Versailles, hwb i obeithion cenedlaetholwyr yn y Dwyrain Canol, India ac Iwerddon.

Effeithiodd y rhyfel hefyd ar economi'r byd ac ar fasnach Prydain. Roedd cryfder economaidd Japan yn bygwth marchnadoedd Prydeinig ledled y byd. Yr Unol Daleithiau bellach oedd prif ffynhonnell buddsoddiadau tramor a banciau Efrog Newydd yn hytrach na Llundain oedd yn bennaf gyfrifol am fenthyca arian i wahanol wledydd y byd. Dirywiodd safle economaidd Prydain oherwydd dibyniaeth ar ddiwydiannau traddodiadol megis glo ac adeiladu llongau. Nid oedd gan Brydain ddigon o amrywiaeth o allforion i allu cystadlu'n effeithiol â'r Unol Daleithiau a Japan. Felly oherwydd y dirywiad hwn yng nghryfder economaidd a milwrol Prydain bu'n rhaid i weinidogion Prydeinig newid eu hagwedd tuag at ddyfodol yr ymerodraeth. Er hynny, ni fwriadent dderbyn lleihad yn nylanwad imperialaidd Prydain ar draws y byd. Credai Prydain yn yr egwyddor o ddatganoli ond ni chredai fod unrhyw gyfrifoldeb arni i weithredu hyn fel polisi:

> Nid oedd y gred gyffredinol mewn hunanlywodraeth, fel y nod wleidyddol derfynol, a diwedd ar reolaeth drefedigaethol . . . mewn unrhyw ffordd yn ymroddiad positif, a rhaid ei gweld fel athroniaeth hanesyddol yn hytrach na pholisi.
> (W. Schmokel, 'The Hard Death of Imperialism', *Britain and Germany in Africa*, P. Gifford and W. Louis)

Dim ond ar gyfer y Dominiynau gwyn y derbyniwyd yr egwyddor hon. Yn wir, un o nodweddion yr ymerodraeth rhwng y rhyfeloedd yw'r diffyg cydbwysedd ym mholisi Prydain tuag at y Dominiynau gwyn o gymharu â gweddill y trefedigaethau. Lle roedd y trigolion o dras Brydeinig roedd gan y Dominiynau berthynas fwy ffafriol â'r famwlad a thrwy gydol y bedwaredd ganrif ar bymtheg caniateid mesur sylweddol o annibyniaeth iddynt.

O 1914–18 fe gyfrannodd Awstralia, Seland Newydd, Canada a De Affrica ddynion a chyflenwadau oedd yn hanfodol i ymdrech ryfel Prydain. Anfonwyd milwyr dros y môr, ac yn arwyddocaol, gwrthwynebwyd rhoi'r rhain yn yr un unedau â milwyr Prydeinig. Yn hytrach fe'u defnyddiwyd y rhan amlaf i ffurfio unedau ar wahân dan reolaeth eu swyddogion eu hunain. Drwy gynnwys cynrychiolwyr y Dominiynau yn y Cabinet Rhyfel Imperialaidd daethpwyd â hwy i gysylltiad agos â materion polisi pwysig ac roeddynt yn anfodlon rhoi'r gorau i'r safle hwn ar ddiwedd y rhyfel. Fe gryfhawyd yr anfodlonrwydd gan benderfyniad yn y Gynhadledd Ryfel Imperialaidd (1917) a gyfeiriodd at roi llais digonol i'r Dominiynau. Roedd y cymal yn ddigon amwys i sicrhau cefnogaeth y Pwerau Mawrion a Chenedlaetholwyr ond galwyd hefyd am gynhadledd gyfansoddiadol ar ôl y rhyfel i ystyried statws a swyddogaeth y Dominiynau. Ond pan ddaeth y cyfle hwnnw mewn cynhadledd ryngwladol yn Llundain ym 1921 ychydig o drafodaeth a gafwyd, a dywedodd yr adroddiad ar y gynhadledd: 'ar fater datblygiadau cyfansoddiadol er 1917, nid oes unrhyw fantais mewn cynnal cynhadledd gyfansoddiadol'. Roedd y datblygiadau er 1917 yn cyfeirio yn bennaf at y dyrchafiad mewn statws y credai'r Dominiynau eu bod wedi'i gyflawni:

(a) yn y Gynhadledd Heddwch drwy arwyddo Cytundeb Versailles fel gwledydd unigol;

(b) trwy gael eu cydnabod fel cenhedloedd gwahanol gan Gynghrair y Cenhedloedd gyda'r hawl i gynrychiolaeth ar wahân;

(c) drwy ennill statws rhyngwladol fel pwerau mandadol.

Serch hynny, ni pharhaodd yr awyrgylch o gymod a chydweithrediad, ac yn sgîl datblygiadau cymhleth yn rhyngwladol a mewnol yn y 1920au cynyddodd penderfyniad y Dominiynau i orfodi Prydain i ddynodi eu statws unwaith ac am byth.

Roedd cenedlaetholdeb yn un ffactor a ddylanwadodd ar y tueddiadau hyn yn y Dominiynau er nad oedd Awstralia a Seland Newydd mor filwriaethus â De Affrica, Iwerddon a Chanada. I raddau helaeth effeithiodd gwleidyddiaeth gartref ar fynegiant y cenedlaetholdeb hwn.

Yng Nghanada roedd cwestiwn gorfodaeth filwrol wedi rhannu'r llywodraeth Ryddfrydol, a mynnodd un aelod Ceidwadol, Robert Borden, fod Senedd Canada yn cadarnhau Cytundeb Versailles. Dywedodd, mewn telegram at y Swyddfa Drefedigaethol, 'Ni allaf bwysleisio'n ddigon cryf y canlyniadau anffodus a fyddai'n sicr o ddilyn pe cadarnheid y Cytundeb cyn i Senedd Canada gael cyfle i'w ystyried'. Roedd Borden yn ymwybodol iawn o ansicrwydd ei safle ei hun ac o'r ymdeimlad cryf ymhlith y trigolion Ffrengig y dylai rhan Canada yn y rhyfel gael cydnabyddiaeth lawn. Roedd dylanwad gwleidyddiaeth fewnol hefyd yn amlwg yn llywodraeth Mackenzie King. Cefnogwyd ef gan ddau gadarnle cenedlaetholdeb Canada — Québec a'r peithdiroedd — a dylanwadodd hyn ar King wrth iddo drafod annibyniaeth i'r Dominiynau.

Roedd safle'r llywodraeth yn Ne Affrica yn debyg iawn. Er i Smuts bwyso'n drwm am fwy o annibyniaeth er 1906 ystyrid ef yn rhy gymedrol, yn arbennig gan yr *Afrikaners* (trigolion croenwyn a ddaeth yn wreiddiol o'r Iseldiroedd). Felly pan ddaeth Hertzog i rym ym 1924, gyda chefnogaeth gref y cenedlaetholwyr, ymosododd yn hallt ar statws y Dominiynau a mynnai fod gan Dde Affrica yr hawl i gydnabyddiaeth ryngwladol lawn.

Yng Ngwladwriaeth Rydd Iwerddon roedd yn rhaid i lywodraeth Cosgrave, oherwydd ei athroniaeth ac er mwyn lleihau dylanwad de Valéra, bwyso'n drwm ar fater statws y Dominiynau. Ond hyd yn oed ar ôl dychweliad de Valéra parhaodd y broses. Sefydlodd Éire nifer o egwyddorion sylfaenol yn nyddiau cynnar y Gymanwlad, er enghraifft, y dull o benodi Llywodraethwr Cyffredinol, sefydlu cysylltiadau diplomyddol, a mater pasport i'r gwahanol Ddominiynau. Fodd bynnag, dylid cofio bod cyfraniad Éire i'r Gymanwlad yn un amwys oherwydd gorfodwyd y Gymanwlad, a statws dominiwn arni, gan Brydain ac roedd yn bosibl ei gweld fel y gog yn y nyth.

Ond i raddau helaeth, dylanwad digwyddiadau rhyngwladol ar wleidyddiaeth gartref a fu'n gyfrifol am alwadau am weithredu pendant ar fater statws. Nid oedd y Dominiynau wedi anghofio geiriau Lloyd George ar ôl y rhyfel pan gyhoeddodd fod y Dominiynau oddi ar y rhyfel wedi derbyn hawliau cydradd â Phrydain i reoli polisi tramor yr Ymerodraeth. Teimlai rhai hefyd fod y Gynhadledd Heddwch, Cytundeb Versailles, a Chynghrair y Cenhedloedd wedi cydnabod statws rhyngwladol y Dominiynau. Beth bynnag am hynny, rhwng 1921 a 1924 dangosodd Cynhadledd Washington, Argyfwng Chanak, Cytundeb Lausanne, y gynhadledd Ryng-Gynghreiriol a chydnabyddiaeth swyddogol y llywodraeth Lafur o'r Undeb Sofietaidd, fod statws y Dominiynau yn parhau'n afreolaidd y tu mewn i'r Gymanwlad a'r gymuned ryngwladol. Yn wir ychydig iawn o sylw a gafodd anghenion a theimladau'r Gymanwlad yn y digwyddiadau hyn.

Trwy edrych yn fanylach ar ddau o'r digwyddiadau rhyngwladol hyn gellir dangos statws y Dominiynau. Pan drefnwyd Cynhadledd Lyngesol Washington ym 1922, gwahoddodd yr Americanwyr Brydain yn unig, gan roi'r hawl i lywodraeth Prydain benodi cynrychiolwyr o'r Dominiynau a fyddai'n mynychu'r gynhadledd fel cynrychiolwyr yr ymerodraeth. Er i Brydain sicrhau'r Dominiynau fod Cytundeb Versailles wedi gosod esiampl ar gyfer y dyfodol, roedd y protestiadau yn gryf. Dywedodd Smuts, 'Nid yw cynrychiolaeth y Deyrnas Unedig yn gyfystyr â chynrychiolaeth ymerodraethol os caniateir i wladweinyddion y Dominiynau ddod i mewn drwy'r drws cefn yn unig.'

Creodd Argyfwng Chanak ym mis Medi 1922 fwy o amheuaeth ynglŷn â statws rhyngwladol y Dominiynau. Canlyniad ymdrechion y llywodraeth Brydeinig i gefnogi uchelgais y Groegiaid yn Asia Leiaf ac i gyfyngu ar genedlaetholdeb Twrcaidd oedd yr argyfwng. Pan wrthododd Ffrainc a gwledydd eraill gefnogi polisi Prydain a phan yrrodd Mustaph Kemal y Groegiaid o dir Asia, trodd y Twrciaid eu sylw at ardal niwtral ger Chanak a oedd dan oruchwyliaeth milwyr Prydeinig. Roedd llywodraeth Lloyd George yn barod i ymladd i amddiffyn ei pholisi yno ac anfonwyd telegram i Brif Weinidogion y Dominiynau yn gofyn am gymorth milwrol. Hyd yn oed o gofio perygl y sefyllfa yn

Nhwrci roedd natur y neges i'r Dominiynau yn ddigon i'w cythruddo. Gwrthododd Prif Weinidog Canada a De Affrica roi cymorth, gan ddatgan y byddai hynny'n gyfystyr â chyhoeddi rhyfel ac ni ellid gwneud hynny heb drafodaeth a phenderfyniad eu seneddau. Cytunodd Awstralia a Seland Newydd i gefnogi Prydain ond nid yn gwbl ddirwgnach. Dywedodd William Hughes, Prif Weinidog Awstralia, fod Prydain wedi gosod y Dominiynau mewn safle israddol. Dangosodd Argyfwng Chanak mai anodd iawn oedd ceisio gweithredu polisi tramor unedig heb broses ymgynghorol effeithiol a hefyd fod y Dominiynau yn debygol o beidio â chydweithredu pe bai agwedd y llywodraeth Brydeinig tuag atynt yn drahaus ac yn cymryd eu cefnogaeth yn ganiataol.

Arweiniodd y digwyddiadau hyn, ynghyd â'r cynsail a osodwyd gan Ganada ym 1922 pan arwyddodd gytundeb pysgota gyda'r Unol Daleithiau, at fwy o alwadau am ddiffiniad pendant o safle'r Dominiynau. I raddau helaeth cyflawnwyd hyn mewn cynadleddau a gynhaliwyd ym 1923 a 1926 ac yn Statud San Steffan ym 1931. Er bod tuedd i roi llawer o sylw i Adroddiad Balfour ym 1926, mae'n bosibl dadlau fod cynhadledd 1923 yn bwysicach.

Yng Nghynhadledd Imperialaidd 1923 cafodd materion polisi tramor, amddiffyn, a chytundebau rhyngwladol le amlwg. Yma, yn dilyn y methiant i sefydlu unrhyw fath o bolisi cyfunol, y cryfhawyd safle'r rheini a oedd o blaid mwy o annibyniaeth. Cadarnhawyd penderfyniadau'r gynhadledd gan rai o'r digwyddiadau dilynol, er enghraifft, yng Nghytundeb Locarno ym 1925 cwblhawyd cytundeb gwleidyddol pwysig na chynhwysodd y Dominiynau ac na osododd rwymedigaethau o unrhyw fath arnynt. Trwy wneud hyn rhoddwyd cydnabyddiaeth ryngwladol i statws annibynnol y Dominiynau mewn materion tramor. Yr hyn oedd ei angen bellach oedd datganiad ffurfiol o'u statws, a dyna oedd amcan Adroddiad Balfour yn dilyn Cynhadledd Imperialaidd 1926. Diffiniodd y datganiad wir statws y Dominiynau fel:

. . . cymunedau annibynnol y tu mewn i'r Ymerodraeth Brydeinig, yn gydradd mewn statws, ac nid mewn unrhyw ffordd yn israddol i'w gilydd mewn unrhyw agwedd o faterion cartref a thramor, ond yn unedig mewn teyrngarwch cyffredin i'r Goron ac yn aelodau rhydd o'r Gymanwlad Brydeinig o Genhedloedd.

Aeth y gynhadledd ati i fanylu ar hawliau'r Dominiynau: gallent agor trafodaethau ag unrhyw wlad dramor, sefydlu cysylltiadau diplomyddol uniongyrchol â phwerau tramor, sefydlu gwasanaethau llysgenhadol annibynnol mewn gwledydd eraill, cael cynrychiolaeth mewn cynadleddau rhyngwladol, peidio â bod ynghlwm wrth unrhyw gytundeb nad oeddynt wedi ei gefnogi, penodi eu cynrychiolwyr eu hunain i drafod cytundebau, ac arwyddo neu gadarnhau cytundebau fel y mynnent.

Cadarnhawyd Adroddiad Balfour yn Statud San Steffan ym 1931 a pharhaodd y cydweithredu a'r ymgynghori ar faterion amddiffyn a pholisi tramor drwy'r 1930au. Tystiodd Cynhadledd Imperialaidd 1937 i statws y Dominiynau mewn perthynas â Phrydain a'i pholisi tramor. Dangosodd awydd pendant ar ran y Dominiynau i ddatgysylltu eu hunain oddi wrth broblemau Ewropeaidd. Dangosodd, hefyd, eu cefnogaeth i'r polisi o gymodi yn hytrach nag i un mwy ymosodol a fyddai'n gwrthweithio ffasgiaeth Hitler a Mussolini.

Dadleuir bod safiad y Dominiynau o blaid cymodi yn ddylanwad pwysig ar gyfeiriad polisi tramor Prydain ar yr adeg hon ac mae'n amlwg, o astudio adwaith y Dominiynau i orchfygiad Manchuria ym 1931, argyfwng Abyssinia ym 1935, goresgyniad y Rhein ym 1936 a gorchfygiad Tsiecoslofacia ym 1938, eu bod yn gefnogol iawn i bolisi cymodol ac y byddai rhaniadau wedi ymddangos yn y Gymanwlad, yn fwy na thebyg, pe bai Prydain wedi dilyn polisi mwy milwriaethus.

Wrth ystyried datblygiadau'r 1920au mae'n bwysig cydnabod cyfraniad positif Prydain. Byddai'n gamgymeriad meddwl bod Prydain wedi gwrthwynebu'n gyson bob ymdrech gan y Dominiynau i gryfhau eu hannibyniaeth. Mewn gwirionedd nid oes llawer o dystiolaeth o wrthwynebiad i ddyheadau'r Dominiynau. Fel y dywedodd J. W. Defoe, golygydd o Winnipeg, am Brydain, 'Mae'n bosibl dweud amdanynt eu bod yn barod i ymadael â safle arbennig pan fyddant yn credu na allant ddal y safle honno yn hwy'.

Daeth llawer o'r symbyliad i'r polisi hwn o du Leopold Amery, a ddywedodd am arweinwyr y Dominiynau, wrth iddo baratoi am Gynhadledd Imperialaidd 1926, eu bod 'wedi dod yn barod i ddinistrio clwydi gelyniaethus ond wedi darganfod eu bod ar agor led y pen a bod llwybr clir a derbyniol wedi ei osod allan ar y ddwy ochr'.

Mae'n bwysig cofio bod y 1920au a'r 1930au yn gyfnod o ansicrwydd a thyndra. Er bod teimlad cyffredinol yn bodoli na allai pethau fod yr un fath ar ôl y rhyfel, y broblem oedd penderfynu beth yn union oedd wedi newid a sut i addasu yn ôl yr amgylchiadau newydd. Yn yr awyrgylch hon gellir dehongli llawer o'r pryder a fynegwyd gan y Dominiynau fel arwydd o ansicrwydd a diffyg diogelwch mewn byd a oedd yn newid yn gyflym.

Rhan arall o'r ymerodraeth a oedd yn achosi penbleth barhaus i

Brydain yn y cyfnod hwn oedd India. Roedd llwybr India tuag at annibyniaeth yn un poenus oherwydd ei safle arbennig y tu mewn i'r ymerodraeth. Roedd India yn strategol bwysig i Brydain fel yr 'ail ganolfan' ar gyfer lledaenu dylanwad Prydain yn y byd. Yn rhannol oherwydd twf masnach dramor India fe gafodd dylanwad Prydain ei wthio ymhellach i mewn i orllewin a dwyrain Affrica. Roedd cryfder milwrol India yn sylfaen i ddatblygu dylanwad anffurfiol yn y rhanbarthau hyn yn ogystal â helpu i ddiogelu'r ymerodraeth ffurfiol yn Burma a Malaya. Felly roedd sefydlogrwydd India yn bwysig iawn i undod yr ymerodraeth gyfan.

Dylanwadodd y Rhyfel Byd Cyntaf yn fawr ar agwedd yr Indiaid tuag at reolaeth Brydeinig. Roedd cyfraniad yr Indiaid yn aruthrol. Fe ymladdodd 800,000 o filwyr Indiaidd dros yr Ymerodraeth Brydeinig ac roedd y rhyfel wedi achosi codiad mewn prisiau, problemau masnach a lleihad mewn cyflenwadau oherwydd polisi'r llywodraeth o orfodi'r Indiaid i ddarparu bwyd ac adnoddau eraill.

Ond yn fwy difrifol na hyn cafodd y rhyfel effeithiau seicolegol dwfn ar drigolion yr isgyfandir. Er bod gan Brydain dechnoleg a sefydliadau modern, dangosodd ymddygiad y milwyr a'u harweinwyr yn y rhyfel nad oedd gwareiddiad yr Ewropeaid na'u safonau moesol yn rhagori ar rai'r Indiaid. Sicrhaodd cyfuniad o'r agweddau hyn a phwyslais Cytundeb Versailles ar hunanlywodraeth, gynnydd yn y gefnogaeth i'r mudiad cenedlaethol.

Fodd bynnag, nid arweiniodd y rhyfel at unrhyw newid yn agwedd Prydain tuag at India er i'r llywodraeth ystyried arolygu'r sefyllfa. Ymddangosodd Datganiad Montagu ym 1917. Soniodd y fersiwn gwreiddiol am 'sicrhau gwireddu'n raddol lywodraeth gyfrifol India fel rhan integredig o'r Ymerodraeth Brydeinig', ond newidiwyd y geiriad am fod y llywodraeth yn ofni'r effaith a gâi ar farn gyhoeddus yn India; 'Sicrheid y mesur mwyaf posibl o hunanlywodraeth a oedd yn gyson â chadw goruchafiaeth rheolaeth Brydeinig'.

Cadarnhawyd agwedd Datganiad Montagu yn Neddf Llywodraeth India ym 1919. Trwy hon sefydlwyd cyngor deddfwriaethol gyda mwyafrif etholedig o Indiaid ac wyth cyngor rhanbarthol, ond nid oedd gan yr un ohonynt unrhyw gyfrifoldeb am y gyfraith, arian neu ddiogelwch mewnol. Ychydig iawn o rym felly a ddatganolwyd gan y llywodraeth. Condemniwyd y ddeddf gan y cenedlaetholwyr oherwydd ei bod yn anelu yn bennaf at hyfforddi Indiaid mewn agweddau o weinyddiaeth, er enghraifft, addysg a charthffosiaeth, ac felly yn adlewyrchiad pellach o'r argyhoeddiad Prydeinig fod yr Indiaid yn bobl israddol.

Prif effaith y ddeddf, ynghyd â Mesurau Rowlatt a gyfyngai ar hawliau'r unigolyn, oedd cynyddu'r gefnogaeth i'r Cenedlaetholwyr, sef Plaid y Gyngres. Cynyddwyd y gefnogaeth hefyd gan y digwyddiadau yn Amritsar a chydymdeimlad Prydain â'r Cadfridog Dyer a roddodd orchymyn i'w filwyr i saethu at dorf heddychlon. Sianelwyd yr anfodlonrwydd hwn gan Gandhi i'w ymgyrch ddi-drais gyntaf sef gwrthod cydweithio â'r awdurdodau. Roedd yr ymgyrch yn cynnwys ymddiswyddiadau o'r llywodraeth, disgyblion a myfyrwyr yn gwrthod mynychu sefydliadau addysgol, a phobl yn cefnu ar etholiadau a'r broses gyfreithiol ym mhob rhan o'r isgyfandir.

Ymateb Prydain i'r ymgyrch oedd cyflwyno nifer o fesurau diwygio bychain megis tollau i helpu diwydiannau newydd a gwelliannau yn amodau gwaith y gweithwyr yn y mwyngloddiau a'r ffatrïoedd. Ond ychydig iawn o effaith a gafodd hyn ar fywyd yr Indiaid oherwydd penderfyniad y llywodraeth i ddyblu'r dreth halen — mesur a achosodd lawer o ddioddef ymhlith miliynau o'r werin.

Pan chwalwyd y cynghrair rhwng Prydain a Japan ym 1922, un a oedd mor bwysig i ddiogelu buddiannau Prydain yn y Dwyrain Pell, cynyddwyd pwysigrwydd strategol India. Roedd y gost o gadw presenoldeb milwrol ffurfiol mewn rhai gwledydd dwyreiniol yn achosi cryn drafod a phryder ym Mhrydain. Felly roedd gwerth byddin India fel grym imperialaidd yn y Dwyrain Pell a'r Dwyrain Agos yn rheswm pellach am ystyfnigrwydd y llywodraeth Brydeinig.

Rhwng y rhyfeloedd ychydig o anghytundeb pleidiol a fu ar fater rheolaeth Brydeinig yn India. Mae sylwadau Nehru wedi iddo ymweld â Llundain yn rhai craff iawn. Roedd agwedd y Ceidwadwyr meddai yn ddigon syml:

> Ychydig o amheuon neu anawsterau neu gymhlethodau oedd ganddynt am India . . . Roedd yr Ymerodraeth Brydeinig yn dda, yn dda iawn, ac yn fuddiol i bawb ac yn sicr o barhau.

Nid oedd safbwynt y Rhyddfrydwyr yn wahanol iawn ond:

> . . . wedi eu codi yn nhraddodiad hawliau sifil a democratiaeth, roeddynt yn anesmwyth ynglŷn â'r gorthrwm creulon yn India . . . Ond dim ond ychydig.

Yn olaf gwelodd y Blaid Lafur yn tramwyo'r:

> . . . rhod imperialaidd ac yn methu camu allan ohoni . . . oddi fewn i'r cylch hwnnw o ymerodraeth a oedd yn eu cwmpasu nid oedd llawer o le i symud.

Nid oedd gan y mwyafrif o drigolion gwledydd Prydain lawer o ddiddordeb na gwybodaeth am India nac am y trefedigaethau eraill o ran hynny. Deuai materion imperialaidd i'w sylw ond ar adegau pan oedd cynnwrf rhywle yn yr ymerodraeth, hynny yw, pan oedd gwrthwynebiad i oruchafiaeth Brydeinig yn ddigon cryf i achosi trafferth a thynnu sylw'r llywodraeth a'r Wasg ym Mhrydain.

Yn y diwedd o ganlyniad i anghydfod y 1920au a thacteg yr Indiaid o wrthod cydweithredu penderfynodd y llywodraeth sefydlu Comisiwn Simon ym 1927, ddwy flynedd yn gynt nag oedd y llywodraeth wedi disgwyl gwneud. Ond ni chynhwyswyd y gynrychiolaeth frodorol gan y comisiwn a chynyddodd yr anghydfod gan arwain at ymgyrch o anufudd-dod sifil a ysbrydolwyd gan Gandhi.

Pan gyhoeddwyd adroddiad Comisiwn Simon ym 1930 roedd y wlad mewn cyflwr terfysglyd. Trefnodd Gandhi orymdaith i'r môr i wrthdystio yn erbyn rheolaeth lwyr y llywodraeth ar gyflenwadau halen. Fe restiwyd Gandhi a Nehru a miloedd o wrthdystwyr eraill oherwydd hyn.

Nid oedd yr adroddiad yn barod i fynd llawer pellach na deddf 1919. Argymhellwyd mwy o rym i'r cynghorau ond parhâi'r llywodraeth i reoli polisïau amddiffyn, tramor ac ariannol. Ni thawelwyd yr anfodlonrwydd a chafwyd ymdrech bellach i drafod y sefyllfa yng Nghynadleddau'r Ford Gron yn y 1930au yn Llundain.

Er mai methiant oedd y cynadleddau hyn eto hwy oedd y rhai cyntaf a aeth ati o ddifrif i ystyried barn pobl India drwy eu cynnwys yn y trafodaethau. Mynnai Plaid y Gyngres statws Dominiwn o fewn blwyddyn, gan ddadlau fod y cynadleddau yn ymgais arall gan Brydain i ohirio hunanlywodraeth. Gwrthodwyd rhoi'r statws hwn a pharhaodd ymgyrch Gandhi. Prif destun yr ail gynhadledd oedd ymreolaeth leol neu gymunedaeth. Cytunodd Gandhi i fynychu'r gynhadledd hon gan ddatgan mai ef oedd unig gynrychiolydd holl bobl India. Roedd hyn yn wrthun i'r Moslemiaid a sylweddolai fod ymreolaeth neu hunanlywodraeth yn anochel rywbryd ac y byddent hwythau wedyn yn y lleiafrif.

Roedd Deddf Llywodraeth India 1935 yn wahanol i ddeddfwriaeth flaenorol y llywodraeth am iddi sefydlu canolfan ffederal ddeuarchaidd a gynhwysai ddwy senedd annibynnol.

(i)   Cyngor Gwladwriaethol yn cynnwys cynrychiolwyr Indiaidd Prydeinig, y mwyafrif yn etholedig, yn ogystal ag aelodau o'r trefedigaethau brodorol a gâi eu dewis gan y tywysogion.

(ii) Cynulliad Ffederal yn cynnwys 2500 aelodau Indiaidd Prydeinig a 125 o gynrychiolwyr taleithiol.

Cyfyngwyd pŵer y seneddau i faterion mewnol ac eithrio'r fyddin, amddiffyn a materion crefyddol. Ni ellid gweithredu unrhyw bolisi gwahanol yn ymwneud â chyllid yr isgyfandir heb ganiatâd y Rhaglaw. Nid oedd ganddynt unrhyw reolaeth ar wariant y fyddin a gwasanaethau cenedlaethol India a rhoddwyd rheolaeth y rheilffyrdd yn nwylo bwrdd gweinyddol gwahanol.

Prif effaith y ddeddf felly oedd trosglwyddo grym o Lundain i Delhi. Disgrifiad Nehru ohoni oedd 'ymreolaeth fewnol i'r Rhaglaw'. Mae'n bosibl ei gweld fel symudiad pendant i gyfeiriad hunanlywodraeth, ond mae'n annhebyg fod Prydain yn credu bod colli India yn anochel ym 1935. Credai'r llywodraeth y byddai'r rhan fwyaf o bobl India yn fodlon ar reolaeth ranbarthol a bwriad y ddeddf felly oedd cryfhau'r rhaniadau rhanbarthol a thrwy hynny wanhau safle Plaid y Gyngres fel mudiad cenedlaethol.

Manteisiodd Plaid y Gyngres yn llawn ar wendidau'r ddeddf. Ym 1936 penderfynwyd yng Nghyngres Lucknow i ymgeisio yn etholiadau'r flwyddyn honno ar gyfer y cynghorau rhanbarthol newydd. Y bwriad oedd gwneud gweithrediad y ddeddf yn anodd iawn ac i ddod â'r drefn newydd i ben. Enillodd Plaid y Gyngres 711 o seddau o'r cyfanswm o 1,585; roedd ganddi fwyafrif ym mhump o'r un dalaith ar ddeg, a gallai ffurfio gweinyddiaethau mewn dwy arall. Dangosodd ei llwyddiant i ba raddau yr oedd y blaid wedi'i huniaethu ei hun â chyfran helaeth o'r boblogaeth ar adeg pan oedd 80 y cant ohonynt yn pleidleisio am y tro cyntaf. Haerai yn sgîl ei llwyddiant, fod mwyafrif y bobl yn gwrthwynebu'r cyfansoddiad newydd a gofynnwyd i'r llywodraeth Brydeinig ei ddileu. Nid oedd y llywodraeth yn fodlon gwneud hynny, ond roeddynt erbyn hyn wedi creu cyfundrefn a oedd wedi rhoi'r cenedlaetholwyr mewn safle cryf iawn. Fe ddefnyddiwyd y cryfder hwn yn effeithiol gan yr arweinwyr yn y frwydr dros annibyniaeth hyd at 1947.

Er i ddylanwad y mudiad cenedlaethol fod yn bwysig iawn ym mrwydr India dros annibyniaeth, roedd yn amlwg fod personoliaeth Gandhi ei hun yn ffactor allweddol yn llwyddiant y mudiad hwnnw. Roedd rhaniadau cymhleth yr isgyfandir, yn diriogaethol, yn ideolegol, ac oherwydd y gyfundrefn cast, yn rhwystr mawr i undod. Byddai'n gamarweiniol i ddweud fod Gandhi wedi goresgyn y gwahaniaethau hyn, ond llwyddodd i uno'r holl elfennau amrywiol y tu cefn i Blaid y Gyngres a'i dyrchafu'n symbol o uchelgais a gobeithion pobl India. Er iddo fethu â dileu'r tyndra y tu mewn i gymdeithas amlhiliol ac amlgrefyddol India,

7. Gandhi y tu allan i 10 Downing Street

llwyddodd i'w gyfyngu a'i lacio fel na allai ddinistrio undod y mudiad cenedlaethol.

Oherwydd ei weithrediadau a'i gredoau personol apeliodd at lu o wahanol grwpiau. Ysgogodd ei dlodi gwirfoddol, er enghraifft, dwf aruthrol yn ei boblogrwydd personol ymhlith y castiau isaf a chafodd gefnogaeth sylweddol oherwydd ei fod yn llysieuwr. Enillodd ei groesgad dros achos yr Indiaid o'r radd isaf gefnogaeth hanner can miliwn o bobl, ac roedd gweithrediadau di-drais yn rhan sylfaenol o Hindŵaeth. Trwy ei arweiniad, felly, daeth Plaid y Gyngres yn fudiad cenedlaethol yng ngwir ystyr y gair. Llwyddodd Gandhi i uniaethu ei hun â llawer o fudiadau blaengar hefyd, er enghraifft addysg i bawb a rhyddid i ferched, a chafodd fwy o gefnogaeth oherwydd hyn.

Sylweddolodd y llywodraeth Brydeinig y gallai Gandhi a'i wrthwynebiad i ddulliau treisgar fod yn ddefnyddiol iddynt. Gellid ei ddefnyddio fel cymodwr ac i gyfyngu ar ddylanwad elfennau mwy eithafol ymhlith y cenedlaetholwyr. Gwyddent hefyd mai Gandhi oedd yn bennaf gyfrifol am y sefyllfa gymharol heddychlon yn India ac yn ei absenoldeb y byddai arweinyddiaeth y mudiad cenedlaethol yn syrthio i ddwylo arweinwyr mwy peryglus ac ymosodol. Prif obaith y llywodraeth oedd cyfaddawdu i'r fath raddau â Gandhi fel y byddai ei gefnogwyr yn y diwedd yn derbyn polisi datganoli Prydain a thynnu'n ôl eu cefnogaeth i Blaid y Gyngres. Wedyn gellid gohirio annibyniaeth am gyfnod amhenodol. Ond diystyrai'r ymresymiad hwn y newid seicolegol ymhlith trigolion India o dan ddylanwad Gandhi. Fe'i disgrifiwyd fel hyn gan Nehru, un o'i gyfeillion agosaf:

> Drwy weithrediadau ledled y wlad . . . llwyddodd i'w newid o fod yn bobl wan, ddiobaith, ac isel eu hysbryd, wedi eu gorthrymu gan bob dylanwad a heb y gallu i ymladd yn ôl, i fod yn bobl â hunan-barch, yn brwydro yn erbyn gorthrwm ac yn gallu uno i ymladd neu aberthu dros achos mawr. Gwnaeth iddynt feddwl am faterion gwleidyddol ac economaidd, ac roedd pob pentref a ffair yn frith o ddadlau a thrafod am y syniadau newydd . . . I ni, mae wedi cynrychioli ysbryd ac anrhydedd India, y dyhead yn ei galar am waredu miliynau o'u beichiau di-rif.

> (P. Nehru, *India's Freedom*)

Erbyn dechrau'r Ail Ryfel Byd nid oedd Prydain wedi colli ei gafael ar India, ond roedd hi wedi colli ei gafael ar feddyliau trwch y boblogaeth. Roedd y dyfodol i'r llywodraeth Brydeinig ac i India yn ansicr.

O gofio pwysigrwydd India i Brydain a'r angen i ddiogelu'r fynedfa i'r em hon yn y goron imperialaidd drwy Gamlas Suez, mae'n syndod na sefydlwyd rheolaeth imperialaidd yn y Dwyrain Canol cyn 1914.

Beth bynnag, hyd at y Rhyfel Byd Cyntaf, Twrci oedd yn rheoli'r rhanbarth, ac am fod Prydain a Thwrci yn gefnogol i'w gilydd nid oedd angen presenoldeb Prydeinig uniongyrchol yno. Ond wedi i Dwrci benderfynu ochri â'r Almaen yn y rhyfel newidiodd Prydain ei pholisi a dechreuodd gefnogi cenedlaetholdeb Arabaidd fel cyfrwng i wanhau'r Ymerodraeth Otomanaidd a diogelu Camlas Suez.

Roedd gwleidyddiaeth fewnol y rhanbarth yn gymhleth ac ychydig o ddealltwriaeth oedd gan wleidyddion Prydeinig ohoni. Dangoswyd hyn gan yr addewidion gwrthgyferbyniol a wnaed gan Brydain cyn ac yn ystod y rhyfel, megis:

(a) hyrwyddo cenedlaetholdeb ac annibyniaeth Arabaidd er mwyn ennill cefnogaeth yr Arabiaid yn erbyn Twrci;

(b) cytundeb cyfrinachol Sykes-Picot ym 1916 rhwng Prydain a Ffrainc lle y trefnwyd rhannu'r rhan fwyaf o'r Dwyrain Canol rhyngddynt;

(c) Datganiad Balfour ym 1917 a addawodd y byddai 'cartref cenedlaethol' yn cael ei sefydlu ar gyfer yr Iddewon ym Mhalesteina.

Ar ddiwedd y rhyfel rhannwyd y Dwyrain Canol, drwy fandadau, rhwng Prydain a Ffrainc, gan roi Syria a Libanus dan reolaeth Ffrengig ac Iraq, yr Aifft, Palesteina a Thrawsiorddonen dan reolaeth Brydeinig. Yn naturiol, teimlai'r Arabiaid fod Prydain wedi eu bradychu a bod diddymu goruchafiaeth Twrci wedi arwain at fath arall o reolaeth imperialaidd.

Yn yr Aifft, fe arweiniodd y drwgdeimlad ynglŷn ag arafwch cyflwyno ymreolaeth, yn enwedig ar ôl yr ymdriniaeth wael a ddioddefodd yr Eifftwyr yn ystod y rhyfel pan orfodwyd hwy i weithio ac i roi bwyd a chyflenwadau i'r ymdrech ryfel, at wrthryfel ym 1919 a arweiniwyd gan y cenedlaetholwr Zaghlul. Alltudiwyd Zaghlul a threchwyd y gwrthryfel heb lawer o drafferth, ond achosodd yr anghydfod syndod ym Mhrydain. Roedd y gwleidyddion wedi dehongli ymateb tawel yr Eifftwyr i bolisïau gorfodol Prydain yn ystod y rhyfel fel arwydd y byddent yn derbyn rheolaeth yr ymerodraeth ar ôl 1918.

Penodwyd Comisiwn Milner i baratoi adroddiad ar y sefyllfa a argymhellodd ym 1920, fesur helaeth o ymreolaeth i'r Aifft ynghyd â chytundeb rhwng Prydain a'r Aifft i ddiogelu buddiannau Prydeinig yn y rhanbarth. Er nad oedd Ceidwadwyr y Glymblaid yn ymddiried yn yr argymhellion, gan gredu eu bod yn mynd yn rhy bell, roedd yn amlwg erbyn 1921 fod Prydain yn sylweddoli mai'r unig reswm o bwys dros aros yn yr Aifft oedd er mwyn diogelu Camlas Suez a dylanwadu ar gyfeiriad polisi tramor yr Aifft. Byddai parhau â rheolaeth uniongyrchol wedi bod yn gostus iawn ac ni fyddai wedi cyflawni llawer yn y pen draw.

Cynigiwyd cytundeb i'r Eifftwyr a fyddai'n sicrhau dylanwad Prydain ar bolisi tramor, rheolaeth ar y fyddin ac amddiffyn, yn ogystal â diogelu Suez. Nid oedd annibyniaeth amodol o'r fath yn dderbyniol gan yr Aifft ac felly penderfynodd y llywodraeth ei gorfodi i dderbyn y cytundeb ym 1922 er gwaethaf gelyniaeth wladgarol daer. Daeth y drefn warcheidiol i ben ac enillodd y Swltan y statws newydd o frenin. Yn etholiadau 1924 daeth Zaghlul i rym a pharhaodd ei blaid, y *Wafd*, i wrthwynebu termau cytundeb 1922. Hawliodd y *Wafd* reolaeth dros y Swdan ac arweiniodd hyn, ym 1924, at lofruddiaeth Llywodraethwr Cyffredinol y Swdan yn El Qâhira (Cairo). Bu gwrthwynebiad i reolaeth Brydeinig hyd at ganol y 1930au, y cyfnod a welodd atal y cyfansoddiad, ac yna ym 1935, ei adfer, ynghyd â chynnydd yn apêl propaganda ffasgaidd. Bu prif ymdrechion Prydain i gadw ei dylanwad yn yr Aifft yn y cyfnod hwn yn ymwneud yn bennaf â sicrhau cydbwysedd grym rhwng y teulu brenhinol (a oedd yn bleidiol i Brydain) a'r *Wafd*. Daliai'r *Wafd* i bwyso am gytundeb newydd ac ym 1936, wrth i Mussolini oresgyn rhannau o ddwyrain Affrica, gwelai Prydain fanteision mewn ildio. Yn y cytundeb newydd byddai'r presenoldeb Prydeinig yn darfod ac eithrio rheolaeth ar ardal Camlas Suez lle y mynnodd Prydain fod ganddi'r hawl i ddychwelyd ar adeg rhyfel.

Ym Mhalesteina tarddai problemau Prydain o Ddatganiad Balfour ym 1917. Argymhellwyd sefydlu cartref cenedlaethol Iddewig na fyddai'n amharu ar hawliau crefyddol a sifil trigolion eraill Palesteina. Gwnaed y datganiad mewn cyfnod argyfyngus a rhwymodd Brydain i bolisi a oedd yn bleidiol i'r Iddewon heb ystyried y cyfrifoldebau a'r goblygiadau'n llawn.

Ysgogodd y ddarpariaeth ar gyfer cartref Iddewig ym Mhalesteina gynnydd sydyn a syfrdanol yn y mewnfudo i'r ardal. Yn y 1920au ymfudodd 10,000 o Iddewon yno bob blwyddyn ac erbyn 1931 roedd y boblogaeth Iddewig wedi cynyddu i 172,000 — cynnydd o fwy na chan mil mewn deng mlynedd. Dros yr un cyfnod fe gynyddodd y boblogaeth Arabaidd o 560,000 i 840,00.

Chwalwyd y dybiaeth naïf ymhlith rhai o wleidyddion San Steffan y gellid cael cymod rhwng Seioniaeth a chenedlaetholdeb Arabaidd. Yn wir, mae'n amheus a oedd y llywodraeth wedi gwerthfawrogi pa mor ddifrifol oedd y sefyllfa cyn 1936. Bu gwrthryfeloedd Arabaidd yn erbyn y mewnfudiad Iddewig yn y 1920au ond methodd hyn â newid agwedd y llywodraeth. Cyhoeddwyd Papur Gwyn ar yr ardal ym 1922 ac ynddo ceisiodd Churchill, fel Ysgrifennydd y Trefedigaethau, argyhoeddi'r

Arabiaid ym Mhalesteina na fyddai'r mewnfudo yn effeithio ar eu hawliau. Pan ddywedodd nad oedd 'cartref cenedlaethol' yn golygu 'gwladwriaeth genedlaethol' llwyddodd i gythruddo'r ddwy ochr. Parhaodd y polisi Prydeinig yn y 1930au i fod yn gymysglyd a digyfeiriad. Wrth i erledigaeth yr Iddewon gan y Natsïaid ddwysáu rhwng 1933 a 1935 bu'n rhaid i Brydain ganiatáu i fwy o Iddewon symud i Balesteina. Dilynwyd hyn gan wrthryfeloedd Arabaidd a gorfodwyd newid polisi ar Brydain a gyfyngodd ar y mewnfudo yn ystod y cyfnod rhwng 1935 a 1939 pan oedd yr erledigaeth Natsïaidd yn cyrraedd ei hanterth.

Un o'r problemau sylfaenol oedd cwestiwn y cwotâu. Ym 1936 sefydlwyd ffigur o 75,000 o fewnfudwyr fel targed ar gyfer y pum mlynedd nesaf, targed a oedd yn llawer rhy isel o safbwynt yr Iddewon. Fodd bynnag, cododd y gyfran Iddewig o'r boblogaeth ym Mhalesteina o 10 y cant ym 1922 i 32 y cant erbyn 1939, datblygiad a oedd yn fygythiad difrifol i safle Arabiaid Palesteina er nad oedd yn ddigonol i ddiwallu dyheadau'r Iddewon.

Ym 1936 sefydlodd Prydain Gomisiwn Peel. Daeth y comisiwn i'r casgliad nad oedd y mandad yn gweithio o gwbl a chefnogodd y syniad o rannu Palesteina, argymhelliad a oedd yn annerbyniol i'r Iddewon ac i'r Arabiaid. Erbyn 1938 roedd y sefyllfa ryngwladol yn un beryglus dros ben ac ni ellid ystyried defnyddio milwyr Prydeinig i weithredu ymraniad o'r fath. Un o ofynion eraill y sefyllfa ryngwladol oedd bod Prydain yn meithrin cefnogaeth yr Arabiaid (beth bynnag am safbwynt yr Iddewon) er mwyn diogelu ei buddiannau yn y Dwyrain Canol.

Adlewyrchwyd yr amgylchiadau hyn ym Mhapur Gwyn 1939 a argymhellodd ffigur sefydlog ar gyfer mewnfudiad am y pum mlynedd nesaf, ond bod y ffigur hwnnw yn dibynnu ar gytundeb yr Arabiaid ymlaen llaw. Yn sgil y cyfyngiadau newydd cafwyd ymdrechion anghyfreithlon, yn bennaf gan yr *Haganah*, i gludo Iddewon i Balesteina. Yn ogystal cyflawnwyd gweithgareddau treisiol gan *Irgun* a *Stern*, gan gynnwys ymosodiadau ar dargedau milwrol a sifil Prydeinig.

Felly, oherwydd y diffyg cyfeiriad ym mholisi Prydain yn y rhanbarth roedd y sefyllfa erbyn 1939 wedi dirywio'n enbyd gyda'r rhyfel cartref yn llusgo ymlaen yn ddiddiwedd. Ataliwyd arolwg difrifol o'r problemau gan yr Ail Ryfel Byd.

Mewn rhannau eraill o'r ymerodraeth gan gynnwys Ynysoedd India'r Gorllewin, Affrica a'r Dwyrain Pell, arhosodd statws imperialaidd Prydain yn ei unfan, heb gael ei herio'n ddifrifol. Yn wir, mewn nifer o ardaloedd ehangodd dylanwad yr imperialaeth Brydeinig wrth i'r trefedigaethau Almaenig gael eu dosbarthu rhwng y cenhedloedd buddugol. Yn yr ardaloedd hyn bu rhywfaint o newidiadau cymdeithasol ac economaidd ynghyd ag estyniad o waith y llywodraeth mewn masnach, mwyngloddio, addysg a chyfathrebu.

Cyfrannodd symudiad y boblogaeth o'r wlad i'r trefi at ddatblygiad gwleidyddiaeth yn Affrica, er enghraifft, sefydlu Cyngres Genedlaethol Gorllewin Affrica Brydeinig ym 1920, a Phlaid Genedlaethol Ddemocrataidd yn Nigeria ym 1922, yn Sierra Leone ym 1924 ac yn Ghana ym 1925, ond rhaid cofio bod y trefedigaethwyr yn y cyfnod hwn yn canolbwyntio ar ddiwygiadau yn hytrach nag ar ddod â rheolaeth drefedigaethol i ben yn gyfan gwbl. O safbwynt y llywodraeth Brydeinig, er iddynt gyflwyno datganoli yn India a'r Aifft, nid oedd unrhyw fwriad i wneud hynny mewn rhanbarthau eraill.

Blynyddoedd cyfnewidiol felly oedd y rhai rhwng y ddau ryfel byd. Cydnabuwyd hawliau cenedlaethol mewn rhai gwledydd, yn arbennig yn y Dominiynau croenwyn, ond ar y cyfan ystyriwyd cenedlaetholdeb yn ffenomen dros dro yr oedd yn rhaid addasu polisïau imperialaidd i'w wynebu. Roedd y defnydd a wnaed o fandadau gan Gynghrair y Cenhedloedd wedi ymestyn dylanwad Prydain i rannau eraill o'r byd ond nid oedd ei phresenoldeb yn gadarn a sefydlog ym mhob man. Yn Affrica roedd yr ymerodraeth yn gymharol ddiogel am y tro ond yn India a'r Dwyrain Canol fe ddangosodd y gwrthryfeloedd Arabaidd a'r gefnogaeth i Gandhi a Nehru fod y brwydrau am ymreolaeth ymhell o fod ar ben. Rhwng 1919 a 1939 roedd Prydain yn ddigon cryf yn filwrol i reoli'r sefyllfa ac i gyfaddawdu ychydig yn wleidyddol ac economaidd pan nad oedd dewis ganddi. Ond cafodd y sefyllfa hon ei gweddnewid gan yr Ail Ryfel Byd.

PENNOD 10

Polisïau Cartref y Llywodraeth Genedlaethol

Ysbrydolodd cwymp y llywodraeth Lafur fwy o hyder ymhlith bancwyr, benthycwyr a buddsoddwyr arian yn nyfodol economaidd Prydain. Ar 28 Awst 1931 cytunodd banciau Efrog Newydd a Pharis i roi benthyg £80 miliwn i'r llywodraeth Brydeinig i'w helpu i leddfu'i phroblemau economaidd. Penderfynodd y Cabinet fod angen cyflwyno cyllideb yn fuan a gwnaethpwyd hyn gan Snowden ar 10 Medi.

Codwyd y dreth incwm o 4*s*. 6*d*. i 5*s* yn y bunt a chodwyd y trethi anuniongyrchol ar dybaco a chwrw. Lleihawyd y cymorth ariannol ar gyfer plant a gostyngwyd cyflogau gweithwyr yn y sector cyhoeddus o fwy na 10 y cant (er enghraifft, barnwyr, athrawon, aelodau seneddol, heddgeidwaid a'r lluoedd arfog). Gosodwyd toriad o 10 y cant ar y budd-dâl i'r di-waith yn ogystal â chynyddu cyfraniadau yswiriant. Dywedodd y Canghellor y byddai hyn i gyd yn arbed £70 miliwn yn ystod y flwyddyn.

Ysgogodd y gostyngiadau cyflog wrthryfel gan 12,000 o forwyr yn Invergordon. Oherwydd y toriadau o 5 i 14 y cant gwrthodasant weithio ar y llongau, er enghraifft, y *Valiant* a'r *Rodney*, hyd nes bod y llywodraeth wedi arolygu'r gostyngiadau arfaethedig. Roedd gan rai Comiwnyddion ran yn y trafferthion ond anfodlonrwydd cyffredinol a fynegwyd ar y cyfan ac achosodd y digwyddiad gryn bryder i'r arianwyr tramor. Rhaid pwysleisio, fodd bynnag, nad gwrthryfel yng ngwir ystyr y gair oedd hwn. Gwrthododd y morwyr gyflawni eu dyletswyddau ond ni chafodd hyn fawr o effaith ar y rhan fwyaf o'r llynges. O fewn diwrnodau gorchmynnwyd y morwyr i ddychwelyd i'w porthladdoedd gan y Morlys a chytunodd yr arweinwyr llyngesol y byddent yn trafod y newidiadau cyflog. Ar 21 Medi addawodd y llywodraeth na fyddai unrhyw ostyngiad cyflog yn fwy na 10 y cant.

Roedd Banc Lloegr wedi colli dros £200 miliwn er mis Gorffennaf a chyflymwyd y broses gan y digwyddiadau yn Invergordon. Rhoddodd hyn esgus cyfiawn i'r llywodraeth i ymadael â'r safon aur a gwnaed hyn ar 19 Medi. Er bod Banc Lloegr ac aelodau o'r Cabinet wedi rhagweld ar ddechrau'r mis y byddai'n gwneud hyn er mwyn gostwng gwerth y bunt, ni ddaethai cyfle nes i drafferthion Invergordon ddechrau. Golygai'r newid polisi hwn fod gwerth y bunt yn amrywio rhwng 3.23 o ddoleri a 3.90 o ddoleri yn ystod yr wythnosau dilynol. Ymhellach, codwyd cyfradd llog y banc o 4.5 y cant i 6 y cant a chafodd hyn effaith ffafriol ar allforion Prydain.

Credai'r Ceidwadwyr fod polisïau amhoblogaidd yn anochel os am ddod dros yr argyfwng economaidd ac felly y byddai'n syniad cynnal etholiad cyffredinol er mwyn ennill y gefnogaeth etholiadol angenrheidiol i'w gweithredu. Gwrthwynebwyd hyn gan MacDonald a Samuel am dri rheswm: gallai etholiad o'r fath yn ystod dirwasgiad economaidd danseilio awdurdod y llywodraeth a hyder tramor ynddi; byddai'n debygol o wanhau pob plaid ar wahân i'r Ceidwadwyr; byddai'r Torïaid yn dewis brwydro dan faner tollau amddiffynnol, yn groes i egwyddorion y Blaid Lafur a'r Rhyddfrydwyr. Ond gwyddai'r Prif Weinidog ei fod yn gaeth i'r Ceidwadwyr a phe baent yn tynnu'n ôl o'r llywodraeth y byddai'n rhaid iddo ymddiswyddo beth bynnag. Credai Lloyd George y dylai'r Rhyddfrydwyr adael y llywodraeth ac ymladd etholiad yn erbyn y Ceidwadwyr ac ar lwyfan radicalaidd ond nid oedd ef bellach yn cynrychioli barn y rhan fwyaf o'r aelodau seneddol Rhyddfrydol.

Cytunwyd i gynnal yr etholiad ar 27 Hydref 1931 gyda phob plaid yn ymladd yn annibynnol ar ei gilydd ac yn unol â'r polisïau yn ei maniffesto ei hunan. Brwydrodd y Torïaid yn gryf dros gefnogaeth i bolisi gwarchodol, gan ymosod ar y Blaid Lafur yn arbennig trwy ei chyhuddo o droi ei chefn ar argyfwng cenedlaethol. Roedd y Blaid Lafur a'r mwyafrif o'r Rhyddfrydwyr yn bleidiol i fasnach rydd ond pwysleisiodd y Blaid Lafur fod yn rhaid cynllunio a rheoli'r economi gan wario mwy er mwyn creu swyddi. Ond roedd dedfryd y pleidleiswyr yn fwy syml na hynny — y Blaid Lafur oedd wedi cefnu ar ei chyfrifoldebau a'r Llywodraeth Genedlaethol oedd wedi dewis wynebu'r anawsterau economaidd. Roedd y canlyniadau yn fuddugoliaeth syfrdanol i'r syniad o lywodraeth genedlaethol: Ceidwadwyr, 472 sedd; Rhyddfrydwyr Cenedlaethol, 35 sedd; Llafur Cenedlaethol, 13 sedd; Llafur, 46 sedd; Rhyddfrydwyr eraill, 37 sedd.

Cafodd cynrychiolwyr y weinyddiaeth newydd dros 60 y cant o'r pleidleisiau tra oedd y Blaid Lafur wedi dioddef colledion sylweddol yn yr Alban a gogledd Lloegr. Cyfrannodd hyn at ostyngiad o fwy na dwy filiwn o bleidleisiau a cholled o fwy na 200 o seddau er 1929. Pleidleisiodd y bobl dros yr enwau adnabyddus — MacDonald a Baldwin ac arweinwyr eraill a oedd wedi gweinyddu llywodraethau'r 1920au. O gofio'r ychydig a gyflawnwyd yn y cyfnod hwnnw roedd hon yn bleidlais yn erbyn dilyn polisïau rhy anturus.

Rhoddwyd swyddi i rai o weinidogion Llafur y llywodraeth flaenorol yn y Cabinet newydd: yr Arglwydd Sankey yn Arglwydd Ganghellor, Philip Snowden yn Arglwydd y Cyfrin Sêl a J. H. Thomas yn Ysgrifennydd y Dominiynau. O rengoedd y Rhyddfrydwyr penodwyd Syr Herbert Samuel yn Ysgrifennydd Cartref, Syr John Simon yn Weinidog Tramor, Syr Donald MacLean yn Weinidog Addysg, Syr Archibald Sinclair yn gyfrifol am yr Alban, a Walter Runciman am y Bwrdd Masnach. O blith y Ceidwadwyr penodwyd Stanley Baldwin yn Arglwydd Arlywydd, Neville Chamberlain yn Ganghellor y Trysorlys, Syr Philip Cunliffe-Lister yn gyfrifol am y trefedigaethau, yr Arglwydd Hailsham yn Weinidog Rhyfel, a Syr Samuel Hoare yn Ysgrifennydd Gwladol India. Ceidwadwyr a benodwyd i'r rhan fwyaf o'r swyddi eraill yn y Cabinet hefyd. Roedd y Cabinet yn ddibynnol am ei fodolaeth ar gefnogaeth yr aelodau Ceidwadol ac roedd y mwyafrif helaeth ohonynt yn disgwyl y byddai'r llywodraeth yn cyflwyno polisi gwarchodol cyn hir i geisio datrys problemau mantol daliadau — pan benodwyd y Cabinet ym mis Tachwedd roedd y diffyg ariannol yn £409 miliwn.

Felly, cyn diwedd y mis penderfynodd y llywodraeth ddilyn esiampl yr Unol Daleithiau drwy gyflwyno mesur i osod tollau ar fewnforion. Bwriad y polisi oedd galluogi'r llywodraeth i osod toll cymaint â chant y cant ar fewnforion a oedd yn tanseilio diwydiannau yng ngwledydd Prydain oherwydd eu prisiau isel. Rhoddwyd toll o 50 y cant, er enghraifft, ar bapur, crochenwaith, camerâu, a rhai nwyddau gweol. Penderfynwyd gwneud yr un peth gyda llysiau a ffrwythau yn nes ymlaen. Er nad oedd Samuel a'i gyd-Ryddfrydwyr yn y Cabinet yn fodlon ar hyn, cytunasant i beidio â gwneud eu gwrthwynebiad yn gyhoeddus. Ni chredai'r Blaid Lafur y byddai'r fath bolisi ariannol yn lleihau diweithdra a pharhaodd y mwyafrif ohonynt i alw ar y llywodraeth i wladoli rhannau o'r economi er mwyn lleddfu effaith y dirwasgiad. Ond erbyn hynny ychydig iawn o bobl oedd yn fodlon gwrando ar syniadau'r lleiafrif bychan o Lafurwyr yn y Senedd, yn arbennig ar ôl digwyddiadau mis Awst.

Er mwyn rhoi rhagor o gymorth i ddiwydiant a chael mantol daliadau mwy boddhaol cyflwynodd Chamberlain ei Ddeddf Tollau ar Fewnforion ym mis Chwefror 1932 gyda'r bwriad o osod toll o 10 y cant ar y mewnforion i gyd ar wahân i'r rheini o'r Ymerodraeth Brydeinig. Penderfynwyd hefyd sefydlu Pwyllgor Ymgynghorol ar Dollau a Mewnforion i arolygu'r sefyllfa ac i wneud argymhellion i'r llwyodraeth, megis cadw haearn, sinc, rwber, plwm, gwenith a chig yn rhydd o dollau mewnforio a rhoi toll o 20 y cant ar nwyddau gwneud. Erbyn diwedd mis

Ebrill roedd polisi tollau'r llywodraeth yn effeithio ar dros dri chwarter o fewnforion Prydeinig. Er mwyn ysgafnhau'r baich ar ddiwydiant ymhellach gostyngwyd cyfradd y banc yn raddol o 6 y cant ar ddechrau 1932 i 2 y cant erbyn mis Mehefin ac arhosodd yn agos at y ffigur hwnnw hyd at ddechrau'r Ail Ryfel Byd.

Tra oedd polisi economaidd y Llywodraeth Genedlaethol yn anelu at ddiogelu'r famwlad ar adeg dirwasgiad difrifol, nid oedd y Dominiynau yn fodlon o gwbl ar y sefyllfa. Ymddangosodd y gwahaniaethau barn ym misoedd Gorffennaf ac Awst yng Nghynhadledd Economaidd yr Ymerodraeth yn Ottawa. Dadleuai'r llywodraeth na allai'r Dominiynau gwyno am fod dros 80 y cant o fewnforion yr ymerodraeth i Brydain yn ddi-doll tra oedd y prif Ddominiynau yn codi tollau ar fewnforion o Brydain. Y brif broblem oedd bod nwyddau Prydeinig yn cystadlu â nwyddau tebyg o wahanol rannau o'r ymerodraeth y tu mewn i'r farchnad imperialaidd, tra ym Mhrydain cystadleuai nwyddau'r Dominiynau gyda nwyddau gwledydd tramor megis Japan, Sweden, Ariannin a'r Unol Daleithiau. Roedd Prydain yn fodlon rhoi ffafrïaeth i nwyddau imperialaidd ar yr amod bod Dominiynau fel Canada ac Awstralia yn gweithredu polisi tebyg mewn perthynas â nwyddau gwneud o Brydain. Gwrthwynebwyd hyn am fod diwydiannau'r Dominiynau yn rhai ifainc gyda chostau uwch na diwydiannau Prydeinig. Yn y diwedd daethpwyd i gytundeb ac addawodd y llywodraeth Brydeinig y byddai'n parhau â'i pholisi o ffafriaeth imperialaidd a olygai na osodid toll ar 80 y cant o'r mewnforion o'r ymerodraeth. Cytunodd y Dominiynau i godi'r tollau ar fewnforion o wledydd eraill, megis yr Undeb Sofietaidd ac Ariannin, er mwyn rhoi ffafriaeth i fewnforion Prydeinig.

I'r masnachwyr rhydd yn y Cabinet roedd cytundebau o'r fath yn mynd yn llawer rhy bell a phenderfynodd Snowden, Samuel a Sinclair ymddiswyddo. Roedd Jowitt, y Twrnai Cyffredinol, eisoes wedi ymddiswyddo ar ddechrau'r flwyddyn, felly erbyn mis Medi 1932 ychydig iawn o wahaniaeth oedd rhwng cymeriad y Llywodraeth Genedlaethol ac un gwbl Geidwadol.

Er bod bancwyr, arianwyr, economegwyr, a'r rhan fwyaf o'r gwleidyddion yn cytuno ar y cyfan â chyfeiriad polisi'r llywodraeth, nid oedd hyn yn wir am economegydd amlycaf y cyfnod ym Mhrydain, John Maynard Keynes. Dadleuai ef drwy'r 1930au (gweler ei lyfr *General Theory of Employment, Interest, and Money* (1936)) fod polisi ariannol o'r fath yn annigonol. Yr oedd gormod o fuddsoddi mewn gwledydd tramor a rhy ychydig yn yr economi gartref. Roedd ef o blaid amrywio cyfraddau llog a chynyddu'r incwm cenedlaethol drwy wario'n drwm a benthyca ar log isel. Er bod ei syniadau'n debyg i rai'r Blaid Lafur nid sosialydd mohono, ond credai nad oedd hi'n amhosibl cyfuno estyniad o reolaeth y llywodraeth ar yr economi, megis sefydlu cynlluniau gwaith cyhoeddus, â rhyddid yr unigolyn o fewn gwladwriaeth ddemocrataidd.

Erbyn diwedd y flwyddyn roedd y sefyllfa economaidd gyffredinol ym Mhrydain wedi dechrau gwella. Un o brif ganlyniadau'r dirwasgiad rhwng 1929 a 1932 oedd gostwng prisiau adnoddau crai y byd. Lleihaodd costau mewnforion Prydain ac yn sgîl hynny daeth newid er gwell yn y diffyg ariannol:

Blwyddyn	Diffyg ariannol
1931	£104 miliwn
1932	£51 miliwn
1933	£0
1934	£7 miliwn
1935	£32 miliwn
1936	£18 miliwn
1937	£56 miliwn

Bu gostyngiad yng nghostau byw y boblogaeth hefyd ac arweiniodd hyn, ynghyd â pholisi ariannol y llywodraeth, (er enghraifft, cadw cyfraddau llog yn isel a thollau'n uchel) at fwy o fuddsoddi mewn diwydiannau hen a newydd, gan gynnwys cemegau, olew, gwydr, moduron, offer trydanol ac adeiladu tai.

Arwyddwyd amryw o gytundebau â gwledydd tramor, gan gynnwys yr Almaen, yr Undeb Sofietaidd, a gwledydd Sgandinafia, a osododd gwotâu arbennig ar eu hallforion hwy i Brydain (megis coed a chig) tra rhoddent hwy rywfaint o ffafrïaeth i nwyddau gwneud Prydain (megis moduron a pheiriannau).

Llwyddodd y llywodraeth hefyd i ffurfio bloc sterling lle roedd yr aelodau yn cyfnewid arian yn erbyn gwerth y bunt yn unig. Achosodd hyn lawer o ddrwgdeimlad yn yr Unol Daleithiau a welai'r mesur fel cyfyngiad ar ei masnach dramor hi ond nid oedd ei gwrthwynebiad yn ddigon cryf i newid y polisi. Un o ganlyniadau creu'r bloc sterling oedd cynyddu masnach Prydain â gwahanol rannau o'r ymerodraeth. Amlygir y cynydd hwn yn y tabl canlynol sy'n dangos y fasnach rhwng Prydain a'r ymerodraeth fel canran o'r fasnach gyfan.

Roedd y sefyllfa hon, yn ogystal â'r dirwasgiad yn y diwydiannau traddodiadol, yn ysbardun i bobl busnes naill ai i foderneiddio a gwella'r hen ddiwydiannau neu i ddatblygu ac ehangu diwydiannau newydd.

Blwyddyn	Mewnforion o'r ymerodraeth (%)	Allforion o'r ymerodraeth (%)
1931	24.5	35.9
1932	31.6	38.2
1933	34.3	39.2
1934	34.7	42.0
1935	35.1	43.3

Un o'r diwydiannau a ehangodd fwyaf yn y 1930au oedd y diwydiant cyflenwi trydan a chynhyrchu offer trydanol, gan gynnwys datblygiadau yn nefnydd pŵer trydanol a pheirianneg trydanol mewn ffatrïoedd a newidyddion a datblygiadau mewn gwresogyddion, goleuadau, setiau radio, oergelloedd a sugnyddion llwch. Hefyd sicrhaodd y Grid Cenedlaethol fod y nifer o dai a oedd yn derbyn trydan wedi cynyddu i dros 9 miliwn erbyn 1937 o'i gymharu â llai na miliwn ym 1920.

Datblygodd y diwydiant cemegau yn gyflym, yn enwedig ym meysydd lliwurau, defnyddiau meddygol a gwrteithiau. Ffurfiwyd ICI ym 1926 ac erbyn canol y 1930au roedd yn un o'r enghreifftiau gorau o gwmni mawr llewyrchus. Ymhlith y cwmnïau newydd eraill a sefydlwyd tua'r adeg hon oedd Unilever, Coats, Courtaulds, Austin a Morris.

Ehangodd y diwydiant moduron hefyd yn sylweddol a dilynodd William Morris esiampl Henry Ford yn yr Unol Daleithiau drwy sefydlu ffatrïoedd a gynhyrchai gannoedd o geir yn Cowley a Rhydychen. Sefydlodd Vauxhall ffatri yn Luton, Ford yn Dagenham a Rootes yng nghanolbarth Lloegr. Erbyn dechrau'r Ail Ryfel Byd roedd dros ddwy filiwn o foduron wedi cael eu cynhyrchu a'u gwerthu ym Mhrydain.

Un o nodweddion eraill y 1930au oedd twf y diwydiannau gwasanaethu — gwestai, sinemâu, a siopau mawr megis Boots a Woolworth. Roedd hyn i gyd yn arwydd o ffyniant newydd mewn rhai rhannau o wledydd Prydain, yn arbennig de-ddwyrain a chanolbarth Lloegr.

Ym myd amaethyddiaeth aeth y llywodraeth ati i foderneiddio ac i warchod ffermwyr rhag cystadleuaeth dramor. Sefydlwyd byrddau marchnata (er enghraifft, y Bwrdd Marchnata Llaeth) i reoli lefelau cynhyrchu a phrisiau ac i sicrhau fod digon o alw am y cynnyrch. Ym 1933 pasiwyd mesur gan y llywodraeth a'i galluogai naill ai i gyfyngu ar gyfanswm y mewnforion bwyd neu i osod tollau arnynt. Pe bai hynny'n profi'n annigonol i ddiogelu'r farchnad gartref yna rhoddid cymhorthdal i'r ffermwyr. Gweithredwyd y polisi hwn ar gynnyrch o Ddenmarc ac Ariannin er mwyn diogelu ffermwyr llaeth.

Roedd lleiafswm cyflog eisoes wedi ei sefydlu ar gyfer gweision fferm ond ni lwyddodd i atal dylifiad rhyw 10,000 o lafurwyr y flwyddyn oddi ar y tir yn y 1930au. Cyflymwyd y broses hon gan fecaneiddio eang yn sgil datblygiadau mewn peirianwaith amaethyddol.

Ym 1932 pasiwyd Deddf Gwenith a osododd dreth ar bob sach o flawd. Defnyddid yr arian a godid i bontio'r gagendor rhwng pris y gwenith ar y farchnad a'r pris gwarantiedig i'r ffermwyr o 10s. am bob cant. Gosodwyd tollau ar fewnforion amaethyddol ac eithrio mewnforion o'r ymerodraeth. Anogwyd ffermwyr i dyfu mwy o farlys a cheirch drwy gynnig cymhorthdal iddynt a chynyddodd y nifer o aceri dan gnydau grawn o 1,200,000 ym 1931 i 1,760,000 ym 1934. Yn gyffredinol fe gododd cynhyrchiant amaethyddol Prydain oddeutu 16 y cant rhwng 1931 a 1937.

Tra oedd yr ardaloedd hynny a oedd yn gartrefi i'r diwydiannu newydd yn ffynnu roedd y darlun mewn rhannau eraill o wledydd Prydain yn hollol wahanol. Yn yr Alban, de Cymru, gogledd-orllewin Lloegr a gogledd-ddwyrain Lloegr dibynnai'r trigolion am eu bywoliaeth ar waith yn y diwydiannau traddodiadol megis haearn a dur, nwyddau gweol, glo ac adeiladu llongau. Er dechrau'r 1920au wynebasai'r diwydiannau hyn ddirwasgiad parhaus oherwydd y gostyngiad yn y galw am eu cynnyrch. Collwyd y farchnad ryfel, datblygodd gwledydd eraill eu diwydiannau eu hunain, a llwyddodd gwledydd fel Japan yr Almaen a'r Unol Daleithiau i ddwyn marchnadoedd Prydeinig oherwydd eu bod yn gallu cynnig nwyddau rhatach am fod eu costau yn is. Felly ceid amrywiaethau mawr yn y patrwm diweithdra drwy Brydain.

Yn gyffredinol, gostyngodd nifer y di-waith yn raddol yn ystod y 1930au:

Blwyddyn	Nifer y di-waith (mewn miliynau)	Canran o'r boblogaeth weithiol
1932	2.85	21.9
1933	2.95	19.8
1934	2.40	16.6
1935	2.29	15.3
1936	2.13	13.0

Ond roedd y patrwm rhanbarthol yn rhoi darlun gwahanol:

Rhanbarth	Canran o'r boblogaeth weithiol		
	1929	1932	1937
Cymru	19.3	36.5	22.3
Gogledd Lloegr	13.5	27.1	13.8
Yr Alban	12.1	27.7	15.9
Canolbarth Lloegr	9.3	20.1	7.2
Llundain a'r de-ddwyrain	5.6	13.7	6.4

Gan bod y prif ddiwydiannau yn yr ardaloedd dirwasgedig yn dibynnu ar allforion nid oedd polisi tollau'r llywodraeth o unrhyw gymorth iddynt. Dilynodd gwledydd eraill esiampl Prydain a'r Unol Daleithiau trwy godi tollau ar fewnforion ac nid oedd y penderfyniad i ymadael â'r safon aur o fudd i'r hen ddiwydiannau chwaith. Ym 1934 cyhoeddodd yr Adran Lafur ystadegau diweithdra ar gyfer y diwydiannau traddodiadol ym mis Rhagfyr 1933.

Diwydiant	Canran y di-waith
Glo	25.7
Mwyndoddi dur	28.6
Adeiladu	25.5
Adeiladu llongau	53.6
Cotwm	19.7

Addawodd y llywodraeth y byddai'n gosod tollau ar fewnforion o haearn a dur ond ar yr amod fod y diwydiant ym Mhrydain yn mynd ati i foderneiddio ac ad-drefnu ei hunan. Oherwydd y gostyngiad sylweddol yn y galw am longau ar ôl y rhyfel nid oedd cymaint o alw ychwaith am ddur. O'r 1920au ymlaen roedd cystadleuaeth gref oddi wrth yr Unol Daleithiau a Japan yn gyfrifol am golli marchnadoedd ac nid oedd unrhyw arwydd ar ddechrau'r 1930au y gallai'r diwydiant dur ym Mhrydain atal y dirywiad. Ym 1934 ffurfiwyd y Ffederasiwn Haearn a Dur Prydeinig i sefydlogi prisiau a rhesymoli'r gwahanol fathau o waith a wneid mewn gwahanol weithfeydd. Yn ganlyniad i hyn argymhellodd y Pwyllgor Ymgynghorol ar Dollau a Mewnforion y dylid gosod tollau am gyfnod amhenodol ar fewnforion dur i Brydain. Creodd hyn gryn anfodlonrwydd ymhlith cynhyrchwyr y cyfandir ac yn y diwedd cytunodd y llywodraeth i ostwng y tollau a sefydlu cwotâu.

Un o ofynion yr ad-drefnu oedd bod yn rhaid cau amryw o weithfeydd dur (Guest a Keen yn cau'r gwaith mawr yn Nowlais, er enghraifft) ac uno eraill er mwyn creu diwydiant mwy modern a chystadleuol, megis yn Corby ym 1934, Shotton ym 1937 a Glynebwy ym 1938. Ym 1935 roedd cynllun ar y gweill i godi gwaith dur yn Jarrow lle roedd y dirwasgiad yn y diwydiant adeiladu llongau wedi codi diweithdra i 72.9 y cant. Gwrthwynebwyd hyn gan y Ffederasiwn Haearn a Dur ac ym 1936 gorymdeithiodd 200 o ddynion di-waith o Jarrow i Lundain i wrthdystio yn erbyn yr ymyrraeth. Tynnwyd sylw at broblemau Jarrow a'r di-waith gan yr orymdaith ac adeiladwyd nifer o ffatrïoedd bychan yno yn sgil y cyhoeddusrwydd. Yna ym 1939 penderfynwyd adeiladu gwaith dur yn y dref.

Pwrpas yr ad-drefnu oedd cael gwared ar y gweithfeydd nad oedd yn gwneud elw a datblygu'r gweddill ar gyfer marchnad lai. I raddau roedd y broses hon yn llwyddiannus oherwydd y cynnydd yn y galw a'r lefelau cynhyrchu. Ym 1929 cynhyrchodd y diwydiant 9.6 miliwn tunnell o ddur ond o fewn dwy flynedd fe ddisgynnodd y ffigur hwn i 5.2 miliwn tunnell. Fodd bynnag, erbyn 1936 roedd wedi cynyddu unwaith eto i 11.8 miliwn tunnell. Er i'r ffederasiwn lwyddo i wneud y diwydiant yn fwy cystadleuol ni chafodd hyn lawer o effaith ar ddiweithdra yn y diwydiant. Trwy gydol y 1930au roedd tua deugain y cant o weithwyr y diwydiant yn segur.

Bu ad-drefnu tebyg yn y diwydiant adeiladu llongau. Derbyniodd y perchenogion gymhorthdal bychan gan y llywodraeth a chynyddodd cynhyrchiant o 135,000 tunnell ym 1933 i 920,800 ym 1937. Yn ystod yr un cyfnod disgynnodd diweithdra yn y diwydiant o 60 y cant i 24.4 y cant.

Fe wynebodd diwydiant cotwm Prydain gystadleuaeth frwd oddi wrth Japan ac India. Methodd melinau Prydain â chynyrchu mwy am fod y peiriannau yn hen ffasiwn ac aneffeithiol. Dibynnai Prydain yn drwm ar y marchnadoedd yn Asia ac Affrica ac wrth i'r rhain ddatblygu eu diwydiannau cotwm eu hunain a gosod tollau ar fewnforion fe ddioddefodd cynhyrchwyr Prydeinig golledion ariannol mawr. Roedd hi'n rhy hwyr hefyd iddynt ymladd am gyfran o'r marchnadoedd Americanaidd ac Ewropeaidd. Adlewyrchwyd dirywiad y diwydiant yn y gostyngiad yng nghyfanswm y lliain cotwm a gynhyrchwyd o 8,000 miliwn o lathenni sgwâr ym 1912 i 3,000 miliwn ym 1938.

Dirywio hefyd fu hanes y diwydiant glo, yn arbennig ar ôl y Streic Gyffredinol pan oedd y berthynas rhwng y glowyr a'r perchenogion wedi suro a chwerwi. Bu llawer llai o alw am lo a rhwng 1929 a 1933 gostyngodd cynhyrchiad blynyddol y diwydiant o 258 miliwn tunnell i

207 miliwn. Sefydlwyd cyngor canolog i benderfynu cwota ar gyfer pob ardal ac yna gosodwyd targedau cynhyrchu ar gyfer pob pwll. Erbyn 1932 roedd dros 40 y cant o lowyr yn ddi-waith. Parhaodd costau cynhyrchu yn uwch na chostau'r cystadleuwyr cyfandirol, collwyd mwy o farchnadoedd tramor a thrwy'r 1920au a'r 1930au roedd tuedd cynyddol i longau droi at olew fel tanwydd yn lle glo. Ond y broblem fawr yn y diwydiant oedd y perchenogion a oedd ar hyd y blynyddoedd wedi brwydro nid yn unig yn erbyn y gweithwyr ond hefyd yn erbyn argymhellion Comisiwn Sankey a Chomisiwn Samuel a llywodraethau Llafur a Cheidwadol. O ganlyniad i'r ystyfnigrwydd hwn methiant fu tynged y comisiwn a sefydlwyd gan lywodraeth Lafur MacDonald i hyrwyddo ad-drefniant yn y diwydiant. Ceisiodd y llywodraeth ymyrryd eto ym 1926 ac ymestyn ei rheolaeth ar y diwydiant ond yn y diwedd enciliodd oherwydd cryfder y gwrthwynebiad. Yna, ym 1938, llwyddodd y llywodraeth i basio deddf a wladolodd freindaliadau'r diwydiant glo — cam tuag at wladoli'r diwydiant cyfan ym 1947.

O safbwynt y llywodraeth ac ym marn llawer o economegwyr roedd y dirwasgiad yn y diwydiannau traddodiadol yn anochel a gwastraff egni ac adnoddau ariannol oedd ceisio atal y dirywiad. Roedd y polisi o uno a moderneiddio yn dderbyniol i'r llywodraeth ond nid oedd yn fodlon newid ei hagwedd *laissez-faire* tuag at y diwydiannau hyn. Llawer mwy buddiol oedd canolbwyntio ar y datblygiadau newydd yn y canolbarth a'r de-ddwyrain.

Golygai hyn na roddwyd llawer o sylw i effeithiau diweithdra yn y rhanbarthau dirwasgedig megis de Cymru, Cumberland, dyffrynnoedd Tees a Tyne, sir Gaerhirfryn a Gogledd Iwerddon. Mewn rhai trefi unigol roedd canran y di-waith yn uchel dros ben. Ym 1934, er enghraifft, roedd 67.8 y cant o'r gweithwyr yn segur yn Jarrow, 61.9 y cant ym Merthyr Tudful, 57 y cant ym Maryport a 36.3 y cant yn Greenock. O gymharu'r lefelau hyn o ddiweithdra â'r lefelau mewn rhai rhannau o Loegr canfyddir rhaniad economaidd ym Mhrydain rhwng y gogledd a'r de — Llundain 8.6 y cant, Birmingham 6.4 y cant, Coventry 5.1 y cant, St Albans 3.9 y cant. Dylid pwysleisio, fodd bynnag, fod rhai ardaloedd yn Llundain â diweithdra uchel tra oedd rhannau o arfordir de Cymru â diweithdra isel oherwydd presenoldeb diwydiannau nwyddau gwneud. Ond yn gyffredinol roedd lefel diweithdra yn rhanbarthau gorllewinol a gogleddol Prydain yn ddifrifol iawn ac roedd effeithiau cymdeithasol y segurdod a'r prinder arian yn dorcalonnus.

Effeithiodd diweithdra yn drwm ar ansawdd a safon byw pobl, ar eu cartrefi, eu bwyd a'u hiechyd. Er mai dwy filiwn neu fwy oedd cyfran swyddogol y di-waith yn ystod y 1930au nid oedd y ffigur hwn yn cynnwys gweision fferm (tan 1936) na gweision cartref (tan 1938). Amcangyfrifwyd bod rhyw wyth miliwn yn ddibynnol ar fudd-dâl y di-waith ac felly yn byw mewn amgylchiadau tlawd iawn. Prif amcan cynlluniau yswiriant cenedlaethol y llywodraeth oedd lleddfu effeithiau gwaethaf diweithdra ac osgoi newyn. Rhwng 1931 a 1935 derbyniai pâr priod a thri o blant oddeutu 29s. yr wythnos ond ym mis Medi 1931 fe'i newidiwyd oherwydd y toriad o 10 y cant a basiwyd gan y llywodraeth a chan y prawf moddion.

Roedd y prawf hwn yn cael ei weithredu gan Bwyllgorau Cymorth Cyhoeddus y Trysorlys fel arfer ar ôl y chwe mis cyntaf o dderbyn budd-dâl di-waith. Byddai'n rhaid i hawlwyr wedyn brofi eu hanghenion a cheid ymweliadau gan arolygwyr â'r cartref i fesur gwerth dodrefn a dillad ac i asesu unrhyw incwm a ddeuai i'r teulu, er enghraifft, rownd papur un o'r meibion neu'r merched. Roedd dioddef sarhad y prawf moddion yn ergyd galed i bobl a oedd wedi gweithio ar hyd eu hoes ac a oedd bellach yn ddi-waith oherwydd amgylchiadau y tu hwnt i'w rheolaeth. Roedd y sarhad hwn yn cael effaith ddychrynllyd ar falchder a hunan-barch miloedd o deuluoedd. Ond i'r rheini a oedd wedi bod yn segur am gyfnod hir, y cymorth ariannol hwn oedd eu hunig achubiaeth rhag llwgu. Ym 1932, er enghraifft, roedd dros 480,000 o bobl wedi bod yn ddi-waith ers blwyddyn neu ragor, ac ym mhentrefi'r Rhondda roedd 45 y cant o'r gweithwyr wedi bod yn segur am fwy na'phum mlynedd.

Dangosodd amryw o astudiaethau yn y cyfnod hwn fod tlodi yn broblem mewn rhai ardaloedd. Amcangyfrifwyd bod tlodi swyddogol yn effeithio ar 9.1 y cant o boblogaeth Llundain ym 1928, 16 y cant o boblogaeth Glannau Merswy rhwng 1928 a 1932 a 17.7 y cant o boblogaeth Efrog rhwng 1935 a 1936. Y prif reswm am y tlodi oedd incwm isel neu ddiweithdra. Roedd hi'n anochel fod dibyniaeth ar fudd-daliadau isel yn effeithio ar ansawdd bwyd ac un o wendidau amlwg bwyd y llai breintiedig oedd diffyg fitaminau a phroteiniau. Cynyddodd hyn y perygl o afiechydon, yn arbennig ymhlith y plant ieuengaf ac ar stadau tai mawr megis yn Lerpwl a Glasgow. Yng Nghymru a Lloegr rhwng 1931 a 1935 bu farw 62 o fabanod o bob mil a aned ond yn yr Alban roedd y ffigur yn 86.8. Mewn trefi unigol roedd y ffigur yn uwch fyth — 92 yn Sunderland a 114 yn Jarrow.

Er bod y llywodraeth yn ymfalchïo yn nifer y tai a adeiladwyd yn y 1930au roedd dros 60 y cant ohonynt yn dai preifat. Roedd yr wyth miliwn a oedd yn ddibynnol ar fudd-daliadau'r wladwriaeth yn byw mewn tai o safon dipyn yn wahanol. Roedd slymiau yn broblem ddifrifol mewn trefi mawr ond cyfyngwyd ar allu'r cynghorau lleol i wella'r sefyllfa gan brinder arian. Ym 1933, er enghraifft, amcangyfrifwyd bod dros 100,000 o dai ym Manceinion o safon isel iawn ond dim ond 15,000 a gafodd eu dymchwel. Roedd y sefyllfa'n waeth o lawer yng nghanolbarth yr Alban, yn arbennig yn ardaloedd Greenock, Clydebank, Motherwell a Dundee.

Er gwaethaf y cyni economaidd hwn, un o effeithiau'r prawf moddion oedd lleihad ym mudd-dâl hanner miliwn o bobl a'i ddileu'n gyfan gwbl yn achos chwarter miliwn o hawlwyr eraill. Nid oedd unrhyw ddarpariaeth ar y pryd chwaith ar gyfer mamau, a phlant hyd at bum mlwydd oed. Oherwydd y problemau hyn ac am nad oedd lwfans teulu ar gael gosodwyd straen mawr ar deuluoedd, yn arbennig ar y gwragedd. Hwy oedd yn gorfod addasu anghenion y teulu er mwyn sicrhau fod pawb yn cael rhywfaint o fwyd a'r plant yn cael eu dilladu ar y gostyngiad mewn incwm. Hwy hefyd oedd yn gorfod dygymod â'r tyndra ychwanegol o gadw trefn ar y tŷ gyda'r gŵr gartref. Llwyddodd rhai ohonynt i gael gwaith ar y stadau diwydiannol newydd a sefydlwyd yn yr ardaloedd dirwasgedig ond golygai hynny fel arfer fod ganddynt gyfrifoldeb am ddwy swydd — y teulu yn y cartref a'r gwaith yn y ffatri.

Ym 1934 cyflwynodd Chamberlain ei Ddeddf Diweithdra a greodd Fwrdd Cymorth i'r Di-waith gyda'i bencadlys yn Llundain a swyddfeydd ledled y wlad. Cymerodd y rhain y cyfrifoldeb am y di-waith oddi wrth y pwyllgorau a chaent arian o gronfa ganolog. Sefydlwyd graddfeydd budd-dâl ar gyfer Prydain gyfan a dyfarnwyd anghenion yn ôl y teulu yn hytrach na'r unigolyn. Mynegodd y Blaid Lafur ei phryder ynghylch lefelau isel y graddfeydd ond maentumiodd y llywodraeth eu bod yn foddhaol o gofio nad oedd costau byw wedi codi cymaint â hynny.

Gyda'r llywodraeth yn dewis peidio ag ymyrryd i wella'r amgylchiadau cymdeithasol yn yr ardaloedd dirwasgedig gwnaethpwyd ymdrechion canmoladwy a llwyddiannus gan lawer o'r bobl eu hunain a chan gymdeithasau preifat neu wirfoddol i leddfu effeithiau'r cyni tymor hir.

Bu Cymdeithas Addysg y Gweithwyr, er enghraifft, yn weithgar iawn yn ne Cymru, canolbarth yr Alban a rhannau o Loegr. Trefnwyd darlithiau, clybiau, a chwaraeon mewn amryw o bentrefi a threfi diwydiannol. Gweithiai Cymdeithas Gristnogol y Dynion Ifainc (YMCA), Cyngor Cenedlaethol Gwasanaethau Cymdeithasol, Urdd Gobaith Cymru a Byddin yr Iachawdwriaeth yn galed i gynnal ysbryd pobl. Sefydlodd y Crynwyr ganolfan Maes yr Haf yng Nghwm Rhondda a gwersyll ym Mro Gŵyr lle y cynhelid darlithiau a chyrsiau addysgol. Agorwyd coleg i oedolion yn Harlech, yn arbennig i bobl o'r dosbarth gweithiol a oedd am ehangu eu gorwelion, cynyddu eu gwybodaeth, neu ddilyn cyrsiau hanesyddol, llenyddol a gwleidyddol am resymau personol eraill. Rhoddodd gyfle arall i oedolion a oedd heb gael llawer o addysg ffurfiol.

Ymgais gan y llywodraeth i ddangos diddordeb yn yr ardaloedd hyn oedd Deddf yr Ardaloedd Arbennig 1934. Penodwyd comisiynydd i Gymru a Lloegr ac un i'r Alban a darparwyd grant o £5 miliwn. Roedd darpariaeth ariannol ar y raddfa hon ar gyfer ardaloedd mor fawr yn gwbl annigonol ac yn y diwedd gwariwyd yr arian ar ddatblygu adnoddau lleol megis ysbyty, pwll nofio neu lyfrgell mewn ambell i ardal. Ym 1937 pasiwyd deddf arall yn addo gostyngiadau trethi lleol a threth incwm fel ysgogiad i ddiwydianwyr i agor gweithfeydd yn yr ardaloedd dirwasgedig. Sefydlwyd ystadau diwydiannol hefyd, er enghraifft, Trefforest yn ne Cymru a North Hillington ar gyffiniau Glasgow.

Ond ni roddodd y llywodraeth lawer o gefnogaeth i'r mesurau hyn a gwan iawn oedd ymateb byd busnes. Roedd cysylltiadau trafnidiol yr ardaloedd dirwasgedig yn ddiffygiol o gymharu â rhai canolbarth a de-ddwyrain Lloegr ac roedd hyn yn ystyriaeth bwysig dros ben. Hefyd roedd yr ardaloedd hyn yn bellach oddi wrth y prif farchnadoedd ac ni fu ysgogiadau ariannol y llywodraeth yn ddigon i ddenu llawer o fuddsoddi newydd.

Ni ddylid anghofio wrth gwrs fod y rhan fwyaf o'r ardaloedd dirwasgedig mewn etholaethau Llafur a'u bod yn annhebyg o newid eu lliw gwleidyddol beth bynnag oedd polisi'r llywodraeth. Nid oedd gan y llywodraeth ddim i'w golli felly yn wleidyddol drwy anwybyddu anghenion yr ardaloedd hyn a gorymdeithiau'r di-waith yn Llundain, de Cymru, Glasgow a Sheffield. Roeddynt hefyd dan ddylanwad hinsawdd economaidd y cyfnod a benderfynwyd i raddau gan arianwyr a bancwyr ar y ddwy ochr i Gefnfor Iwerydd.

Ar ôl 1935 nid oedd y sefyllfa economaidd cynddrwg ag yr oedd ym 1932. Rhwng 1930 a 1940 adeiladwyd 2.7 miliwn o dai, dwy filiwn ohonynt yn rhai preifat. Y cymdeithasau adeiladu oedd yn gyfrifol am ddarparu 75 y cant o'r benthyciadau a rhoddasant hwb i'r farchnad dai preifat drwy ymestyn y cyfnod ad-dalu morgais o 16 i 25 mlynedd a gostwng y cyfradd llog o 6 y cant i 4.5 y cant. Roedd hyn oll yn arwydd o adferiad economaidd ac yn gam pellach ar hyd y llwybr Ceidwadol o sefydlu gwladwriaeth ddemocrataidd yn seiliedig ar eiddo preifat.

O ganlyniad i ostyngiadau prisiau byd-eang cododd safonau byw a chyflogau y mwyafrif o'r boblogaeth. Gellid canfod hyn nid yn unig yn nifer y tai preifat a adeiladwyd (er enghraifft, 346,000 ym 1936) ond yn llwyddiant y diwydiant moduron, yn nhwf y siopau mawr ac yn natblygiad aruthrol diwydiannau a gynhyrchai offer trydanol a mecanyddol. Adlewyrchiad arall o'r sefyllfa economaidd lewyrchus oedd tyfiant canolfannau gwyliau megis Porthcawl, Llandudno, Skegness a Bournemouth ynghyd â gwersylloedd gwyliau Butlins. Cynyddodd y nifer o bobl a allai fforaddio gwyliau o 1.5 miliwn yn y 1920au i 11 miliwn erbyn 1939.

Bu newidiadau cymdeithasol amlwg yn y cyfnod hwn. Newidiodd statws merched yn raddol, yn arbennig yng nghanolbarth a de-ddwyrain Lloegr ac ymhlith y dosbarth canol. Enillwyd y bleidlais i ferched dros un ar hugain oed ym 1928 a dechreuasant ymgymryd â swyddi newydd yn y proffesiynau, y gwasanaeth sifil ac mewn swyddfeydd. Roeddynt yn fwy hyderus ac roedd yn beth digon cyffredin i'w gweld yn ysmygu yn gyhoeddus ac ar eu pennau eu hunain mewn sefyllfaoedd cymdeithasol. Galluogwyd hwy gan y datblygiadau mewn dulliau atal cenhedlu i benderfynu pa bryd yr oeddynt am ddechrau teulu a hyrwyddodd hyn eu hannibyniaeth. Gwelwyd newid mewn ffasiynau gyda sgertiau a gwallt yn mynd yn fyrrach. Roedd y cynnydd yn y nifer o ysgariadau hefyd yn adlewyrchiad o annibyniaeth gynyddol merched o gymharu â'r cyfnod cyn 1914.

Hwyluswyd a newidiwyd bywyd y tu mewn i filiynau o dai gan y cynnydd aruthrol yn y defnydd o drydan a'r holl offer trydanol a gynhyrchid yn y diwydiannau newydd. Golygai dyfodiad y siopau mawr y gallai'r mwyafrif o bobl brynu amrywiaeth ehangach o fwyd yn rhatach. Gwerthwyd llawer mwy o fwydydd mewn tuniau yn ogystal â mwy o gig a ffrwythau o wledydd tramor. Newidiodd patrwm diddanwch oriau hamdden i raddau, yn arbennig o safbwynt y dosbarth gweithiol, a bu cynnydd aruthrol mewn rasys cŵn a cheffylau, pyllau pêl-droed, chwaraeon a'r sinemâu. Âi dros 40 y cant o'r boblogaeth i'r sinema o leiaf unwaith yr wythnos yn y 1930au. Ymhlith y dosbarth canol a'r dosbarth uchaf parhaodd hela'r llwynog, a chwarae criced, tenis, golff a rygbi yn boblogaidd.

Soniwyd eisioes am y cynnydd yn nifer y tai preifat. Un o ganlyniadau hyn oedd datblygiad y maestrefi ar gyrion y dinasoedd a chyflymwyd y broses hon gyda dyfodiad a phoblogrwydd cynyddol y modur.

Wrth i'r ardaloedd dirwasgedig ddirywio symudodd cannoedd o filoedd o bobl i rannau eraill o Brydain, yn fwyaf arbennig i Lundain a'r de-ddwyrain, ond ni chafodd hyn effaith sylweddol ar y rhaniad amlwg a fodolai ym mywyd cymdeithasol ac economaidd gwledydd Prydain.

Amlygwyd y rhaniad hwn yn llenyddiaeth y cyfnod. Canolbwyntiodd awduron fel Yeats, Pound, Greene a Christie ar antur a rhamant yn eu cyfansoddiadau, ond roedd prif thema llenyddiaeth y cyfnod yn wahanol: tynnai sylw pobl at dlodi mewn cymdeithas lle roedd cymaint o bobl yn gyfoethog ac at fygythiad ffasgiaeth ar adeg pan oedd arweinwyr gwleidyddol yn ceisio gwneud popeth i osgoi'r 'rhyfel anochel'. Dyna oedd safbwynt Stephen Spender, Aldous Huxley, C. Day Lewis a W. H. Auden. Collfarnent agwedd ddifater y llywodraeth ynglŷn â'r rhyfel cartref yn Sbaen ac roedd siniciaeth yn elfen gref yn eu hymdriniaeth o wleidyddion a bywyd cyhoeddus yn gyffredinol. Yr un oedd safbwynt George Orwell yn ei lyfrau *Homage to Catalonia* a *1984* ond roedd Orwell yn poeni hefyd am gyflwr pobl gartref, fel y dangosodd yn ei lyfr *The Road to Wigan Pier*. Cyhuddwyd y llenorion hyn o fod yn bobl dosbarth canol na feddai ar wybodaeth wironeddol o broblemau'r byd. Ond os oes gwirionedd yn hyn rhaid cofio iddynt hefyd lwyddo i dynnu sylw cynulleidfa eang iawn at wendidau'r oes.

Fe wynebodd y llywodraeth broblem ddifrifol a thra gwahanol ym misoedd olaf 1936, sef y berthynas glòs oedd wedi datblygu rhwng y Brenin Edward VIII, a'r Americanes, Mrs Wallis Simpson, gwraig i ŵr busnes o Lundain a oedd wedi cael ysgariad oddi wrth ei gŵr cyntaf. Ychydig o wybodaeth oedd gan y cyhoedd am hyn am fod y papurau newydd ym Mhrydain wedi dewis anwybyddu'r sibrydion yn bennaf oherwydd eu teyrngarwch i'r teulu brenhinol. Ond nid oedd y Wasg yn America ac Ewrop yn cael eu clymu gan yr un teyrngarwch a chyhoeddwyd erthyglau a lluniau ganddynt o'r Brenin a Mrs Simpson ar daith yn y Môr Canoldir yn ystod haf 1936.

Er bod y Cabinet yn ymwybodol o'r berthynas ers rhai misoedd roeddynt yn barod i beidio ag ymyrryd cyhyd â bod y cyfeillgarwch ddim yn datblygu. Ond ar ôl y cyhoeddusrwydd a roddwyd i'w taith ac yna'r cyhoeddiad gan Mrs Simpson ei bod yn bwriadu cael ysgariad arall, penderfynodd Baldwin drafod y mater gyda'r Brenin. Roedd ei neges yn ddigon syml — sef yr angen i Mrs Simpson ailystyried ei phenderfyniad ac iddo yntau ystyried ei ddyletswyddau fel brenin yn ofalus iawn a goblygiadau'r cyhoeddusrwydd a allai ddilyn y fath ysgariad. Gwrthododd y Brenin â gwrando arno a phan gyhoeddwyd yr ysgariad yn swyddogol ar ddiwedd y mis, ni roddodd y Wasg fawr o sylw i'r mater. Gallai Mrs Simpson ailbriodi ymhen chwe mis pe dymunai.

Er gwaetha'r holl ymdrechion gan aelodau'r Cabinet y tu ôl i ddrysau caeëdig i geisio dylanwadu ar y Brenin i roi'r gorau i'r berthynas, methu a wnaethant. Ar ganol mis Tachwedd fe ddywedodd Edward wrth y Prif

Weinidog ei fod am briodi Mrs Wallis Simpson. Yn gyfreithiol nid oedd dim byd yn ei rwystro ond fe allai gwrthwynebiad y Cabinet fod wedi creu argyfwng cyfansoddiadol. Roedd y gweinidogion yn argyhoeddedig y byddai priodas o'r fath yn amhoblogaidd ac yn gwneud drwg mawr i'r Teulu Brenhinol. Roeddynt yn barod i gydnabod fod Edward yn ŵr poblogaidd, yn rhannol oherwydd ei wrthwynebiad i'r holl ffurfioldeb a fu'n gysylltiedig â'i safle pan oedd yn Dywysog Cymru ac yna fel Brenin. Enillodd lawer o barch a chefnogaeth pobl gyffredin, er enghraifft wedi iddo fynegi ei gydymdeimlad agored â'r di-waith yn Durham ym 1929 ac yn ne Cymru ym 1936. Ond roedd y Cabinet o'r farn na ddylai briodi Americanes a oedd wedi cael dau ysgariad. Felly pwysleisiodd Baldwin y byddai'n rhaid iddo ddewis naill ai yr orsedd neu'r wraig a garai. Ar ddechrau mis Rhagfyr cyhoeddodd *The Times* na allai gyflawni ei ddyletswyddau fel Brenin pe bai'n priodi gwraig o'r fath. Yn y senedd ychydig o aelodau seneddol oedd yn anghytuno â'r farn honno ac roedd y Blaid Lafur er enghraifft yn gefnogol i safbwynt y Prif Weinidog.

Erbyn 10 Rhagfyr roedd y Brenin wedi dod i benderfyniad. Fe ddarllenwyd neges ganddo i'r Senedd y diwrnod hwnnw yn datgan ei fod am roi'r gorau i'w orsedd. Wedi'r datganiad, pasiwyd mesur seneddol yn cadarnhau hyn o fewn pedair awr ar hugain a daeth ei frawd Dug Caerefrog yn Frenin yn ei le — fel Sior VI.

Roedd yr argyfwng felly ar ben a'r noson ganlynol fe wnaeth Edward, bellach Dug Windsor, ddarllediad radio yn egluro'i benderfyniad. Pwysleisiodd wrth ei wrandawyr iddo geisio gwasanaethu ei wlad a'r ymerodraeth cystal ag y gallai fel Tywysog Cymru, ac yna fel brenin am un mis ar ddeg ond ychwanegodd nad oedd yn bosibl iddo barhau i gyflawni ei ddyletswyddau brenhinol heb gymorth y wraig a garai. Gadawodd y ddau Brydain a mynd i fyw yn Ffrainc am weddill eu hoes. Priodwyd hwy yno ym 1937.

Er i'r trafferthion hyn fynd ag amser a sylw'r Prif Weinidog ym misoedd olaf 1936 roedd problem lawer mwy yn cael sylw cynyddol gan y Wasg a gwleidyddion pob plaid — sef areithiau a chynlluniau Adolf Hitler yn yr Almaen.

Wrth i rybuddion Churchill am amcanion y ffasgwyr gael eu gwireddu rhwng 1935 a 1938 aethpwyd ati o ddifrif i ailarfogi ym Mhrydain a lleihaodd nifer y di-waith yn sylweddol yn ei sgil. Yn y Senedd cynyddodd y Blaid Lafur ei chynrychiolaeth yn etholiad cyffredinol mis Tachwedd 1935 ond roedd y canlyniad, serch hynny, yn fuddugoliaeth ysgubol i'r llywodraeth (Ceidwadwyr 387 sedd, Llafur 154 sedd, Rhyddfrydwyr 17 sedd).

Roedd y rhan fwyaf o'r bobl yn fodlon ar bolisïau Baldwin a Chamberlain o geisio cymodi yn Ewrop a diogelu safonau byw gartref. Er i gyfnod y Llywodraeth Genedlaethol fod yn un anhapus ac anodd i filiynau o bobl a oedd wedi gorfod dioddef diweithdra ac agwedd wynebgaled y gwleidyddion yn San Steffan, i'r gweddill roedd bywyd yn wahanol ac nid oedd llawer o reswm ganddynt dros gwyno am y sefyllfa gartref na thramor. Ond daeth terfyn ar hyn ym mis Medi 1939.

PENNOD 11

Gwleidyddiaeth Cymru, 1914–1939

Yn ystod y cyfnod hwn bu cynnydd mawr yng nghefnogaeth y Blaid Lafur yng Nghymru. I ddeall y datblygiad hwn yn iawn mae'n rhaid cael golwg ar sefyllfa'r Rhyddfrydwyr cyn y Rhyfel Byd Cyntaf. Rhyddfrydwyr selog fu'r mwyafrif o bobl Cymru wedi etholiad 1868, a hyd yn oed pan ddechreuodd y Rhyfel Byd Cyntaf ym 1914 nid oedd llawer o arwyddion y ceid newid ym mhatrwm gwleidyddol Cymru yn y degawd nesaf.

Cynnyrch cymdeithas wledig Cymru'r bedwaredd ganrif ar bymtheg oedd rhyddfrydiaeth Gymreig. Roedd yr etholwyr anghydffurfiol ar y cyfan yn gefnogol i egwyddorion *laissez-faire*, ymestyn yr hawl i bleidleisio, diwygiad seneddol, a rhyddid gwleidyddol a chrefyddol. Gwreiddiwyd yr egwyddorion rhyddfrydol a radicalaidd hyn yn ddwfn ym meddylfryd cymdeithas Gymreig y cyfnod cyn 1914, yn yr ardaloedd gwledig a'r meysydd glo. Credai'r mwyafrif o drigolion Cymru mai'r Rhyddfrydwyr oedd yn bennaf gyfrifol am y gwelliannau mewn democratiaeth, bywyd economaidd, a darpariaeth addysg, ac am y deffroad mewn ymwybyddiaeth ddiwylliannol a chenedlaethol.

Haerodd rhai haneswyr, fel Henry Pelling, fod datblygiad y Blaid Lafur yn anochel gan na allai'r Rhyddfrydwyr a'r Ceidwadwyr gwmpasu holl ddiddordebau a dyheadau'r dosbarth gweithiol trefol. Eto, yng Nghymru, crud sosialaeth Brydeinig, mae'n anodd derbyn y ddadl hon yn llwyr.

Esgorodd degawd olaf y bedwaredd ganrif ar bymtheg ar gyfnod hir o anghydfod diwydiannol yn y chwareli llechi a'r pyllau glo Cymreig a chynyddodd yr helyntion yn ystod pymtheng mlynedd cyntaf yr ugeinfed ganrif. Ceisiodd cyflogwyr fel D. A. Thomas ffurfio cyfuniad o ddiwydianwyr mawr i warchod eu buddiannau, ac yn achos y diwydiant glo i sicrhau parhad y raddfa symudol. Gwrthwynebai'r glowyr y raddfa hon yn ffyrnig. Nid oedd arni isafbwynt na allai'r pris a gynigid am lo ddisgyn oddi tano pe bai gostyngiad pellach yn y galw am lo. Achosai doriadau cyson mewn cyflogau a streiciau niferus yn y diwydiant glo. Ond hwn oedd un o hoff ddulliau'r cyflogwyr o leihau costau ar adeg dirwasgiad ac ni lwyddodd y streiciau i'w hatal rhag gwneud hyn. Yn rhannol oherwydd agwedd y cyflogwyr tyfodd yr undebau llafur, ac ni allai llywodraeth ddiwygiol y Rhyddfrydwyr ar ôl 1906 leddfu dim ar y sefyllfa na lleihau nifer y streiciau.

Er gwaethaf twf y trefi newydd, ac er gwaethaf y problemau cymdeithasol ac economaidd a'r helyntion diwydiannol, cefnogai'r mwyafrif y Rhyddfrydwyr o hyd. Yng Ngwynedd, er enghraifft, ni fu symudiad mawr i gyfeiriad y Blaid Lafur er gwaethaf streic hir Chwarel y Penrhyn rhwng 1900 a 1903. Ym 1906 enillodd y Rhyddfrydwyr fwyafrif sylweddol o'r pleidleisiau yn yr ardal.

Nid plaid wleidyddol yn unig oedd y Blaid Ryddfrydol yng Nghymru; cynrychiolai lu o bethau eraill — agweddau, teimladau, a gwerthoedd a oedd yn rhan annatod o'r gymdeithas Gymreig. Dyma'r gymdeithas a fagodd arweinwyr undebol megis William Abraham (Mabon), William Brace a Richard Bell a fu'n gymaint o ddylanwad ar y gweithwyr yn y meysydd glo. Ymfudwyr o'r Gymru wledig oedd llawer iawn o'r glowyr ac roedd dylanwad rhyddfrydiaeth yn dal yn gryf arnynt. Yn y blynyddoedd cynnar nid apeliai gwleidyddiaeth dosbarth y Blaid Lafur at yr arweinwyr undebol Cymreig. Er gwell neu er gwaeth credai Mabon fod gan gyflogwyr a'r cyflogedig achos cyffredin ac roedd yn amharod iawn i gefnogi gweithredu diwydiannol.

Ond roedd agweddau'r glowyr wedi caledu ac wedi chwerwi. Ffurfiwyd canghennau o'r Blaid Lafur Annibynnol (ILP) mewn llawer o drefi, gan gynnwys Blaenau Ffestiniog, Caerdydd, Merthyr Tudful a Chasnewydd, ond nid oedd eu hundeb na'u cryfder mor ddylanwadol ag yr awgrymwyd ar adegau. Bratiog hefyd oedd peirianwaith gwleidyddol y Blaid Lafur, hyd yn oed yn y De. Dim ond yng nghyffiniau Caerdydd a Merthyr yr oedd yr undebau yn filwriaethus ac ymosodol. Roedd yr undebau llafur a'r mudiadau dosbarth gweithiol eraill i raddau'n anfodlon herio'n agored eu treftadaeth ryddfrydol.

Ceisiwyd egluro cryfder rhyddfrydiaeth yng Nghymru cyn 1918 trwy bwysleisio gwendid y Blaid Lafur, ei diffyg trefniadaeth a phrinder arian a'r diffyg hawl i bleidleisio gan gyfran helaeth o'r boblogaeth. Ond rhan o'r ateb yn unig yw hyn. Mae Kenneth Morgan yn dadlau bod 'y rhan fwyaf o'r dosbarth gweithiol yn barotach i ymateb i apêl eu cymuned yn hytrach nag apêl dosbarth, ac yr oeddynt yn deyrngar i werthoedd cymdeithasol a diwylliannol y cymunedau clòs Cymreig'.

Roedd angen trawsffurfiad gwleidyddol cyflawn, chwyldro bron, i dorri gafael y Rhyddfrydwyr ar Gymru, ond cyn y gallai newid o'r fath ddigwydd roedd yn rhaid wrth newidiadau cymdeithasol sylfaenol. Y

Rhyfel Byd Cyntaf a orfododd y newidiadau hyn ar Gymru, fel ar weddill gwledydd Prydain.

Trwy gyfrwng yr ad-drefnu economaidd yn ystod y rhyfel newidiwyd ffframwaith, maint, ac agweddau gwleidyddol yr undebau llafur. Dyblwyd nifer eu haelodau a'r un pryd ad-drefnwyd y Blaid Lafur ar sail etholaethau. Daeth gwrthwynebiad ffyrnig o'r meysydd glo ar ôl i'r Ddeddf Arfau Rhyfel, a wnaeth streiciau yn anghyfreithlon, gael ei phasio ym 1915. Dim ond trwy apêl bersonol gan Lloyd George y llwyddwyd i atal streic gan y glowyr ym 1915 a bu'n rhaid iddo addo codiad cyflog sywleddol. Un o effeithiau'r rhyfel oedd ehangu'r bwlch rhwng y cyflogwyr a'r gweithwyr a chynyddu'r anghydfod diwydiannol. Magodd llawer o weithwyr de Cymru hyder newydd yn sgîl y chwyldro yn Rwsia ym 1917. Cafodd llawer o'r hen gymunedau lleol a fodolai yng Nghymru cyn y rhyfel eu chwalu neu eu boddi gan fewnfudiad miloedd o weithwyr dieithr. Trwy hyn oll daeth newidiadau diwylliannol, crefyddol a gwleidyddol i'r cymunedau Cymreig. Torrwyd ar dawelwch neilltuedig ardaloedd Meirionnydd, Arfon a Môn a daeth her newydd i'r hen werthoedd a'r hen syniadau rhyddfrydol oddi wrth syniadau'r *Fabians*, y Blaid Lafur Annibynnol, ac unigolion fel R. J. Derfel.

Nid oedd rhyddfrydiaeth fel y cyfryw yn athrawiaeth addas iawn i lywodraeth a wynebai argyfwng mor beryglus â'r Rhyfel Mawr. Gyda'i phwyslais ar unigoliaeth, lleihad yn ymyrraeth y llywodraeth a syniadau *laissez-faire* roedd hi'n anodd i lawer o'r aelodau seneddol Rhyddfrydol roi cenfogaeth lwyr a brwdfrydig i'r mesurau a oedd yn angenrheidiol i ennill y rhyfel. Ychydig o amynedd oedd gan Lloyd George gyda gwleidyddiaeth plaid o unrhyw fath os oedd yn anhyblyg ac yn gweithio yn erbyn yr ymdrech ryfel. Credai fod yn rhaid rhoi blaenoriaeth i ad-drefnu'r economi a gosod holl adnoddau'r wlad dan reolaeth y llywodraeth. Iddo ef yr unig nod oedd ennill y rhyfel, beth bynnag oedd y gwahaniaethau pleidiol. Serch hynny, rhoddodd agwedd cymaint o'r Rhydfrydwyr a'u gwrthwynebiad i orfodaeth filwrol a rhai o fesurau awtocratig Lloyd George gyfle i'r pleidiau eraill, yn arbennig y Ceidwadwyr, a'r Wasg ymosod arnynt am eu diffyg gwladgarwch a'u hamharodrwydd i roi dyfodol Prydain o flaen egwyddorion unigol. Achosodd hyn raniadau a dadlau ffyrnig ymhlith y Rhyddfrydwyr ac nid anghofiodd yr etholwyr y diffyg cyfrifoldeb hwn, nac agwedd Asquith chwaith, yn y cyfnod ar ôl y rhyfel.

Yng Ngwynedd ac ym mhentrefi'r cymoedd bu'r Blaid Lafur yn ddigon craff i weithio'n bwyllog ac yn araf ar y cychwyn, yn aml o fewn ffframwaith syniadau rhyddfrydol a oedd â'u gwreiddiau mor ddwfn yno.

Yn ardaloedd y meysydd glo hefyd daeth yr arweinyddion Llafur cyntaf o blith dynion oedd eisoes yn flaenllaw yn y gymdeithas, dynion a oedd yn Ustusiaid Heddwch, yn gynghorwyr neu'n asiantiaid yn y glofeydd.

Yn etholiad cyffredinol 1918 bu adwaith cryf o blaid Lloyd George a'i lywodraeth ar hyd a lled gwledydd Prydain. O ganlyniad i fesur diwygio 1918 cynyddodd nifer y pleidleiswyr yng Nghymru dros 50 y cant ac fe addrefnwyd rhai o'r ffiniau etholaethol. O'r 36 o aelodau seneddol Cymreig roedd 25 ym 1918 yn gefnogol i'r Glymblaid. Er nad enillodd Llafur ond deg o seddau, o gymharu â 21 y Rhyddfrydwyr, roedd 30 y cant o'r etholwyr yn eu cefnogi bellach ac roedd sylfeini lleol cryf wedi eu sefydlu ar gyfer y dyfodol. Elwodd y Blaid Lafur hefyd ar ad-drefniant y ffiniau a ddileodd rai o etholaethau bychan y Rhyddfrydwyr yn siroedd y Fflint, Trefaldwyn a Dinbych ac a ychwanegodd rai newydd — Abertyleri, Pontypridd, Ogwr ac Aberafan. Yn bennaf, fodd bynnag, roedd canlyniad yr etholiad yn fuddugoliaeth bersonol i Lloyd George a'i arweinyddiaeth nerthol ac effeithiol yn ystod y rhyfel.

Fel y crybwyllwyd eisoes, roedd y rhyfel wedi chwalu'r gymdeithas a fu mor gefnogol i ryddfrydiaeth ac roedd teyrngarwch llawer mwy o bobl yn y gymdeithas newydd yn gogwyddo tuag at syniadau mwy sosialaidd. Roedd ymwybyddiaeth o ddosbarth yn llawer cryfach ac roedd dylanwad undebau llafur yn gryf iawn yn yr ardaloedd diwydiannol.

Yn ystod y 1920au ymddangosai'r Rhyddfrydwyr o hyd fel gwrthblaid y dde a rhoddodd hyn hwb arall i ddatblygiad a hunaniaeth y Blaid Lafur. Trodd merched a phobl ifanc ati yn eu miloedd a gwelwyd canlyniad hyn nid yn unig yn etholiad 1918 ond mewn is-etholiadau diweddarach yn Abertawe, Caerffili, Abertyleri a Phontypridd.

Yn y cyfamser canolbwyntiodd Lloyd George a'r Rhyddfrydwyr ar Gynghrair y Cenhedloedd, Cytundeb Versailles ac Iwerddon. Ond yng Nghymru parhaodd y Blaid Ryddfrydol i bregethu'r un hen bregethau am ymneilltuaeth a rhyddid gwleidyddol heb werthfawrogi bod diddordeb yn y rhain wedi pylu er adeg y rhyfel. Rhannwyd y Rhyddfrydwyr gan y rhyfel a helaethwyd y rhaniad gan wahaniaethau barn a dulliau arwain y ddau arweinydd Rhyddfrydol, Lloyd George ac Asquith. Yn y pen draw disodlwyd Asquith gan Lloyd George ac roedd ei agwedd ef tuag at wleidyddiaeth rhwng 1916 a 1922 yn wahanol iawn i agwedd llawer o'i gyd-Ryddfrydwyr. Rhoddodd flaenoriaeth i undod y wladwriaeth yn hytrach nag undod plaid ac o ganlyniad i hyn dioddefodd y Rhyddfrydwyr oddi wrth ddiffyg arweiniad cadarn a chlir. Creodd y rhyfel amgylchiadau lle roedd hi'n bosibl i Lloyd George ddatblygu dull unbenaethol o weinyddu, ond wedi'r rhyfel bu'n anodd iawn iddo gefnu ar y dull hwn ac addasu ei fedrusrwydd fel arweinydd at amser heddwch er mwyn uno ei blaid. Cyfrannodd hyn yn sylweddol at ddirywiad y Blaid Ryddfrydol. Nid oedd y ffactorau hyn ar eu pennau eu hunain yn ddigon i gynorthwyo'r Blaid Lafur ond bu'r cyfuniad ohonynt rhwng 1914 a 1918 yn foddion i wanhau sylfeini rhyddfrydiaeth, i rannu'r Blaid Ryddfrydol, i ynysu Lloyd George ac i sicrhau cyfle ardderchog i'r Blaid Lafur i ennill cefnogaeth ychwanegol ar ôl y rhyfel.

Atgyfnerthwyd y cysylltiad rhwng teyrngarwch i ddosbarth ac undeb gan ddigwyddiadau a datblygiadau yn y meysydd glo yn ystod y 1920au. Roedd y pyllau yn eiddo perchenogion preifat ac ymateb y cyflogwyr i broblemau'r diwydiant oedd gostwng cyflogau. Achoswyd llawer o ddrwgdeimlad gan streic Ffederasiwn y Glowyr yn erbyn gostyngiadau cyflog ym 1921 ac o fewn ychydig o flynyddoedd, ym 1925, ymddangosodd yr un problemau yn ardaloedd glo carreg de Cymru. Gwrthododd y glowyr adael eu pentrefi i chwilio am waith arall a bu wythnosau'r streic yn gyfnod digon treisgar ar adegau. Diswyddwyd 260 o lowyr a charcharwyd 58 ohonynt. Prif effaith hyn oedd dwysáu'r drwgdeimlad yn y maes glo a chynyddu'r gefnogaeth i'r Blaid Lafur.

Ergyd bellach i'r Rhyddfrydwyr trwy Brydain oedd y cytundeb i ffurfio llywodraeth Lafur leiafrifol ym 1924 a ddibynnai am ei pharhad ar y Rhyddfrydwyr. Er i'r llywodraeth bara am ychydig o fisoedd yn unig ychwanegodd at statws gwleidyddion amlycaf y Blaid Llafur. Cryfhaodd y ddelwedd a ffurfiwyd yn nyddiau'r Glymblaid rhwng 1916 a 1918 y gallai gwleidyddion Llafur ymgymryd â swyddi llywodraethol. Achosodd y cyfnod byr hwn anfodlonrwydd ymhlith yr adain dde oherwydd penderfyniad Asquith i gefnogi MacDonald a dadrithiwyd yr adain chwith pan daflwyd y llywodraeth allan. Bu'n rhaid cynnal ail etholiad o fewn blwyddyn ac nid oedd gan y Rhyddfrydwyr yr adnoddau ar gyfer hynny. O ganlyniad i hyn disgynnodd eu cynrychiolaeth Brydeinig o 158 i 43 aelod seneddol.

Dirywiodd y sefyllfa ddiwydiannol ym 1926 wedi ymdrech arall gan y perchenogion i ostwng cyflogau'r glowyr. Cefnogwyd y glowyr y tro hwn gan undebau eraill ac ym mis Mai y flwyddyn honno dechreuodd y Streic Gyffredinol. Er gwaethaf y gefnogaeth frwdfrydig i'r streic fawr, daethpwyd â hi i ben ar ôl naw niwrnod, ond parhaodd streic y glowyr am saith mis arall. Collasant y frwydr yn y diwedd a gorfodwyd hwy i dderbyn gostyngiadau cyflog ac oriau hwy. Er i fethiant y streic ddangos i'r arweinwyr undebol nad oedd newidiadau gwleidyddol sylfaenol ym Mhrydain yn bosibl drwy ddulliau diwydiannol, gadawodd chwerwder ac anniddigrwydd ymhlith y dosbarth gweithiol yng Nghymru. Bu'n rhaid

8. Glowyr o Gymru yn cerdded i Lundain ym 1927

9. Glowyr Cymru yn bwyta ar fin y ffordd yn ymyl Brentford yn ystod y daith i Lundain

i'r glowyr aros tan 1934 cyn cael eu codiad cyflog cyntaf mewn deng mlynedd. Achosodd y tlodi, y dioddef, a methiant y streic ostyngiad yn aelodaeth Ffederasiwn y Glowyr, o 136,000 ym 1926 i 60,000 ar ddechrau'r 1930au.

Tyfodd dylanwad sosialaeth a chomiwnyddiaeth dan arweinyddiaeth unigolion megis Arthur Cook, S. O. Davies, ac Arthur Horner o ganlyniad i'r newid mewn ymwybyddiaeth wleidyddol yn yr ardaloedd diwyddiannol a'r siom yn arweinyddiaeth Lloyd George a'i gefnogwyr yn y Blaid Ryddfrydol. Enillodd y Blaid Lafur oruchafiaeth ar gynghorau lleol yn y cymoedd, Caerdydd, Casnewydd, Llanelli a Wrecsam. Yn etholiad cyffredinol 1924 cynyddodd nifer yr aelodau Llafur i 16 ac erbyn 1929 i 25 gyda dros 40 y cant o bleidleiswyr Cymru yn cefnogi'r blaid.

Nid oedd rhyddfrydiaeth wedi colli'r dydd yn gyfan gwbl yng Nghymru ond cyfyngwyd ei chefnogaeth i'r ardaloedd gwledig yn unig. Hyd yn oed yn yr ardaloedd hyn wynebai'r Rhyddfrydwyr broblemau hunaniaeth oherwydd y ffrae rhwng Lloyd George ac Asquith. Yn sir Aberteifi, er enghraifft, ymladdwyd yr etholiadau ym 1921, 1922, 1923 a 1924 gan Ryddfrydwyr Annibynnol a Chlymbleidiol. Sefydlwyd dau glwb Rhyddfrydol yn Aberystwyth a chefnogwyd y safbwynt Clymbleidiol gan y *Cambrian News* a'r safbwynt Annibynnol gan y *Welsh Gazette*. Creodd hyn wrthdaro ffyrnig ar adegau ond cyn 1939 nid oedd y pleidiau eraill yn ddigon cryf i fanteisio ar y rhwyg. I'r dosbarth gweithiol yn ardaloedd mwyaf poblog Cymru ymddangosai'r blaid Ryddfrydol fel plaid y gorffennol a'i pholisïau fel rhai a oedd yn anaddas neu'n amherthnasol.

Ymgyrchodd llawer o wleidyddion a phapurau newydd Rhyddfrydol yn erbyn yfed diodydd meddwol. Ym 1928, er enghraifft, dywedodd y *Cambrian News* fod yn rhaid gwahardd diodydd meddwol i gyflawni diwygiadau cymdeithasol ac i adfywio'r economi. Yn etholiad cyffredinol 1935 ymosododd y papur ar wladoli diwydiant a chomiwnyddiaeth unbenaethol y Blaid Lafur. Ac er i Lloyd George baratoi llyfrynnau yn disgrifio cynlluniau manwl ar gyfer y tir (1925), diwydiant (1928), a diweithdra (1929) roedd y gefnogaeth iddo yn y meysydd glo yn dal i ddirywio wrth i athroniaeth fwy blaengar y sosialwyr gydio.

Yn nirwasgiad y 1920au a'r 1930au sefydlwyd Cymdeithas Addysg y Gweithwyr i ehangu a hybu gwybodaeth ymhlith y dosbarth gweithiol. Cyfle ydoedd i bobl gyffredin ymestyn eu gorwelion ac addysgu eu hunain drwy ddarllen a thrafod. Ym 1933 roedd gan yr awdurdod 200 o ddosbarthiadau a mwy na 4,000 o fyfyrwyr yng Nghymru. Sefydlwyd Coleg Harlech ym 1927. Cafodd y coleg gymorth ariannol gan

Ymddiriedolaeth Carnegie ac erbyn 1937 roedd dros 200 o bobl wedi dilyn cyrsiau yno ac wedi dychwelyd i'w pentrefi a'u trefi i hyrwyddo syniadau newydd.

Roedd cryfder rhyddfrydiaeth ynghlwm i raddau wrth gryfder y capeli a bu dirywiad crefydd gyfundrefnol ar ôl 1918 yn gyfrwng i wanychu'r Blaid Ryddfrydol. Methodd y capeli â chynnal diddordeb y Cymry di-Gymraeg a dechreuasant droi yn lluoedd at glybiau, tafarnau, chwarae rygbi, Cymdeithas Addysg y Gweithwyr, sinemâu ac undebau llafur. Roedd y rhain yn rhan o'r gymdeithas ddiwydiannol a dyfodd yn y cyfnod o ddirwasgiad rhwng y ddau ryfel ac roedd adwaith y capeli iddynt ar y cyfan yn negyddol. I'r genhedlaeth ifanc ymddangosai syniadau a moesoldeb y capeli yn gyfyng ac anoddefgar. Adlewyrchwyd y safbwynt hwn yn llyfrau Caradoc Evans *My People* (1915), *Capel Sion* (1916) a ymosodai'n ddychanol ar fywyd a dylanwad y capeli yng Nghymru.

Adwaith i'r dirwasgiad hefyd oedd sefydlu Plaid Genedlaethol Cymru ym 1925. Bwriad yr arweinwyr cynnar megis Saunders Lewis, D. J. Williams, Lewis Valentine, ac Ambrose Bebb oedd ffurfio plaid a fyddai'n ymladd dros fuddiannau Cymru ac yn arbennig felly yr iaith a'r diwylliant. Yn y 1930au ymosodwyd ar rai o'r arweinwyr am eu bod yn cydymdeimlo â syniadau adain dde *Action Française* a rhai o bolisïau mewnol Mussolini a Hitler. Ond roedd sosialwyr yn y blaid hefyd; un felly oedd Dr D. J. Davies a luniodd ei pholisïau cymdeithasol ac economaidd rhwng y ddau ryfel byd. Ychydig o lwyddiant a gafodd Plaid Genedlaethol Cymru yn y 1930au. Roedd effaith y dirwasgiad yn ddrwg iawn yng Nghymru ac un o brif ganlyniadau hyn oedd clymu teyrngarwch y bobl a'r undebau wrth yr unig rym gwleidyddol a allai frwydro drostynt yn y Senedd yn erbyn y Ceidwadwyr, sef y Blaid Lafur. Ymhellach nid oedd yr ymwybyddiaeth genedlaethol yn arbennig o gref yng Nghymru.

Dangosodd y Blaid Lafur ym 1924 a 1929 fod ganddi arweinwyr cyfrifol a allai ennill statws cenedlaethol. Er na fu oes hir i'w phrofiad llywodraethol roedd wedi dangos i bleidleiswyr y gallai redeg y wladwriaeth ac mai hi bellach oedd y brif wrthblaid ac nid y Blaid Ryddfrydol.

Wedi Cwymp Wall Street ym 1929 roedd y llywodraeth Lafur leiafrifol yn gorfod wynebu problemau economaidd difrifol iawn. Cododd diweithdra'n gyflym ac erbyn 1931 roedd y llywodraeth dan bwysau trwm o du bancwyr Efrog Newydd i wneud toriadau mawr yn eu gwario. Ym mis Awst 1931 fe rwygwyd y Cabinet pan fynnodd y bancwyr fod yn rhaid torri'r budd-dâl i'r di-waith o 10 y cant. Ymddiswyddodd y llywodraeth ond aeth Ramsay MacDonald ymlaen i arwain Llywodraeth Genedlaethol lle roedd yr aelodau Llafur yn y lleiafrif. Cynhaliwyd etholiad cyffredinol ym mis Hydref ac enillodd y llywodraeth 556 o seddau (471 ohonynt yn Geidwadwyr Cenedlaethol). Disgynnodd nifer yr aelodau Llafur o 289 i 46 a chollwyd dwy filiwn o bleidleisiau. Collodd y Blaid Lafur 8 sedd yng Nghymru ond cynyddodd ei phleidlais o 43.9 y cant i 44.1 y cant. Felly nid oedd apêl MacDonald a'i gefnogwyr Clymbleidiol yn ddigon i danseilio poblogrwydd y Blaid Lafur yn yr etholaethau Cymreig, er gwaethaf y gostyngiad yn y gynrychiolaeth seneddol.

Ceidwadwyr oedd y rhan fwyaf o weinidogion MacDonald ac ychydig iawn o adferiad economaidd a fu yng Nghymru yng nghyfnod y Llywodraeth Genedlaethol. Dibynnai'r economi Cymreig o hyd ar lo, haearn a dur a chynyddodd diweithdra yn gyflym iawn yn y 1930au. Cryfhawyd teyrngarwch y dosbarth gweithiol Cymreig i'r undebau, ac felly, i'r Blaid Lafur gan brofiad y dirwasgiad. Ymosodai sosialwyr amlwg fel Aneurin Bevan yn rymus ar bolisi'r llywodraeth tuag at y di-waith ac ar y prawf moddion a chynhaliwyd protestiadau mewn trefi diwydiannol ledled de Cymru yn erbyn y prawf hwnnw. Roedd Bevan yr un mor feirniadol o safbwynt niwtral y Glymblaid yn achos Rhyfel Cartref Sbaen a ddechreuodd ym 1936. Roedd Lloyd George hefyd yn feirniadol o agwedd y llywodraeth a oedd yn ei farn ef yn wrthun gan fod llywodraeth Sbaen yn un ddemocrataidd a thrwy wrthod ei chefnogi rhoddwyd rhwydd hynt i'r Cadfridog Franco a'i gefnogwyr ffasgaidd o'r Eidal a'r Almaen. Yng Nghymru, yn arbennig felly ym maes glo'r De, sefydlwyd nifer o gymdeithasau lleol a aeth ati i gasglu arian a chyflenwadau i'w hanfon i'r Gweriniaethwyr yn Sbaen. Y glowyr a'u teuluoedd oedd ar flaen y gad yn yr ymdrechion hyn ond cawsant gefnogaeth y Blaid Gomiwnyddol, y capeli, yr undebau a changhennau lleol y Blaid Lafur. Yn ganolog, nid oedd y Blaid Lafur na'r TUC mor barod â hynny i ddangos y fath ymroddiad oherwydd cysylltiadau'r ymdrechion i helpu'r Gweriniaethwyr â'r Blaid Gomiwnyddol. Prin oedd cefnogaeth Plaid Genedlaethol Cymru hefyd a hynny'n bennaf oherwydd dylanwad ei harweinwyr amlycaf — pobl fel Saunders Lewis ac Ambrose Bebb. Ychydig o gydymdeimlad oedd ganddynt hwy â'r Gweriniaethwyr a hynny eto oherwydd y cysylltiadau rhyngddynt a chomiwnyddiaeth.

Pan ffurfiwyd y Frigad Ryngwladol i helpu'r Gweriniaethwyr yn erbyn lluoedd Franco, roedd y glowyr a'r undebwyr llafur unwaith eto ymhlith y cyntaf i wirfoddoli i ymladd yn Sbaen. Cafodd nifer eu carcharu gan y ffasgwyr a lladdwyd o leiaf 33 ohonynt cyn i Franco ennill y Rhyfel

Cartref ym 1939. Drwy gydol y 1930au ychydig o ostyngiad a fu mewn diweithdra yng Nghymru ac ychydig o newid a fu ym mhatrwm pleidleisio'r bobl. Ond ym 1939 gwthiwyd problemau economaidd a chymdeithasol o'r neilltu yn wyneb bygythiad yr Almaen a'i chynghreiriaid ffasgaidd i sylfeini democratiaeth Ewrop.

Felly, ym 1914 nid oedd unrhyw argoel y byddai newidiadau gwleidyddol chwyldroadol yn goddiweddyd ac yn dinistrio grym y Blaid Ryddfrydol. Y Rhyfel Byd Cyntaf a greodd yr amodau economaidd a'r hinsawdd wleidyddol a symbylai dwf y Blaid Lafur. Y rhyfel hefyd a holltodd y Blaid Ryddfrydol ac a sicrhaodd nad oedd ganddi arweinyddiaeth effeithiol ym 1919. Mae'n deg dadlau y gallai rhyddfrydiaeth fod wedi cwmpasu'r mudiad Llafur oni bai am y Rhyfel Mawr oherwydd dangosodd y Blaid Ryddfrydol ar ôl 1906 fod ganddi ddigon o ddychymyg ac ewyllys i geisio cyfarfod â gofynion yr undebau llafur drwy basio mesurau cymdeithasol radicalaidd. Mae'n bosibl y gallai plaid ddemocrataidd gymdeithasol fod wedi datblygu a fyddai wedi gorfodi llawer o wŷr busnes ceidwadol yn y Blaid Ryddfrydol i adael ac ymuno â'r Ceidwadwyr. Byddai datblygiad o'r fath hefyd wedi gorfodi llawer o'r sosialwyr a'r comiwnyddion i sefydlu plaid arall ar y chwith fel y digwyddodd mewn nifer o wledydd eraill yn Ewrop.

Ni ddylid gorbwysleisio rhaniadau dosbarth. Wedi'r cyfan, ni wrthodai undebaeth lafur gynnar gydweithredu â dosbarthiadau eraill ac ni wrthwynebai'r system economaidd gyfalafol ychwaith. Roedd yr undebau llafur yn gwbl barod i dderbyn aelodau o'r dosbarth canol i'w plith fel y maent heddiw. Onibai am y rhyfel ni fyddai'r Blaid Ryddfrydol wedi cael ei rhwygo'n ddwy a hyd yn oed yn y 1920au arhosodd cyfanswm eu pleidleisiau ym Mhrydain yn gymharol uchel, er enghraifft, 4.31 miliwn ym 1923 (y Blaid Lafur 4.44 miliwn) a 5.31 miliwn ym 1929 (y Blaid Lafur 8.39 miliwn).

Nid datblygiad anochel oedd llwyddiant y Blaid Lafur a'r lleihad yng nghynrychiolaeth y Rhyddfrydwyr. Digwyddiadau a datblygiadau cymdeithasol a gwleidyddol yn ystod y Rhyfel Byd Cyntaf a fu'n gyfrifol am dynged wahanol y ddwy blaid. Ar ôl y rhyfel cryfhawyd cefnogaeth y bobl i'r mudiad Llafur gan chwerwder, diweithdra ac ymfudiad dros 430,000 o Gymry o'u gwlad. Erbyn dechrau'r Ail Ryfel Byd roedd goruchafiaeth y Blaid Lafur yn yr ardaloedd trefol yn sefydlog a pharhaol ac wedi i'r rhyfel orffen lledaenodd y gefnogaeth hon i rannau eraill o'r wlad.

Economi Cymru, 1919–1939

Yn ystod ail hanner y bedwaredd ganrif ar bymtheg roedd y Chwyldro Diwydiannol yn fwy datblygedig yng Nghymru nag yr oedd yn y rhan fwyaf o wledydd Ewrop. Cyflogid y rhan fwyaf o'r gweithwyr yn y pyllau glo neu yn y gweithfeydd haearn a dur yn y gogledd a'r de-ddwyrain. Roedd y galw am adnoddau crai Cymru yn aruthrol, a chyrhaeddodd uchafbwynt yn ystod y Rhyfel Byd Cyntaf wrth i'r llywodraeth roi blaenoriaeth i gynhyrchu arfau a llongau er mwyn diogelu'r wlad a threchu'r Almaen.

Ond ni pharhaodd y ffyniant. Roedd yr economi yn rhy ddibynnol ar nifer bach o ddiwydiannau sylfaenol tra oedd y prif farchnadoedd a'r ffatrïoedd nwyddau gwneud y tu allan i Gymru. O fewn ychydig o flynyddoedd ar ôl y rhyfel dechreuwyd medi cynhaeaf y ddibyniaeth arbenigol eithafol hon ar lo, haearn, a dur wrth i ddirwasgiad parhaus bwyso ar yr economi Cymreig.

Glo oedd y prif ddiwydiant yn y cyfnod hwn, yn cyflogi dros 272,000 o weithwyr ym 1920. Ar droad y ganrif roedd meysydd glo'r deheudir yn cynhyrchu oddeutu traean o holl lo y byd, ond erbyn diwedd y 1920au roedd y ffigur wedi disgyn i 3 y cant.

Ar ddiwedd y rhyfel disgynnodd y galw am arfau ac un o effeithiau uniongyrchol hyn oedd lleihau'r farchnad am lo Cymreig. Roedd costau cynhyrchu glo yng Nghymru dipyn yn uwch nag yn Lloegr oherwydd anawsterau daearegol a gwaethygwyd problemau ariannol y diwydiant ymhellach gan ddatblygiadau mewn gwledydd eraill. Ni chafodd y rhyfel lawer o effaith ar economi'r Unol Daleithiau a datblygodd diwydiant glo y wlad honno yn gyflym gan gipio rhai o farchnadoedd Cymru yng Nghanada, Canol America a De America. Lleihaodd y galw am lo Cymru ymhellach wrth i fwy o longau'r byd ddefnyddio olew fel tanwydd; ar ddechrau'r Rhyfel Byd Cyntaf dim ond rhyw 3 y cant o longau'r byd a ddefnyddiai olew ond erbyn 1934 roedd y ffigur hwn wedi codi i 46 y cant. Cafodd hyn gryn effaith ar faes glo'r De oherwydd bu llewyrch y diwydiant o 1914–18 yn gysylltiedig â'r cynnydd aruthrol a fu yn y galw am longau rhyfel a masnach a oedd yn ddibynnol ar lo Cymreig am danwydd. Ym 1913–14 fe ddefnyddiodd llongau Prydain 1,900,000 tunnell o lo ond erbyn 1930 fe ddisgynnodd y galw i 182,000 o dunelli. Yn Ewrop roedd yn rhaid i'r Almaen, fel rhan o'i had-daliadau, gynhyrchu glo ar gyfer diwydiannau Ffrainc a'r Eidal. Felly collodd Cymru'r marchnadoedd hyn hefyd ar wahân i gyfnod byr ym 1923 pan achosodd streic yn ardal y Ruhr brinder glo yn yr Eidal, Ffrainc a Gwlad Belg.

Aeth y sefyllfa o ddrwg i waeth wrth i'r Unol Daleithiau a gwledydd eraill weithredu polisïau economaidd gwarchodol ac wrth i'r llywodraeth benderfynu dychwelyd at y safon aur ym 1925, polisi a ychwanegodd at gostau allforio o'r meysydd glo. Prif ymateb y cyflogwyr i'r dirywiad ar ôl 1921 oedd gostwng cyflogau a diswyddo glowyr: erbyn 1924 roedd eu nifer wedi disgyn i 218,000.

Er bod yr undebau llafur yn gryf yn ardaloedd cynhyrchu glo roedd tlodi'r gweithwyr a chyflwr truenus y diwydiant yn ddigon i sicrhau cyfnod o heddwch rhwng y cyflogwyr a'r cyflogedig rhwng 1921 a 1925. Ym 1925, fodd bynnag, bu cynnwrf yn ardaloedd glo carreg dwyrain sir Gaerfyrddin a gorllewin sir Forgannwg. Er nad oedd y pyllau glo carreg wedi dioddef cymaint â'r pyllau eraill, dechreuasent deimlo effaith y dirwasgiad erbyn canol y 1920au. Yn y blynyddoedd hyn prynwyd llawer o'r cwmnïau bychain gan gwmnïau mawr megis *Amalgamated Anthracite Collieries*, a chan i'r rhain ddefnyddio'r rhan fwyaf o'u hadnoddau wrth ffurfio cyfuniadau anferth, ychydig iawn oedd ar ôl ar gyfer gwella cyflogau ac amodau gweithio ac ar gyfer mecaneiddio'r diwydiant.

Achoswyd cyffro 1925 gan benderfyniad y cwmni i anwybyddu'r drefn draddodiadol y dylid diswyddo gweithwyr profiadol yn olaf a chan ei arfer o ddefnyddio gweithwyr di-undeb pan fyddai anghydfod diwydiannol. Aeth y glowyr ar streic, erlynwyd 200, carcharwyd 58 a daeth y streic i ben ymhen mis. Dangosodd y cynnwrf fod y berthynas rhwng y cwmnïau a'r gweithwyr, hyd yn oed mewn ardaloedd cymedrol fel Brynaman a Chwmaman wedi dirywio'n sylweddol erbyn canol y 1920au. Cafodd y dirwasgiad yn y diwydiant glo effaith ar ddiwydiannau eraill am fod cynifer ohonynt wedi datblygu oherwydd ffyniant y pyllau. Ymhlith y rhain oedd atgyweirio llongau, peirianneg, y rheilffyrdd a rhai gwasanaethau tebyg, yswiriant, siopau a bancio.

Nid oedd y sefyllfa cynddrwg yn y diwydiant haearn a dur ond roedd yr un ffactorau rhyngwladol yn pwyso ar y diwydiant hwnnw hefyd ac wedi arwain at leihad yn y galw. Caewyd gweithfeydd mawr ym Merthyr Tudful, Dowlais, Blaenafon, Tredegar a Glynebwy a bu cynnydd cyson mewn diweithdra yn yr ardaloedd hyn drwy'r degawd.

Effeithiodd y lleihad yn y galw am lo a dur ar lewyrch prif borthladdoedd Cymru ac yn arbennig ar Gaerdydd, Casnewydd, a'r Barri.

Roedd Abertawe yn fwy ffodus oherwydd effeithiau llai dinistriol y dirwasgiad ar y diwydiant glo carreg a'r diwydiant alcam. Nid oedd diweithdra mor uchel ar hyd yr arfordir chwaith oherwydd datblygiad y diwydiant ymwelwyr a sefydlu ffatrïoedd nwyddau gwneud.

Ni ddihangodd cefn gwlad Cymru rhag y dirwasgiad. Yn syth ar ôl y rhyfel roedd prisiau tir yn uchel a gwerthwyd rhannau helaeth o'r stadau mawr, er enghraifft, Baron Hill yn sir Fôn am £200,000 a thiroedd Bute yn sir Forgannwg am £124,000. Rhwng 1918 a 1922 trosglwyddwyd 25 y cant o dir amaethyddol Cymru i ddwylo'r ffermwyr bychain a fu gynt yn denantiaid ar y stadau, ond y banciau mewn gwirionedd oedd yn berchen ar y tir am fod y ffermwyr yn gorfod codi morgeisiau uchel iawn. Roedd mecaneiddio ar y ffermydd yn beth prin ac roedd angen gwaith caled a chyson i wneud elw. Methwyd â dal y baich ariannol gan lawer a datblygodd patrwm o fethdaliadau a diboblogi a oedd i barhau am gyfnod hir. Daeth ffermio llaeth yn fwy poblogaidd, yn arbennig ar ôl sefydlu'r Bwrdd Marchnata Llaeth ym 1933 a roddodd gymorth i ffermwyr. Cynyddodd nifer y cynhyrchwyr llaeth o 10,510 ym 1933 i 20,223 erbyn dechrau'r Ail Ryfel Byd.

Yn yr ardaloedd diwydiannol parhaodd y wasgfa economaidd i greu creithiau dwfn, yn arbennig yng nghymunedau glofaol y de-ddwyrain. Roedd perchenogion megis *Powell Duffryn Associated Collieries* yn benderfynol o leihau cyflogau ac o gynnal trafodaethau cyflog lleol yn hytrach na rhai cenedlaethol. Oherwydd yr anawsterau daearegol yn ne Cymru a chostau cynhyrchu uwch byddai cytundebau lleol yn arwain at gyflogau dipyn yn llai nag ym meysydd glo Lloegr. Am nad oedd cyflogau'r glowyr yn uchel beth bynnag, nid oedd yr undeb, sef Ffederasiwn Glowyr De Cymru, yn fodlon derbyn termau'r perchen-ogion. Hefyd roeddynt yn siomedig ynglŷn â phenderfyniad y llywod-raeth i ddiddymu'r cymhorthdal i'r diwydiant.

Penderfynodd glowyr de Cymru, ynghyd â glowyr gweddill Prydain, alw am streic a ddechreuodd ar ddechrau mis Mai 1926. Ar drydydd diwrnod y mis cefnogwyd y glowyr gan undebau eraill. Nid streic y glowyr oedd hi bellach ond y Streic Gyffredinol.

Ffurfiwyd cynghorau gweithredu ar hyd a lled gwledydd Prydain i sicrhau undod a chadernid ymhlith y gweithwyr. O Gaergybi i Wrecsam ac o Aberystwyth i Lanelli a Chaerdydd roedd gweithwyr Cymru yn selog o blaid y streic. Ond ar 12 Mai penderfynodd Cyngres yr Undebau Llafur ddirwyn y streic i ben. Teimlai'r glowyr a'u harweinwyr iddynt gael eu bradychu ond credai'r TUC nad oedd modd trechu llywodraeth Dorïaidd etholedig drwy rym diwydiannol. Parhaodd eu streic am fisoedd eto ond ar 1 Rhagfyr gorfodwyd hwy gan dlodi a newyn i ddychwelyd i'r pyllau ar dermau'r cyflogwyr. Yn sgil y fuddugoliaeth hon i'r cwmnïau glo a llywodraeth Stanley Baldwin, ac effaith Deddf Anghydfod Diwydiannol ac Undebau Llafur 1927, ehangwyd y bwlch ymhellach rhwng y cyflogwyr a'r gweithwyr yn y diwydiant glo.

Ym 1929 dilynwyd Cwymp Wall Street gan y Dirwasgiad Mawr a effeithiodd yn drychinebus ar ddiwydiannau trwm yn Ewrop a'r Unol Daleithiau. Disgynnodd prisiau glo eto a chynyddodd diweithdra'n gyflym. Gostyngodd nifer y glowyr i 126,000 ym 1934 ac roedd mwy na 30 y cant o'r boblogaeth weithiol yn segur yn ardaloedd Aberdâr, Rhondda a Rhymni. Roedd problemau Merthyr Tudful yn ystod y dirwasgiad yn ficrocosm o'r sefyllfa gyffredinol yn y meysydd glo. Cyflogid y mwyafrif helaeth o'r gweithwyr yn y diwydiannau glo a dur. Rhwng 1921 a 1931 disgynnodd nifer y bobl mewn gwaith o 31,952 i 19,513 ac amrywiodd nifer y di-waith rhwng 50 y cant a 60 y cant drwy'r 1920au a'r 1930au. Gadawodd 26,568 o drigolion y dref, y rhan fwyaf ohonynt yn bobl ifanc. Ym 1928 cyhoeddodd *The Times* gyfres o erthyglau am dde Cymru a disgrifiwyd amgylchiadau a oedd yn nodweddiadol o Ferthyr a'r cymoedd diwydiannol:

> Mae'n werth ystyried dylanwad dwy neu dair blynedd heb waith ar ddyn a'i deulu. Fe fydd wedi bod yn derbyn 23/- yr wythnos ar gyfer gŵr a gwraig a 21/-ar gyfer pob plentyn. Go brin y bydd yn talu llai na 6/6 yr wythnos o rent am ddwy ystafell. Os yw'n anlwcus yn ei drigfan, gall yr ail ystafell fod yn seler dywyll, heb awyr iach, oherwydd mewn rhai mannau, fe adeiladwyd y tai yn y dull hwnnw i mewn i ochr y bryniau . . . Eto, os mai dyna'r cyfan, fe all teulu o bump gael digon o fwyd i'w cadw am 22/6. Ond nid dyna'r cyfan. Fe gasglwyd dyledion ym 1926. Fel yr â'r misoedd heibio, mae'r esgidiau a'r dillad yn treulio yna'r dillad gwely a'r llestri coginio . . . Maent yn bobl ddiwylliedig yn meddu ar hunan-barch a balchder amlwg yng nglanweithdra eu cartref gyda'r llestri pres yn sgleinio ar y silff ben tân; yn ddi-stwr, oherwydd nid yw trosedd ar gynnydd eto, ymdeimlant â gwaradwydd eu tlodi annisgwyl . . . mae dynion a merched yn trengi; nid trengi'n sydyn ond yn graddol ddihoeni oherwydd diffyg maeth.

Ym mis Gorffennaf 1930 roedd 27.2 y cant o'r boblogaeth weithiol yng Nghymru yn segur o gymharu â 15.8 y cant yn Lloegr a 17.9 y cant yn yr Alban. Ym mhentrefi Rhondda Fawr a Rhondda Fach ar ddechrau'r 1930au roedd dros hanner y glowyr heb waith.

Roedd cyflogwyr y cwmnïau glo yn dal i wrthwynebu codiadau cyflog ac yn gefnogol i gyflogi gweithwyr heb fod yn perthyn i Ffederasiwn y

Glowyr. Daeth hyn yn broblem fawr i'r undeb mewn rhannau o'r meysydd glo ar ôl y Streic Gyffredinol pan oedd prinder adnoddau i ymladd bygythiadau i'w bodolaeth yn effeithiol ac i amddiffyn buddiannau ei haelodau.

Yn ystod blwyddyn y Streic Gyffredinol ffurfiwyd Undeb Diwydiannol Glowyr De Cymru gan weithwyr a wrthwynebai arweinyddiaeth filwriaethus Ffederasiwn y Glowyr ac wrth reswm cafodd sêl bendith y cyflogwyr. Pan agorwyd pwll Taff Merthyr yr un flwyddyn cyflogwyd 500 o weithwyr a oedd wedi ymaelodi â'r undeb hwn. Roedd yn anodd profi fod unrhyw gysylltiad ariannol rhwng y cyflogwr a'r undeb ond yn sicr roedd y gefnogaeth yno, yn arbennig ym mhyllau glo Bedwas, Emlyn, Treorci, Nine Mile Point a Chwm-parc. Gyda dros 70,000 o lowyr yn ddi-waith erbyn 1928 gwyddai'r Ffederasiwn y gallai'r cyflogwyr ddefnyddio unrhyw anghydfod i ddiswyddo'u haelodau hwy a chyflogi gweithwyr eraill a berthynai i'r Undeb Diwydiannol.

Erbyn canol y 1930au dim ond oddeutu 86,000 o gyfanswm o 130,000 o lowyr a oedd yn aelodau o Ffederasiwn y Glowyr a phenderfynodd yr arweinwyr fod yn rhaid ad-drefnu'r undeb, canoli awdurdod, a ffurfio pwyllgorau lleol i weithredu yn erbyn y cwmnïau. Cynhaliwyd nifer helaeth o gyfarfodydd a dosbarthwyd taflenni i berswadio pobl i ymuno â'r Ffederasiwn. Ar ôl llwyddiant yn rhai o'r pyllau ymatebodd y cwmnïau drwy ddiswyddo'r aelodau newydd a chyflogi gweithwyr eraill. Ym mis Hydref 1934 trefnodd y Ffederasiwn streic yn rhai o'r pyllau a barhaodd am chwe wythnos cyn i'r perchenogion ildio ac atal eu polisi. Ym 1935 cododd yr un problemau eto mewn nifer o byllau, gan gynnwys Nine Mile Point a Bedwas. Y tro hwn penderfynodd glowyr y Ffederasiwn ddilyn esiampl glowyr Hwngari drwy beidio â dod i fyny o'r pwll nes bod y gweithwyr di-undeb (y *blacklegs*) a gyflogwyd wedi cael eu diswyddo. Ar ôl wythnos ar waelod y pwll cytunodd y cwmnïau i hyn ac erbyn 1938 roedd bygythiad yr Undeb Diwydiannol wedi cilio.

Gwrthododd llywodraethau Ceidwadol a Llafur ymyrryd yn uniongyrchol i geisio lleihau effaith y dirwasgiad mewn ardaloedd tebyg i dde Cymru. Thema gyson y polisïau economaidd oedd rheoli'r cyflenwad arian a gostwng gwario'r llywodraeth er mwyn cadw chwyddiant yn isel. Ni chafwyd ymateb ffafriol i waith ysgrifenedig Lloyd George ar gynlluniau gwaith nac i lyfr Keynes *We Can Conquer Unemployment* (1929). Roedd syniadau'r ddau yn gostus a heb unrhyw gefnogaeth yn y Blaid Geidwadol na chwaith yn y Trysorlys a'r gwasanaeth sifil yn gyffredinol. Mynegwyd rhai o deimladau'r bobl am yr agwedd hon yn un o gerddi Alun Llywelyn-Williams:

Yn y dyddiau dolurus hynny, gwyddem pwy
oedd y gelyn; y cyfalafwyr bras a boliog,
y gwleidydd lloerig, a'r gwyddonydd euog:
hawdd oedd adnabod awduron ein cancr a'n clwy.

(Alun Llywelyn-Williams, 'Cofio'r Tridegau')

Er i ddiweithdra yng Nghymru amrywio rhwng 30 y cant a 60 y cant yn ystod y 1930au, unig ymgais y llywodraeth i ymgodymu â'r sefyllfa oedd deddfau a basiwyd ym 1934 a 1936 a ddarparodd gymorth ariannol i wahanol rannau o Brydain, ond ni chafodd y mesurau hyn lawer o effaith.

Crybwyllwyd eisoes fod profiad rhai rhanbarthau yn Lloegr — y canolbarth a'r de-ddwyrain yn bennaf — yn wahanol iawn. Adlewyrchwyd llewyrch yr ardaloedd hyn yng ngwerthiant cynyddol ceir, yn llwyddiant siopau mawr ac yn ffyniant ffatrïoedd a gynhyrchai offer trydanol. Roedd statws merched wedi gwella'n gyffredinol ar ôl eu cyfraniad allweddol i'r Rhyfel Mawr ac ar ôl iddynt ennill y bleidlais ym 1918 a 1928. Roedd datblygiadau mewn dulliau atal cenhedlu yn gymorth iddynt reoli eu bywydau a dilyn gyrfaoedd newydd. Yng Nghymru, fodd bynnag, yn arbennig yn yr ardaloedd dosbarth gweithiol, ychydig iawn o newid a fu ym mywydau'r merched. Mae'n wir nad oedd cymaint o gyfle iddynt gynnig am swyddi oherwydd natur ddiwydiannol y meysydd glo ond y prif reswm am arafwch y newid yn eu statws oedd traddodiad. Cyfrifoldeb a dyletswydd merched oedd edrych ar ôl y cartref a'r plant ac roedd pwysau cymdeithasol cryf ar unrhyw ferch a ddymunai dorri ar draws y safonau cydnabyddedig a'r rhagfarnau dwfn hyn.

Ni ddioddefodd rhai rhannau o Gymru, megis sir y Fflint a threfi fel Abertawe, gymaint â threfi'r meysydd glo. Cynorthwywyd sir y Fflint gan orlif o ddiwydiannau o Lannau Merswy ac roedd yr ardal yn llai dibynnol ar y ddau brif ddiwydiant. Ar hyd yr arfordir roedd trefi ac ardaloedd gwyliau megis y Rhyl, Prestatyn, Conwy, Dinbych-y-pysgod a Bro Gŵyr yn medru manteisio ar ffyniant economaidd canolbarth Lloegr a phoblogrwydd cynyddol y car.

Un o effeithiau mwyaf trawiadol y dirwasgiad yng Nghymru oedd diboblogi. Rhwng 1921 a 1940 roedd y golled ym mhoblogaeth Cymru yn fwy na 430,000. Aeth y rhan fwyaf i Loegr, i chwilio am waith yn Llundain, Coventry, Dagenham, Slough, Rhydychen a threfi cyffelyb. Disgynnodd poblogaeth Rhondda o 162,000 ym 1931 i 111,000 ym 1951. Effeithiodd y colledion hyn ar fywyd diwylliannol a chymdeithasol llawer o bentrefi a threfi Cymru. Dirywiodd sâfle canolog y capeli yn y gymdeithas a lleihaodd nifer yr eisteddfodau, y corau a'r timau chwaraeon.

Bu'n rhaid i'r awdurdodau lleol ysgwyddo llawer o'r baich am daliadau i'r di-waith. Ond wrth i'r pyllau a'r gweithiau dur gau bu lleihad aruthrol yng nghyfanswm y trethi a gasglwyd ar adeg pan oedd baich ariannol yr awdurdodau'n cynyddu. Dirywiodd iechyd y boblogaeth a bu cynnydd brawychus yn y darfodedigaeth a'r niwmonia. Cyfuniad o amodau byw sâl a diffyg maeth a achosai'r darfodedigaeth ac mewn trefi fel Merthyr Tudful rhwng 1925 a 1935 roedd marwolaethau o'r clefyd yn gyffredin iawn. Dangosodd ymchwil yn y Rhondda ym 1935 fod dros 20 y cant o'r plant yn dioddef oddi wrth ddiffyg maeth. Yna, ym 1939, yn adroddiad pwyllgor y llywodraeth a lywyddwyd gan Clement Davies, cyhoeddwyd bod amodau byw yn warthus mewn rhannau helaeth o'r meysydd glo ac argymhellwyd penodi arolygwr a gwario mwy o arian i wella'r sefyllfa. Nid oedd gan y llywodraeth lawer o ddiddordeb yn yr ardaloedd hyn yn wleidyddol ac nid oedd yn gefnogol i argymhellion a oedd o blaid gwario mwy o arian. Iddi hi roedd y cyfrifoldeb am y problemau yn nwylo'r cynghorau lleol, y mwyafrif ohonynt dan reolaeth y Blaid Lafur. Ond er holl ymdrechion y cynghorau, nid oedd ganddynt yr adnoddau i wella safonau carthffosiaeth ac iechyd a chyflwr cyffredinol y tai.

Mae canlyniadau seicolegol diweithdra uchel y cyfnod yn anos i'w mesur, ond yn sicr arweiniodd at iselder ysbryd cyffredinol a chwerwder tuag at gyflogwyr a'r Blaid Geidwadol. Ym 1934 roedd dros hanner y di-waith yng Nghymru wedi bod yn segur am fwy na phum mlynedd. Er i hyn osod straen ar deuluoedd unigol, tynnodd gymunedau cyfan yn nes at ei gilydd. Hefyd bu gwaith gwirfoddol y Crynwyr, Byddin yr Iachawdwriaeth, a grwpiau eraill yn gymorth i bobl gadw eu hunan-barch a diogelu eu hunain yn erbyn canlyniadau gwaethaf diweithdra. Roedd hyn yn bwysig mewn cyfnod pan ddefnyddiwyd y prawf moddion i fesur gwerth ariannol pob teulu er mwyn penderfynu'r cyfanswm y byddent yn ei dderbyn mewn cymorth oddi wrth y llywodraeth. Yn ddigon naturiol, ystyrid y prawf hwn yn sarhad gan bobl a oedd wedi ymfalchïo, cyn dirwasgiad y 1930au, mewn gweithio'n galed a byw yn onest ac annibynnol.

Roedd y darlun o fywyd pobl gyffredin a bortreadwyd yn llyfr Orwell *The Road to Wigan Pier* a Greenwood *Love on the Dole* yn wir hefyd am rannau helaeth o Gymru. Cafwyd darlun tebyg yn llyfrau B. L. Coombes *These Poor Hands* (1939) a *These Clouded Hills* (1944) a ganolbwyntiai ar fywyd yng nghymunedau glofaol Cymru. Hunangofiant glöwr yw *These Poor Hands* a phortreadir ynddo amodau erchyll gweithio dan ddaear yn ogystal â brawdgarwch y glowyr. Roedd y sefyllfa yr un mor ddrwg yn

ardaloedd chwareli'r gogledd — er enghraifft, Bethesda a Blaenau
Ffestiniog lle roedd tlodi a phrinder bwyd yn broblemau difrifol. Fel y
dywedodd T. Rowland Hughes yn ei gerdd am y di-waith:

> Gerllaw'r olwynion tawel
> Breuddwyd gwyw ydyw a wêl
> Hyd eira'i groen dua'r graith
> Oni wybydd anobaith,
> Yn ei lwydwedd ond gweddi
> A garw awch ei ofer gri —
> 'O Dduw, rho, dyro in dydd
> Ynni taer yr hwterydd,
> Ennyd wyllt i'w nwyd alltud
> A'r gân mwy i'r genau mud.'
>
> (T. Rowland Hughes, 'Y Diwaith')

Daeth diweithdra â chynnydd mewn amser hamdden yn ei sgîl ac
adlewyrchwyd hyn yn nhwf Cymdeithas Addysg y Gweithwyr a
drefnodd gyrsiau ym mhob rhan o'r wlad. Datblygodd y traddodiad o'r
gweithwyr diwylliedig yn sychedu am addysg. Roedd llawer o'r cyrsiau
yn adlewyrchu syniadau'r chwith ac yn cynnwys trafodaethau a darlithiau
ar ddiwylliant, cymdeithas, patrymau gwleidyddol, a systemau
economaidd. Nid rhyfedd bod cynifer o'r gweithwyr yn y cyfnod hwn yn
gyfarwydd â syniadau Marx a Lenin.

Cafodd y dirwasgiad a'r diboblogi effaith andwyol iawn ar safle'r iaith
Gymraeg. Ym 1931, pan oedd poblogaeth Cymru yn 2.5 miliwn, roedd
811,000 ohonynt yn siarad Cymraeg. Yn ystod y 1930au dangosodd y
dirywiad i gefnogwyr mwyaf brwdfrydig yr iaith fod economi llewyrchus
yn hanfodol i barhad y Gymraeg. Amcanion cynnar Plaid Genedlaethol
Cymru oedd diogelu diwylliant ac iaith Cymru yn wyneb y wasgfa
economaidd. Pan ddaeth yn amlwg nad oedd y llywodraeth yn Llundain
yn barod i gynorthwyo'r genedl lluniodd y blaid bolisïau economaidd a
allai atal dirywiad pellach, yn eu plith datblygu mentrau diwydiannol ac
amaethyddol cydweithredol a darparu cynlluniau gwaith cyhoeddus a
llawer mwy o arian ar gyfer gwladwriaeth les Gymreig. Ond plaid fechan
iawn oedd hi, ac er bod gan syniadau economaidd D. J. Davies wedd
sosialaidd amlwg, ni chawsant lawer o gyhoeddusrwydd a pharhaodd y
mwyafrif o'r boblogaeth yn deyrngar i'r Blaid Lafur.

Soniwyd eisoes am feddyginiaeth y Ceidwadwyr ar gyfer economi
mewn argyfwng a sut y bu'n rhannol gyfrifol am gyflwr truenus yr
economi Cymreig. Roedd cred hefyd ymhlith cefnogwyr y Llywodraeth
Genedlaethol nad oedd y di-waith yn ymdrechu'n ddigon caled i chwilio

am swyddi. Amlygai'r agwedd hon anwybodaeth lwyr o'r sefyllfa economaidd yn ardaloedd dirwasgedig gwledydd Prydain. Nid oedd llawer o'r Ceidwadwyr yn cynrychioli seddau lle roedd canran y di-waith yn uchel ac ni allent amgyffred arwyddocâd diweithdra ar raddfa fawr. Nid oeddynt chwaith yn fodlon gweithredu unrhyw bolisi a fyddai'n gwanhau gwerth y bunt, yn unol, wrth gwrs, â pholisi Banc Lloegr. Dichon y gellid cyhuddo'r Ceidwadwyr o siniciaeth wleidyddol — am mai ond ychydig iawn o gefnogaeth oedd ganddynt yn yr etholaethau deheuol nid oedd dirywiad economaidd a chymdeithasol yr ardaloedd hynny'n debygol o effeithio ar eu rhagolygon mewn etholiad cyffredinol.

Felly, diweithdra uchel, anghydfod diwydiannol, diboblogi, tlodi a dadrithiad cyffredinol oedd prif nodweddion cymdeithasol ac economaidd Cymru rhwng y rhyfeloedd. I raddau roedd y dirywiad yn anochel oherwydd effaith dirwasgiad yn yr economi rhyngwladol ar economi oedd yn rhy ddibynnol ar ddur a glo, diwydiannau a oedd bellach wedi colli llawer o'u marchnadoedd tramor. Ffactorau eraill oedd athroniaeth economaidd y prif bleidiau a lleoliad Cymru. Mae'n arwyddocaol mai'r ardaloedd a ddioddefodd waethaf yn y dirwasgiad oedd y rheiny a oedd bellaf o Lundain — Cumberland, yr Alban, gogledd-ddwyrain Lloegr, ac wrth gwrs, Cymru.

Dangosodd Michael Hechter yn ei astudiaeth fanwl o'r economi amgantol yng ngwledydd Prydain fod datblygiad economaidd anghytbwys yn anochel ym mhob cyfnod hanesyddol oddi ar yr uno â Lloegr oherwydd natur ganolog y wladwriaeth. Heb newid yn nosbarthiad grym gwleidyddol ac yng nghyfathrebau a fframwaith economaidd yr ardaloedd ymylol byddai datblygiad diwydiannol anwastad yn parhau. Ceir yr un safbwynt yn *The Breakdown of Nations* (Leopold Kohr) a *Small is Beautiful* (Fritz Schumacher). Awgryma Kohr nad y problemau economaidd yn unig a effeithiodd ar bobl Cymru rhwng y rhyfeloedd ond:

. . . dylanwad y tlodi cyson a ddioddefodd pob ardal a oedd ar gyrion y wladwriaeth. Cawsant eu dylanwadu'n anorfod i wasanaethu canolfan a oedd y tu allan i gylch normal eu bywyd.

(Leopold Kohr, *Is Wales Viable?*)

Polisi Tramor Prydain rhwng y Ddau Ryfel Byd

Ar ôl i Gytundeb Versailles gael ei arwyddo nid oedd yr un o'r prif wledydd yn fodlon ar y trefniadau newydd. Roedd Cyngres yr Unol Daleithiau wedi gwrthod cefnogi safiad Wilson o blaid Versailles a Chynghrair y Cenhedloedd; roedd yr Almaenwyr yn ei ystyried yn annheg ac yn eithafol, roedd y Ffrancwyr o'r farn nad oedd yn ddigon llym, ac roedd Lloyd George yn ofni y byddai termau'r cytundeb, er gwaethaf ei boblgrwydd ym Mhrydain, yn achosi rhagor o helbul yn y dyfodol.

Bwriad Lloyd George ym Mharis ac yn ei bolisi tramor hyd at 1922 oedd ceisio dilyn llwybr cymedrol a allai helpu i integreiddio'r Almaen unwaith eto yn economi a gwleidyddiaeth Ewrop. Ofnai y byddai'r Almaen ddiymadferth yn agored i anghydfod cymdeithasol a chynnydd yn y gefnogaeth i eithafiaeth y dde a'r chwith. Ond roedd y mwyafrif o'r Cabinet yn anghydweld â'r persbectif hwn.

Er i'r polisi heddychu gael ei gysylltu â'r 1930au, ac yn arbennig â Neville Chamberlain, dechreuodd mewn gwirionedd yn fuan ar ôl arwyddo'r cytundebau ym Mharis. Y meddylfryd y tu cefn i'r athroniaeth hon oedd bod llywodraethau yn barod i ymddwyn mewn dull rhesymol ac y gellid eu cymodi, a byddai hyn yn arwain at lai o dyndra rhyngwladol. Byddai'r polisi yn sefydlu perthynas dda rhwng gwledydd, wedi ei seilio ar hyder a pharch ac nid ar ofn a gormes. Tybiodd fod amcanion y rhai a oedd yn cynnal trafodaethau yn hysbys, ond am na ellid bod yn sicr o'r amcanion hyn bob tro — roedd ymddiriedaeth felly yn rhan allweddol o'r polisi hefyd.

Erbyn dechrau'r 1920au roedd barn gyhoeddus a'r papurau newydd wedi dechrau newid eu hagwedd tuag at Gytundeb Versailles gan ddangos mwy o gydymdeimlad gyda phroblemau Gweriniaeth Weimar. Cyfrannodd llyfr J. M. Keynes ar ganlyniadau economaidd y cytundeb at yr ymdeimlad cynyddol o euogrwydd ynglŷn â'i dermau a dylanwadaodd yn gryf ar gyfeiriad polisi tramor Prydain rhwng y ddau Ryfel Byd.

Yn y cyfamser fe wynebodd llywodraeth Lloyd George broblemau yn hen diroedd ymerodraeth Twrci a ranasid ym 1919 rhwng Prydain, Ffrainc a'r Eidal. Anogwyd y Groegiaid gan Brydain i oresgyn Smyrna,

Anatolia ac Adrianopl. Nid oedd y Twrciaid dan arweiniad Mustaf Kemal yn barod i ddygymod â'r sefyllfa ac ymosodasant ar y Ffrancwyr yn Cilicia a'r Eidalwyr yn Konya. Erbyn mis Mehefin 1920 roeddynt yn bygwth presenoldeb Prydain yn y Dardanelles.

Yr un pryd roedd milwyr Prydain yn dal i gynorthwyo'r Fyddin Wen yn rhyfel cartref Rwsia yn Murmansk a Vladivostok, er i'r llywodraeth benderfynu atal y cymorth hwn a thynnu'r milwyr yn ôl ym 1920. Yng Ngwlad Pwyl, ar ffrynt gorllewinol y Rhyfel Cartref, roedd y sefyllfa'n dal yn argyfyngus. Roedd y Pwyliaid, gyda chefnogaeth Ffrainc, wedi goresgyn rhannau o Rwsia yn gynharach ym 1920, ond roedd gwrthymosod y Fyddin Goch wedi dod â hi i gyrion Warszawa. Gofynnodd y llywodraeth yn Warszawa am gymorth Prydain a Ffrainc ond cyn iddynt wneud penderfyniad trechodd y Pwyliaid filwyr Rwsia ym mrwydr Vistula ym mis Awst.

Ym 1922 arwyddwyd cytundeb yn Washington gan y prif bwerau a gyfyngai ar faint llyngesau. Ond prif arwyddocâd y cytundeb oedd pwysleisio'r lleihad yng ngrym milwrol Prydain a dangos mai'r Unol Daleithiau oedd pŵer mwyaf nerthol y byd ar ddechrau'r 1920au.

Yn y flwyddyn honno hefyd tynnodd Ffrainc a'r Eidal eu milwyr yn ôl o ardal y Dardanelles yn dilyn pwysau milwrol o du'r Twrciaid. Galwodd Lloyd George am gefnogaeth y Dominiynau i amddiffyn y culfor ond heb ymgynghori â hwy yn gyntaf. Achosodd hyn wrthdystiadau cryf gan Awstralia a Chanada a fynnodd nad oedd yn ddyletswydd arnynt i gefnogi pob safiad Prydeinig mewn polisi tramor. Roedd gan y Ceidwadwyr yn y Glymblaid gydymdeimlad â Kemal a oedd yn eironig o gofio bod Lloyd George yn amddiffyn safle imperialaidd a strategol Prydain yn y Dwyrain Agos. Dim ond trwy agwedd amyneddgar Kemal a'r Cadfridog Harrington yn Chanak y gallwyd osgoi gwrthdrawiad, a chollfarnwyd Lloyd George am ddilyn polisi mor beryglus. Yng Nghynhadledd Lausanne rhwng mis Tachwedd 1922 a Chwefror 1923 llwyddodd Curzon, y Gweinidog Tramor, i gynllunio termau derbyniol i bawb. Cadwodd Twrci ddwyrain Thrace, sefydlwyd ardaloedd niwtral di-filwyr ar ddwy ochr y culfor ac agorwyd ef i longau masnach yn ystod amser heddwch yn unig.

Mewn rhannau eraill o'r Dwyrain Canol ac yn India roedd Prydain yn cael ei herio gan fudiadau dros annibyniaeth ond prif flaenoriaeth y llywodraeth ar ddechrau'r 1920au oedd y sefyllfa yn Ewrop.

Ar y cyfandir roedd y drwgdybiaeth a'r elyniaeth rhwng Ffrainc a'r Almaen yn peryglu sefydlogrwydd Ewropeaidd. Roedd Bonar Law, olynydd Lloyd George ym 1922, am barhau'r polisi o ddatblygu cysylltiadau economaidd a gwleidyddol â'r Almaen am fod ffyniant yr Almaen yn allweddol i ffyniant y cyfandir ac am fod sefydlogrwydd Ewrop yn bwysicach fyth o gofio llwyddiant comiwnyddiaeth yn y dwyrain. Yn Ffrainc roedd agweddau wedi cael eu caledu gan y rhyfel — diogelwch oedd y flaenoriaeth ac nid oedd y llywodraeth ym Mharis yn ymddiried o gwbl yn yr Almaenwyr.

Erbyn diwedd 1922 roedd yr Almaen yn methu ag anrhydeddu ei hymrwymiadau ad-dalu. Argymhellodd Bonar Law dymor oedi tâl o bedair blynedd ond gwrthododd y Ffrancwyr dderbyn hyn, gan ddadlau mai polisi economaidd annoeth a oedd yn achosi problemau'r Almaen ac nid yr ad-daliadau. Ym mis Ionawr 1923 anfonodd Ffrainc a Gwlad Belg filwyr i ardal ddiwydiannol y Ruhr gyda'r bwriad o gynyddu'r lefelau cynhyrchu yno. Condemniwyd yr ymyrraeth gan Brydain ond ni wnaed unrhyw beth i berswadio'r ddwy wlad i dynnu'n ôl. Sicrhaodd y streic gyffredinol yn y Ruhr a ddilynodd y goresgyniad gynnydd dros dro yn y galw am lo, haearn a dur o wledydd Prydain ar adeg pan oedd y diwydiannau hyn mewn argyfwng. Ni chryfhawyd y cyfeillgarwch rhwng y llywodraeth yn Llundain a Pharis gan yr ymyrraeth a daeth gwrthdrawiad mewn buddiannau i'r amlwg, rhwng pryder Ffrainc am ei diogelwch a pholisi cyfaddawdu'r llywodraeth Brydeinig.

Dirywiodd y sefyllfa economaidd yn gyflym a niweidiwyd llawer o Ffrancwyr ac Almaenwyr mewn gwrthdystiadau. Gwaethygwyd yr anawsterau gan chwyddiant, er enghraifft, ym mis Ionawr 1923 roedd y bunt yn werth 81,200 marc ond erbyn mis Medi 1923 roedd yn werth 250 miliwn marc. Ychwanegwyd at yr anawsterau gan y brwydro cyson rhwng eithafwyr y dde — y *Freikorps*, a'r chwith — y Spartaciaid. Anfonwyd Curzon i geisio cymodi rhwng Ffrainc a'r Almaen ac argymhellodd sefydlu pwyllgor i ymchwilio ymhellach i allu'r Almaen i dalu. Diwedd hyn oedd adroddiad gan Bwyllgor Dawes ym mis Ebrill 1924 a argymhellodd y dylai'r Almaen dalu 1,000 miliwn marc yn y flwyddyn gyntaf gyda'r swm yn codi i 2,500 miliwn marc ar ôl pum mlynedd.

Erbyn hyn roedd yr hinsawdd wleidyddol wedi newid. Roedd Ramsay MacDonald yn Brif Weinidog Llafur cyntaf Prydain ac roedd yn ddiamynedd gydag agwedd ddi-ildio llywodraeth Ffrainc ar fater yr ad-daliadau a goresgyniad y Ruhr. Ym mis Mai roedd Edouard Herriot wedi disodli Poincaré fel prif weinidog Ffrainc ac roedd ei agwedd ef tuag at yr Almaen yn fwy hyblyg. Daeth Gustav Stresemann yn Ganghellor yn yr Almaen a dangosodd barodrwydd i gyfaddawdu ac i barhau â'r ad-daliadau. Mewn cyfarfod yn Llundain ym mis Gorffennaf cytunodd

Herriot i adael y Ruhr o fewn blwyddyn tra cytunodd Stresemann i ailddechrau'r ad-daliadau. Roedd y cytundeb yn llwyddiant personol i MacDonald.

Trodd MacDonald ei sylw wedyn at Gynghrair y Cenhedloedd a oedd wedi cael ei sefydlu ym 1919 er mwyn creu peirianwaith ar gyfer cadw heddwch rhyngwladol. Roedd y farn gyhoeddus yn gryf o blaid y Cynghrair fel y modd gorau o rwystro rhyfel arall ac roedd gan y Blaid Lafur a'r Rhyddfrydwyr ffydd fawr ynddo er nad oedd yr Unol Daleithiau, yr Undeb Sofietaidd, a'r Almaen yn aelodau. MacDonald a Herriot oedd y prif weinidogion pwysig cyntaf i fynd i gynulliad Cynghrair y Cenhedloedd yng Ngenefa. Yno lluniwyd protocol a osododd fframwaith arbennig ar gyfer dyfodol gwleidyddiaeth ryngwladol. Roedd yn cynnwys Cynhadledd Ddiarfogi a Llys Cyfiawnder Cydwladol i ddatrys anghytundebau. Pe bai'r rhain yn methu roedd gan y Cynghrair hawl i gyflwyno gwaharddiadau economaidd er mwyn sicrhau cyfundrefn ryngwladol heddychol.

Er i Lloyd George, Bonar Law, Baldwin a MacDonald fod yn gyson yn eu polisïau a'u hagwedd tuag at yr Almaen nid oedd hyn yn wir am y berthynas â'r Undeb Sofietaidd. Yn wahanol i'w ragflaenwyr credai MacDonald a'i blaid fod gan yr Undeb Sofietaidd yr un hawl ag unrhyw wlad arall i gymryd rhan mewn materion economaidd a gwleidyddol Ewrop. Felly ym mis Chwefror 1924 penderfynodd gydnabod llywodraeth Lenin yn swyddogol a gwahoddwyd rhai o'i harweinwyr i Lundain ym mis Ebrill. Cytunwyd erbyn mis Awst i roi ffafriaeth fasnachol i rai o gynhyrchion yr Undeb Sofietaidd ond ar yr amod fod dinasyddion Prydeinig yn Rwsia yn cael iawndal am yr arian a'r eiddo a gollwyd ganddynt yn y Chwyldro.

Byr fu parhad y llywodraeth Lafur leiafrifol ac ym mis Tachwedd 1924 dychwelodd Stanley Baldwin i arwain llywodraeth Geidwadol am y pum mlynedd nesaf.

Diddymwyd y cytundeb â'r Undeb Sofietaidd yn syth a gosododd Baldwin y patrwm o bolisi negyddol parhaus tuag at yr Undeb Sofietaidd am weddill y cyfnod rhwng y rhyfeloedd (ac eithrio cyfnod byr yr ail lywodraeth Lafur). O safbwynt Moskva (Moscow) roedd yr agwedd hon yn gyson ag ymyrraeth Brydeinig yn ystod y rhyfel cartref a chynyddodd y drwgdeimlad a'r diffyg ymddiriedaeth rhwng y ddwy wladwriaeth. Cyfyngodd hyn ar bolisi tramor Prydain, yn arbennig wrth iddi geisio dod i delerau â'r ffasgwyr yn y 1930au.

Gwrthododd y Ceidwadwyr gefnogi Protocol Genefa hefyd, ac roedd hyn yn ergyd drom i effeithiolrwydd Cynghrair y Cenhedloedd. Roedd y llywodraeth yn ddrwgdybus o werth diarfogi ac yn fwy cefnogol i gytundebau rhyngwladol a fyddai'n cyfyngu ar arfogi ac osgoi rhyfel. Crisialwyd polisi'r Ceidwadwyr yng Nghynhadledd Locarno ym 1925. Roedd Ffrainc wedi sylweddoli ar ôl digwyddiadau'r Ruhr bod ei chyfeillgarwch â Phrydain yn hanfodol ac y byddai'n rhaid iddi fod yn fwy croesawgar i bolisi mwy cymodol Stanley Baldwin. Un o amcanion Locarno oedd cynnwys yr Almaen mewn trafodaethau Ewropeaidd er mwyn osgoi'r perygl o greu perthynas fwy cyfeillgar rhyngddi hi a'r alltud arall yn Ewrop, yr Undeb Sofietaidd. Credai Stresemann y gallai'r gynhadledd fod yn gyfle i godi statws yr Almaen unwaith eto ac i ennill parch iddi mewn materion rhyngwladol.

Ym mis Hydref cytunodd Prydain, Ffrainc, yr Almaen, Gwlad Pwyl, yr Eidal, Gwlad Belg a Tsiecoslofacia i warantu ffiniau'r Almaen ac i gadw ardal y Rhein yn rhydd o filwyr. Addawodd y gwledydd hyn i beidio ag ymladd yn erbyn ei gilydd ac i ganiatáu i'r Almaen ymaelodi â Chynghrair y Cenhedloedd. Credai Austen Chamberlain, y Gweinidog Tramor, fod Cynhadledd Locarno yn llwyddiant mawr a'i bod wedi sicrhau heddwch yn Ewrop am gyfnod.

Ond camargraff lwyr oedd hyn. Nid oedd y cytundeb yn effeithio ar ddwyrain Ewrop a'r Undeb Sofietaidd. Ildiodd Ffrainc yr hawl i ddychwelyd i'r Ruhr. Penderfynodd Briand, Gweinidog Tramor Ffrainc, na fyddai'n mynnu bellach fod diarfogaeth yr Almaen yn hanfodol oherwydd y sicrwydd a gafodd oddi wrth Chamberlain y byddai ffiniau Ffrainc yn cael eu diogelu. Roedd yr ymrwymiad hwn i raddau'n ddiystyr gan fod milwyr Prydain wedi eu gwasgaru ledled y byd mewn gwahanol rannau o'r Ymerodraeth. Nid oedd gan lywodraeth Baldwin yr adnoddau milwrol i ddiogelu ardal y Rhein chwaith, ond eto roedd pobl yn ffyddiog fod y cytundeb wedi sicrhau heddwch rhwng prif wledydd y cyfandir.

Ym 1927, blwyddyn ar ôl i'r Almaen ymaelodi â Chynghrair y Cenhedloedd, cynhaliwyd Cynhadledd Ddiarfogi. Roedd Prydain o blaid rhyw fath o ddiarfogi ond yn erbyn unrhyw ymrwymiadau gwleidyddol i sicrhau hynny. Ar y llaw arall roedd Ffrainc yn erbyn diarfogi nes iddi ennill gwarantau pendant ynglŷn â'i ffiniau. Roedd hi hefyd o blaid goruchwyliaeth ryngwladol o'r sefyllfa arfau ym mhob gwlad ond gwrthwynebwyd hyn gan yr Unol Daleithiau a Japan.

Rhwng mis Mehefin a mis Awst cynhaliwyd Cynhadledd Ddiarfogi Lyngesol. Ond methodd y prif wladwriaethau, Prydain, Japan a'r Unol Daleithiau, â chytuno ar nifer a maint y gwahanol longau rhyfel.

Ym mis Awst 1928 arwyddodd pymtheg o wledydd Gytundeb Kellogg-Briand. Addewid ydoedd mewn gwirionedd i beidio â defnyddio rhyfel fel rhan o bolisi tramor ond roedd hawl gan unrhyw wlad i ymladd rhyfel er mwyn diogelu ei hun. Wrth reswm, nid oedd unrhywbeth yn rhwystro cenedl rhag mynd i ymladd heb gyhoeddi rhyfel. Ond roedd y cytundeb yn boblogaidd am iddo gadw'r syniad ym meddyliau pobl fod heddwch yn sefydlog a bod y prif wledydd yn fodlon datrys eu problemau drwy drafodaethau.

Pan ddychwelwyd yr ail lywodraeth Lafur i rym ym mis Mehefin 1929 roedd anghytundeb rhyngwladol yn parhau ynglŷn â statws ardaloedd y Rhein a'r Saar ac anawsterau ariannol yn yr Almaen oedd yn deillio o'r ad-daliadau. Yn yr un mis cyhoeddwyd Cynllun Young a argymhellodd leihad pellach yn yr ad-daliadau ac ymadawiad y milwyr Cynghreiriol o'r Rhein er mwyn cyflymu ei hadferiad economaidd. Cytunwyd ar hyn er i'r Canghellor, Philip Snowden, gwyno ar y dechrau ac ennill cyfran uwch o'r taliadau i Brydain. Tynnwyd y milwyr olaf yn ôl o diroedd y Rhein ym mis Mai 1930, arwydd o barodrwydd y Ffrancwyr i ddilyn arweiniad mwy cymedrol y llywodraeth Brydeinig. Ond gwrthodwyd apêl yr Almaen dros adfer rheolaeth ar diroedd y Rhein a'r Saar iddi.

Nid oedd y gweinidogion Llafur wedi newid eu syniadau ynglŷn â diarfogi a gweithredu drwy Gynghrair y Cenhedloedd ac ym mis Medi arwyddodd Arthur Henderson, y Gweinidog Tramor, gytundeb yn addo y byddai Prydain yn defnyddio'r Llys Cyfiawnder Cydwladol i ddatrys unrhyw anghytundeb a dilynwyd ei esiampl gan arweinwyr y Dominiynau. Ail-gydiwyd yn y berthynas â'r Undeb Sofietaidd ac arwyddwyd cytundeb masnachol ym mis Ebrill 1930.

Ym mis Hydref 1929 gwaethygodd y sefyllfa economaidd ym Mhrydain ac ar y cyfandir pan wrthodwyd 12,894,650 o gyfrandaliadau ar Gyfnewidfa Stoc Efrog Newydd yn Wall Street. Yn ystod yr un mis bu farw Gustav Stresemann. Roedd masnach y byd drwy'r 1920au wedi dibynnu i raddau helaeth ar fenthyciadau o'r Unol Daleithiau. Roedd polisi economaidd gwarchodol yr Americanwyr a osododd dollau uchel ar fewnforion er mwyn diogelu diwydiannau cartref wedi creu anawsterau yn y broses hon. Yn sgîl Cwymp Wall Street daeth y benthyciadau i ben a thanseiliwyd masnach ryngwladol. Disgynnodd prisiau adnoddau crai yn sylweddol gan ei gwneud hi'n anodd i wledydd brynu nwyddau gwneud.

Gan fod yr Almaen wedi benthyca dros £800 miliwn yn ystod y 1920au ac am nad oedd Cynllun Young yn cynnwys unrhyw ddarpariaeth i newid yr ad-daliadau pe bai prisiau'r byd yn disgyn, fe wynebodd llywodraeth Weimar argyfwng difrifol iawn. Cynyddodd diweithdra'n gyflym, gwaethygodd anghydfod cymdeithasol ac ehangodd apêl y Natsïaid. Yn y cyfamser gwrthododd Washington ostwng eu tollau mewnforio a gwrthododd Paris fod yn fwy hyblyg ar fater yr ad-daliadau.

Ym mis Ionawr 1930 cynhaliwyd Cynhadledd Lyngesol yn Llundain. Yr anhawster pennaf, fel ym 1927, oedd y gwahaniaeth barn rhwng yr Unol Daleithiau a Phrydain. Roedd Prydain am weld cynnydd yn nifer y llongau rhyfel cymharol fach ond roedd yr Americanwyr am weld lleihad yn eu nifer ond cynnydd yn eu maint. Serch hynny, arwyddwyd cytundeb ym mis Ebrill gan y prif bwerau llyngesol, Prydain, Japan a'r Unol Daleithiau, lle y penderfynwyd y gallai'r tri adeiladu llongau rhyfel yn ôl y gymhareb 10 (yr Unol Daleithiau) : 10 (Prydain) : 6 (Japan). Ond mynnodd Prydain fod ganddi'r hawl i adeiladu mwy o longau pe bai dan fygythiad.

Pan ddaeth cyfnod y llywodraeth Lafur i ben ym mis Awst 1931 nid oedd unrhyw arwydd o ostyngiad yng nghyfrifoldebau a phroblemau Prydain. Yr un oedd ei hanawsterau imperialaidd yn India a'r Dwyrain Canol a bu cryfder cynyddol y Natsïaid yn yr Almaen yn achos pryder drwy Ewrop ac yn rhybudd fod yr heddwch wedi ei adeiladu ar sylfeini sigledig iawn.

Ond i bobl gwledydd Prydain dangosodd Lloyd George, Bonar Law, Baldwin a MacDonald fod cymodi yn bolisi ymarferol a llwyddiannus. Roedd cytundebau Locarno a Kellogg-Briand wedi profi fod awydd rhyngwladol i gadw'r heddwch yn Ewrop yn bodoli. Roedd y farn gyhoeddus yn gryf o blaid y polisïau hyn; roedd enbydrwydd y Rhyfel Byd Cyntaf yn fyw yng nghof y bobl yn y 1920au ac roedd cefnogaeth eang i syniadau heddychiaeth, i ddiarfogi, ac i amcanion Cynghrair y Cenhedloedd. Atgyfnerthwyd poblogrwydd heddychu gan y rhan fwyaf o'r papurau newydd, yn arbennig *The Times* a oedd â dylanwad mawr ar wleidyddion ac arweinwyr eraill yn y gymdeithas.

Nid oedd unrhyw newid yn agwedd oeraidd yr Americanwyr tuag at Brydain ac Ewrop a gweithredodd Washington bolisi neilltuaeth mewn materion tramor trwy gydol y cyfnod hwn. Anwybyddwyd yr Undeb Sofietaidd gan lywodraethau Prydain ac eithrio'r ddwy lywodraeth Lafur: roedd gelyniaeth y Ceidwadwyr a'r Wasg tuag at gomiwnyddiaeth dipyn yn gryfach na'u pryder am dwf ffasgiaeth yn Ewrop a dylanwadodd hyn ymhellach ar bolisi tramor cymodol Prydain.

Ond pan ffurfiodd MacDonald ei Lywodraeth Genedlaethol gyntaf ym mis Awst daeth yr her i'r polisi o heddychu o ran arall o'r byd, o'r Dwyrain Pell pan orchfygodd milwyr Japan ran helaeth o ogledd-ddwyrain China ym mis Medi. Torrodd y goresgyniad gytundeb Kellogg-Briand ac apeliodd China i Gynghrair y Cenhedloedd. Galwodd y Cynghrair ar Japan i atal yr ymladd ond heb lwyddiant. Gwyddai MacDonald na allai Prydain wrthwynebu Japan ar ei phen ei hun a gwyddai hefyd na fyddai'r unig rym arall yn y Dwyrain Pell, yr Unol Daleithiau, yn fodlon ei chynorthwyo chwaith.

Ym mis Ionawr 1932 llwyddodd Prydain a'r Americanwyr i drefnu cadoediad, ond erbyn hynny roedd Japan wedi goresgyn Manchuria. Yng Nghynghrair y Cenhedloedd gwrthododd Prydain weithredu yn erbyn Japan ac ym mis Mawrth sefydlodd y Japaneaid wladwriaeth newydd, Manchukuo, dan eu rheolaeth hwy. Roedd adroddiad Comisiwn yr Arglwydd Lytton ar y sefyllfa yno yn cydymdeimlo â chwynion economaidd Japan yn y rhanbarth ond yn collfarnu'r goresgyniad. Derbyniwyd yr adroddiad gan y Cynghrair ond ni chafodd unrhyw effaith ar wahân i Japan ymadael â'r Cynghrair ym 1933 ac ymosod eto ar rannau eraill o China. Dangosodd y digwyddiadau ym Manchuria pa mor ddibwys oedd barn y byd mewn sefyllfa o'r fath a dangosodd hefyd fethiant llwyr Cynghrair y Cenhedloedd i ddiogelu buddiannau un o'i haelodau yn wyneb ymosodiad milwrol.

Ni chafodd y methiant hwn unrhyw effaith ar y teimladau pasiffistaidd cryf yng ngwledydd Prydain. Nid oedd pobl ar y cyfan yn gwrthwynebu rhyfel oherwydd rhesymau crefyddol neu foesol ond credent yn gryf y dylai polisi tramor y llywodraeth wneud popeth a oedd yn bosibl i osgoi rhyfel yn y lle cyntaf. Ymddiriedent yn llwyr yng Nghynghrair y Cenhedloedd gan wrthwynebu datganiadau unigolion fel Winston Churchill a alwai am ailarfogi er mwyn dychryn y llywodraethau ffasgaidd a'u gorfodi i gydymffurio â safonau democratiaeth heddychol.

Ym mis Chwefror 1932 cynhaliwyd cynhadledd ddiarfogi yng Ngenefa dan lywyddiaeth Arthur Henderson. Roedd Stresemann wedi adennill i'r Almaen beth parch rhyngwladol ac aelodaeth o Gynghrair y Cenhedloedd ym 1926, ond erbyn 1932 roedd gofynion yr Almaen yn fwy milwriaethus gan iddi fynnu'r hawl i ailarfogi fel pob gwlad arall. Gwyddai Prydain a Ffrainc fod ailarfogi cyfrinachol yn mynd ymlaen yn yr Almaen er dechrau'r 1920au ond achosodd yr alwad am gydraddoldeb milwrol gryn bryder yn Ffrainc.

Roedd MacDonald a'i Ysgrifennydd Tramor, Syr John Simon, yn gefnogol i'r Almaenwyr. Roeddynt o'r farn fod peth cyfianwhad dros ofynion yr Almaen oherwydd llymder y cytundebau heddwch. Ond gwrthwynebwyd cryfhau safle milwrol yr Almaen gan y Ffrancwyr a oedd yn poeni am ddiogelwch eu ffiniau. Ar ôl i Hitler ddod yn Ganghellor ym mis Ionawr 1933 dangosodd barodrwydd i ddiarfogi ar yr amod fod pawb arall yn gwneud, ond ychwanegodd y byddai'r Almaen yn hawlio cydraddoldeb milwrol pe bai gwledydd eraill yn parhau i arfogi. Ym mis Mawrth argymhellodd MacDonald gynlluniau i sefydlu cydraddoldeb milwrol rhwng Ffrainc a'r Almaen. Derbyniwyd yr egwyddor gan y Gynhadledd Ddiarfogi er gwaethaf gwrthwynebiad y Ffrancwyr a rhybuddion Winston Churchill. Ymddangosai i'r cyhoedd felly fod cyd-ddiogelwch yn gweithio, ond ym mis Hydref, pan gytunodd y gynhadledd i bedair blynedd o oruchwyliaeth ryngwladol ar y cydraddoldeb milwrol hwn, penderfynodd yr Almaen ymadael â'r gynhadledd a hefyd â Chynghrair y Cenhedloedd.

Roedd cyfnod Locarno a Kellogg-Briand ar ben ond roedd ffydd llywodraeth MacDonald mewn polisi heddychu yn dal yn gryf. Credai'r Cabinet y byddai cyfaddawdu â llywodraeth Hitler yn cryfhau'r elfennau cymedrol yn yr Almaen ac yn gwanhau'r elfennau eithafol.

Ym Mhrydain ym 1933 Churchill oedd y gwleidydd mwyaf cyson ei wrthwynebiad i gymodi ac roedd yn bleidiol iawn i ailarfogi sylweddol. Ar y chwith roedd yr undebau a'r Blaid Lafur yn unfrydol o blaid diarfogi. Hyd at 1937 gwrthwynebodd y Blaid Lafur bob cynnydd bychan yng ngwariant y llywodraeth ar arfau. I lawer ar y chwith roedd gan y Ceidwadwyr ormod o gydymdeimlad â'r ffasgwyr i weithredu polisi synhwyrol ac roedd cysylltiadau rhai o'r cynhyrchwyr arfau â'r Almaen yn rheswm pellach dros beidio ag ymddiried ym mholisi'r llywodraeth. Er bod polisïau mewnol Hitler yn wrthun i'r Blaid Lafur a'r Rhydd-frydwyr, roedd ganddynt, fel y Ceidwadwyr, gydymdeimlad â rhai o'i gŵynion mewn materion tramor.

Credai Neville Chamberlain, Canghellor y Trysorlys, fod angen rheoli'r cyflenwad arian er gwaethaf y problemau economaidd ac am yr un rheswm roedd hi'n anodd gwario mwy ar arfau. Yn y flwyddyn ariannol 1926–27 gwariodd y llywodraeth £116 miliwn ar arfau, ym 1930–31 £110 miliwn ac ym 1932–33 £102.7 miliwn. I Churchill, a oedd wedi ymweld â'r Almaen ym 1932, roedd y polisi hwn o gyfyngu ar ailarfogaeth yn hollol anghyfrifol. Drwy 1933 a 1934 parhaodd Churchill i rybuddio'r Senedd a'r cyhoedd drwy ei golofn yn yr *Evening Standard* fod yr Almaen yn ailarfogi ei lluoedd arfog i gyd ac yn cynllunio am ryfel. Ond roedd Churchill a'i gefnogwyr mewn lleiafrif bychan yn y Senedd ac ni welai'r llywodraeth unrhyw gyfiawnhad dros newid cyfeiriad a natur eu polisi tramor.

Ym mis Gorffennaf 1934 llofruddiwyd Dollfuss, arweinydd Awstria, gan grwp o Natsïaid Awstriaidd ac ofnai rhai aelodau seneddol fod Hitler ar fin goresgyn y wlad. Ond gwyddai Hitler nad oedd ei fyddinoedd yn ddigon cryf eto i gyflawni hynny'n ddidrafferth ac ni fyddai Benito

Mussolini — unben yr Eidal ac un o gymdogion Awstria wedi croesawu ymyrraeth o'r fath.

Drwy fisoedd yr hydref fe dderbyniodd Churchill wybodaeth gyfrinachol oddi wrth swyddog yng ngwasanaeth cudd Prydain am gyflwr lluoedd arfog yr Almaen. Ym mis Tachwedd cyhoeddodd y manylion i'r senedd gan ddatgan y byddai awyrlu'r Almaenwyr yn llawer cryfach nag awyrlu Prydain o fewn tair blynedd. Gwadodd Baldwin fod hyn yn wir a pharhaodd y llywodraeth i ymresymu â'r Almaen ac i drafod unrhyw gŵynion oedd ganddi yn y gobaith y byddai hynny'n lleihau'r tyndra ar y cyfandir.

Yn wythnosau cyntaf 1935 cynhaliwyd refferendwm yn ardal y Saar dan oruchwyliaeth Cynghrair y Cenhedloedd a phleidleisiodd y bobl o blaid uno â'r Almaen. Yn y cyfamser derbyniodd y Cabinet adroddiadau gan y gwasanaethau cudd yn manylu ar erledigaeth erchyll yr Iddewon ac yn olrhain hanes 'Noson y Cyllyll Hirion'. Ar y noson honno llofruddiwyd arweinwyr yr SA (*Sturmabteilungen*) ar orchymyn Hitler oherwydd pryder cynyddol y fyddin am eu dylanwad a'u cryfder. Gwyddai Hitler fod cefnogaeth cadfridogion y fyddin yn llawer pwysicach i'w gynlluniau i ymledu grym yr Almaen yn Ewrop. Er bod y Cabinet Prydeinig yn pryderu am yr adroddiadau hyn, gobeithiai fod y digwyddiadau yn faterion mewnol heb unrhyw arwyddocâd i bolisi tramor.

Yn y cyfamser roedd llywodraeth newydd wedi ei hethol yn Ffrainc gyda Doumergue a'i Weinidog Tramor Louis Barthou yn ei harwain. Nid oedd Barthou mor barod â Syr John Simon i gyfaddawdu â Mussolini. Ym mis Medi arwyddodd y Ffrancwyr gytundeb â'r Undeb Sofietaidd a oedd wedi ymaelodi yng Nghynghrair y Cenhedloedd. Roedd gan y ddwy wlad amheuon ynglŷn â chanlyniadau polisi tramor Prydain ac roedd eu safle daearyddol mewn perthynas â'r Almaen yn ddigon o reswm iddynt lunio cytundeb i wrthwynebu unrhyw ymosodiad gan yr Almaen.

Erbyn 1935 roedd mwy o bobl yn amau gwir amcanion Hitler yn Ewrop. Anfonodd Syr Eric Phipps, y llysgennad ym Merlin, rybuddion i'r Cabinet ynglŷn â datganiadau a chynlluniau Hitler. Roedd Syr Robert Vansittart, pennaeth y Swyddfa Dramor, a Syr Warren Fisher, pennaeth y Gwasanaeth Sifil, hwythau o'r farn fod Hitler yn fygythiad i heddwch y cyfandir a bod angen ailarfogi ar frys. Derbyniodd Churchill wybodaeth gyfrinachol oddi wrth yr Uwchgapten Desmond Morton o'r Pwyllgor Amddiffyn Imperialaidd a oedd wedi arbenigo mewn cudd-wybodaeth ddiwydiannol. Ar sail y wybodaeth hon cyhoeddodd Churchill fod economi'r Almaen yn cael ei pharatoi ar gyfer rhyfel a bod yn rhaid i

Brydain ymateb mewn dull tebyg. Cefnogwyd safiad Churchill gan Geidwadwyr megis Macmillan a Boothby a hyd yn oed rhai aelodau'r Blaid Lafur megis Hugh Dalton ac Ernest Bevin. Ond gwrthododd y llywodraeth dderbyn datganiadau Churchill fel rheswm digonol dros gyflymu'r broses o ailarfogi.

Argymhellodd Syr John Simon a Pierre Laval ym mis Chwefror 1935 fod angen cytundeb newydd yn Ewrop i gymryd lle Cytundeb Versailles. Dywedent fod angen cyrraedd cytundeb cydwladol ar arfogi a fyddai'n rhwymo pob un o'r Pwerau Mawrion. O safbwynt Hitler roedd argymhellion o'r fath yn arwydd pellach na fyddai Prydain a Ffrainc yn defnyddio grym milwrol i rwystro ei gynlluniau ar y cyfandir.

Ymhen ychydig fisoedd arwyddodd MacDonald Bapur Gwyn ar Amddiffyn yn argymell mwy o wario ar y lluoedd arfog. Ymatebodd Hitler drwy gyhoeddi fod gan yr Almaen awyrlu effeithiol ac y byddai gorfodaeth filwrol yn cael ei chyflwyno i greu byddin o fwy na hanner miliwn o ddynion. Ymestynnodd Ffrainc y cyfnod o orfodaeth filwrol ar unwaith.

Ni chynhyrfwyd y cyhoedd yng ngwledydd Prydain ryw lawer gan y datblygiadau hyn. Credai pobl o hyd y gallai Cynghrair y Cenhedloedd ddatrys y problemau newydd ac roedd pasiffistiaeth yn gryf iawn yn y colegau a'r prifysgolion. Roedd yn amlwg hefyd oddi wrth lenyddiaeth y cyfnod — llyfrau fel *All Quiet on the Western Front* (Erich Remarque), *Good-bye to All That* (Robert Graves), *A Farewell to Arms* (Ernest Hemingway) a *Testament of Youth* (Vera Brittain), fod syniadau a theimladau pobl yn dal o dan ddylanwad y Rhyfel Mawr ac yn gryf yn erbyn rhyfel arall.

Pan ymddeolodd MacDonald ym mis Mehefin 1935 daeth Stanley Baldwin yn Brif Weinidog a chymerwyd lle Syr John Simon yn y Weinyddiaeth Dramor gan Syr Samuel Hoare.

Fel yn y gorffennol tuedd Baldwin oedd gadael i bethau ddigwydd ac yna ymateb iddynt, yn hytrach na gweithredu polisïau cadarnhaol a allai achub y blaen a rhwystro sefyllfaoedd argyfyngus rhag datblygu. Oherwydd bod Hitler a Mussolini yn ddigon cryf erbyn 1935 i ddilyn polisïau tramor ymosodol, wynebai Baldwin a Hoare fwy o broblemau mewn materion tramor na'u rhagflaenwyr. Daliwyd ati i ailarfogi yn araf a gweithredai'r ddau drwy Gynghrair y Cenhedloedd neu drwy drafodaethau uniongyrchol â'r unbeniaid. Rhoddwyd cyhoeddusrwydd i'r syniadau hyn yng ngholofnau *The Times* gan yr Arglwydd Halifax a Neville Chamberlain a chan y golygydd Geoffrey Dawson, a oedd hefyd yn gyfaill i Baldwin.

Yn ystod mis cyntaf Baldwin fel Prif Weinidog arwyddodd Prydain a'r Almaen gytundeb llyngesol a gyfyngai nifer llongau rhyfel yr Almaen i 35 y cant o'r cyfanswm Prydeinig a nifer llongau tanfor yr Almaen i 45 y cant o'r cyfanswm Prydeinig. Synnwyd Ffrainc a chynyddwyd ei phryder am ddiogelwch ei ffiniau. Oerodd y cyfeillgarwch rhyngddi a Phrydain oherwydd parodrwydd Baldwin i ymgyfeillachu â Hitler heb ymgynghori â llywodraethau eraill. Cynorthwyodd y cytundeb yr Almaen i dorri Cytundeb Versailles a thrwyddo cydnabu llywodraeth Baldwin nad oedd Versailles bellach yn bwysig o safbwynt cadw'r heddwch yn Ewrop. Rhoddodd hyn hyder i Hitler i drafod ei gŵynion â gwledydd unigol ac felly gwanychwyd y posibilrwydd y byddai ffrynt unedig yn datblygu yn ei erbyn a thanseiliwyd effeithiolrwydd Cynghrair y Cenhedloedd. Cyn diwedd y mis cyhoeddwyd canlyniadau'r Balot Heddwch a gynhaliwyd ym Mhrydain dros gyfnod o ryw saith mis. Cafwyd ymateb un miliwn ar ddeg o bobl a dangoswyd bod y mwyafrif llethol o blaid diarfogi, cyd-ddiogelwch drwy Gynghrair y Cenhedloedd a gwaharddiadau economaidd pe bai angen. Ychydig o gefnogaeth a gafwyd i safbwynt Churchill ar ailarfogi.

Erbyn canol y 1930au roedd pawb yn unfrydol mai'r Almaen oedd y prif elyn a'r bygythiad peryclaf i heddwch. Yn yr amgylchiadau hyn gwnaeth y Cabinet ei orau i beidio â dieithrio gwledydd ymwthiol eraill megis yr Eidal a Japan.

Cododd problem arall ei phen o ganlyniad i gynlluniau Mussolini i ymestyn awdurdod ei wlad dros diroedd yr Ymerawdwr Haile Selassie yn Abyssinia. Pan ddechreuodd milwyr Eidalaidd ymgasglu ar ffiniau Abyssinia ym mis Ionawr 1935 anfonwyd apêl at Gynghrair y Cenhedloedd. Ymateb Prydain i hyn oedd cynnig y dylai Abyssinia drosglwyddo ardal Ogaden i Mussolini ac y byddai hithau yn ei thro yn derbyn rhywfaint o dir y Somali oddi wrth Brydain. Gwrthododd Mussolini dderbyn hyn gan obeithio na fyddai Prydain a Ffrainc yn gwrthwynebu ei gynllun i oresgyn y wlad gyfan rhag ofn iddynt wanhau'r ffrynt yn erbyn Hitler. Ym Mhrydain roedd *The Times*, *The Spectator* a *The New Statesman*, yn ogystal â Hoare, o blaid datrys y broblem drwy Gynghrair y Cenhedloedd. Mewn araith i'r Cynghrair rhoddodd Hoare yr argraff y byddai Prydain, yn unol â gwledydd eraill, yn gwrthwynebu goresgyniad Abyssinia, ond na fyddai Prydain yn ymyrryd ar ei phen ei hun.

Ym mis Hydref 1935 ymosododd yr Eidal ar Abyssinia a disgwyliwyd i Gynghrair y Cenhedloedd ymateb yn briodol. Yn y cyfamser roedd cwmnïau arfau Prydeinig a Ffrengig wrthi'n gwerthu arfau i Mussolini.

Galwodd y Blaid Lafur ar y Cynghrair i gyflwyno cyfyngiadau economaidd. Anthony Eden a gyfarwyddai'r cyfyngiadau hyn ond ni fu unrhyw gyfyngiad ar olew na blocâd llyngesol yn y Môr Canoldir. Mewn gwirionedd roedd y Cabinet wedi penderfynu ymatal oherwydd amharodrwydd Laval i gysylltu Ffrainc ag unrhyw bolisi effeithiol yn erbyn yr Eidal. Roedd y ddwy lywodraeth hefyd yn gytûn y byddai rhyfel â'r Eidal yn gostus, yn wastraff ar adnoddau ac yn sicr o ddieithrio Mussolini a chynyddu'r bygythiad i heddwch Ewrop.

Er i lywodraeth Baldwin ddatgan eu ffydd yng Nghynghrair y Cenhedloedd yn gyhoeddus nid oedd y Prif Weinidog a'i Ysgrifennydd Tramor yn credu bellach yn ei allu i ddatrys y broblem. Rhagwelodd Mussolini y gellid gweithredu gwaharddiadau economaidd ac yn ystod tri mis cyntaf 1935 mewnforiwyd gwerth 825,000 o ddoleri o olew o'r Unol Daleithiau i diriogaethau'r Eidalwyr yn Affrica. Serch hynny, parhaodd aelodau'r Cynghrair a llefarwyr y chwith ym Mhrydain i bwyso am waharddiad ar werthu olew i'r Eidal. Yn y cyfamser teithiodd Hoare i Baris ym mis Rhagfyr i drafod argymhellion pellach gyda Laval. Cytunodd y ddau y dylid trosglwyddo dwy ran o dair o dir Abyssinia i'r Eidalwyr ar yr amod fod y rhyfel yn dod i ben. Byddai Prydain wedyn yn cynnig darn o dir i Abyssinia i'w chysylltu â'r Môr Coch. Yn annisgwyl i Brydain rhyddhawyd manylion y cynllun i'r Wasg Ffrengig ac roedd yr ymateb ym Mhrydain yn sydyn ac yn unfrydol. Collfarnwyd y cynllun fel y brad gwaethaf posibl a dangoswyd nad oedd gan y Cabinet, a oedd wedi cefnogi'r cynllun o'r dechrau, unrhyw wir ddiddordeb mewn gweithio drwy'r Cynghrair. Yn y cynnwrf a ddilynodd, ymddiswyddodd Hoare a dilynwyd ef gan Anthony Eden. Ciliodd y diddordeb yn Abyssinia yn raddol ac erbyn mis Mai 1936 roedd y wlad wedi ei goresgyn yn gyfan gwbl gan Mussolini. Yn sgil hyn penderfynwyd dileu'r cyfyngiadau economaidd yn erbyn yr Eidal.

Yn ystod argyfwng Abyssinia penderfynodd Hitler na fyddai Prydain a Ffrainc yn gwrthwynebu goresgyniad tiroedd y Rhein ac ym mis Mawrth 1936 meddiannwyd yr ardal gan filwyr yr Almaen. Yn wahanol i achos Abyssinia, ychydig o adwaith a gafwyd ym Mhrydain i'r digwyddiad hwn, yn bennaf oherwydd y gred gyffredinol bod ardal y Rhein yn rhan o'r Almaen ac roedd yn naturiol iddi ei hail-feddiannu. Prif bwysigrwydd yr ardal hon oedd ei hadnoddau diwydiannol a fyddai'n sylfaen i ddatblygu ac ehangu'r diwydiant cynhyrchu arfau. Roedd y Ffrancwyr wedi rhagweld y goresgyniad bythefnos cyn hynny ond nid oedd Prydain yn fodlon cytuno â'i galwadau am gynghrair milwrol i'w wrthsefyll. Yn y diwedd gwrthododd y Ffrancwyr wrthwynebu Hitler ar eu pennau eu hunain.

O safbwynt Baldwin ac Eden nid oedd goresgyniad tiroedd y Rhein yn afresymol nac ychwaith yn fygythiad i weddill Ewrop ond galwodd Ffrainc am waharddiadau economaidd yn erbyn ei chymydog ymwthgar i'w gorfodi i dynnu'n ôl. Yn y diwedd condemniodd Cynghrair y Cenhedloedd y digwyddiad ond ni ddilynwyd hyn gan unrhyw bolisi ymarferol yn erbyn yr Almaen.

Cyn diwedd mis Mawrth cyhoeddodd y llywodraeth Bapur Gwyn ar Amddiffyn a argymhellodd gynnydd pellach yn y lluoedd arfog ynghyd â chynlluniau i baratoi rhai diwydiannau ar gyfer y posibilrwydd o ryfel. Penderfynwyd hefyd greu adran arbennig a fyddai'n gyfrifol am drefnu holl agweddau amddiffyn y wladwriaeth. Collfarnwyd hyn i gyd gan Attlee a ddadleuai fod arfogi o'r fath yn llawer mwy tebygol o arwain at y rhyfel roedd Baldwin yn ceisio ei osgoi. Ymosododd Churchill ar y datblygiadau hyn am resymau gwahanol. Cyhuddodd y llywodraeth o beidio â chymryd bygythiad Hitler o ddifrif a haerodd fod argymhellion y Papur Gwyn yn hollol annigonol. Cyhoeddodd fanylion peth o'r wybodaeth gyfrinachol a dderbyniodd gan swyddog yn yr Awyrlu Brenhinol. Datgelodd mai dim ond 12 o'r 52 o ffatrïoedd a glustnodwyd gan y llywodraeth a allai ddechrau cynhyrchu arfau'n syth. Dywedodd hefyd nad oedd peilotiaid yr awyrlu a oedd dan hyfforddiant yn cael eu dysgu i hedfan yn y nos er gwaethaf y pwyslais a roddwyd ar hyn yn yr Almaen. Cwynodd nad oedd y peilotiaid yn cael digon o hyfforddiant a bod prinder aruthrol o rannau sbâr ar gyfer y gwahanol awyrennau. Honnodd ymhellach fod yr Almaen yn gwario dros £1,000 miliwn y flwyddyn ar arfau. Ychydig a wariai Prydain o gymharu — £114 miliwn ym 1934–35, £137 miliwn ym 1935–36 a £186.7 miliwn ym 1936–7.

Cefnogwyd Churchill gan wleidyddion eraill, gan gynnwys Austen Chamberlain, yr Arglwydd Londonderrry, yr Arglwydd Salisbury, Harold Macmillan a'r Arglwydd Winterton. Ond dywedodd Baldwin nad oedd yn bwriadu dechrau ras arfau â'r Almaen a bod cynlluniau'r llywodraeth ar gyfer ailarfogi yn cwrdd ag anghenion y sefyllfa ryngwladol.

Ym mis Gorffennaf symudodd sylw gwleidyddol Ewrop o'r Almaen i Sbaen lle roedd rhyfel cartref wedi dechrau rhwng y llywodraeth weriniaethol etholedig ac elfennau ceidwadol yn y wlad dan arweiniad y Cadfridog Franco. Anfonwyd 80,000 o Eidalwyr a 30,000 o Almaenwyr, yn ogystal ag awyrennau, i gynorthwyo brwydr yr ffasgwyr yn erbyn y llywodraeth. Gwrthododd llywodraeth Ffrainc helpu'r Gweriniaethwyr oherwydd ei hofn y byddai'r ymladd yn ymledu i Ffrainc ei hun. Penderfynodd Baldwin a'i Gabinet beidio ag ymyrryd am resymau tebyg, sef y gallai'r rhyfel cartref ddatblygu'n rhyfel Ewropeaidd yn erbyn ffasgiaeth. Cefnogwyd y safiad hwn gan Gynghrair y Cenhedloedd a dangoswyd unwaith eto nad oedd gan y gymuned ryngwladol yr ewyllys i wynebu a threchu her yr unbeniaid.

Achosodd y rhyfel cartref raniad clir rhwng y dde a'r chwith ym Mhrydain. Y tro hwn roedd y Blaid Lafur a rhai Rhyddfrydwyr o blaid ymladd i gynorthwyo'r Gweriniaethwyr a theithiodd cannoedd i Sbaen i ymladd fel gwirfoddolwyr yn y Frigâd Ryngwladol yn erbyn Franco. Ni chafodd hyn unrhyw effaith ar gyfeiriad polisi tramor y llywodraeth. Pan benderfynodd Stalin anfon cyflenwadau hanfodol i'r Gweriniaethwyr cadarnhawyd barn y Cabinet mai brwydr ydoedd rhwng comiwnyddiaeth a ffasgiaeth, ac nid oedd am ochri â'r comiwnyddion. Gobeithiai o hyd y gellid parhau'n gyfeillgar gyda Mussolini er mwyn gwanhau safle Hitler. Byddai ymyrraeth yn Sbaen wedi dinistrio'r gobaith hwnnw. Cefnogaeth y pwerau ffasgaidd oedd y ffactor bwysicaf ym muddugoliaeth Franco ym 1939.

Ym mis Mai 1937 ymddiswyddodd Baldwin a daeth Neville Chamberlain yn Brif Weinidog. Roedd y sefyllfa ryngwladol erbyn hynny mewn cyflwr argyfyngus. Tra oedd y Natsïaid yn bygwth heddwch Ewrop roedd Japan yn lledaenu ei dylanwad yn China lle roedd rhyfel cartref yn mudlosgi rhwng y Kuomintang a'r Comiwnyddion. Yn y Dwyrain Canol roedd milwyr Prydain yn ymgodymu o hyd â'r ymrafael rhwng yr Iddewon a'r Arabiaid. Roedd y drwgdybiaeth parlysol o amcanion yr Undeb Sofietaidd yn cyfyngu ar y llwybrau a oedd yn agored i bolisi tramor yn Ewrop a gwyddai'r llywodraeth na allai ddibynnu ar gefnogaeth yr Unol Daleithiau. Yn wahanol i'w ragflaenydd credai Chamberlain fod yn rhaid datblygu cyfathrach bersonol â'r unbeniaid ffasgaidd ac ymresymu â hwy. Roedd yn gas gan Chamberlain syniadau'r ffasgwyr ond roedd yn rhaid cyd-fyw â hwy a chyfaddawdu. Roedd peryglon y fath bolisi yn amlwg iddo ond roedd unrhyw beth yn well na rhyfel. Roedd ganddo ffydd mewn heddychiad a sicrhaodd fod aelodau ei Gabinet (er enghraifft, Halifax, Hoare a Simon) a swyddogion uchaf y Swyddfa Dramor a'r Pwyllgor Polisi Tramor yn gefnogol i'w amcanion. Nid oedd yn barod i roi swyddi pwysig i bobl a oedd yn amheus o werth ei bolisïau. Diswyddwyd yr Arglwydd Swinton o'r Weinyddiaeth Awyr ym mis Mai 1938 am fynnu y dylid adeiladu rhagor o awyrennau. Symudwyd Syr Robert Vansittart o'i swydd fel pennaeth y Weinyddiaeth Dramor ym mis Ionawr 1938 oherwydd ei agwedd gadarn yn erbyn yr Almaen, a phenodwyd Syr Nevile Henderson yn llysgennad yn yr Almaen ym 1937 oherwydd ei gefnogaeth i heddychiad a'i gydymdeimlad â llawer o bolisïau Hitler.

Y brif gŵyn yn erbyn y Prif Weinidog ar y pryd oedd ei duedd i weithio ar ei ben ei hun neu i ymgynghori yn unig â'r Arglwydd Halifax, Syr John Simon, Syr Samuel Hoare, a Horace Wilson, ei gynorthwywr preifat. Roedd yn argyhoeddedig fod ei bolisi a'i ddulliau yn gywir a rhoddodd yr argraff ei fod yn berson ffroenuchel ac ystyfnig. Er gwaethaf y cyhuddiadau ynglŷn â'i ddulliau personol o gyfarwyddo diplomyddiaeth, cyfarfu'r Pwyllgor Polisi Tramor, mewn cydweithrediad ag arweinwyr y lluoedd arfog, dros hanner cant o weithiau rhwng 1937 a 1939, yn llawer amlach nag o dan Baldwin.

Roedd peth anghytundeb hefyd rhwng y Prif Weinidog a'i Ysgrifennydd Tramor, Anthony Eden. Cefnogai Eden y syniad o heddychiad drwy gryfder ond credai fod angen safiad llai hyblyg gyda'r unbeniaid a bod angen cryfhau'r cyfeillgarwch â Ffrainc. Ond o gofio niwtraliaeth yr Americanwyr a'r perygl o golli cefnogaeth Japan i'r Almaen ofnai Chamberlain y byddai polisi rhy gadarn yn achosi rhyfel. Roedd yn erbyn diarfogi ond credai na ddylai polisi ailarfogi y llywodraeth osod straen ar yr economi. Ymdrechodd sawl gwaith ym 1937 i ennill mwy o gefnogaeth yn Washington ond heb lwyddiant.

Ym mis Tachwedd teithiodd yr Arglwydd Halifax i'r Almaen i gwrdd â Hitler ac i drafod y sefyllfa wleidyddol yn Ewrop. Bu'r cyfarfod yn fethiant ond sylweddolodd Hitler wedyn y gallai symud ymlaen â'i gynlluniau i oresgyn Awstria a Tsiecoslofacia heb ofni ymyrraeth gan Brydain.

Ym mis Ionawr 1938 awgrymodd yr Arlywydd Roosevelt y dylid cynnal cynhadledd ryngwladol yn Washington a gâi ei mynychu gan yr Unol Daleithiau a'r pwerau bychain megis Sweden, yr Iseldiroedd a Gwlad Belg. Byrdwn y cyfarfod fyddai trafod diarfogi a hawliau cenedlaethol ac nid trafod problemau'r prif bwerau Ewropeaidd. Syniad Roosevelt oedd dangos fod yr Americanwyr yn barod i gyfrannu'n bositif at wleidyddiaeth ryngwladol, er nad oeddynt am ymrwymo eu hunain mewn unrhyw fodd i'r sefyllfa wleidyddol yn Ewrop.

Roedd Eden ar ei wyliau ar y pryd a phenderfynodd Chamberlain na fyddai'r cynhadledd yn syniad da ac y gallai achosi adwaith negyddol yn yr Almaen a'r Eidal. Byddai amseriad y gynhadledd hefyd yn torri ar draws ei gynlluniau ef i gynnal trafodaethau â'r unbeniaid. Roedd Eden yn flin fod Chamberlain wedi datgan ei wrthwynebiad yn agored heb ymgynghori ag ef yn gyntaf. Dangosodd fwy o wrthwynebiad i bolisi mwy cymodol y Prif Weinidog tuag at Mussolini a anelai at wanhau'r *Axis*. (Cyfuniad o wladwriaethau ffasgaidd a'u cynghreiriaid a ddatblygodd o gytundeb rhwng yr Almaen a'r Eidal ym 1936 oedd yr

Axis.) Nid oedd Eden yn ymddiried yn Mussolini, roedd yn anfodlon iawn ar ei ymyrraeth yn Sbaen a phwysleisiodd fod atgyfnerthu'r cyfeillgarwch â Ffrainc yn bwysicach o lawer na chynnal trafodaethau ag arweinydd yr Eidal. Oherwydd yr anghytundeb hwn ymddiswyddodd y Gweinidog Tramor ym mis Chwefror ac o fewn ychydig oriau i'r ymddiswyddiad cyhuddodd Hitler ef o greu cynnen rhwng Prydain a'r Almaen. Cymerwyd ei le gan Halifax, ond bu'r ymddiswyddiad ac ymosodiad geiriol Hitler arno yn gyfrwng i ddwysáu'r amheuon ynglŷn â gwerth heddychu fel polisi a allai amddiffyn buddiannau gwledydd bychain a diogelu heddwch rhwng y Pwerau Mawrion.

Ym mis Ebrill arwyddodd Prydain a'r Eidal gytundeb yn Rhufain a gyfyngai rywfaint ar eu lluoedd arfog yn nwyrain y Môr Canoldir ac a addawai gydnabyddiaeth Brydeinig i reolaeth Mussolini yn Abyssinia ar ôl iddo dynnu ei filwyr yn ôl o Sbaen. Ond parhaodd awyrennau'r Eidal i fomio llongau Prydeinig ym mhorthladdoedd Sbaen a llesteiriodd hyn unrhyw wir ddealltwriaeth rhwng Prydain a'r Eidal.

Yn fuan wedi ymddiswyddiad Eden ym mis Chwefror mynnodd Hitler fod Schuschnigg, Canghellor Awstria, yn derbyn Natsïaid yn ei Gabinet ac yn cytuno â rheolaeth Natsïaidd ar bolisi economaidd a thramor. Ar y dechrau cytunodd Schuschnigg i wneud hyn ond newidiodd ei feddwl gan wrthod derbyn y fath ddarostyngiad. Penderfynodd gynnal refferendwm i adael i'r Awstriaid eu hunain bleidleisio ar ddyfodol eu gwlad. Roedd ymateb Hitler i hyn yn sydyn ac effeithiol — anfonwyd milwyr i oresgyn Awstria ar 13 Chwefror.

Er bod y goresgyniad yn ergyd i Chamberlain cysurodd ei hunan ei fod yn gam digon synhwyrol a rhesymol i Hitler uno'r ddwy wlad Almaenig. Ymosododd Churchill yn ddidrugaredd ar y llywodraeth gan ddweud fod yr Almaen bellach yn rheoli cyfathrebau de-ddwyrain Ewrop a rhybuddiodd mai Tsiecoslofacia fyddai'r targed nesaf. Mewn cyfarfod cyfrinachol â'r Uwchgapten Almaenig Von Kleist, a oedd yn wrth-wynebus i bolisïau Hitler, dywedodd yr Almaenwr mai bwriad Hitler oedd ymgynnull miliwn a hanner o filwyr ar ffiniau Tsiecoslofacia er mwyn gorchfygu'r wlad honno. Credai hefyd y byddai gwrthwynebiad unedig gan Brydain, Ffrainc, a'r Undeb Sofietaidd yn ddigon i atal y gorchfygiad. Ond nid oedd Chamberlain yn fodlon ystyried unrhyw gynghrair milwrol, yn arbennig un gyda gwlad gomiwnyddol. Credai y byddai hynny'n polareiddio'r cyfandir ac yn fwy tebygol o arwain at ryfel.

Ar ôl yr *Anschluss* sef uno Awstria a'r Almaen penderfynodd arweinwyr y lluoedd arfog fod yn rhaid cyflymu'r broses o ailarfogi ond nad oedd Prydain yn barod eto i ymladd rhyfel dros wlad arall.

Gwrthwynebodd Chamberlain gynorthwyo Awstria a Tsiecoslofacia ac nid oedd yn barod chwaith i roi cymorth i Ffrainc pe bai hi'n helpu Tsiecoslofacia. Cytunodd, serch hynny, y byddai adwaith y Cabinet yn wahanol pe bai'r Almaenwyr yn ymosod ar Ffrainc neu Wlad Belg. Drwy ddatgan y farn hon yn gyhoeddus ym mis Mawrth 1938 gobeithiai Chamberlain na fyddai Ffrainc yn ymddwyn yn fyrbwyll, y byddai Tsiecoslofacia yn magu agwedd hyblyg tuag at ofynion Hitler, na fyddai Hitler ei hun yn cael ei gythruddo ac y byddai pobl Prydain yn raddol yn dechrau sylweddoli fod rhyfel yn bosibl.

Roedd gan Tsiecoslofacia lywodraeth benderfynol a chadarn o dan arweiniad Hodza, y Prif Weinidog, a Benes, y Gweinidog Tramor, ac roedd ganddi gytundeb amddiffynnol â'r Undeb Sofietaidd a Ffrainc. Roedd gan y wlad safle strategol pwysig yn Ewrop a llawer o gyfoeth naturiol, yn ogystal â 3.2 miliwn o Almaenwyr yn nhiroedd Sudeten. Galwodd llywodraeth yr Undeb Sofietaidd a'r Blaid Lafur am gynhadledd ryngwladol i drafod y sefyllfa ac i rwystro Hitler rhag mynd cam ymhellach ond roedd hyn yn annerbyniol i Chamberlain.

Pan ymwelodd Daladier, Prif Weinidog Ffrainc, â Llundain ym mis Ebrill 1938 dywedodd fod y Ffrancwyr yn fodlon ymladd i amddiffyn annibyniaeth Tsiecoslofacia ond pwysleisiodd Chamberlain mai cyfaddawdu oedd ei fwriad ac nid rhyfel. Yn y cyfamser anogodd Hitler Almaenwyr y Sudeten i achosi cynnwrf ac i fynnu ymreolaeth. Ym mis Mai symudwyd mwy o filwyr Hitler am y ffin â Tsiecoslofacia, ymatebodd Ffrainc a'r Undeb Sofietaidd drwy wneud paratoadau am ryfel. Rhybuddiwyd Hitler gan yr Arglwydd Halifax y gallai ymosodiad ar Tsiecoslofacia arwain at ryfel Ewropeaidd. Dywedodd Hitler fod yn rhaid datrys problem Almaenwyr y Sudeten erbyn mis Hydref.

Felly anfonodd y Cabinet yr Arglwydd Runciman i Tsiecoslofacia i geisio llunio cytundeb rhwng y llywodraeth a'r trigolion Almaenig. Yn y cyfamser dangosodd adroddiadau'r gwasanaethau cudd Prydeinig fod symudiadau milwrol yr Almaen yn argoeli goresgyniad pan ddeuai'r cyfle. Yn y trafodaethau â Runciman ym mis Mehefin mynnodd Henlein, arweinydd Natsïaidd yr Almaenwyr yn nhiroedd y Sudeten, fod y llywodraeth ym Mhrâg yn rhoi annibyniaeth iddynt. Yn y diwedd cytunodd y llywodraeth, penderfyniad a oedd braidd yn annisgwyl i Runciman a Hitler.

Mewn cyfarfod o'r Cabinet Ffrengig ar 13 Medi roedd cefnogaeth gref i ryfel yn erbyn yr Almaen pe bai Hitler yn ymosod ar Tsiecoslofacia. Ond yn y diwedd cafodd y Gweinidog Tramor, Bonnet, ei ffordd a phenderfynwyd peidio â chyflymu'r paratoadau rhyfel.

Roedd y Wasg Brydeinig yn dal i gefnogi agwedd Chamberlain tuag at yr Almaen. Roedd papurau megis *The New Statesman* a *The Times* yn erbyn ymladd i amddiffyn hawliau gwlad ddemocrataidd yn nwyrain Ewrop ond nid oedd y farn gyhoeddus mor glir ar sut y dylai Prydain ymateb pe bai Ffrainc yn cynorthwyo Tsiecoslofacia. Gwyddai Chamberlain fod llu awyr Ffrainc yn wan ac y byddai'r Undeb Sofietaidd nid yn unig yn gorfod goresgyn gwrthwynebiad i unrhyw ymdrech ganddi i symud ei byddinoedd drwy Rwmania a Gwlad Pwyl, ond y byddai hefyd yn cymryd amser hir i gyrraedd Tsiecoslofacia. Yn ogystal, roedd ef yn amheus o ansawdd y Fyddin Goch ar ôl i Stalin ladd cymaint o'r swyddogion yn ystod y 1930au. Serch hynny, roedd yr Undeb Sofietaidd yn barod i amddiffyn Tsiecoslofacia pe bai Ffrainc yn cytuno i ymosod hefyd. Ychwanegwyd at bryderon y Prif Weinidog gan y ffaith nad oedd y Gymanwlad yn gefnogol o gwbl i ymrwymiadau Ewropeaidd ac na allai ychwaith ddibynnu ar gefnogaeth yr Unol Daleithiau. Roedd yn amlwg hefyd nad oedd Daladier a Bonnet mor awyddus i fynd i ryfel ag yr oeddynt ar y dechrau.

Ar 15 Medi teithiodd y Prif Weinidog i Berchtesgaden i drafod Tsiecoslofacia gyda Hitler. Roedd y daith dros heddwch yn hynod o boblogaidd ym Mhrydain ac roedd gobeithion yn uchel. Sylweddolodd Chamberlain fod Hitler yn benderfynol o gael ei ffordd ac roedd yr unben yn argyhoeddedig wedi'r cyfarfod na fyddai Prydain yn ymladd i'w rwystro. Pan ddychwelodd Chamberlain i roi adroddiad i'w Gabinet dywedodd y byddai Hitler yn derbyn cynllun a fyddai'n rhoi ymreolaeth i Almaenwyr Tsiecoslofacia. Argymhellodd Runciman a Chamberlain i'r Cabinet, ac i Daladier a Bonnet, fod Tsiecoslofacia yn colli rheolaeth ar y tiroedd hynny a oedd yn cynnwys dros 50 y cant o Almaenwyr. Golygai hyn golledion daearyddol sylweddol yn ogystal â ffiniau strategol, ond byddai'n osgoi rhyfel. Gwrthododd Chamberlain gytuno â syniad Daladier y dylai Prydain a Ffrainc wneud addewid i ddiogelu ffiniau newydd Tsiecoslofacia.

Ar y dechrau gwrthododd y llywodraeth ym Mhrâg dderbyn yr argymhellion. Ond o ganlyniad i ddatganiad gan Brydain a Ffrainc na fyddent o reidrwydd yn amddiffyn Tsiecoslofacia yn erbyn ymosodiad gan Hitler penderfynodd Benes dderbyn ar 19 Medi. Ar 22 Medi teithiodd Chamberlain i Godesberg gyda'r cynllun newydd ond gwrthododd Hitler ei dderbyn. Hawliodd reolaeth Almaenig dros rannau eraill o Tsiecoslofacia a bod y Tsieciaid neu'r Slofaciaid yn gadael yr ardaloedd hynny o fewn chwe diwrnod. Cytunodd, ar ôl dadlau â Chamberlain, i ohirio'r diwrnod tyngedfennol tan 1 Hydref.

Trafodwyd y gofynion newydd gan y Cabinet yn Llundain, ym Mharis, ac ym Mhrâg. Y tro hwn roedd y gwleidyddion yn unfrydol yn erbyn plygu i Hitler. Roedd barn pobl yng ngwledydd Prydain yn dechrau troi o blaid y Tsieciaid, roedd yr undebau a'r Blaid Lafur wedi penderfynu y dylid gwneud safiad ac ymladd drostynt, a gwelwyd yr un newid yng ngholofnau golygyddol yr *Observer*, y *Daily Telegraph* a'r *Daily Mail*. Cyhoeddodd Ffrainc ar 26 Medi y byddai'n ymladd i ddiogelu annibyniaeth Tsiecoslofacia. Roedd Chamberlain yn obeithiol o hyd y gellid osgoi rhyfel ac ar y diwrnod canlynol gweithiodd gyda'r Arglwydd Halifax i lunio cynllun cyfaddawd a fyddai'n diogelu hawliau'r trigolion nad oedd yn Almaenwyr. Ar y radio y noson honno dywedodd y Prif Weinidog:

How horrible, fantastic, incredible, it is that we should be digging trenches and trying on gas masks here because of a quarrel in a far away country between people of whom we know nothing.

Roedd Chamberlain yn flinedig ac yn gweld ei obeithion am heddwch yn diflannu. Yr oedd yn fodlon ymladd i rwystro goresgyniad y cyfandir ond nid oedd yn argyhoeddedig mai dyna oedd bwriad Hitler.

Anfonodd Hitler neges at Chamberlain drannoeth yn dweud ei fod yn fodlon trafod y broblem eto. Mae'n anodd gwybod pam y newidiodd ei feddwl, ond gellir cynnig rhai rhesymau. Roedd Prydain wedi paratoi ei llynges ar gyfer rhyfel y diwrnod cynt, roedd y cadfridogion Almaenig yn anhapus ynglŷn â'r gwastraff adnoddau milwrol a fyddai'n dilyn goresgyniad Tsiecoslofacia, ac efallai bod Hitler yn credu y gallai gyflawni ei amcanion drwy Chamberlain heb wastraffu adnoddau'r Almaen.

Cyhoeddodd Chamberlain y datblygiad hwn i'r Senedd ac ar 29 Medi teithiodd i München (Munich) i gyfarfod â Hitler, Mussolini a Daladier, ond ni chynrychiolwyd Tsiecoslofacia. Cytunodd pawb i dderbyn yr argymhellion a gynigiwyd yn Godesberg. Nid oedd gan Benes unrhyw ddewis ond eu derbyn. Ymddiswyddodd ac ymadawodd â'i wlad ar ôl gweld y Pwerau Mawrion yn ei haberthu er mwyn osgoi rhyfel. Arwyddocâd Cytundeb München oedd bod ffiniau Ffrainc a Gwlad Pwyl bellach mewn perygl a bod Hitler wedi cael ei ffordd drwy fygythiadau. Cyn gadael, arwyddodd Chamberlain gytundeb arall â Hitler yn datgan na fyddai'r ddwy wlad yn rhyfela â'i gilydd. Pan ddychwelodd i Lundain, cyhoeddodd:

My good friends, this is the second time in our history that there has come back from Germany to Downing Street peace with honour — I believe it is peace for our time.

10. Chamberlain ym maes awyr Croydon ar ei ffordd yn ôl o München

Cafodd y Prif Weinidog dderbyniad brwdfrydig iawn gan y bobl a'r papurau newydd ac roedd y mwyafrif yn y Senedd yn falch o leiaf fod rhyfel wedi ei osgoi. Collfarnwyd Chamberlain gan Gallacher, yr unig Gomiwnydd yn y Senedd, a chan Attlee am iddo ddinistrio Tsiecoslofacia. Ymosododd Churchill yn hallt arno gan ddweud ei fod wedi ildio i drais a rhybuddiodd y byddai'r Natsïaid yn goresgyn y wlad gyfan er gwaethaf Cytundeb München. Galwodd ar y llywodraeth i ffurfio Adran Gyflenwadau i drefnu amddiffynfeydd Prydain. Gwrthododd Chamberlain, gan ddadlau y byddai sefydlu adran o'r fath yn gyfystyr â chyhoeddi rhyfel. Ymddiswyddodd Duff Cooper, Arglwydd Cyntaf y Morlys, mewn protest yn erbyn y cytundeb a rhwng 3 Hydref a 6 Hydref dechrueodd mwy o aelodau seneddol wrthwynebu'r Prif Weinidog, yn eu plith Macmillan, Eden ac Amery yn ogystal ag aelodau Llafur a Rhyddfrydol.

Yn ystod yr wythnosau canlynol ymddangosodd adroddiadau yn olrhain yr erledigaeth erchyll ar yr Iddewon yn Awstria a'r Almaen a dechreuodd pobl Prydain bwyso a mesur hyn yn erbyn llwyddiant München. Parhaodd y Wasg Almaenig ei hymosodiadau ar unigolion megis Churchill, Eden a Duff Cooper a'u cyhuddo o ryfelgarwch a chasineb at yr Almaen. Ceisiodd Hoare ddylanwadu'n gyfrinachol ar bwyllgor etholaeth Churchill er mwyn cael gwared ag ef ond yn aflwyddiannus. Roedd llawer ar y chwith a'r dde yn amau cymhellion Churchill. Credai llawer o'r Ceidwadwyr ei fod yn fyrbwyll a pheryglus ac o blaid ymladd cyn trafod bob tro. Teimlai'r aelodau Llafur nad oedd ganddo wir ddiddordeb mewn democratiaeth ac mai ei brif uchelgais oedd diogelu'r Ymerodraeth Brydeinig.

Ar 15 Mawrth 1939 meddiannwyd Tsiecoslofacia gan fyddinoedd Hitler. Synnwyd Chamberlain ond rhoddodd y bai ar wendidau mewnol y wlad orchfygedig yn hytrach nag ar y polisi cymodi. Ond roedd teimladau'r mwyafrif yn y Senedd a'r wlad wedi newid erbyn hyn. Roedd y farn gyhoeddus bellach o blaid safiad cadarn yn erbyn Hitler. Mewn araith ar 17 Mawrth condemniodd Chamberlain y gorchfygiad. Drannoeth galwodd yr Undeb Sofietaidd am gynhadledd ryngwladol i drefnu gwrthwynebiad unedig i Hitler a galwodd Churchill am ffrynt nerthol a fyddai'n cynnwys Ffrainc a'r Undeb Sofietaidd. Gwrthododd y Prif Weinidog ystyried y naill na'r llall.

Ar 21 Mawrth derbyniodd llywodraeth Cyrnol Beck yng Ngwlad Pwyl neges oddi wrth Hitler yn gofyn iddi ddychwelyd Gdańsk (Danzig) i'r Almaen ac yn bygwth ei meddiannu pe bai'n gwrthod. Roedd yn amlwg fod polisi cymodi wedi methu. Galwodd y Wasg ar y Prif Weinidog i gynnwys Churchill yn y Cabinet ac i ffurfio Adran Gyflenwadau. Credai Chamberlain y byddai gwneud y fath beth yn gam arall tuag at ryfel ond pwysodd Hoare a Horace Wilson arno i wneud er mwyn dangos i Hitler fod y llywodraeth y tro hwn o ddifrif.

Ar ddiwedd y mis addawodd Chamberlain gymorth i Wlad Pwyl pe bai'r Almaen yn ymosod. Ar 7 Ebrill goresgynnwyd Albania gan filwyr yr Eidal er gwaethaf presenoldeb y llynges Brydeinig yn y Môr Canoldir. Ofnai'r Ffrancwyr mai Groeg fyddai ysglyfaeth nesaf yr *Axis* ac addawodd Prydain a Ffrainc y byddent yn amddiffyn Groeg a Rwmania. Cyn diwedd y mis roedd gorfodaeth filwrol wedi ei chyflwyno er gwaethaf gwrthwynebiad y Blaid Lafur a'r Blaid Ryddfrydol.

Pan arwyddodd Hitler a Mussolini gytundeb milwrol ym mis Mai penderfynodd y llywodraeth agor trafodaethau â llywodraeth Stalin. Y broblem fawr i Brydain a Ffrainc oedd amharodrwydd Gwlad Pwyl a Rwmania i baratoi llwybr drwy eu tiroedd i'r Fyddin Goch am eu bod yn ofni y byddai'n aros yno ar ôl y rhyfel. Hefyd nid oeddynt yn sicr beth oedd cymhellion Stalin. Credai rhai ei fod o ddifrif ynglŷn ag ymladd Hitler ond roedd eraill o'r farn mai pwrpas ei drafodaethau â'r pwerau democrataidd oedd gorfodi'r Almaen i gyfaddawdu â'r Undeb Sofietaidd neu wynebu rhyfel ar ddau ffrynt.

Roedd Prydain yn awyddus i ennill cefnogaeth Stalin er mwyn diogelu Gwlad Pwyl a Rwmania, ond mynnai'r Undeb Sofietaidd y dylai Prydain a Ffrainc addo ei helpu hi pe bai'r Almaen yn ymosod ar Dwrci, Groeg a gwledydd y Baltig. Roedd hi hefyd am lunio cytundeb milwrol cyn llunio cytundeb gwleidyddol ac am ymrwymo ei darpar-gynghreiriaid fel na allai'r un ohonynt drefnu heddwch heb ganiatâd y lleill. Yn y cyfamser roedd hefyd yn cynnal trafodaethau gyda'r Almaen. Ym mis Awst 1939 arwyddwyd cytundeb rhwng yr Undeb Sofietaidd â'r Almaen ac ymrwymodd y ddwy i beidio ag ymosod ar ei gilydd ac i barchu eu buddiannau gwleidyddol mewn gwledydd eraill. Daeth y trafodaethau gyda Phrydain a Ffrainc i ben ac roedd yr Almaen yn awr mewn safle i ymosod ar Wlad Pwyl.

Pan alwyd y Senedd yn ôl ar 24 Awst rhybuddiodd Chamberlain, gyda chefnogaeth unfrydol, y byddai Prydain yn ymladd i amddiffyn Gwlad Pwyl. Y noson honno pasiwyd Deddf Pwerau Brys i alluogi'r llywodraeth i baratoi gwledydd Prydain ar gyfer rhyfel. Y diwrnod wedyn arwyddodd Prydain gytundeb â Gwlad Pwyl er mwyn ceisio llesteirio Hitler. Pan ddywedodd Mussolini ei fod yn amharod i gefnogi Hitler heb iddo ddarparu mwy o gyflenwadau i'r Eidal, gohiriodd hwnnw ei gynllun i ymosod ar Wlad Pwyl ar 26 Awst.

Mynegodd Beck barodrwydd i siarad â'r Almaen, ond eglurodd na fyddai'n dilyn esiampl Benes ac yn aberthu ei wlad. Yr un oedd gofynion Hitler ond gwrthododd y Pwyliaid ildio Gdańsk ac ar 1 Medi 1939 ymosododd eu cymydog rhyfelgar arnynt. Bu ymateb dicllon ym Mhrydain i ymosodiad treisgar Hitler. Roedd y Ffrancwyr am roi rhybudd o 48 awr iddo dynnu'n ôl o Wlad Pwyl. Achosodd yr oedi hwn adwaith ffyrnig yn y Senedd yn erbyn Chamberlain. Felly ar 3 Medi cyhoeddodd Prydain a Ffrainc ryfel yn erbyn yr Almaen a'r Eidal. Yr un diwrnod newidiodd Chamberlain ei Gabinet i gynnwys Churchill yn Arglwydd Cyntaf y Morlys ac Anthony Eden yn Ysgrifennydd y Dominiynau. Gwrthododd yr aelodau Llafur a Rhyddfrydol wasanaethu yn yr un Cabinet â Chamberlain.

Cyn hir cynyddodd y cwynion nad oedd y Cabinet yn ddigon ifanc a nerthol i arwain ymdrech ryfel effeithiol. Roedd Denmarc, Norwy a Gwlad Pwyl bellach dan reolaeth y Natsïaid, ac ym mis Mai 1940 goresgynnwyd yr Iseldiroedd. Ar 10 Mai penderfynodd Chamberlain ymddiswyddo a dilynwyd ef gan Winston Churchill. Ad-drefnwyd y Cabinet Rhyfel i gynnwys cynrychiolwyr y pleidiau eraill, ac aeth ati i roi arweiniad mwy egnïol ac ysbrydoledig ym mlynyddoedd tywyll yr Ail Ryfel Byd.

Mae'n hawdd heddiw edrych yn ôl ar y cyfnod cyn yr Ail Ryfel Byd a chollfarnu'n llwyr bolisi cymodi fel un synhwyrol. Gadawodd y Rhyfel Mawr greithiau dwfn ar bob cenhedlaeth yng ngwledydd Prydain gan gynnwys y dynion a fu'n arwain llywodraethau'r 1920au a'r 1930au. Felly roedd polisi tramor a allai gynnal heddwch yn sicr o fod yn boblogaidd.

Roedd yr euogrwydd ynglŷn â Chytundeb Versailles yn rhan o'r awyrgylch gwrth-ryfel a oedd mor nodweddiadol o'r gymdeithas ym Mhrydain rhwng y ddau ryfel byd. Sicrhaodd hyn gefnogaeth frwd i egwyddorion a delfrydau Cynghrair y Cenhedloedd. Atgyfnerthwyd y teimladau hyn gan y mwyafrif llethol o bapurau newydd safonol a phoblogaidd a chan waith economegwyr a haneswyr yn ogystal â llenorion y cyfnod.

Un o nodweddion arall y cyfnod oedd y teimladau gwrth-gomiwnyddol ac oherwydd hyn fe anwybyddwyd yr Undeb Sofietaidd yn llwyr wrth lunio polisi tramor. Gellir collfarnu gwleidyddion y cyfnod am wneud y fath gamgymeriad, ond roedd y pryder ynglŷn â chomiwnyddiaeth a'r elyniaeth tuag ati yn llawer cryfach na theimladau gwrthffasgaidd y llywodraethau Ceidwadol.

Er i Brydain anwybyddu'r Undeb Sofietaidd roedd y gwrthwyneb yn wir am ei hagwedd tuag at yr Unol Daleithiau, ond ychydig iawn o ddiddordeb oedd ganddi hi mewn ymrwymiadau Ewropeaidd. Roedd ei pholisi neilltuaeth cyn belled ag yr oedd gwleidyddiaeth ryngwladol yn y cwestiwn yn ystyriaeth eithriadol o bwysig i bwerau Ewrop. Golygai nad oedd gan Gynghrair y Cenhedloedd unrhyw rym effeithiol ac na allai Prydain wneud safiad milwrol yn erbyn polisi ehangol Japan ar ôl 1931. Effeithiodd hefyd ar allu'r gwladwriaethau democrataidd i wrthsefyll twf ffasgiaeth yn Ewrop yn y 1930au.

Roedd gan Brydain, er gwaethaf ei phroblemau economaidd, gyfrifoldebau ac ymrwymiadau imperialaidd eang. Roedd cyflawni ei rôl fel pŵer imperialaidd yn straen ar ei hadnoddau ariannol a milwrol, ystyriaeth bwysig wrth iddi lunio ei pholisi ar gyfer Ewrop ac ailarfogi.

Dangosodd y prif gerrig milltir yn hanes cymodi yn y 1920au — Cytundeb Locano, yr Almaen yn ymaelodi â Chynghrair y Cenhedloedd, Cynllun Dawes, Cynllun Young a Chytundeb Kellogg-Briand — fod y polisi yn gweithio ac nad oedd rhyfel yn anochel. Roedd y polisi ei hun yn anochel oherwydd yr amgylchiadau ond rhith oedd yr heddwch.

Pan ddechreuodd y Dirwasgiad Mawr yn sgîl Cwymp Wall Street ym 1929 newidiwyd yr hinsawdd wleidyddol yn Ewrop a heriwyd effeithiolrwydd heddychiad am y tro cyntaf. Polareiddiwyd gwleidyddiaeth y cyfandir rhwng y dde a'r chwith gan y dirwasgiad ac roedd adfywiad yn ddibynnol ar benderfyniad gan yr Unol Daleithiau i newid ei pholisi economaidd gwarchodol, ond ni wnaeth hyn.

Erbyn dechrau'r 1930au roedd yr Almaen, yr Eidal a Japan yn ddigon cryf yn filwrol i herio'r heddwch bregus a oedd wedi ei seilio ar gydddiogelwch, Cynghrair y Cenhedloedd a pholisi heddychu Prydain a Ffrainc. Dangosodd y digwyddiadau ym Manchuria ac Abyssinia a goresgyniad tiroedd y Rhein, Awstria a Tsiecoslofacia fod heddychiad yn ddi-rym yn wyneb polisi ymosodol a threisgar.

Roedd y gwrthwynebiad i ailarfogi cynhwysfawr ynghlwm wrth heddychiad ac un o ganlyniadau methu â dilyn arweiniad Winston Churchill ar y mater hwn oedd cymell yr unbeniaid ffasgaidd i fabwysiadu agweddau mwy anhyblyg a thrahaus. Mae tuedd i feio Neville Chamberlain yn arbennig oherwydd ei ddulliau unbenaethol a'i ystyfnigrwydd ac am iddo ddrwgdybio neu anwybyddu ffeithiau a thystiolaeth a oedd yn anghyson â'i amcanion a'i athroniaeth bersonol ef. I raddau mae hyn yn wir ond ni ellir rhoi y bai i gyd ar un gwleidydd. Roedd y broblem yn ddyfnach na hynny ac mae'n rhaid i bob Cabinet yn ystod y cyfnod rannu'r cyfrifoldeb am iddynt fethu â dadansoddi'r sefyllfa'n gywir a chydnabod fod polisi o gyfaddawd a chymod yn gyfystyr ag ildio o safbwynt y ffasgyddion. Fel y dywedodd Alan Bullock:

Roeddynt yn anfodlon i gydnabod beth oedd yn digwydd, yn anfodlon i roi arweiniad i'w wrthsefyll, yn anfodlon i weithredu mewn pryd. Deallai Hitler eu meddylfryd yn iawn a manteisiodd ar hynny'n ddeheuig. Nid yw hanes y 1930au yn rhoi gwedd ffafriol ar un o'r Pwerau Mawrion, ond y mae'r math hwn o gyfrifoldeb hyd yn oed os yw'n esgor ar gyfaddawd yn amlwg yn wahanol i un llywodraeth [Hitler] sy'n mynd ati'n fwriadol i fygwth rhyfel ac i fanteisio ar hynny.

Serch hynny ni ddylid cam-ddiffinio na cham-ddisgrifio polisi tramor y cyfnod. Gwreiddiwyd ef yn y syniad o gymodi o safle cryf er mwyn lleihau tyndra rhyngwladol. Roedd y polisi, am amryw o resymau, yn llwyddiannus hyd at 1929 ac oherwydd hyn roedd yn boblogaidd. Parhaodd yn boblogaidd yn y 1930au am iddo osgoi rhyfel, ond gwnaed hyn drwy aberthu'r egwyddorion oedd yn sylfaenol i'r polisi. Pan arweiniodd at yr Ail Ryfel Byd roedd yn ddigon hawdd rhoi'r bai ar Chamberlain a rhai o'i gynghorwyr. Ond roedd cymodi yn ffordd o feddwl yn ogystal â pholisi ac ni roddwyd y gorau iddo hyd fis Awst 1939. O gofio'r holl ffactorau eraill a ddylanwadodd ar bolisi tramor yn y 1920au a'r 1930au mae'n anodd gweld pa lwybr arall y gallai llywodraethau'r cyfnod fod wedi ei ddilyn.

157

PENNOD 14

Yr Ail Ryfel Byd, 1939–1945

Roedd yr Ail Ryfel Byd yn bennod bwysig yn hanes milwrol Prydain, ond yn fwy na hynny roedd yn brofiad emosiynol dwfn gyda'i effaith yn parhau hyd heddiw. Effeithiodd profiad erchyll a blinderus y rhyfel a'r cytundeb heddwch ar bron bob rhan o boblogaeth, gweinyddiaeth a diwydiant gwledydd Prydain.

Yn ystod deuddeng mis cyntaf y rhyfel ymladdodd Prydain am ei bodolaeth yn erbyn y pwerau ffasgaidd. Yn nes ymlaen, fel aelod o'r Cynghrair Mawreddog, ymladdodd gyda'r Unol Daleithiau a'r Undeb Sofietaidd ar raddfa fyd-eang, yn y Dwyrain Canol a'r Dwyrain Pell yn ogystal ag yn Ewrop ei hun. Yn y brwydrau ar dir, môr ac awyr lladdwyd miliynau o filwyr a phobl gyffredin a dinistriwyd dinasoedd a diwydiannau cyfain. Ond roedd hefyd yn rhyfel lle'r amlygodd pobl Prydain ddewrder, penderfyniad ac undod dan arweinyddiaeth gref Winston Churchill.

Y Rhyfel Ffug, Medi 1939–Mai 1940

Un o nodweddion amlycaf chwe mis cyntaf y rhyfel oedd y paratoadau anhrefnus ym Mhrydain ac ychydig iawn o weithgarwch milwrol yn Ewrop. Yn wahanol i'r Rhyfel Byd Cyntaf gweithredwyd cynlluniau ar unwaith i symud pobl o'r trefi i ardaloedd gwledig a gorchmynnwyd blacowt cyffredinol. Ar y dechrau roedd symud plant a mamau beichiog yn broses gymhleth ac yn brofiad trawmatig i lawer. Roedd yr un mor anodd i blant y dref addasu i fywyd cefn gwlad ag yr oedd i drigolion yr ardaloedd hynny edrych ar eu hôl. Yn wir, oherwydd y problemau hyn a'r diffyg gweithgarwch milwrol dechreuodd rhai o'r noddedigion neu'r *evacuees* fel y gelwid hwy ddychwelyd i'w cartrefi.

Roedd y gwleidyddion mewn sefyllfa ddyrys. Ar ôl gorchfygiad Tsiecoslofacia a Gwlad Pwyl ni allent bortreadu'r rhyfel fel ffordd o achub y gwledydd hyn. Roedd hwn yn rhyfel yn erbyn Hitler a'i lywodraeth Natsïaidd erchyll, safbwynt a achosodd ddigon o embaras yn San Steffan o gofio'r holl ryddid a roddwyd i'r gŵr hwn yn ystod blynyddoedd heddychiad.

Fe greodd y Cytundeb Sofietaidd-Almaenig broblemau ymarferol i Brydain hefyd. Ar y lefel seicolegol roedd yn rhaid symbylu'r boblogaeth i ymladd rhyfel yn erbyn ffasgiaeth a chomiwnyddiaeth. Ar y lefel wleidyddol roedd yn rhaid i'r Ceidwadwyr a'r Blaid Lafur ddod i delerau â chanlyniadau'r cytundeb annisgwyl hwn. Ni allai'r Blaid Lafur, yn arbennig yr adain chwith, bortreadu'r frwydr fel un lle roedd Prydain a'r comiwnyddion yn unedig yn erbyn ffasgiaeth, a dangoswyd fod dadl y Ceidwadwyr yn y 1930au, sef y gellid defnyddio Hitler i wrthweithio comiwnyddiaeth, yn un gwbl naïf.

Erbyn mis Tachwedd 1939 roedd y llywodraeth Brydeinig yn dal heb symud yn erbyn yr Almaen ond roedd yn ystyried anfon cymorth i'r Ffindir i'w cynorthwyo i wrthsefyll y goresgyniad Sofietaidd a ddechreuodd ar 30 Tachwedd 1939. Roedd ymateb y Ffiniaid yn eithriadol o gadarn ond yn aflwyddiannus yn y pen draw yn erbyn pŵer aruthrol yr Undeb Sofietaidd a lwyddasai i ddiogelu rheolaeth dros y tir strategol yr oedd am ei feddiannu erbyn mis Mawrth 1940. Unwaith eto roedd ymgais Prydain a Chynghrair y Cenhedloedd i ymyrryd yn rhy hwyr. Er y cydymdeimlad mawr ym Mhrydain nid ystyriwyd cynnig cymorth milwrol uniongyrchol hyd ganol mis Chwefror.

Roedd Churchill, wedi ei benodiad i'r Morlys, o blaid cynllun arall yn seiliedig ar borthladd Narvik yn Norwy lle roedd yr Almaenwyr yn mewnforio cyflenwad cyson o haearn. Gwrthwynebwyd y cynllun gan y Cabinet ond cytunwyd i osod ffrwydrynnau yn y môr ar hyd arfordir Norwy. Er gwaethaf goruchafiaeth lyngesol Prydain manteisiodd Hitler ar arafwch y gwleidyddion yn San Steffan a gorchfygodd Norwy erbyn 10 Ebrill 1940 yn ogystal â meddiannu Denmarc. Sicrhawyd llwyddiant Hitler gan oruchafiaeth ei awyrlu ac ar ôl pythefnos tynnwyd yn ôl y milwyr Prydeinig a oedd wedi glanio yn Norwy.

Dilynwyd yr ymdrech filwrol aflwyddiannus yn Norwy gan ymddiswyddiad Chamberlain, er bod hynny'n anochel beth bynnag ar ôl methiant ei bolisi cymodi. Pwysleisiodd y digwyddiadau yn Norwy ei ddiffyg dealltwriaeth, fel y tystiodd ei araith ar 4 Ebrill i'r Blaid Geidwadol. Yn yr araith hunanfoddhaus honno gwnaeth nifer o gyfeiriadau anffodus at amharodrwydd yr Almaen i ymosod ar Brydain a mynnodd fod Hitler wedi 'colli'r bws'.

Ar 8 Mai 1940 pan ymddangosodd Chamberlain gerbron Tŷ'r Cyffredin dim ond ychydig o aelodau oedd yn barod i wrando ar ei esboniad am y methiant. Mewn ymosodiad hallt ar y llywodraeth gorffennodd Leopold Amery ei araith gyda geiriau enwog Cromwell:

Rydych wedi eistedd yma yn rhy hir am unrhyw ddaioni a wnaethoch. Ewch, rwy'n dweud, a gadewch i ni gael gwared arnoch. Yn enw Duw, ewch.

(L. S. Amery, *My Political Life*)

Ymosodwyd ar y llywodraeth ar bob ochr: cyfeiriodd Herbert Morrison yn arbennig at ddiffygion Chamberlain, Hoare, a Simon ac ymddangosodd Syr Roger Keyes, a ymladdasai yn y Rhyfel Byd Cyntaf, yn ei wisg forlysol a rhoddodd asesiad o'r trychineb yn Norwy. Camgymeriad terfynol Chamberlain oedd derbyn her Morrison i wynebu pleidlais o hyder ynddo a galwodd y Prif Weinidog ar ei gyfeillion i'w gefnogi. Ond erbyn hyn roedd pryder rhai Ceidwadwyr ynglŷn â'r argyfwng milwrol yn gryfach o lawer na'u teyrngarwch i Chamberlain a phan gyhoeddwyd canlyniad y bleidlais gwelwyd bod gan y llywodraeth fwyafrif o 81 yn unig o gymharu â thros 200 fel rheol. Roedd 40 o Dorïaid wedi pleidleisio yn erbyn y llywodraeth ac roedd llawer wedi peidio â phleidleisio o gwbl.

Nid oedd ffurfio llywodraeth newydd yn dasg hawdd. Roedd llawer o blaid clymblaid ond gwrthododd yr aelodau Llafur wasanaethu dan Chamberlain. Yr unig ymgeiswyr amlwg am yr arweinyddiaeth oedd Churchill a Halifax. Nododd Halifax y broblem o arwain y llywodraeth o Dŷ'r Arglwyddi a diflannodd ei obeithion yn syth. Aeth Chamberlain i Balas Buckingham i argymell enw Churchill fel y Prif Weinidog nesaf ac ar 10 Mai dechreuodd ar ei swydd newydd. Sefydlodd Gabinet Rhyfel yn cynnwys pum aelod — ef ei hun yn Brif Weinidog a Gweinidog Amddiffyn, Attlee yn ddirprwy iddo fel Arglwydd y Cyfrin Sêl, Chamberlain yn Arglwydd Arlywydd, Halifax yn Ysgrifennydd Tramor ac Arthur Greenwood yn Weinidog heb bortffolio.

Mae'n ddiddorol cymharu safle Churchill ym 1940 â safle Lloyd George ym 1916. Roedd gan Churchill fanteision pendant. Er y gallai llawer o unigolion a grwpiau hawlio mai hwy a lwyddodd i ddyrchafu Churchill, nid oedd ei safle yn ddibynnol ar unrhyw garfan wleidyddol. Haerodd y Blaid Lafur mai hwy a'i dyrchafodd ac oddi wrthynt hwy y daeth y bloeddio a'r gymeradwyaeth fwyaf pan gymerodd ei swydd fel Prif Weinidog. Ar y llaw arall gallai'r Torïaid gwladgarol, gwrthryfelgar hawlio mai hwy a sicrhaodd y brifweinidogaeth iddo. Ond roedd ymwybyddiaeth Churchill na allai unrhyw un ei amau o fod wedi cynllwynio i gyrraedd y pinacl hwn yn ei yrfa wleidyddol yn arwyddocaol a phwysig o safbwynt ei safle a'i ffordd o redeg yr ymdrech ryfel. Yn ychwanegol, roedd ganddo gefnogaeth frwd y cyhoedd.

Cafodd Churchill ei ddyrchafu heb greu rhaniad yn ei blaid, yn wahanol i Lloyd George. Mynnodd bresenoldeb Chamberlain yn y Cabinet a phan dderbyniodd Chamberlain y cynnig yn wresog sicrhawyd na fyddai chwerwder a gwrthgyhuddo yn effeithio ar gyfnod cynnar ei brifweinidogaeth. Ni fu Chamberlain yn ei swydd yn hir. Roedd yn dioddef o gancr a chafodd lawdriniaeth nifer o weithiau. Bu farw ar 9 Tachwedd 1940.

Fel Lloyd George dangosodd Churchill benderfyniad di-ildio a chyndynrwydd eithriadol ynghyd â doniau areithiol ardderchog, ac yn sicr roedd y rhain yn ffactorau pwysig yn llwyddiant Prydain yn y ddau ryfel byd. Roedd gan y ddau ddyn y fantais o fod yn gwbl wahanol i'w rhagflaenwyr mewn arddull a phersonoliaeth. Er bod gan Asquith a Chamberlain ddoniau arbennig, nid oeddynt yn arweinwyr poblogaidd a grymus, priodoleddau a oedd yn hanfodol ar adeg o argyfwng cenedlaethol.

Roedd araith gyntaf Churchill yn Nhŷ'r Cyffredin ar 13 Mai 1940 yn nodweddiadol o'i arddull: 'I have nothing to offer but blood, toil, tears and sweat'. Yna aeth ati rhwng 10 a 15 Mai i ffurfio ei Gabinet, casgliad arbennig o ddoniau ac efallai yr unig wir lywodraeth 'genedlaethol' yn yr ugeinfed ganrif.

Penodwyd Herbert Morrison yn Weinidog Cyflenwadau (wedyn aeth i'r Swyddfa Gartref), Ernest Bevin yn Weinidog Gwaith a Gwasanaeth Milwrol ac A. V. Alexander i'r Morlys. Penodwyd Anthony Eden yn Weinidog Rhyfel, Syr Archibald Sinclair i'r Weinyddiaeth Awyr ynghyd â'r Arglwydd Beaverbrook yn Weinidog dros Gynhyrchiad Awyrennau, yr Arglwydd Woolton yn Weinidog Bwyd a Hugh Dalton yn Weinidog dros Ryfel Economaidd. Rhoddwyd swyddi o statws is i Ellen Wilkinson, Harold Macmillan a'r Is-iarll Cranborne. Daeth Syr John Simon yn Arglwydd Ganghellor ac er na chafwyd swydd yn syth i Hoare, penodwyd ef yn nes ymlaen yn llysgennad i Sbaen a soniwyd amdano fel yr 'aelod seneddol o Madrid'. Gyda Churchill yn arwain, rhannwyd cyfrifoldeb rhwng y Cabinet Rhyfel, a oedd yn gyfrifol am y rhyfel ei hunan, ac Attlee, Woolton, Bevin a Morrison a oedd yn gyfrifol am y ffrynt cartref a'r cynlluniau ailadeiladu ar ôl y rhyfel. Rhoddwyd rhyddid llwyr i'r dynion hyn i redeg eu hadrannau eu hunain ond ni chafodd neb gyfle i ymlacio na diogi oherwydd tuedd Churchill i ymweld â'r adrannau yn ddirybudd.

Dylanwadodd personoliaeth gref Churchill yn drwm ar weinyddiad y rhyfel. Ar adegau roedd ei egni corfforol a meddyliol yn rhwystr i'r bobl a gydweithiai ag ef, yn enwedig pan ddangosai ddiffyg amynedd a goddefgarwch gyda manylion a phroblemau bychain a godai'n gyson yn y broses weinyddol. Hyd at 1940 roedd ei duedd i roi arwyddocâd hanesyddol mawr i ddigwyddiadau gwleidyddol wedi ei gadw yn yr anialwch, ond yn awr roedd yn un o'i gryfderau mwyaf. Defnyddiodd y persbectif hanesyddol eang hwn i ymosod ar bolisi'r llywodraeth yn India, ac ym 1940 ysbrydolodd ei weledigaeth bobl gwledydd Prydain:

> You ask, What is our policy? I will say: it is to wage war by sea, land and air, with all our might and with all the strength that God can give us: to wage war against a monstrous tyranny never surpassed in the dark lamentable catalogue of human crime. That is our policy. You ask, What is our aim? I can answer in one word. Victory — victory at all costs, victory in spite of all terror; victory, however long and hard the road may be. For without victory there is no survival.

> (Winston Churchill, araith yn y Senedd, 13 Mai 1940)

Brwydr Ffrainc, Mai 1940–Mehefin 1940

Dechreuodd ymosodiad terfynol Hitler ar orllewin Ewrop ar 10 Mai 1940. Wrth i filwyr Almaenig oresgyn yr Iseldiroedd, Gwlad Belg, a Luxembourg ar ddechrau'r *Blitzkrieg*, tynnwyd milwyr Prydain yn ôl yn gyflym. Cwympasai Kϕbenhavn (Copenhagen) ar 9 Ebrill ac Oslo ar 10 Ebrill. Cyrhaeddodd yr Almaenwyr Den Haag ar 14 Mai, Brwsel ar 17 Mai a Pharis ar 14 Mehefin.

Er gwaethaf cyflymder yr ymosodiad nid oedd cwymp Ffrainc yn anochel. Nid oedd Hitler wedi penderfynu'n bendant i geisio goresgyn gwledydd gorllewinol Ewrop tan 27 Medi 1939, a hyd at y dyddiad hwnnw roedd Ffrainc mewn safle cryf i ymosod. Yn ogystal â goruchafiaeth mewn awyrennau a thanciau roedd gan y Ffrancwyr 80 o adrannau milwrol (o gymharu â 46 o rai Almaenig) a phedair adran o'r Fyddin Alldeithiol Brydeinig *(British Expeditionary Force)*. Penderfynodd y Ffrancwyr i beidio ag ymosod oherwydd eu profiad trychinebus yn ystod y Rhyfel Byd Cyntaf pan fethodd ymosodiad o'r fath. Credai'r Cadfridog Gamelin, pennaeth y Lluoedd Cynghreiriol yn Ffrainc, mai'r peth doethaf i'w wneud oedd diogelu Llinell Maginot, y ffin Ffrengig â'r Almaen, a chryfhau'r byddinoedd yno yn barod i wrthsefyll ymosodiad Almaenig. Credai hefyd y byddai'r prif ymosodiad yn dod o'r gogledd a chanolbwyntiodd ei filwyr i gyfarfod â bygythiad o'r cyfeiriad hwnnw. Erbyn hynny, fodd bynnag, roedd Hitler wedi penderfynu cynnull ei luoedd trwy Ardennes ac ar draws afon Meuse, i'r de o'r prif fyddinoedd Cynghreiriol.

Roedd y *Blitzkrieg* felly yn gwbl annisgwyl; llwyddodd yr ymosodiad gan danciau, milwyr traed, a magnelau mawr, ynghyd â chefnogaeth awyrennau, i drechu'r Lluoedd Cynghreiriol yn llwyr. O fewn deng diwrnod cyrhaeddodd yr Almaenwyr y tu hwnt i Abbeville. Roeddynt wedi cyrraedd Boulogne ar 25 Mai a Calais drannoeth. Llwyddwyd hefyd i rannu'r Lluoedd Cynghreiriol, gan dorri'r cysylltiad rhwng y byddinoedd Ffrengig a Phrydeinig yng Ngwlad Belg a'r byddinoedd Ffrengig yn y de.

Er i'r ymosodiad hwn yn ogystal â ffurfio'r coridor Panzer gyflawni cryn dipyn roedd yn agored i wrthymosodiadau gan y Cynghreiriaid. Roedd Cadlywydd y Fyddin Alldeithiol, y Cadfridog Gort, wedi bwriadu dechrau ymosod ger Arras ar 21 Mai gan gysylltu wedyn ag ymosodiad Ffrengig o'r de. Ond ni ddaeth unrhyw gymorth a bu'n rhaid i'r milwyr Prydeinig encilio i gyfeiriad y môr. Roedd y sefyllfa i filwyr Gort yn un ddifrifol ac anfonwyd neges i Lundain yn dweud y byddai'r colledion yn sylweddol.

Cytunodd Churchill â dadansoddiad y Cadlywydd. Achubwyd 224,000 o filwyr Prydeinig a 142,000 o filwyr Ffrengig trwy eu cludo o Dunkerque i Dover. Dyma un o ddigwyddiadau enwocaf a dewraf y rhyfel. Roedd 400,000 o ddynion yn y Fyddin Alldeithiol wreiddiol ac amcangyfrifwyd gan y llywodraeth na fyddai mwy na 45,000 yn dychwelyd yn fyw. Roedd yr ymgiliad o draethau Dunkerque dan ymosodiadau cyson gan awyrennau'r *Luftwaffe*, yn gamp ryfeddol. Yn ogystal â dewrder y rhai a gymerodd ran, mae'n rhaid edrych am resymau eraill i esbonio sut yr achubwyd y fyddin dan warchae rhag gorfod ildio i'r Almaenwyr.

Penderfynodd y milwyr Prydeinig wneud safiad yn agos at y môr ar dir meddal a golygai hynny nad oedd Hitler yn fodlon symud ei danciau yn rhy agos rhag ofn iddo golli gormod ohonynt. Rhoddwyd y prif gyfrifoldeb am ddinistrio'r fyddin felly i'r *Luftwaffe* a oedd eisoes wedi cael ei wanhau gan golledion a ddioddefwyd wrth gefnogi ymosodiadau'r fyddin yn ystod mis Mai. Hefyd credai'r Cadlywydd Almaenig, Guderian, fod lluoedd Ffrengig cryf y tu draw i afon Somme ac roedd am atgyfnerthu ac ailymgynnull ei fyddinoedd ei hunan cyn ymosod. Roedd hynny'n ei gwneud hi'n haws i'r cadfridogion Brooke, Alexander a Montgomery i gadw'r llinell encilio yn agored tra'n gorfodi'r gelyn i gadw draw. Yn olaf, roedd goruchafiaeth y llynges yn allweddol. Roedd y llynges Almaenig wedi ei gwanychu gan yr ymgyrch yn Norwy ac ni allai herio'r Llynges Frenhinol yn effeithiol ond roedd trefniadaeth y symudiadau morwrol gan Brydain yn fedrus a phwysig. Defnyddiwyd llongau o bob math — cychod hwylio, tynfadau, cychod achub, llongau pysgota a chychod preifat, cyfanswm o 700 i gyd ac roedd morwyr sifil wrth lyw llawer ohonynt. Daeth yr ymgiliad i ben ar 3 Mehefin gyda cholled o 220 o longau.

Roedd y lluoedd Ffrengig erbyn hyn ar eu pennau eu hunain ac mewn safle gwan. Ar ôl ymosodiad cyffredinol arall gan yr Almaenwyr cyraeddasant Paris. O fewn tri diwrnod daeth y Cadlywydd Pétain yn Brif Weinidog a derbyniodd amodau'r goresgynwyr. Arwyddwyd cytundeb ar 22 Mehefin a roddai dair rhan allan o bump o Ffrainc, y gogledd a'r gorllewin, dan reolaeth y Natsïaid.

Prydain ar ei phen ei hun, Mehefin 1940–Mehefin 1941

Daeth sylfaen polisi tramor Prydain er yr *Entente Cordiale* ym 1904 i ben gyda chwymp Ffrainc. Dibynnai'r polisi ar allu Ffrainc i ddal gelyn yn ôl nes bod byddinoedd Prydain yn cyrraedd. Oherwydd y polisi hwn lleihawyd yr angen i Brydain gadw byddin fawr Ewropeaidd ar adeg heddwch ac fe awgrymwyd mai'r prinder hwn o filwyr a fu'n gyfrifol am dynged Ffrainc. Ond nid yw'r ffeithiau yn cefnogi'r fath ddamcaniaeth. Roedd lluoedd Ffrainc yn gryfach na rhai'r Almaen a dylid gosod y bai am eu methiant yn bennaf ar gyfarpar ac adnoddau annigonol, arweiniad gwan a dehongliad anghywir o'r gwersi a ddysgwyd gan y Rhyfel Byd Cyntaf.

Dinistriwyd y dybiaeth y gallai cyfuniad o fyddinoedd Prydain a Ffrainc drechu'r Almaen. Nid oedd gan Brydain y cryfder i drechu'r Almaen ar ei phen ei hun a chredai'r Ffrancwyr a'r Almaenwyr y byddai cwymp Ffrainc yn arwain yn fuan at alwad gan Brydain am gytundeb heddwch. Ond nid oedd unrhyw anghytundeb ym Mhrydain ynglŷn â pharhau'r rhyfel. Gwnaethpwyd safbwynt Churchill yn glir yn ei araith enwog i'r Senedd ar 4 Mehefin: '. . . we shall fight in France, we shall fight in the seas and oceans, we shall fight with growing confidence and growing strength in the air'.

Fe allai'r Llynges Frenhinol a'r Awyrlu Brenhinol amddiffyn Prydain am gyfnod hir ond ni fyddai hynny'n ennill y rhyfel. Roedd dau bosibilrwydd arall. Gallai Prydain weithredu blocâd, ond byddai'n cymryd amser maith i effeithio ar economi'r Almaen. Gellid bomio'r Almaen o'r awyr, ond roedd hi'n rhy fawr i gael ei darostwng felly a hi yn awr a reolai ddiwydiannau'r rhan fwyaf o orllewin Ewrop. Fe welir felly i oresgyniad Ffrainc achosi problemau mawr i Brydain drwy ddileu'r dewis o ymosodiadau gan fyddinoedd cyfandirol a chreodd anawsterau i bolisi Prydain yn y byd yn gyffredinol. Roedd hi'n amlwg mai'r unig ffordd i wthio'r Almaen yn ôl yng ngorllewin Ewrop oedd drwy gynghrair â'r Unol Daleithiau. Cydnabu Churchill y ffaith hon ar ddiwedd ei araith:

. . . and even if, which I do not for a moment believe, this island or a large part of it were subjugated and starving, then our Empire beyond the seas, armed and guarded by the British Fleet would carry on the struggle, until in God's time the New World with all its power and might steps forth to the rescue and the liberation of the old. (Winston Churchill, araith i'r Senedd, 4 Mehefin 1940)

Nid oedd yr Unol Daleithiau ers blynyddoedd wedi dangos cefnogaeth i bŵer imperialaidd Prydain ac ni ellid dibynnu arni i'w ddiogelu ar ôl y rhyfel. Ond i Brydain ym 1940 goroesiad yn hytrach na diogelu'r dyfodol oedd yr ystyriaeth bwysicaf ac felly aeth Churchill ati o ddifrif i ennill cefnogaeth yr Americanwyr.

Drwy'r 1920au a'r 1930au dilynodd yr Unol Daleithiau bolisi neilltuo mewn materion tramor o ganlyniad i'w phrofiadau yn y Rhyfel Byd Cyntaf. Credai'r Americanwyr mai prif wers y rhyfel hwnnw oedd y dylid gadael yr Ewropeaid i ymladd eu rhyfeloedd eu hunain ac y dylid cadw'r Unol Daleithiau yn rhydd o ymrwymiadau Ewropeaidd yn y dyfodol. Felly gwrthododd ymuno â Chynghrair y Cenhedloedd a'r Llys Cyfiawnder Cydwladol. Mae'n amlwg erbyn heddiw i'r polisi hwn gyfrannu at dwf ffasgiaeth a methiant Cynghrair y Cenhedloedd yn y cyfnod rhwng y rhyfeloedd, ond mae'n amlwg hefyd na allai cynllunwyr polisi'r wlad fod wedi dilyn llwybr gwahanol hyd yn oed pe baent wedi dymuno gwneud. Roedd y farn gyhoeddus yn arbennig o gryf o blaid arwahanrwydd yn ogystal â'r Deddfau Niwtraliaeth a oedd wedi cael eu pasio i gryfhau'r safbwynt hwnnw.

Ond wrth i'r bygythiad ffasgaidd yn Ewrop a pholisi ymosodol Japan yn y Dwyrain Pell ddatblygu, dechreuodd niwtraliaeth yr Unol Daleithiau simsanu. Pan drechwyd Ffrainc, gan adael Prydain i ymladd ar ei phen ei hun, newidiodd agwedd y cyhoedd Americanaidd i raddau. Ond hyd yn oed wedyn ffurfiwyd mudiad newydd a oedd o blaid neilltuo ym 1940 ac enillodd gefnogaeth eang. Dechreuodd Pwyllgor America yn gyntaf fel cymdeithas o fyfyrwyr ond cynyddodd ei aelodaeth i ragor na 850,000 erbyn 1941. Gwrthwynebai'r mudiad fynediad yr Unol Daleithiau i'r rhyfel, hyd yn oed os oedd dyfodol Prydain yn y fantol, ac nid oedd yn bleidiol chwaith i gynlluniau'r llywodraeth i ddarparu arfogaethau ar gyfer y lluoedd Prydeinig.

Yr Arlywydd ei hun, Franklin Roosevelt, oedd yn bennaf gyfrifol am y cynlluniau hyn a bu haneswyr Americanaidd yn hallt eu condemniad o'r hyn a ystyrient yn ddulliau twyllodrus gan Roosevelt i geisio gweithredu polisi rhyngwladol. Mae rhywfaint o wirionedd yn hyn, ond roedd safle personol yr Arlywydd yn un amwys. Ni fu Roosevelt erioed yn neilltuwr, ond fel ei gyd-Americanwyr roedd yn casáu rhyfel. Roedd yn ymwybodol iawn o'r bygythiad ffasgaidd yn Ewrop a militariaeth Japan yn y Dwyrain Pell. Pan ddechreuodd y rhyfel penderfynodd fod angen newid amodau'r cyfreithiau niwtraliaeth er mwyn ei alluogi i roi cymorth i Brydain. O gofio'r hyn a ddigwyddasai i'r Arlywydd Wilson ar ôl 1918 gwyddai mor bwysig oedd cael rhan sylweddol o'r farn gyhoeddus a'r Gyngres o'i blaid. Efallai bod hyn yn egluro'r anghysondeb yn ei bolisi yn ystod y 1930au. Yn Chicago ym mis Hydref 1937 rhoddodd yr argraff ei fod yn ceisio mesur barn gyhoeddus:

> Yn anffodus mae'n wir fod y pla byd-eang o dorcyfraith yn lledaenu. Pan fydd pla o afiechyd corfforol yn dechrau ymledu mae'r gymdeithas yn cefnogi ac yn cytuno i wahanu'r cleifion er mwyn diogelu iechyd y gymdeithas rhag lledaeniad pellach yr haint.
> (F. D. Roosevelt, araith yn Chicago, Hydref 1937)

Eto ym 1940 traddododd ddwy araith a oedd i bob pwrpas yn gwrthddweud ei gilydd, un yn ymosod ar y neilltuwyr: 'Rwy'n gobeithio y bydd llai o estrysiaid Americanaidd yn ein plith. Nid yw'n beth da i iechyd estrysiaid yn y pen draw pan gladdant eu pennau yn y tywod', ac un arall yn datgan i'r cyhoedd na fyddai 'eich bechgyn chi yn cael eu hanfon i ryfeloedd tramor'.

Ond roedd Roosevelt, gyda chefnogaeth nifer gynyddol o unigolion a oedd am ymyrryd yn y rhyfel, yn dechrau dylanwadu ar y farn gyhoeddus. Ym mis Tachwedd 1939 pasiodd y Gyngres ddeddf yn adolygu'r cyfreithiau niwtraliaeth a alluogai'r Unol Daleithiau i werthu arfau i Brydain dim ond iddi hi eu cludo dros y môr. Felly cyhyd ag y gallai Prydain reoli'r moroedd gwyddai bellach fod ganddi gyflenwadau digonol o arfau.

Hyd yn oed ym mis Mehefin 1940 dangosodd arolwg fod 82 y cant o Americanwyr yn gwrthwynebu ymyrraeth yn y rhyfel. Hyn, i raddau, sy'n egluro pam y bu'n rhaid i Roosevelt oedi cyn ymateb i gais Churchill am longau rhyfel. Gohiriodd Roosevelt y cytundeb i werthu'r llongau i Brydain am bedwar mis hyd nes ei fod yn sicr bod y cyhoedd y tu cefn iddo. Sicrhaodd y cytundeb y byddai'r Llynges Frenhinol yn cael 50 o ddistrywlongau tra prydlesai Prydain ganolfannau milwrol yn Ynysoedd India'r Gorllewin, Bermuda a Newfoundland i'r Americanwyr. Mae'n debyg nad oedd cael y llongau rhyfel mor angenrheidiol ag y mynnodd Churchill ar y pryd ac yn sicr credai llawer ym Mhrydain fod prydlesu'r canolfannau yn ildio gormod. Mae'n bosibl, wrth gwrs, fod y portread a roddwyd gan Churchill o gyflwr difrifol Prydain yn dacteg i ennill mwy o gefnogaeth Americanaidd. Os hynny oedd ei fwriad, dangosodd digwyddiadau y misoedd dilynol y gallai pwysau seicolegol o'r fath ddwyn ffrwyth.

Fodd bynnag, prif nod polisi Prydain ym Mehefin 1940 oedd goroesiad, a blaenoriaeth gyntaf Churchill oedd codi ysbryd y bobl ar gyfer rhyfel hir. Roedd ei areithyddiaeth yn elfen allweddol ond roedd ymdrechion Eden i ffurfio'r Gwarchodlu Cartref yn bwysig hefyd. Yr enw a roddwyd ar hwn ar y dechrau oedd y Gwirfoddolwyr Amddiffyn Lleol ond roedd y brwdfrydedd i ymaelodi yn y ddau fis cyntaf mor sylweddol, gyda 1,300,000 o wirfoddolwyr, fel y ffurfiwyd y Gwarchodlu Cartref. Ychydig o arfau effeithiol oedd ganddynt ac roedd safon yr hyfforddiant yn isel, ond roedd yn arwydd calonogol o ymroddiad a phenderfyniad dynion a oedd yn barod yn gweithio oriau ychwanegol yn y ffatrïoedd a'r swyddfeydd.

Arwydd pellach o'r ymroddiad hwn oedd ymdrech syfrdanol y gweithwyr yn y diwydiant awyrennau. Dan gyfarwyddyd yr Arglwydd Beaverbrook gweithiai'r rhain drwy'r dydd a'r nos i gynhyrchu mwy o awyrennau. Adlewyrchir eu diwydrwydd yn y nifer o awyrennau rhyfel a gynhyrchwyd yn ystod y misoedd hyn: 256 ym mis Ebrill 1940, 325 ym mis Mai, 446 ym mis Mehefin, 496 ym mis Gorffennaf, 476 ym mis Awst, 467 ym mis Medi. Fel rhan o'r ymdrech fawr hon i gynhyrchu awyrennau defnyddid metel a haearn o bob ffynhonnell, gan gynnwys llestri coginio hyd yn oed.

Dechreuodd *Luftwaffe* Goering ymosod ym mis Gorffennaf 1940 a bu'r prif ymosodiad ym mis Awst. Ei fwriad oedd dinistrio canolfannau'r Awyrlu Brenhinol yn ogystal ag awyrennau Prydeinig yn yr awyr, ond roedd yn rhaid iddo gyfyngu ei ymosodiadau i dde-ddwyrain Lloegr. Cyn gweithredu Ymgyrch Morlo (*Operation Sea-lion*) i oresgyn Prydain, roedd yn rhaid dinistrio'r awyrlu. Gohiriwyd dyddiad y goresgyniad hyd ganol mis Medi oherwydd anghytundeb ymhlith y cadfridogion ynglŷn â'r strategaeth orau i'w dilyn. Arwydd o'u hyder oedd bod eu cynlluniau yn cynnwys trefniadau ar gyfer llywodraeth filwrol ym Mhrydain.

Y prif rwystr i'r goresgyniad oedd yr Awyrlu Brenhinol. Ar 24 Awst disgynnwyd bomiau Almaenaidd ar Lundain. Ymatebodd yr awyrlu drwy ddechrau cyrchoedd bomio ar Berlin er gwaethaf y dinistr a ddioddefodd canolfannau'r awyrlu ym Mhrydain. Cythruddwyd Hitler a gorchmynnodd ei awyrennau i ymosod yn uniongyrchol ar Lundain. Cododd y cyrch ysbryd yr Almaenwyr ond roedd adnoddau'r *Luftwaffe* erbyn hynny yn cael eu gwanhau tra oedd nerth yr Awyrlu Brenhinol yn cryfhau o ganlyniad i ymdrechion y diwydiant awyrennau.

Roedd llwyddiant neu fethiant y *Blitz* yn allweddol i'r ddwy ochr:

11. Winston Churchill yn gwylio Brenin Siôr VI a'r Frenhines yn cysuro teuluoedd rhai o'r gwŷr a laddwyd yn yr Ail Ryfel Byd

roedd yn rhaid i Brydain ei wrthsefyll er mwyn goroesi ac o safbwynt yr Almaen roedd ei lwyddiant yn hanfodol i sicrhau glaniad milwrol cyn y gaeaf. Gwnaed yr ymdrech olaf gan y *Luftwaffe* ar 15 Medi, ond erbyn diwedd y diwrnod hwnnw roedd yr Awyrlu Brenhinol wedi sicrhau goruchafiaeth yn yr awyr uwchben de-ddwyrain Lloegr a gohiriwyd goresgyniad Prydain am gyfnod amhenodol. Dangosodd Churchill rym ei ddawn rethregol yn sgîl y fuddugoliaeth hon:

The gratitude of every home in our island, in our Empire, and indeed throughout the world, except in the abodes of the guilty goes out to the British airmen who undaunted by the odds, unwearied in their constant challenge and mortal danger, are turning the tide of war by their prowess and by their devotion. Never in the field of human conflict was so much owed by so many to so few.

(Winston Churchill, araith yn y Senedd, 20 Awst 1940)

Eto, dim ond ar ôl y rhyfel y sylweddolwyd bod buddugoliaeth Brwydr Prydain yn drobwynt yn y rhyfel. Ar y pryd ystyriwyd hi yn rhyw Dunkerque arall, yn ddigwyddiad gwyrthiol a roddodd amser i bawb i baratoi unwaith eto i barhau'r frwydr. Fel y dywedodd Churchill:

Long dark months of trials and tribulations lie before us ... Death and sorrow will be the companions of our journey; hardship our garment; constancy and valour our only shield.

(Winston Churchill, araith yn y Senedd, 8 Hydref 1940)

Nid oedd Churchill yn gorddweud. Yn ystod misoedd y gaeaf, 1940–41, ymdrechodd Hitler yn galed i ddinistrio ysbryd y bobl a'r economi Prydeinig. Parhaodd yr ymosodiadau gyda'r nos. Bomiwyd Llundain am 57 o nosweithiau, y naill noson ar ôl y llall. Difrodwyd Tŷ'r Cyffredin, y 'City' a'r 'East End' a dinistriwyd miloedd o gartrefi. Cysgododd y digartref ac eraill yn y gorsafoedd tanddaearol. Dinistriwyd y system garthffosiaeth a defnyddiwyd bomiau tân a bomiau ffrwydriad gohiriedig i gynyddu braw a therfysg yr wythnosau tywyll hynny. Enillodd penderfyniad Brenin Siôr VI i aros ym Mhalas Buckingham edmygedd mawr. Penderfynodd hefyd roi Croes Siôr am ddewrder sifil.

Lledaenodd yr ymosodiadau i Birmingham, Lerpwl, Bryste, Sheffield, Plymouth a Coventry. Ymdrechodd yr Almaen i osod blocâd gyda llongau tanfor a allai saethu o bellter mawr. Nid oedd ymgyrchoedd môr Prydain mor effeithiol â'r rhai yn yr awyr a chollwyd rhyw 160,000 tunnell o longau y mis hyd at fis Mawrth 1941. Felly er i fwriad yr Almaen i oresgyn Prydain gael ei drechu, nid oedd llawer o obaith yn y cyfnod hwn y gallai Prydain drechu'r Almaen chwaith. Trodd Churchill unwaith eto at yr Unol Daleithiau lle roedd Roosevelt wedi cael ei ailethol ym 1940 ac wedi cryfhau ei safle. Pan alwodd yr Arlywydd am gefnogaeth i'w gynlluniau benthyca (*lend-lease*) i Brydain, defnyddiodd gymhariaeth seml:

> Beth pe bai cartref fy nghymydog yn mynd ar dân a bod gennyf beipen ddŵr . . . os gall ef gymryd y beipen a'i chysylltu â'i bwmp dŵr ef, yna byddaf wedi ei helpu i ddiffodd y tân.

Pasiwyd y ddeddf a ganiataodd y benthyciadau ar 11 Mawrth 1941. Byddai'r llywodraeth yn Washington yn derbyn tâl am unrhyw arfau a gynhyrchid i gynorthwyo Prydain. Byddai'r rhai a oedd heb gael eu defnyddio yn cael eu dychwelyd i'r Unol Daleithiau. Credai'r Arlywydd erbyn hyn fod diogelwch ei wlad yn dibynnu ar roi cymaint o gymorth ag oedd bosibl i Brydain. Mewn araith arbennig disgrifiodd sut y deallai ef y berthynas rhwng yr Unol Daleithiau a Phrydain:

> Mae angen llongau ar Brydain a'i chynghreiriaid Groegaidd. Gan America, fe gânt hwy longau. Mae angen awyrennau arnynt. Gan America, fe gânt hwy awyrennau. Mae angen bwyd arnynt. Gan America, fe gânt hwy fwyd. Mae angen tanciau, magnelau, bwledi a chyflenwadau o bob math arnynt. Gan America, fe gânt hwy danciau, magnelau, bwledi a chyflenwadau o bob math . . . Fe fydd ein gwlad ni yr hyn mae ein pobl wedi datgan ei bod hi . . . ffatri arfau democratiaeth.

Pan ymatebodd Churchill drwy ddweud, 'Rhowch inni'r offer ac fe orffennwn ni'r dasg', ni ddatgelodd ei wir deimladau fod angen ymyrraeth uniongyrchol yr Unol Daleithiau cyn y gellid ennill y rhyfel.

Yr Undeb Sofietaidd a'r Dwyrain Canol, 1941

Wedi iddynt golli Brwydr Prydain ceisiodd propaganda'r Almaen gyflwyno darlun gwahanol trwy haeru fod y rhyfel yn y Gorllewin drosodd a'r hyn oedd ei angen oedd cymorth yr Eidal a Japan i drechu Prydain yn llwyr.

Drwy 1940 roedd Hitler wedi ystyried troi ei fyddinoedd i gyfeiriad yr Undeb Sofietaidd ac ym mis Mehefin 1941 dechreuodd yr ymosodiad. Gwyddai Prydain am gynlluniau Hitler a rhoddwyd y wybodaeth i Stalin gan Syr Stafford Cripps, y llysgennad ym Moskva. Anwybyddodd Stalin y rhybuddion a chafodd gryn syndod pan welodd yr Almaen yn dod yn erbyn yr Undeb Sofietaidd drwy Wlad Pwyl ar 22 Mehefin.

Erbyn diwedd y rhyfel roedd yn amlwg mai hwn oedd un o gamgymeriadau mwyaf Hitler oherwydd iddo esgor ar y bartneriaeth Sofietaidd-Brydeinig. Mae'n bosibl y credai Hitler na fyddai partneriaeth o'r fath byth yn gweld golau dydd a'i bod hi'n werth mentro. Ond mae'n fwy tebygol mai polisi bwriadol ydoedd a'i fod yn ystyried gorchfygiad yr Undeb Sofietaidd yn uchafbwynt ei gynlluniau i gyflawni *Lebensraum*, y syniad fod yr Almaen yn rhy fach i'r hil Almaenig a bod angen ehangu ffiniau'r wlad. Beth bynnag oedd ei gymhellion, ei gamgymeriad cyntaf oedd canolbwyntio cymaint ar orllewin Ewrop ar ddechrau'r rhyfel. Oherwydd hyn, roedd ei adnoddau milwrol yn wannach o lawer pan ymosododd ar yr Undeb Sofietaidd. Pe bai wedi dewis ymosod arni drwy'r Dwyrain Canol byddai buddugoliaeth wedi bod yn llawer mwy tebygol. Ni allasai Prydain, ar ei phen ei hun yn Ewrop, fod wedi cynnig llawer o wrthwynebiad a gallai Hitler hefyd fod wedi ymyrryd â chyflenwadau olew Prydain. Ymhellach, roedd gan yr Eidal oruchafiaeth filwrol o dri yn erbyn un dros Brydain yng ngogledd Affrica. Ond ni roddodd Hitler cymaint o sylw i'w gynlluniau yn y rhanbarth hwn o gymharu â'i drefniadau yn Ewrop. Nid oedd y cynllun yn ddeniadol iawn oherwydd yr anhawster o gludo cyflenwadau a dynion i ogledd Affrica a buasai'n anodd ennill cefnogaeth Sbaen a llywodraeth Vichy Ffrainc i hwyluso gweithrediad y cynllun.

Os oedd Hitler wedi diystyrru'r posibilrwydd o gynghrair Sofietaidd-Brydeinig, roedd yn gamsyniad sylfaenol ac roedd yr amseriad o fantais i Brydain. Pan glywodd Churchill am gynlluniau Hitler aeth ati ar unwaith i ffurfio cynghrair. Dywedodd wrth ei Ysgrifennydd Preifat: 'If Hitler invaded Hell, I would make at least a favourable reference to the Devil in the House of Commons'.

Aeth Churchill ymlaen i gyhoeddi ei fwriad yn syth: 'The past with its crimes, its follies and its tragedies, flashes away . . . any man or state who fights against Nazidom will have our aid'.

Profodd yr Undeb Sofietaidd ei hunan yn gynghrair poblogaidd iawn oherwydd ei gwrthwynebiad ffyrnig a diysgog i oresgyniad yr Almaen ac yn rhyfedd braidd, yr ymdeimlad o atgasedd tuag at Hitler am iddo fradychu ei gytundeb â Stalin. Cyrhaeddodd aelodaeth Plaid Gomiwnyddol Prydain Fawr ei huchafbwynt o 56,000 o aelodau ym mlynyddoedd y rhyfel.

Roedd pwysau cynyddol am agor ail ffrynt yn Ewrop er mwyn ysgafnhau'r baich ar y Fyddin Goch. Erbyn diwedd 1941 goresgynnwyd Smolensk, Kiev, Kharkov a Kerch ym mhenrhyn y Crimea gan yr Almaenwyr a'u nod nesaf oedd Moskva. Ond roedd gwrthsafiad y byddinoedd Sofietaidd yn eithriadol o filain ac ataliwyd yr ymosodiad ym mis Rhagfyr 1941 wrth i erwinder y gaeaf wneud amgylchiadau'n anodd i luoedd yr Almaenwyr a'u cynghreiriaid.

Yn ystod Brwydr Prydain roedd safle Prydain yn y Dwyrain Canol yn eithaf gwan. Roedd y Prif Gadlywydd, y Cadfridog Wavell, ynghyd â'r Cadfridog O'Connor, a oedd yn gyfrifol am Fyddin y Diffeithwch Gorllewinol, yn arwain rhyngddynt 65,000 o filwyr yn yr Aifft a Phalesteina o gymharu â 215,000 o filwyr Eidalaidd yng ngogledd Affrica a 200,000 o filwyr eraill yn nwyrain Affrica. Roedd gan yr Eidalwyr 650 o awyrennau a chan Brydain 400. Wrth i Frwydr Prydain fynd yn ei blaen treiddiodd yr Eidalwyr drigain milltir i mewn i'r Aifft.

Ar 9 Rhagfyr 1940 dechreuodd y fyddin Brydeinig ymosodiad a oedd i barhau am bum niwrnod ond a ddatblygodd yn ymgyrch fwy uchelgeisiol. Erbyn 7 Chwefror cyrhaeddodd Benghāzī, prifddinas Cyrenaica, ac ildiodd yr Eidalwyr. Roedd yn gamp ryfeddol — croeswyd dros 500 o filltiroedd o ddiffeithwch gan golli llai na 2,000 o ddynion. Yn ogystal llwyddwyd i gymryd 130,000 o garcharorion a hefyd offer milwrol a chyflenwadau eraill.

Cyrhaeddodd milwyr Prydain Somali Eidalaidd ym mis Chwefror 1941 ac ym mis Ebrill cipiwyd Addis Ababa, prifddinas Abyssinia. Roedd hi'n fuddugoliaeth annisgwyl ac ysgubol ond ni chafodd lawer o sylw am iddi ddigwydd yr un amser â'r *Blitz* ar Brydain. Bwriad Wavell ac O'Connor oedd symud ymlaen gan wthio'r Eidalwyr allan o ogledd Affrica. Ond un o brif nodweddion y rhyfel yn y Dwyrain Canol a'r Môr Canoldir oedd y duedd i symud milwyr o un ardal i'r llall a difethwyd cynlluniau Wavell ac O'Connor gan y penderfyniad i wneud hyn.

Yn y rhanbarth hwn hefyd argyhoeddwyd y Cabinet, gan wrthwynebiad Iwgoslafia a Groeg i'r Almaenwyr, y dylid rhoi cymorth iddynt ac ym mis Mawrth cadarnhawyd y byddai llu Cynghreiriol o 57,000 o filwyr (24,000 o Brydain) yn cael ei anfon yno. Rhoddwyd addewid o gymorth i Roeg gan Chamberlain ym 1939 a chredai Churchill y byddai ffrynt yn y Balcanau a diogelu'r Môr Du yn werthfawr. Dywed rhai mai prif gymhelliad Churchill dros gynorthwyo Groeg oedd er mwyn profi bod ei strategaeth yn Gallipoli yn ystod y Rhyfel Byd Cyntaf yn gywir. Serch hynny, cafodd gefnogaeth Syr John Dill, y Cadfridog Maitland Wilson, Wavell ac Eden i'r cynllun er gwaethaf ei ganlyniadau trychinebus.

Roedd ymgais Prydain yn rhy wan i wrthwynebu'r ymosodiad Almaenig pan ddaeth a bu'n rhaid i'w milwyr gael eu cludo i Creta. Felly erbyn diwedd 1941 goresgynnwyd Groeg a chollwyd Cyrenaica. Ym mis

Mawrth 1941 cyrhaeddodd Rommel y Cadfridog Almaenig, Tripoli ac mewn ymgyrch gyflym iawn llwyddodd i wthio'r milwyr Prydeinig yn ôl i ffiniau'r Aifft.

Ar ôl y methiannau yng Ngroeg a gogledd Affrica roedd Churchill yn benderfynol o daro'n ôl, gyda buddugoliaeth yn y diffeithwch os oedd hynny'n bosibl. Ond unwaith eto methodd y cynlluniau oherwydd diffyg paratoadau a phenodwyd Auchinleck yn lle Wavell yn Brif Gadlywydd. Fodd bynnag, roedd Auchinleck yr un mor gadarn â Wavell yn ei wrthwynebiad i alwadau Churchill am gyrchoedd cyflym. Cyn hynny buasai'n swyddog ym Myddin India ac ychydig o brofiad oedd ganddo o ryfela â thanciau a cherbydau arfog, un o brif nodweddion y rhyfel yn y Dwyrain Canol. Ond gallodd fanteisio, serch hynny, ar y cynnydd mawr mewn cyflenwadau a dynion a oedd yn cael eu hanfon i'r Dwyrain Canol. Cymerwyd lle Byddin y Diffeithwch Gorllewinol gan yr Wythfed Fyddin dan arweiniad y Cadfridog Cunningham — penodiad anffodus arall am nad oedd ganddo yntau unrhyw brofiad o ryfela yn y diffeithwch.

Diswyddodd Auchinleck y Cadfridog Cunningham yn ystod y frwydr i godi'r gwarchae ar Tobruk ym mis Tachwedd 1941 a chymerwyd ei le gan y Cadfridog Ritchie. Wrth edrych yn ôl mae'n debyg mai hwn oedd y trobwynt. Erbyn diwedd Rhagfyr 1941 roedd milwyr Prydain yn ôl yn Benghāzī gyda 36,000 o filwyr Rommel yn garcharorion yn ogystal â'r rhan fwyaf o'i danciau a'i awyrennau. Ond nid oedd colledion Prydain yn isel chwaith ac roedd Tripolitania yn dal yn nwylo'r Almaenwyr. Ym mis Rhagfyr 1941 dechreuodd Japan ei hymgyrch i reoli de-ddwyrain Asia ac ar ddydd Nadolig ildiodd milwyr Prydain yn Hong Kong. Roedd y rhyfel bellach yn rhyfel byd.

Y Cynghrair Mawreddog, Rhagfyr 1941–Awst 1942

Arweiniodd ymosodiad yr Almaen ar yr Undeb Sofietaidd ym mis Mehefin 1941 at y cam cyntaf i ffurfio'r Cynghrair Mawreddog. Gobeithiai Churchill o hyd y byddai'r Unol Daleithiau yn ymyrryd yn filwrol. Roedd cyfraniad yr Unol Daleithiau at ymdrech ryfel Prydain wedi cynyddu yn ystod ac ar ôl y frwydr i ennill goruchafiaeth yn yr awyr. Roedd wedi cyflenwi'r alwad am ragor o arfau, a chroesawyd ei phenderfyniad i symud milwyr Americanaidd i ddiogelu Grønland a Gwlad yr Iâ.

Cyfarfu Roosevelt yn gyfrinachol â Churchill yng nghanol mis Awst ar long ryfel ym Mae Placentia ger Newfoundland. Bwriad gwreiddiol y cyfarfod oedd trafod natur y cymorth i Brydain yn y dyfodol. Ond aed ymlaen i drafod datganiad o amcanion ar gyfer y rhyfel ac ar gyfer y byd ar ôl y rhyfel. Yr enw a roddwyd ar y datganiad hwn oedd 'Siarter Iwerydd'. Mabwysiadwyd y Siarter yn nes ymlaen fel datganiad o amcanion rhyfel gan y Cynghreiriaid yn eu brwydr yn erbyn yr *Axis*, ond fe brofodd yn ddogfen ddadleuol. Ymwrthododd ag unrhyw gynlluniau i ehangu ar ran cefnogwyr y Siarter, collfarnodd unrhyw newid ffiniau yn erbyn ewyllys y bobl a chynhwysodd ddatganiadau cyffredinol ynglŷn ag egwyddorion a oedd o blaid hunanlywodraeth, cytundebau masnach rhyddfrydol, rhyddid oddi wrth ofn ac angen, a diogelwch parhaol yn erbyn unrhyw dreisgyrch. Roedd yn arwyddocaol fod cyfraniad yr Undeb Sofietaidd i'r Siarter yn cynnwys un frawddeg amwys ac amheus: 'bydd angen addasu gweithrediad yr egwyddorion hyn yn ôl amgylchiadau, anghenion, ac amrywiaethau hanesyddol gwledydd arbennig'. Hefyd achosodd geiriad y Siarter broblemau rhwng Churchill a Roosevelt, yn arbennig y cymal a fynnai 'hawl pobloedd i ddewis y math o lywodraeth yr oeddynt am fyw odani'. Dywedodd Churchill nad oedd y cymal yn berthnasol yn achos India a Burma, dim ond y gwledydd Ewropeaidd hynny a syrthiasai dan reolaeth Natsïaidd. Mynnai fod hyn 'yn broblem hollol wahanol i ddatblygiad naturiol sefydliadau hunanlywodraethol rhanbarthau a phobloedd a oedd yn ffyddlon i'r goron Brydeinig'. Roedd ymateb Roosevelt yn gyflym a digyfaddawd: 'Rwyf wedi ei gwneud hi'n ddigon clir yn barod ein bod yn ystyried bod Siarter Iwerydd yn cynnwys y ddynoliaeth gyfan'. Adwaith Churchill i hyn oedd dweud na chafodd ei ddyrchafu'n Weinidog Cyntaf y Frenhines 'i oruchwylio dinistr yr Ymerodraeth Brydeinig'.

Ar y pryd, fodd bynnag, nid cynnwys y Siarter a achosodd y cynnwrf, ond gweld Roosevelt a Churchill yn cysylltu gwahanol wledydd i gefnogi'r un achos. Parodd hyn bryder mawr ymhlith Americanwyr a oedd yn gwrthwynebu ymyrraeth yn y rhyfel. Ni phoenai Churchill am oblygiadau gwrth-imperialaidd y Siarter am ei fod yn fwy gobeithiol nag o'r blaen y byddai America yn ymyrryd. Ar ôl y cyfarfod hanesyddol hwn rhwng y ddau arweinydd, cynyddodd yr Unol Daleithiau ei chymorth i Brydain drwy roi, er enghraifft, ddiogelwch llyngesol i longau Prydain a hwyliai ar Gefnfor Iwerydd. O ganlyniad i hyn fe suddwyd rhai llongau Americanaidd. Ymosododd llongau tanfor Almaenig ar y llong rhyfel *Greer* wrth iddi gludo'r post i Wlad yr Iâ a dinistriwyd nifer o longau masnach. Cyhoeddodd yr Arlywydd ar 11 Medi ar y radio: 'ni fyddwn ni'n aros i longau tanfor yr *Axis* sy'n llercian yn y dyfroedd, neu ysbeilwyr yr *Axis* ar wyneb y môr daro'n gyntaf' ac felly y dechreuodd y polisi o 'saethu wrth weld'. Dangosodd sawl arolwg barn fod nifer cynyddol o Americanwyr yn cefnogi Roosevelt; pan ofynnwyd iddynt ar ddechrau

Rhagfyr 1941 a oedd cadw'r heddwch yn bwysicach na threchu Pwerau'r *Axis* dim ond 32 y cant a roddodd heddwch yn gyntaf.

Ni fu'n rhaid i Churchill aros yn hir cyn i'r Unol Daleithiau gyhoeddi rhyfel. Achoswyd hynny gan ymosodiad awyrlu Japan ar y ganolfan lyngesol yn Pearl Harbour, Ynysoedd Hawaii, ar 7 Rhagfyr 1941. Mewn ffordd, roedd ymosodiad Japan yn ganlyniad rhesymegol i bolisïau Prydain a'r Unol Daleithiau yn y Dwyrain Pell ers dechrau'r ganrif. Er gwaethaf polisi neilltuo'r Unol Daleithiau nid oedd hi'n fyddar i gŵyn y Chineaid, ond parhaodd Japan i gystadlu'n frwd am ddylanwad yn y rhanbarth. Seiliwyd polisi Japan ar gryfder y fyddin fel grym gwleidyddol ynghyd â barn gyhoeddus emosiynol dros ben a reolid gan ymgyrch bropaganda effeithiol. Bwriad yr ymgyrch oedd argyhoeddi'r Japaneaid fod ganddynt hawl foesol a hanesyddol i ymestyn eu dylanwad i China. Cymerwyd pob cyfle i argyhoeddi'r bobl fod eu hanes yn frith o drafferthion a thrychinebau a achoswyd gan wledydd gorllewinol trachwantus. Cafwyd enghraifft amlwg o hyn ym 1931 mewn cyhoeddiad gan Hashimoto Kingoro:

> Dywedasom yn barod mai dim ond tair ffordd sydd ar ôl i Japan i ddianc rhag pwysau gorboblogaeth . . . sef ymfudo, symud allan i farchnadoedd y byd ac ehangu tiroedd. Caewyd y drws cyntaf . . . gan bolisïau mewnfudo gwrth-Japaneaidd gwledydd eraill. Mae'r ail ddrws . . . yn cael ei gau gan dollau cyfyngol a diddymiad cytundebau masnachol. Beth ddylai Japan ei wneud pan gaeir dau o'r tri drws yn ei herbyn?
>
> (Hashimoto Kingoro, *Anerchiadau i Ddynion Ifainc*)

Yr hyn a wnaeth Japan oedd dechrau goresgyn Manchuria ym 1931, gan dorri cytundeb Kellogg-Briand 1928 a Chytundeb y Naw Pŵer. Oherwydd bygythiad ffasgiaeth a'r dirwasgiad economaidd yn Ewrop, aneffeithiolrwydd Cynghrair y Cenhedloedd a neilltuaeth America, ni wynebodd Japan unrhyw wrthwynebiad milwrol i'w chynlluniau. Trafodwyd ataliadau economaidd mewn cynhadledd ym Mrwsel ond heb unrhyw gytundeb, ac ychydig o gefnogaeth a fynegwyd o blaid rhoi cymorth ariannol i China.

Rhaid rhoi rhywfaint o'r bai ar y diwydiant arfau am y methiant i rwystro Japan. Nid cyd-ddigwyddiad oedd i Brif Weinidog Japan, Mr Matsusko, gael ei dderbyn fel gwestai anrhydeddus gan Metropolitan Vickers ac ICI (Metals) ym 1931. Yr un flwyddyn rhoddodd y Bwrdd Masnach 42 o drwyddedau allforio ar gyfer cludo arfau rhyfel i Japan. Chwaraeodd yr Unol Daleithiau ei rhan hefyd: gwerthwyd awyrennau Lockheed i Japan gan Gorfforaeth Arfau America, er enghraifft. Yn wir, hyd at 1940 roedd yr Unol Daleithiau a Phrydain yn gyfrifol am ddarparu 77 y cant o adnoddau rhyfel Japan a 60 y cant o'r arian tramor a fenthycwyd i'w prynu. Golygai'r gwerthiannau hyn a chondemniadau moesol o ymosodiadau Japan fod polisi'r pwerau democrataidd yn y Dwyrain Pell ar ei orau yn gymysglyd ac ar ei waethaf yn gwbl ragrithiol. Mae'n annhebyg y byddai Japan wedi newid ei hamcanion ehangol yn China ar unrhyw gyfrif. Cynlluniodd ei chwrs a gwyddai i ble roedd yn mynd. Roedd dinistr Pearl Harbour yn anochel. Erbyn 1941 roedd ehangiad Japan wedi cyrraedd y fan lle roedd yn barod i ymosod ar ymerodraethau Prydain a'r Iseldiroedd yn y Dwyrain Pell. I weithredu'r polisi roedd yn angenrheidiol fod grym llyngesol yr Americanwyr yn cael ei ddinistrio.

Ar ôl goresgyn Manchuria dechreuodd byddinoedd Japan ymledu i rannau eraill o China ac erbyn 1940 roeddynt wedi llwyddo i gipio Beijing (Peking), Tientsin, Shanghai a Hankow. Roedd gwrthwynebiad y cyrchfilwyr Chineaidd iddynt yn gadarn a chawsant drafferth i gynnal eu llinellau cyflenwadau. Daeth y syniad o gipio Malaya ac Ynysoedd India'r Dwyrain gyda'u hadnoddau rwber, tun ac olew yn fwy deniadol o'r herwydd. Yn gyntaf cafodd Japan ganiatâd Pétain i oresgyn Indo-China Ffrengig ac felly sefydlu'r canolfannau llyngesol ac awyr a fyddai'n hanfodol ar gyfer lansio eu cyrchoedd.

Roedd peryglon yr ymosodiad ar Pearl Harbour yn amlwg i Japan ond roedd hi'n werth mentro er mwyn ceisio ennill goruchafiaeth lyngesol yn ne-ddwyrain Asia a'r Cefnfor Tawel ac yn wir, llwyddodd i ddinistrio'r llynges Americanaidd yno yn ogystal â bron cant o awyrennau Americanaidd ar faes glanio Clark yn Ynysoedd y Ffilipîn a rhai o longau Prydain megis y *Repulse* a'r *Prince of Wales* ar yr un diwrnod.

Symudodd byddinoedd Japan ymlaen i Hong Kong, Ynysoedd y Ffilipîn, Malaya, India'r Dwyrain Iseldirol a Burma. Ildiodd Hong Kong ar 25 Rhagfyr 1941, Manila, prifddinas Ynysoedd y Ffilipîn, ar 2 Ionawr 1942, Singapore ym mis Chwefror a Burma ym mis Mai. Felly erbyn haf 1942 rheolai Japan dde-ddwyrain Asia o ogledd Burma i Guinea Newydd ac roedd cwymp yr Ymerodraeth Brydeinig yn y Dwyrain Pell yn gyflawn. Roedd y Japaneaid wedi amcangyfrif y byddai'n cymryd can niwrnod i gyflawni hyn ond ni chymerwyd ond 70 diwrnod. Nid oedd gan Japan cymaint â hynny yn fwy o filwyr na Phrydain ond roedd ganddi well adnoddau, hyfforddiant a chudd-wybodaeth. Gallai Prydain fod wedi rhagweld a rhwystro'r fath ddatblygiad, ond y tu allan i Ewrop rhoddwyd y flaenoriaeth i ddiogelu gogledd-orllewin India yn erbyn yr Undeb Sofietaidd ac amddiffyn yr Aifft ac ardal y Môr Canoldir. Fe wynebodd y lluoedd Prydeinig ymosodiadau sydyn a phenderfynol ym mhobman a dangoswyd fod yr ymerodraeth yn rhy fawr i'w hamddiffyn yn effeithiol.

El' Alamein a Stalingrad, 1942–1943

Erbyn mis Ionawr 1942 roedd Rommel unwaith eto'n ymosod yng ngogledd Affrica ac ailgipiwyd Cyrenaica. Fodd bynnag, er gwaethaf llwyddiannau dramatig Rommel roedd Hitler yn awyddus i ymgyrchu yn yr haf yn erbyn yr Undeb Sofietaidd er mwyn sicrhau presenoldeb sefydlog yno cyn y gaeaf. Rhoddodd lawer mwy o bwyslais ar orchfygu'r Undeb Sofietaidd nag ar strategaeth ar gyfer y Dwyrain Canol a'r Môr Canoldir ac nid oedd yn awyddus iawn i roi cymorth pellach i gynlluniau Rommel yn y diffeithwch. Anghytunodd y ddau ddyn ynglŷn â hyn, ac am fod Rommel yn benderfynol o barhau â'i gynlluniau mentrodd ymlaen eto, y tro hwn i Tobruk lle yr ildiodd 33,000 o filwyr Prydain a De Affrica ar 21 Mehefin 1942.

Enciliodd Auchinleck i Alamein a gwnaeth baratoadau i amddiffyn yr Aifft. Cafodd Rommel broblemau gyda'i gyflenwadau oherwydd y flaenoriaeth a roddwyd i'r ymgyrch yn nwyrain Ewrop ac er na rwystrodd hyn ei ymosodiad roedd buddugoliaeth yn fwy ansicr. Dechreuodd brwydr gyntaf Alamein ar 1 Gorffennaf 1942 a pharhaodd am 16 diwrnod gan orffen gyda methiant Rommel i feddiannu'r Aifft.

Newidiodd methiannau'r Almaen yn Alamein a Stalingrad (Volgograd heddiw) gwrs y rhyfel. Dechreuodd ymosodiad newydd yr Almaenwyr ar y byddinoedd Sofietaidd ym mis Mehefin 1942 gydag un symudiad mawr i mewn i'r Cawcasws ac un arall i gyfeiriad Stalingrad ar afon Volga. Erbyn diwedd mis Awst roedd y rhan fwyaf o Stalingrad wedi cael ei hamgylchynu gan yr Almaenwyr ond yn yr ymladd milain am y ddinas drwy aeaf 1942/43 llwyddodd y Fyddin Goch i wrthsefyll y gwarchae ac i dorri llinellau cyflenwadau'r Almaenwyr a'u gorfodi i ildio ar 2 Chwefror 1943. Cymerwyd 91,000 o garcharorion ar ddiwedd y frwydr a bu farw 70,000 o Almaenwyr yn ystod y gwarchae. Yn Stalingrad y gorchfygwyd yn derfynol y fyddin o dros filiwn o ddynion a oedd wedi dechrau'r ymosodiad ym mis Mehefin.

Ar ddechrau mis Gorffennaf ychydig o wybodaeth oedd gan y llywodraeth yn San Steffan am y newyddion da o'r Dwyrain Canol a Stalingrad. Arweiniodd darostyngiad yn y Dwyrain Pell, yr enciliad yng ngogledd Affrica, y colledion i'r llongau tanfor, a llwyddiannau byddinoedd Almaenig yn erbyn byddinoedd Prydeinig at bleidlais o hyder yn ffordd y Prif Weinidog o redeg y rhyfel. Yn ystod y ddadl ar 1 a 2 Gorffennaf collfarnwyd Churchill gan Aneurin Bevan ac eraill am ymyrryd mewn cynlluniau ac ymgyrchoedd milwrol. Dywedodd Bevan fod y Prif Weinidog wedi ennill dadl ar ôl dadl ac wedi colli brwydr ar ôl brwydr ac ychwanegodd nad oedd arweinyddiaeth y fyddin yn arbennig o effeithiol chwaith. Ond roedd y sefyllfa mor ddifrifol a'r ffydd yn Churchill mor ddwfn fel na lwyddodd Bevan a'i gefnogwyr i ennill ond 25 o bleidleisiau, ac felly fe lwyddwyd i osgoi argyfwng gwleidyddol gartref.

Drwy gydol 1942 roedd Churchill dan bwysau cynyddol i agor ail ffrynt i ysgafnhau'r baich ar y Fyddin Goch. Pwysodd yr Americanwyr yn arbennig am ymosodiad Ewropeaidd ond seiliodd Churchill ei obeithion ar ymosodiad yng ngogledd Affrica. Er gwaethaf yr holl feirniadu ar Churchill nid oedd ei safbwynt mor afresymol â hynny. Roedd buddugoliaeth i'r Almaenwyr yn yr Undeb Sofietaidd yn bosibl rwydd cryf ac roedd Rommel o fewn cyrraedd i El Qâhira (Cairo). Gallasai buddugoliaeth i'r Almaenwyr dros yr Undeb Sofietaidd agor llwybr iddynt heibio Môr Caspia i Persia ac Iraq gan fygwth cyflenwadau olew'r Cynghreiriaid. Credai Churchill ei bod yn bwysig i ddefnyddio'r Wythfed Fyddin, neu ran ohoni, i ddiogelu'r ardal hon, ond cyn hynny roedd yn rhaid trechu Rommel. Tra cytunai Auchinleck â hyn, mynnai fwy o amser i wneud ei baratoadau. Cafodd Churchill ei ffordd a dechreuodd Auchinleck ei ymosodiad ond bu raid iddo ei atal ar ôl pedwar diwrnod.

Ym mis Awst teithiodd Churchill i El Qâhira. Diswyddodd Auchinleck a phenodwyd y Cadfridog Alexander yn ei le fel Prif Gadlywydd yn y Dwyrain Canol. Penodwyd y Cadfridog Montgomery i arwain yr Wythfed Fyddin. Roedd agwedd Montgomery tuag at y sefyllfa yn y Dwyrain Canol yn hyderus, a bu hyn o fantais ac o anfantais iddo. Apeliodd hyn at Churchill ond ni chafwyd ymosodiadau brysiog gan y cadfridogion newydd. Dim ond ar ôl iddo wneud paratoadau manwl a digonol y dechreuodd Montgomery ei ymosodiad — Ail Frwydr Alamein, ar 23 Hydref. Erbyn 4 Tachwedd roedd yr Almaenwyr yn encilio a chyhoeddwyd buddugoliaeth fawr. Er mis Mehefin 1940 gwaharddwyd canu clychau eglwysig ar wahân i roi rhybudd o oresgyniad. Ond i bwysleisio a dathlu maint y fuddugoliaeth yn y Dwyrain Canol rhoddwyd gorchymyn ar 15 Tachwedd 1942 i ganu'r clychau i gyd. Roedd y fuddugoliaeth yn un seicolegol bwysig am iddi ddangos fod gan Brydain y gallu a'r cryfder i drechu'r Almaen a digwyddodd ar yr un adeg â'r glaniadau *Torch* — y ddau yn ategu proffwydoliaeth Churchill mai hwn oedd dechrau'r diwedd.

Dechreuodd y cynllun Cynghreiriol i lanio milwyr Americanaidd yng ngogledd Affrica Ffrengig, dan yr enw côd *Torch*, ar 8 Tachwedd 1942, bum niwrnod ar ôl gorchfygiad yr Almaenwyr yn El'Alamein. Dan gyfarwyddyd y Cadfridog Eisenhower glaniwyd milwyr yr un pryd yn Casablanca, Oran, ac Alger. Yn y cyfamser symudai lluoedd Montgomery yn eu blaenau. Ar 13 Tachwedd 1942 ailgipiwyd Tobruk. Cyrhaeddwyd Tripoli erbyn 23 Ionawr 1943 ac erbyn mis Ebrill cyfarfu'r ddwy fyddin Gynghreiriol â'i gilydd. Daeth Ymgyrch gogledd Affrica i ben ym mis Mehefin 1943 pan ildiodd yr *Axis* a chymerodd Prydain 250,000 o garcharorion. Roedd ymgyrch yr Almaen a'i chynghreiriaid yn erbyn yr Undeb Sofietaidd eisoes wedi cyrraedd ei hanterth ar ddechrau 1943 pan drechwyd y fyddin Almaenig yn Stalingrad a phan ddechreuodd y Fyddin Goch wrthymosod ar hyd y ffrynt dwyreiniol.

Y Cynghrair Mawreddog, diplomyddiaeth 1941–1943

Nid oedd y Cynghrair Mawreddog mor unedig yn ei gefnogaeth i egwyddorion arbennig ag y mae ei enw'n awgrymu. Cynghrair cyfleus ydoedd mewn gwirionedd a bu tipyn o anghytuno ymhlith ei aelodau yn ystod ac ar ôl y rhyfel. Prif achosion yr anghytuno oedd: gwahaniaethau ynglŷn ag agor ffrynt newydd er mwyn cynorthwyo'r Undeb Sofietaidd; cyfraniad yr Undeb Sofietaidd i'r rhyfel yn erbyn Japan gan fod y ddwy wlad yn swyddogol mewn stad o heddwch; hawliau tiriogaethol ar ôl y rhyfel; dyfodol yr Almaen a China; a'r math o beirianwaith rhyngwladol y dylid ei sefydlu i gymryd lle Cynghrair y Cenhedloedd.

Rhoddodd y gwahaniaethau hyn y Cynghrair Mawreddog ar ei brawf o'r dechrau. Daeth tair personoliaeth hollol wahanol wyneb yn wyneb ac er mwyn deall hynt y rhyfel a'r cytundeb heddwch mae'n rhaid astudio personoliaethau ac amcanion y tri dyn a gynlluniodd ddarostyngiad Hitler — Churchill, Roosevelt a Stalin.

Er nad ymunodd yr Unol Daleithiau â'r Ail Ryfel Byd gyda brwdfrydedd mawr, roedd Roosevelt yn benderfynol o ddefnyddio grym ei wlad i gymryd yr awenau yn yr ymdrech Gynghreiriol i ennill y rhyfel. Pwysleisiodd ddau brif amcan yr ymyrraeth Americanaidd: gorchfygiad llwyr pwerau totalitaraidd a chreu math arbennig o fyd ar ôl y rhyfel a fyddai'n seiliedig ar gytgord rhwng y gweriniaethau rhyddfrydol yn y gorllewin a'r gweriniaethau totalitaraidd yn y dwyrain, ar wrth-imperialaeth ac ar ryng-genedlaetholdeb economaidd. Peth hawdd yw beirniadu naïfrwydd rhai o'r amcanion yn awr ond mae'n bwysig eu gosod yng nghyd-destun yr Ail Ryfel Byd. Brwydrai Prydain, yr Undeb Sofietaidd, ac i raddau llai yr Unol Daleithiau am eu bodolaeth yn erbyn gwledydd totalitaraidd yr Almaen, yr Eidal a Japan ac o'r safbwynt hwn roedd cydweithrediad y tair gwlad yn hanfodol. Roedd sefyllfa Prydain yn un arbennig o anodd pan ddaeth yr Undeb Sofietaidd i mewn i'r rhyfel ac fe gyfrannodd Churchill at godi ysbryd y bobl pan ddaeth y wlad honno'n un o gynghreiriaid Prydain:

The past, with its crimes, its follies and its tragedies, flashes away. I see the Russian soldiers standing on the threshold of their native land, guarding the fields which their fathers have tilled from time immemorial, and I see them guarding their homes where mothers and wives pray — ah yes, for there are times when all pray for the safety of their loved ones, for the return of the breadwinner, of champion, of their protector — I see the 10,000 villages of Russia where there are still primordial human joys, where maidens laugh and children play.

(Rhan o araith Churchill ar y radio, 22 Mehefin 1941)

O fewn deunaw mis roedd Churchill yn drwgdybio amcanion Stalin, ond ar y pryd roedd hi'n hawdd i bobl ym Mhrydain a'r Unol Daleithiau gredu fod gwrthwynebiad yr Undeb Sofietaidd i Hitler yn deillio o ymwybyddiaeth ddemocrataidd a chasineb at anghyfiawnder. Beirniadai rhai y safbwynt hwn. Collfarnodd W. H. Chamberlain yr ymdrechion i wella delwedd Stalin, gan ddweud fod ei lywodraeth wedi lladd mwy o bobl yn yr Undeb Sofietaidd nag a wnaethai Hitler yn yr Almaen. Ond dylid nodi i Stalin ddiddymu'r *Comintern* (*Communist International*), y gymdeithas o bleidiau comiwnyddol y byd, fel arwydd o ewyllys da ac iddo wneud datganiadau cyson o blaid heddwch, democratiaeth a rhyddid er mwyn atgyfnerthu'r ddelwedd a'r rhith, a bod hyn wedi twyllo llawer o bobl. Twyll ai peidio, roedd yn angenrheidiol i'r Cynghreiriaid weithio gyda'i gilydd er mwyn ennill y rhyfel.

Roedd Roosevelt yn berson siriol a phoblogaidd a'i optimistiaeth ef oedd yn rhannol gyfrifol am gadw undod y Cynghrair er gwaethaf y gwahaniaethau ynghylch polisi. Ond tueddai'r optimistiaeth hon arwain at amwysedd ac amhendantrwydd wrth ddod wyneb yn wyneb â sefyllfaoedd cymhleth.

Roedd Stalin yn fwy o realydd. Deallai gymhellion ei Gynghreiriaid Gorllewinol yn iawn ac ystyriai'r Cynghrair yn un cwbl angenrheidiol a fyddai'n rhyddhau'r Undeb Sofietaidd o afael Hitler a diogelu ei dyfodol. Cuddiodd ei elyniaeth tuag at y Gorllewin am anwybyddu ei wlad ar ôl chwyldro 1917 ac roedd yn benderfynol o sicrhau diogelwch ei ffiniau gorllewinol rhag y posibilrwydd o ymosodiad yn y dyfodol. Yn fwy na dim roedd yn ddyn grymus dros ben ac roedd yn ymwybodol iawn o'i gryfder. Ef a reolai'r Fyddin Goch ac roedd ei gyfraniad i'r fuddugoliaeth derfynol yn bwysig dros ben, er gwaethaf y camgymeriadau dybryd a wnaethai ar ddechrau'r rhyfel.

Churchill oedd y pesimist yn y Cynghrair ac roedd ganddo ddigon o reswm dros fod felly. I'r gŵr hwn roedd yr Ymerodraeth Brydeinig yn bwysig yn wleidyddol ac yn bersonol a gwyddai fod yn rhaid iddo gydweithio â dau bŵer a oedd yn unedig yn eu gwrthwynebiad i imperialaeth uniongyrchol Prydain. Ymhellach, Churchill yn fwy na thebyg oedd yr unig un o'r tri a ddeallai gyflwr a dioddefaint pobloedd Ewrop, yn arbennig pan ddechreuodd y Fyddin Goch symud yn ei blaen ar y ffrynt dwyreiniol ym 1944. Roedd mewn safle anobeithiol — roedd yn gorfod sicrhau parhad y Cynghrair er mwyn ennill y rhyfel, ond y Cynghrair hwn o reidrwydd a fygythiai ddyfodol Ewrop a'r Ymerodraeth Brydeinig.

Soniwyd yn gynharach am y dehongliadau gwahanol o Siarter Iwerydd. Ymddangosodd gwahaniaethau mewn strategaeth hefyd ar ddiwedd 1941 yn Washington lle y cytunodd Prydain a'r Unol Daleithiau i sefydlu Pwyllgor Cyfunol o Benaethiaid y Lluoedd Arfog ac i roi blaenoriaeth i drechu'r Almaen a Japan. Golygai'r cynllun hwn agor ail ffrynt, syniad a wrthwynebid yn gyson gan Churchill a'r Staff Brydeinig am fod lluoedd Prydain wedi eu hymestyn i'r eithaf yn barod heb sôn am geisio glanio byddin yn Ffrainc. Credai Churchill y byddai'n rhaid gwanhau byddinoedd yr *Axis* yn yr Undeb Sofietaidd neu yn rhywle arall yn gyntaf cyn y gallai ymgyrch o'r fath lwyddo. Unwaith eto, gogledd Affrica oedd ei brif ddiddordeb a cheisiodd ddarbwyllo'r Americanwyr i oresgyn y rhanbarth, trechu'r Eidalwyr a sicrhau rheolaeth ar y Môr Canoldir. Prif wrthwynebiad Roosevelt i hyn oedd yr ymdeimlad y byddai'n cryfhau presenoldeb imperialaidd Prydain yn y Dwyrain Canol. Ond pan sylweddolodd mai dim ond un strategaeth effeithiol oedd ganddo ar gyfer 1942 cytunodd â'r glaniadau *Torch* er i hyn gythruddo Stalin a gredai fod y penderfyniad yn torri addewid i agor ail ffrynt yn Ewrop. Teithiodd Churchill i Moskva ym mis Awst 1942 gan alw yn El Qâhira ar y ffordd i ad-drefnu arweinyddiaeth byddinoedd y Dwyrain Canol fel rhan o'i ymdrech i dawelu pryderon Stalin. Ni chytunodd y ddau ddyn ar lawer ond erbyn diwedd y trafodaethau roedd Stalin yn weddol gefnogol i oresgyniad gogledd Affrica.

Dilynwyd y glaniadau *Torch* gan ildiad y pwerau *Axis* ym mis Mai 1943. Ym mis Gorffennaf dechreuodd goresgyniad Sicilia (Sicily) ac ym mis Medi croesodd y Cynghreiriaid i'r Eidal ei hun. Roedd Mussolini'n aneffeithiol a'r Almaenwyr a ddangosodd y gwrthwynebiad mwyaf i'r

Cynghreiriaid. Roedd yr ymgyrch yn anos na'r disgwyl ac nid ildiodd y gelyn Monte Cassino hyd fis Mai 1944. Byddai llwyddiant wedi dod yn gynt pe bai'r Cynghreiriaid wedi cytuno'n well am y lleoedd gorau i ganolbwyntio milwyr a chyflenwadau.

Dwysaodd y gwrthdrawiad rhwng polisïau Prydain a'r Unol Daleithiau drwy 1944 gyda'r Americanwyr yn ceisio israddio'r ymgyrch Eidalaidd er mwyn ennill cefnogaeth i'w cynlluniau hwy i oresgyn Normandie (Normandy) a de Ffrainc (cyrchoedd *Overlord* ac *Anvil*). Gwrthwynebai Churchill yn ystyfnig, ond nid oedd y goresgyniad Eidalaidd yn mynd rhagddo'n hwylus ac ni syrthiodd Rhufain hyd fis Mehefin 1944. Nid uchafbwynt strategaeth Churchill oedd cwymp Rhufain — roedd am wthio ymlaen i Iwgoslafia a Hwngari. Dywedir iddo ystyried ymddiswyddo yr adeg hon oherwydd gwrthwynebiad Americanaidd i'w gynlluniau. Fel y crybwyllwyd eisoes, sail gwrthwynebiad yr Unol Daleithiau oedd ei phryder ynglŷn â chryfhau'r Ymerodraeth Brydeinig. Efallai mai hyn oedd bwriad Churchill ond roedd gan ei gynllun rinweddau strategol hefyd. Y prif fanteision i'r Cynghrair fuasai diogelu cyflenwadau olew, agor y Môr Canoldir i longau Cynghreiriol a diogelu ffin ddeheuol yr Undeb Sofietaidd. Nid cyfrwng i hybu ei freuddwyd oedd yr ymgyrch Gynghreiriol yng ngogledd Affrica i Churchill. Roedd yn ymgyrch a gyflawnodd lawer — ymgyrch a dorrodd yr Eidalwyr ac arweiniodd at golled o chwarter miliwn o filwyr Almaenig. Roedd hefyd yn baratoad da i'r Americanwyr ar gyfer ymosodiadau amffibaidd cyn cyrch *Overlord* ac yn brawf ymarferol o effeithiolrwydd cydweithrediad Cynghreiriol mewn brwydr.

Y cyfarfod rhwng Churchill, Roosevelt a phenaethiaid y lluoedd yn Casablanca ym mis Ionawr 1943 oedd y tro cyntaf i ddiplomyddiaeth rhyfel y Cynghrair Mawreddog gael ei gweithredu ar raddfa fawr. Gwnaethpwyd amryw o benderfyniadau strategol gan gynnwys gohirio goresgyniad gorllewin Ewrop tan 1944 a dwysáu'r frwydr yn erbyn y llongau tanfor. Mynegwyd amheuon yr Americanwyr am strategaeth y Môr Canoldir ond llwyddodd Churchill i'w darbwyllo i gefnogi goresgyniad Sicilia. Cafodd yr Unol Daleithiau ei ffordd pan gytunwyd i gynyddu cyfran adnoddau'r Cynghreiriaid yn y Cefnfor Tawel o 15 y cant o'r adnoddau cyfan i 30 y cant. Penodwyd corff cynllunio yn Llundain i drefnu cyrch *Overlord*. Rheolid y corff hwn gan bennaeth milwrol a oedd yn gyfrifol i'r Prif Gadlywydd Cynghreiriol. Roedd Stalin yn flin fod *Overlord* wedi cael ei ohirio unwaith eto a bod pwysau cynyddol arno i ymosod ar Japan. Ond arwyddocâd mwyaf Cynhadledd Casablanca oedd y datganiad gan Roosevelt mai amcan rhyfel y Cynghreiriaid yn y pen draw oedd ildiad diamodol yr Almaen, yr Eidal a Japan. Beirniadwyd y datganiad am fod yn gyfrifol am ymestyn hyd y rhyfel ond roedd yn symudiad diplomyddol craff. Lleihaodd chwerwder Stalin ynghylch yr ail ffrynt yn Ewrop a llwyddodd i uno athroniaethau cwbl wahanol y tu cefn i'r un nod o fuddugoliaeth lwyr dros ffasgiaeth. Mae'n rhaid cadw mewn cof yma gyd-destun yr Ail Ryfel Byd a'r profiad blin fod ymosodiadau treisgar, anfadwaith a thwyll llywodraethau totalitaraidd yr *Axis* yn gwneud cyd-fyw â hwy yn hollol amhosibl.

Yng Nghynhadledd Moskva ym mis Hydref 1943 cododd gwahaniaethau unwaith eto. Cadeiriwyd y gynhadledd gan Molotov, a chynrychiolwyd Prydain gan Eden, a'r Unol Daleithiau gan Cordell Hull. Roedd gan y Cynghrair broblemau pendant: roedd trafferthion cynyddol rhwng llywodraeth Stalin a llywodraeth Gwlad Pwyl a alltudiwyd i Lundain, ac ni ddeallai'r Unol Daleithiau a Phrydain y cytundeb amddiffynnol a arwyddwyd gan yr Undeb Sofietaidd a llwyodraeth alltud Tsiecoslofacia dan Benes. Ymdrechodd Eden yn galed i reoli'r sefyllfa yn Iwgoslafia lle y bygythid sefydlogrwydd y gwrthsafiad gan raniadau rhwng y cyrchfilwyr brenhinol a'r cyrchfilwyr comiwnyddol, ond ni chafodd lawer o gefnogaeth gan Hull. Nid enillwyd cefnogaeth Americanaidd chwaith i ymdrechion Prydain i rwystro Groeg rhag syrthio i ddwylo'r mudiad amddiffyn comiwnyddol. Cytunwyd mewn egwyddor i rannu'r Almaen ar ôl y rhyfel ond cytunwyd hefyd y byddai digonedd o amser i drafod y manylion ar ôl llwyddiant cyrch *Overlord*. Daeth y cyfarfod i ben ac ar 30 Hydref cyhoeddwyd datganiad cyffredinol iawn nad oedd yn cynnwys dim byd newydd ond yn ailadrodd yr hen gyfeiriadau at yr addewid i gydweithredu ar ôl y rhyfel. Mae rhai o frawddegau Hull yn y Gyngres wedi iddo ddychwelyd adref yn mynegi ei optimistiaeth eithriadol am y dyfodol:

> Wrth i drefniadau datganiad y tair cenedl gael eu gweithredu, ni fydd angen mwyach am gylchoedd dylanwad, am gynghreiriau, am gydbwysedd grym, neu unrhyw un o'r dulliau arbennig eraill a ddefnyddiwyd yn y gorffennol anhapus i ddiogelu neu i hyrwyddo buddiannau cenedlaethol.
>
> (Rhan o adroddiad Cordell Hull i'r Gyngres, Tachwedd 1943)

Mynychwyd Cynhadledd El Qâhira ym mis Tachwedd 1943 gan Chiang Kai-shek, Arlywydd China, ac ymddangosodd yr un rhaniadau rhwng cefnogwyr y strategaeth orllewinol a chefnogwyr strategaeth y Môr Canoldir. Pwysicach na hyn oedd yr ymdrech i godi China i lefel Pŵer Mawr. Dyma ganlyniad rhesymegol syniad Roosevelt o sefydlu 'pedwar heddwas' a fyddai'n rheoli trefn y dyfodol. Rhan o'r cynllun hwn oedd sicrhau arglwyddiaeth China ddemocrataidd dros weddill Asia trwy ryddhau China o ddylanwadau imperialaidd. Yn y cyfarfod hwn synnwyd Churchill gan bwysigrwydd China ym meddyliau'r Americanwyr. Ond roedd agwedd yr Unol Daleithiau tuag at China yn ddigon amwys mewn gwirionedd gan iddi gael ei dylanwadu gan y gwrthdrawiad rhwng y Cenedlaetholwyr a'r Comiwynyddion. Er i Roosevelt godi ei statws ni wnaethpwyd unrhyw beth i gefnogi ei bolisi yn ymarferol ac i ymateb i alwadau China am well offer milwrol. Er mwyn ei chadw yn y rhyfel yn erbyn Japan anfonwyd ychydig o gymorth iddi gan gynnwys benthyciad o hanner biliwn o ddoleri a chyhoeddwyd mai un o amcanion rhyfel y Cynghreiriaid oedd sicrhau y byddai Japan yn dychwelyd pob tiriogaeth Chineaidd a ddygasai drwy drais, gan gynnwys Formosa (Taiwan heddiw) a Manchuria.

Yng Nghynhadledd Tehrān ym mis Tachwedd 1943 prif gyfraniad Roosevelt oedd datrys y gwahaniaethau rhwng Churchill a Stalin. Yn aml, ei ddull o wneud hyn oedd ceisio ennill ymddiriedaeth Stalin drwy feirniadu Churchill, er enghraifft, ar fater polisïau trefedigaethol Prydain a Ffrainc. Ymosododd Roosevelt yn hallt ar y Ffrancwyr fel cenedl ddinistriol a oedd wedi paratoi'r ffordd i Hitler yn Ewrop a Japan yn ne-ddwyrain Asia. Wrth gyfeirio at China-Indiaidd (Indo-China) dywedodd: 'Meddiannodd Ffrainc y wlad — a 30 miliwn o drigolion — am yn agos i ganrif, ac mae cyflwr y bobl yn waeth heddiw nag oedd ar y dechrau'.

Cyn belled ag yr oedd problem ddyrys Gwlad Pwyl yn y cwestiwn, dywedodd Roosevelt mewn cyfarfod preifat â Stalin y dylai geisio bod yn rhesymol a deall angen Roosevelt am gefnogaeth y bleidlais Bwylaidd yn etholiad 1944. Oherwydd hynny ni allai ddangos unrhyw wrthwynebiad i lywodraeth alltud y Pwyliaid am y tro. Ond gwendid tymor hir agwedd gymodol Roosevelt oedd i Stalin gael yr argraff nad oedd yr Unol Daleithiau yn wrthwynebus i'w gynlluniau tiriogaethol. Dwysaodd y tyndra rhwng Churchill a Stalin ynglŷn â dyfodol yr Almaen hefyd. Pan argymhellodd Stalin, er enghraifft, y dylid dienyddio 10,000 o swyddogion milwrol yr Almaen a gwanychu'r wlad yn sylweddol drwy ei rhannu, atebodd Churchill yn oeraidd fod Prydain yn gwrthwynebu llofruddiaeth am resymau gwleidyddol. Yn olaf, penderfynwyd dechrau ymosodiad Sofietaidd newydd yn y dwyrain i gyd-fynd â'r glaniadau *Overlord*.

Goresgyniad Ffrainc a'r Almaen, 1944–1945

Ym mis Hydref 1943 penododd Roosevelt y Cadfridog Eisenhower yn Brif Gadlywydd Cynghreiriol a rhoddwyd y cyfrifoldeb am y milwyr a fyddai'n glanio ar y cyfandir i Montgomery. Dechreuodd y paratoadau ond gohiriwyd yr ymgyrch hyd fis Mehefin 1944 oherwydd problemau gyda'r cerbydau glanio.

Cyn dechrau'r ymgyrch roedd yn rhaid sicrhau goruchafiaeth yn yr awyr, a chyflawnwyd hyn erbyn 1944 ar ôl bomio strategol ym Merlin, Hamburg ac ardal y Ruhr.

Nid oedd rheolaeth yn yr awyr ar ei phen ei hun yn ddigon i ddiogelu'r byddinoedd goresgynnol. Ffactor allweddol yn llwyddiant yr ymgyrch oedd gallu'r Cynghreiriaid i ymosod yn annisgwyl trwy roi'r argraff mai ger Calais y byddent yn glanio. Y ffordd gyflymaf ar draws y Sianel oedd rhwng Dover a Calais ac atgyfnerthwyd cred yr Almaenwyr mai trwy Calais y byddai'r goresgyniad yn cael ei lansio gan fomio strategol o'r ardal honno a thrwy ganolbwyntio lluoedd sylweddol o filwyr (na fyddai'n cael eu defnyddio yn ymgyrch *Overlord*) yn swydd Caint.

Y bwriad o'r dechrau oedd glanio yn Normandie ac roedd twyll y Cynghreiriaid mor llwyddiannus fel y credai Hitler fod y glaniadau yn symudiad tactegol i dynnu ei sylw. Felly nid ymrwymodd ei fyddinoedd i frwydr fawr yn y fan honno. Dewiswyd Normandie am nad oedd yr amddiffynfeydd yno yn gryf iawn, ond anfantais y safle oedd y prinder cyfleusterau. O'r herwydd gorfodwyd y lluoedd Cynghreiriol i dynnu porthladdoedd symudol a glanfeydd parod ar draws y Sianel.

Dechreuodd yr ymosodiad ar 5 Mehefin ac ar yr un noson glaniodd parasiwtwyr Prydeinig ac Americanaidd ar benrhyn Contentin. Ar 6 Mehefin croesodd lluoedd o Brydain, America a Chanada o Ynys Wyth a ffurfiwyd pum talbont wahanol. Er gwaethaf ffyrnigrwydd y gwrthwynebiad Almaenig cipiwyd Caen erbyn diwedd mis Gorffennaf. Erbyn canol mis Awst collasai'r Almaenwyr yr holl ardal i'r gorllewin o afon Orne ac i'r gogledd o afon Loire ac erbyn 25 Awst cyrhaeddwyd Paris. Meddiannwyd Amiens ar ddiwrnod olaf y mis a Brwsel ac Antwerpen (Antwerp) erbyn mis Medi.

Erbyn hyn roedd yr Almaenwyr wedi colli 90 y cant o'u tanciau ac wedi dioddef hanner miliwn o golledion. Roedd eu sefyllfa yn debyg i'r un ym 1918 ond y tro hwn yn waeth oherwydd gorfodwyd Hitler i symud 150 o raniadau milwrol i wynebu ymosodiad Sofietaidd ar y ffrynt dwyreiniol. Roedd y rhyfel ar ben i'r Almaen ond mynnodd Hitler frwydro hyd y diwedd. Pan geisiodd Rundstedt, y Pen Cadlywydd yn y gorllewin, roi safbwynt mwy realistig gerbron Hitler cafodd ei ddiswyddo a phenodwyd Kluge yn ei le. Ond dechreuodd Hitler ddrwgdybio ei fod yn ceisio trefnu cytundeb â'r Cynghreiriaid a chafodd yntau ei ddiswyddo. Lladdodd Kluge ei hunan yn fuan wedyn, gan adael nodyn i Hitler yn apelio arno i wneud heddwch â'r Cynghreiriaid.

Nid oedd gan Hitler unrhyw fwriad i ildio a phenderfynodd ymladd yn ôl gyda'i 'arfau cudd'. Ymysg y rhain oedd yr awyrennau heb beilot, y V1, a ymosododd ar dde-ddwyrain Lloegr a Llundain ym mis Mehefin 1944, a'r V2 mwy peryglus a ddefnyddiwyd ym misoedd y gaeaf 1944/45. Byddai'r dinistr a gyflawnwyd gan y V1 a'r V2 wedi bod yn llawer gwaeth pe bai'r Almaenwyr wedi eu perffeithio ac oni bai bod yr Awyrlu Brenhinol wedi dinistrio cymaint o'r canolfannau saethu.

Yn sgîl methiant ymgyrch y V1 a'r tebygolrwydd cynyddol fod gorchfygiad yr Almaen yn agos, cynllwyniodd nifer o swyddogion Almaenig i lofruddio Hitler. Gosododd Stauffenberg fom yn ystafell gynadledda'r Führer ar 20 Gorffennaf 1944 ond er iddi ffrwydro nid anafwyd Hitler yn ddifrifol. Cyflanwnodd rhai o'r cynllwynwyr hunanladdiad a dienyddiwyd y lleill, ynghyd â llawer oedd heb unrhyw gysylltiad â'r cynllwyn.

Wrth i'r rhyfel barhau drwy'r gaeaf beirniadwyd Eisenhower gan rai am wasgaru ei luoedd yn rhy eang a thrwy hynny ymestyn y rhyfel. Credai Montgomery y dylid canolbwyntio ymosodiad ar Berlin tra oedd Churchill o blaid symudiad milwrol o'r Eidal i gyfeiriad afon Donaw. I waethygu'r sefyllfa ceid gwahaniaethau barn cyson rhwng Montgomery a'r cadfridogion Americanaidd, yn bennaf oherwydd gelyniaethau personol. Mewn ymgais i osod taw ar y cweryla penderfynodd Eisenhower gymryd cyfrifoldeb am yr ymgyrchoedd ei hunan.

Dechreuodd y gwrthymosodiad Almaenig drwy'r Ardennes ar 16 Rhagfyr 1944 gyda'r nod o ailgipio Antwerpen. Roedd yn rhaid canolbwyntio'r rhan fwyaf o'r hyn oedd yn weddill o'r lluoedd Almaenig i gyflawni hyn a chymerodd y Fyddin Goch fantais o'r cyfle hwn i ddechrau ei hymosodiad cyffredinol ar 12 Ionawr 1945. O fewn mis gwthiwyd yr Almaenwyr yn ôl i safleoedd o fewn hanner can milltir i Berlin ac achosodd y presenoldeb Sofietaidd yn yr Almaen gryn bryder i Churchill. Pan benderfynodd Hitler ymosod drwy'r Ardennes, gwelsai'r posibilrwydd o ailadrodd strategaeth 1940 o rannu'r lluoedd Cynghreiriol. Mae'r dyfyniad canlynol yn nodi'r hyn ddywedodd wrth ei gadfridogion ym mis Rhagfyr 1944 sef:

> . . . na fu erioed mewn hanes gyfuniad tebyg i'n gelynion, yn cynnwys elfennau mor anghydryw gydag amcanion mor wahanol . . . Ar y naill law ymerodraeth yn marw, Prydain, ar y llaw arall trefedigaeth yn benderfynol o gael ei hetifeddiaeth, yr Unol Daleithiau. Ymdrecha America i fod yn etifedd i Brydain. Ymdrecha Rwsia i reoli'r Balcanau, y Culfor, Iran a Gwlff Persia. Mae Lloegr yn ymdrechu i ddiogelu ei buddiannau ac i gryfhau ei

hunan yn y Môr Canoldir . . . Hyd yn oed yn awr mae'r gwledydd hyn yn methu â chytuno . . . Os gallwn ni eu taro â nifer o ergydion trwm, yna ar unrhyw adeg bydd y ffrynt unedig artiffisial hwn yn chwalu'n sydyn.

(C. Wilmot, The Struggle for Europe)

Er bod gwirionedd yng ngeiriau Hitler ac er bod ymosodiad yr Ardennes yn llwyddiannus ar y dechrau, roedd y lluoedd Almaenig wedi eu hatal erbyn 24 Rhagfyr a dechreuwyd eu gwthio yn ôl. Serch hynny, dim ond ym mis Chwefror 1945 y llwyddodd y Cynghreiriaid i oresgyn unwaith eto y tir a gipiwyd yn wreiddiol gan yr Almaenwyr ym mis Rhagfyr 1944. Ond Stalin oedd yr un a elwodd fwyaf ar ymosodiad aflwyddiannus yr Ardennes. Gyda'r fyddin Almaenig yn y dwyrain yn dioddef o brinder cyflenwadau, cipiodd y byddinoedd Sofietaidd Wlad Pwyl, Silesia a Budapest. Roedd un o'r byddinoedd hyn 80 milltir o Wien/ Fiena ac un arall 45 milltir o Berlin ei hun. Ychydig o dir a feddiannwyd gan y Cynghreiriaid eraill ac ni chroesodd yr Americanwyr afon Rhein tan 7 Mawrth 1945.

Y Frwydr am Ddylanwad Gwleidyddol

Er gwaethaf neu oherwydd goresgyniad y cyfandir gan y lluoedd Cynghreiriol ni chafwyd llawer o weithgarwch diplomyddol. Ni ddiflannodd y problemau ynglŷn â sut i drin yr Almaen ar ôl y rhyfel a pherthynas y pwerau Cynghreiriol â dwyrain Ewrop. Sylweddolodd Roosevelt fod yn rhaid cadw'r Cynghreiriaid yn unedig er mwyn sicrhau y byddai'r Undeb Sofietaidd yn cyhoeddi rhyfel yn erbyn Japan, a'i obaith am y dyfodol oedd y byddai sefydlu'r Cenhedloedd Unedig yn datrys unrhyw broblemau a godai wedyn.

Cynyddodd pryder Churchill ynglŷn â difaterwch yr Unol Daleithiau tuag at dwf dylanwad Sofietaidd yn nwyrain Ewrop a gofynnodd am gyfarfod arall gyda Roosevelt a gynhaliwyd yn Québec ym mis Medi 1944. Gwyddai Churchill nad oedd ei safle yn gryf oherwydd dibyniaeth gynyddol Prydain ar y cyfraniad Americanaidd i'r ymdrech ryfel a'r tebygolrwydd y byddai'n rhaid i Brydain barhau â'r rhaglen fenthyca (lend-lease) ar ôl y rhyfel. Llwyddodd, serch hynny, i gynnal trafodaeth ar dynged yr Almaen. Gwnaed safbwynt Stalin yn glir yng Nghynhadledd Tehrān a chytunai Roosevelt ag ef i raddau helaeth. Cyn mynd i'r gynhadledd yn Québec ysgrifennodd:

Mae'n bwysig iawn y tro hwn fod pob unigolyn yn yr Almaen yn sylweddoli fod yr Almaen yn wlad wedi ei threchu. Nid wyf am ei llwgu i farwolaeth, ond os oes angen bwyd arnynt y tu hwnt i'r hyn sydd ganddynt i gadw corff ac ysbryd ynghyd, yna dylent gael eu bwydo dair gwaith y dydd gyda chawl o geginau cawl y fyddin . . .

Argymhellodd yr Adran Wladol yn Washington gynllun mwy cymedrol a fyddai'n sicrhau safon byw resymol, osgoi rhannu'r wlad, ac yn annog adfer democratiaeth Almaenig. Ond ychydig o gefnogaeth a ddangosodd Roosevelt i'r cynllun ac yn Québec roedd yn fwy brwdfrydig dros gynllun Morgenthau. Bwriad y cynllun hwn oedd rhannu'r Almaen ymhlith ei chymdogion, creu sector diwydiannol dan reolaeth ryngwladol a dinistrio, neu drosglwyddo fel ad-daliadau, holl ddiwydiannau trwm ardaloedd y Ruhr a'r Saar. Credai Churchill fod y cynllun yn eithafol ac yn nes ymlaen dechreuodd Roosevelt amau ei werth a'i ddoethineb, ond heb unrhyw ddewis amlwg arall sicrhawyd y byddai dyfodol yr Almaen yn destun trafod pwysig yn Yalta.

Ar ôl i Churchill fethu â chyflawni unrhyw beth yn y trafodaethau ynghylch dwyrain Ewrop penderfynodd deithio i Moskva ym mis Hydref 1944 i drafod y mater gyda Stalin. Erbyn hynny roedd safle Churchill yn wannach am fod Stalin eisoes wedi gorfodi'r Ffiniaid, y Rwmaniaid, a'r Bwlgariaid i dderbyn amodau arbennig. Roedd ef hefyd yn ceisio dod i gytundeb gyda Tito yn Iwgoslafia ac ar fin gwneud cytuneb â Hwngari. Cynigiodd y Prif Weinidog gynllun a fyddai yn y pendraw yn cryfhau'n sylweddol y dylanwad Sofietaidd yn Iwgoslafia, Rwmânia, Hwngari a Bwlgaria a byddai Stalin wedyn yn cydnabod dylanwad Prydain yng Ngroeg. Roedd yn amlwg y byddai cynllun o'r fath yn fuddiol iawn i Stalin oherwydd mai dim ond yng Ngroeg y byddai ei ddylanwad yn wan ac yn y gorffennol buasai'r wlad honno bob amser yn gefnogol i'r Gorllewin beth bynnag. Pan ymyrrodd Prydain yng Ngroeg ym 1944/45 i gynorthwyo'r Brenin yn erbyn y Comiwnyddion, ni fynegodd Stalin unrhyw ddicter. Yn y man llwyddodd Stalin i osod rheolaeth lwyr ar Fwlgaria ond yn Iwgoslafia dim ond 50 y cant oedd y dylanwad Sofietaidd oherwydd cryfder Tito. Ni chymeradwywyd y cynllun o gwbl gan yr Unol Daleithiau. Fe'i gwelai fel enghraifft o'r hen ddiplomyddiaeth yr oedd y rhyfel i fod i'w dileu. Dyma'r unig ffactor a achosodd bryder i'r Americanwyr ac nid manylion y cynllun ei hun. Nid oedd ganddynt lawer o ddiddordeb yn nwyrain Ewrop ac eithrio Gwlad Pwyl, yn bennaf oherwydd maint y gymdeithas Bwylaidd yn yr Unol Daleithiau a bodolaeth y llywodraeth alltud yn Llundain.

Roedd problem Gwlad Pwyl yn un gymhleth. O safbwynt aelodau'r llywodraeth alltud roedd Stalin cynddrwg â Hitler am iddo gynllwynio ag ef ym 1939 i rannu eu gwlad. Ar ôl i'r Undeb Sofietaidd a Phrydain ffurfio cynghrair, pwyswyd ar y Pwyliaid i wella eu perthynas â llywodraeth Stalin. Ni cheid unrhyw gytundeb fodd bynnag ar leoliad y ffin. Roedd yr Undeb Sofietaidd am gadw ffin orllewinol 1941 fel yr oedd cyn ymosodiad yr Almaenwyr, gan ennill trydedd ran o diriogaeth Gwlad Pwyl yn ôl ffiniau 1939. Diflasodd Stalin ar y trafodaethau ac ym mis Hydref 1943 tynnodd yn ôl ei gydnabyddiaeth o'r llywodraeth Bwylaidd yn Llundain. Nid oedd safbwynt Stalin yn hollol afresymol. Ar ôl cytundeb heddwch 1919 un o weithrediadau cyntaf Gwlad Pwyl oedd goresgyn rhan o Rwsia, ac ers amser hir buasai'n wlad wrthgomiwnyddol gref. Hyd yn oed ym mis Ionawr 1944 hawliodd y Pwyliaid ehangiad gorllewinol i mewn i'r Almaen yn ogystal â dychwelyd iddynt y tiroedd a gollasid i'r Undeb Sofietaidd ym 1939. Cefnogodd Stalin amcanion y Pwyliaid yn y gorllewin er mwyn gwneud gwrthwynebiad Prydain a'r Unol Daleithiau i'w enillion tiriogaethol yn nwyrain Gwlad Pwyl ymddangos yn annheg.

Roedd gobeithion Churchill ynglŷn ag adeiladu democratiaeth Bwylaidd a fyddai'n bleidiol i'r Gorllewin yr un mor afreal â phe bai Stalin wedi ceisio sefydlu Ffrainc gomiwnyddol 30 milltir o lannau Prydain. Ond roedd yn rhaid ystyried y farn gyhoeddus yn yr Unol Daleithiau, a barn y Pwyliaid Americanaidd yn arbennig, a gwnaed unrhyw drafodaeth realistig o'r pwnc yn eithriadol o anodd. Yr unig beth y gallai Churchill a Roosevelt ei wneud oedd ymddangos yn bleidiol i etholiadau democrataidd. Cynyddodd cydymdeimlad tuag at Wlad Pwyl o ganlyniad i'r datguddiadau yng nghoedwig Katyn ym 1943 pan ddaethpwyd o hyd i gyrff 1,700 o swyddogion milwrol Pwylaidd wedi eu claddu yno a gwrthryfel Warszawa ym 1944 a welwyd gan lawer fel brwydr olaf y Pwyliaid dros annibyniaeth.

Erbyn y cyfarfod rhwng Churchill a Stalin ym mis Hydref 1944 gwyddai Churchill fod cyfaddawd yn anochel. Rheolid y wlad erbyn hyn, mewn enw o leiaf, gan Gomiwnyddion y Cyngor Cenedlaethol a sefydlasid gan Stalin yn Lublin. Ymunodd Mikolajczyk â Churchill yn y trafodaethau, gwrthwynebodd argymhellion Stalin ar gyfer ffiniau newydd, a mynnodd fod unrhyw lywodraeth yn glymblaid o'r grwpiau gwleidyddol i gyd. Byddai hyn yn sicrhau fod y Comiwnyddion mewn lleiafrif. Ceisiodd Churchill ddarbwyllo Mikolajczyk i dderbyn Llinell Curzon (llinell Rwsaidd-Almaenig 1939) dros dro fel cyfaddawd ond roedd yn benderfynol o weld adfer hen ffiniau ei wlad. Pan wrthododd Stalin bu'n rhaid i Mikolajczyk ildio. Cytunodd i argymell i'w gyfeillion yn Llundain y dylai'r Comiwnyddion Pwylaidd gael traean o seddau'r glymblaid a bod y ffin yn cael ei sefydlu ar hyd Llinell Curzon.

Penderfynodd Roosevelt gadw allan o'r trafodaethau yn rhannol oherwydd ei ansicrwydd ynglŷn â'r bleidlais Bwylaidd gartref ac yn rhannol oherwydd ei optimistiaeth y gallai corff rhyngwladol ddatrys anghytundeb o'r math hwn.

Roedd dymuniad Roosevelt i sefydlu cyngor diogelwch a fyddai'n cynnwys yr Undeb Sofietaidd yn un o'i flaenoriaethau diplomyddol drwy'r rhyfel. Roedd yn ymwybodol iawn o fethiant yr Arlywydd Wilson i sefydlu cynghrair effeithiol ar ôl y Rhyfel Byd Cyntaf a defnyddiodd bob cyfle i ddangos pa mor wahanol oedd ei gynllun ef. Nid oedd ei gynllun mor ddemocrataidd ag un Wilson gan y ffafriai arglwyddiaeth y Pwerau Mawrion ynghyd â chynulliad o wledydd i drafod problemau. Yng Nghynhadledd Dumbarton Oaks ym 1944 cyfarfu cynrychiolwyr Prydain, yr Undeb Sofietaidd, a'r Unol Daleithiau i drafod cynlluniau ar gyfer y corff rhyngwladol a fyddai'n cynnal diogelwch a heddwch y byd ar ôl y rhyfel.

Yn y cyfarfod hwn dechreuodd cydymdeimlad y Gorllewin tuag at yr Undeb Sofietaidd wanhau wrth i ddrwgdybiaeth Stalin o'r Cyngor Diogelwch arfaethedig gynyddu. Argymhellodd Gromyko, y Gweinidog Tramor, fod pob gweriniaeth yn yr Undeb Sofietaidd yn cael cynrychiolaeth ar wahân yn y Cenhedloedd Unedig, a gwrthwynebai'r *veto* a fwriedid ar gyfer y Cyngor Diogelwch a fyddai'n cynnwys yr Unol Daleithiau, yr Undeb Sofietaidd, Prydain, Ffrainc a China fel aelodau parhaol a chwe hanner-aelod arall. Penderfynwyd y byddai gan unrhyw un o'r pum aelod parhaol yr hawl i ddefnyddio ei *veto* i wrthwynebu unrhyw weithred gan y Cyngor Diogelwch. Fodd bynnag, mynnai'r Undeb Sofietaidd y dylai'r hawl hon gael ei hymestyn i unrhyw anghytundeb a fyddai'n ymwneud â'r Cyngor. O ganlyniad i ystyfnigrwydd y ddwy ochr gohiriwyd sefydlu cyfansoddiad cyflawn ac roedd diplomyddiaeth y Cynghrair Mawreddog yn amlwg yn gwegian. Ni luniwyd Siarter y Cenhedloedd Unedig tan 1945 yng Nghynhadledd San Francisco.

Yalta, 1945

Cyfarfu Roosevelt, Churchill a Stalin am y tro olaf yn Yalta yn y Crimea rhwng 4 a 12 Chwefror 1945. Collfarnwyd y gynhadledd am roi gormod i Stalin ac am fradychu dwyrain Ewrop, ond mae'n rhaid i unrhyw asesiad realistig ystyried cymhellion y tri chynrychiolydd.

Cynhaliwyd hi yr un pryd â'r ymosodiad Cynghreiriol olaf ar yr Almaen ac mae'n rhaid cofio, tra oedd y gynhadledd yn cael ei chynnal, nad oedd yr Almaen a Japan wedi cael eu trechu. Nid oedd y bom atomig yn barod i'w defnyddio a'r disgwyl oedd y byddai'r rhyfel yn erbyn Japan yn parhau am ddeunaw mis arall. Roedd undod milwrol y Cynghrair yn dal yn hanfodol i'r tri aelod a chyfaddawd, felly, yn hanfodol i'r undod hwnnw. Fel y dywedodd Churchill:

What would have happened if we had quarrelled with Russia while the Germans still had three or four hundred divisions on the fighting front? Our hopeful assumptions were soon to be falsified. Still they were the only ones possible at the time.

(Rhan o araith Churchill yn y Senedd, Chwefror 1945)

Erbyn Cynhadledd Yalta roedd y byddinoedd Sofietaidd wedi meddiannu dwyrain Ewrop, a bron yn barod i dreiddio i Awstria a'r Almaen. Roedd y sefyllfa hon yn rheswm arall dros gyfaddawdu o ystyried cryfder yr Unol Daleithiau a Phrydain yng ngorllewin Ewrop. Dim ond ychydig o sylwebyddion craff a ragwelai'r Rhyfel Oer. Roedd y Cynghreiriaid yn dal i obeithio am gydweithrediad ar ôl y rhyfel ac yn barod i gyfaddawdu er mwyn cynnal hynny o ewyllys da a fodolai rhyngddynt. Ni lwyddodd Cynhadledd Yalta i ddatrys dim a'r cyfan a wnaeth oedd parhau'r ymdrechion i ddatrys problemau'r cynadleddau blaenorol.

Problem Gwlad Pwyl a flinai'r Cynghreiriaid fwyaf a seliwyd tynged y wlad honno yn y pen draw gan anwadalwch y Pwerau Gorllewinol. Wynebai'r Unol Daleithiau ddewis anffodus yn y trafodion ynghylch y cynlluniau Sofietaidd ar gyfer Gwlad Pwyl. Roedd y cynlluniau yn annerbyniol o safbwynt egwyddorion Siarter Iwerydd ac yn annerbyniol i'r Pwyliaid Americanaidd. Fodd bynnag, heb gyrraedd cytundeb a fyddai wrth fodd Stalin, bygythid undod y Cynghreiriaid yn ystod ac ar ôl y rhyfel. Ni fyddai colli Gwlad Pwyl i gomiwnyddiaeth yn broblem strategol i'r Unol Daleithiau ond byddai'n ergyd drom i Brydain a gorllewin Ewrop yn gyffredinol. Deallai Churchill bryder Ewrop ac roedd yn anfodlon iawn ildio rhagor o ddylanwad yn nwyrain Ewrop. Gwnaeth Roosevelt ei orau i wrthsefyll dymuniad Churchill am wrthdaro agored ar y mater. Ar y naill law rhoddodd yr argraff i Stalin fod yr Unol Daleithiau yn cydymdeimlo â'i amcanion ond na allai ddweud hynny'n agored oherwydd ystyriaethau mewnol. Ar y llaw arall ceisiodd argyhoeddi Mikolajczyk y byddai'n cefnogi achos y Pwyliaid oherwydd egwyddorion democrataidd yr Americaniaid. Cafwyd cytundeb yn y diwedd a oedd yn gyfaddawd a chynnwys rhai elfennau amwys. Byddai'r ffin rhwng yr Undeb Sofietaidd a Gwlad Pwyl yn ddigon agos i Linell Curzon i fod yn dderbyniol i Stalin a byddid yn ffurfio llywodraeth newydd drwy ad-drefnu'r llywodraeth dros dro yno, sef Pwyllgor Lublin.

Byddai'r llywodraeth newydd yn cael ei chydnabod gan y Pwerau Mawrion ac yn cynnal etholiadau mor fuan ag oedd bosibl ond heb unrhyw oruchwyliaeth. Daeth y sylw mwyaf priodol oddi wrth William Leahy, Pennaeth Staff Roosevelt: 'Mr Arlywydd, mae hwn mor hyblyg, gall y Rwsiaid ei ymestyn yr holl ffordd o Yalta i Washington heb ei dorri'n dechnegol', a bradychwyd teimladau Roosevelt yn ei ateb: 'Rwy'n gwybod, Bill. Rwy'n gwybod hynny. Ond dyma'r gorau y gallaf ei wneud dros Wlad Pwyl ar hyn o bryd'.

Mae'n debyg bod Roosevelt yn iawn. Ni allasai fod wedi bargeinio'n galetach nag y gwnaeth yn Yalta ac nid oedd ei safbwynt ar Wlad Pwyl mor naïf ag yr awgrymodd rhai — dim ond wynebu ffeithiau yr oedd. Drwgdybiai Stalin ei Gynghreiriaid Gorllewinol, roedd ganddo filiwn o filwyr yn barod i frwydro yn erbyn Japan a gallai ddinistrio'r gobeithion am gymdeithas heddychol newydd pe gwrthodasid ei gynlluniau. Gobaith Roosevelt oedd y byddai etholiadau yn cael eu cynnal yn unol â'r cytundeb, a dywedodd Stalin ei hun y gellid eu cynnal o fewn mis dim ond i'r rhyfel gael ei ddirwyn i ben yn ddirwystr gan y Cynghreiriaid. Pan ddywedodd Roosevelt y dylai etholiadau Gwlad Pwyl fod 'fel gwraig Cesar. Nid oeddwn yn ei hadnabod, ond dywedasant ei bod yn bur', ni welai lawer o arwyddocâd yn ateb Stalin: 'Fe ddywedasant hynny amdani, ond mewn gwirionedd roedd ganddi bechodau'. Seiliwyd derbyniad y Gorllewin o'r cytundeb Pwylaidd yn rhannol ar ei hyder yn y gymdeithas ddiogel a ddilynai'r rhyfel a'r Datganiad ar Ewrop Rydd. Ategiad oedd y datganiad o egwyddorion Siarter Iwerydd. Cytunodd y tri phŵer fod yn 'rhaid sicrhau sefydlu trefn yn Ewrop ac ailadeiladu bywyd economaidd cenedlaethol a fydd yn galluogi'r bobloedd rhydd i ddinistrio holl weddillion Natsïaeth a Ffasgiaeth a chreu sefydliadau democrataidd o'u dewis eu hunain'.

Roedd dyfodol yr Almaen yn faen tramgwydd arall i'r Cynghrair. Gwrthododd Roosevelt ildio i bwysau cynyddol Churchill iddynt wynebu a gwrthsefyll Stalin tra oedd gan y Gorllewin oruchafiaeth filwrol a allai ddylanwadu ar benderfyniadau diplomyddol. Methwyd â gwneud unrhyw benderfyniad ynglŷn â dyfodol yr Almaen oherwydd bod Berlin yn dal ym meddiant yr Almaenwyr. Ni ddilewyd y gwahaniaeth barn amlwg rhwng Stalin a oedd yn bleidiol i raniad eithafol ac ad-daliadau uchel, a Roosevelt a Churchill a oedd yn dechrau amau gwerth rhai o amodau Cynllun Morgenthau ac yn dod yn fwyfwy cefnogol i gynllun mwy creadigol ac ad-daliadau mwy rhesymol. Cofiai Roosevelt a Churchill fethiant llwyr y trefniadau ar gyfer ad-daliadau ar ôl Cytundeb Versailles ac roedd asesiad realistig o allu'r Almaen i dalu yn hollbwysig. Ond nid oeddynt am ddangos gormod o oddefgarwch chwaith ac felly, fel yn achos materion dyrys eraill, gohiriwyd y trafodaethau. Trefnwyd y byddai Comisiwn y Tri Phŵer yn cyfarfod ym Moskva i drafod y ffigur o ugain biliwn o ddoleri. Yn y diwedd, ar ôl gorchfygiad yr Almaen, methodd y comisiwn hwn â chyrraedd unrhyw gytundeb. Penodwyd comisiwn hefyd a fyddai'n cyfarfod yn Llundain i drafod rhaniad yr Almaen. Mae'n debyg y buasai'n well gan Roosevelt ddatrys dyfodol yr Almaen yn Yalta, heb unrhyw ohirio, ond ofnai Churchill y ceid cytundeb byrbwyll arall a gwnaeth ei orau i rwystro hyn. Yr unig benderfyniad a wnaed ynghylch yr Almaen oedd y dylid rhannu'r wlad yn gylchfaoedd dan reolaeth y Cynghreiriaid. Cytunodd Roosevelt yn y diwedd i roi cylchfa i Ffrainc er gwaethaf y dirmyg a deimlai tuag at y Ffrancwyr a'r ffaith na roddodd gydnabyddiaeth i de Gaulle fel pennaeth y llywodraeth Ffrengig hyd fis Hydref 1944. Cefnogwyd de Gaulle gan Churchill oherwydd ei fod yn gwybod am fwriad Roosevelt i dynnu'r byddinoedd Americanaidd yn ôl o Ewrop o fewn dwy flynedd ac felly y byddai cryfhau Ffrainc yn bwysig i ddiogelwch Prydain. Roedd yr argymhellion ynglŷn â'r cylchfaoedd yn awgrymu rhoi'r gogledd-orllewin i Brydain, y de i'r Unol Daleithiau, a'r dwyrain i'r Undeb Sofietaidd a chyrraedd cytundeb yn nes ymlaen ynglŷn â chylchfa i Ffrainc. Penderfynwyd hefyd sefydlu Cyngor Rheoli a fyddai'n cynnwys cynrychiolwyr y Tri Phŵer Mawr a Ffrainc, a chadfridogion y cylchfaoedd, i drefnu gweinyddiad cyffredinol yr Almaen. Mae'n arwyddocaol, ac yn adlewyrchiad o obeithion uchel y Cynghreiriaid am gydweithrediad ar ôl y rhyfel, i'r broblem o fynediad y Cynghreiriaid i Berlin yn y gylchfa Sofietaidd gael ei hystyried yn un fach iawn; cymerwyd yn ganiataol y byddai unrhyw anhawster yn diflannu ar ôl i'r system gyfathrebu gael ei hailadeiladu.

Addawodd Stalin, yn ystod trafodaethau cyfrinachol yn Yalta, y byddai'r Fyddin Goch yn ymosod ar Japan. Y tâl am hyn oedd ennill rheolaeth Sofietaidd dros Ynysoedd Kuril a De Sakhalin, annibyniaeth i Fongolia Allanol a dychwelyd hawliau arbennig yr Undeb Sofietaidd ym Manchuria a gollasid ym 1905 ar ôl y rhyfel rhwng Rwsia a Japan.

Roedd Stalin ar ben ei ddigon â chanlyniadau'r drafodaeth yn Yalta. Roedd ef wedi ennill llawer hyd yn oed os oedd ef wedi gorfod gwneud consesiynau i fodloni Roosevelt a Churchill. Roedd wedi cytuno i dderbyn y gyfundrefn o gylchfaoedd yn yr Almaen, statws llywodraethau dwyrain Ewrop a'r dulliau a argymhellwyd gan Brydain a'r Unol Daleithiau o weinyddu'r y Cyngor Diogelwch rhyngwladol ar ôl y rhyfel. Roedd wedi derbyn cyfaddawd lle y gwahaniaethid rhwng penderfyniadau i ddatrys anghytundebau yn heddychol lle na allai aelod o'r cyngor bleidleisio pe bai'n cymryd rhan yn yr anghytundeb, a phenderfyniadau yn ymwneud â bygythiadau neu dorri'r heddwch neu weithrediadau gan y Cenhedloedd Unedig i ddileu y fath fygythiadau lle y byddai'n rhaid cael pleidlais unfrydol holl aelodau parhaol y cyngor. Cytunodd hefyd i beidio â pharhau i ofyn am gynrychiolaeth ar gyfer pob un o'r 16 o weriniaethau Sofietaidd a derbyniodd y cynnig o aelodaeth i ddwy ychwanegol — Ukrain a Belorwsia.

Beirniadwyd Roosevelt yn arbennig am fradychu democratiaeth y Gorllewin yn Yalta, ond ni rydd y feirniadaeth hon ddarlun cywir o'i wir amcanion. Dylid cofio fod ysbryd methiant y 'Pedwar Pwynt ar Ddeg' wedi ei boeni ar hyd yr adeg ac roedd yn benderfynol o beidio ag ailadrodd camgymeriad yr Arlywydd Wilson o fabwysiadu rhaglen foesol i ddatrys problemau rhyngwladol. Ymdrechai'n hytrach i fod yn hyblyg ac yn ymarferol er mwyn hybu perthynas fwy cyfeillgar rhyngddo ef a Stalin. Wrth edrych yn ôl mae'n amlwg i'r polisi hwn anwybyddu goblygiadau ehangach Marcsiaeth-Leniniaeth ond o leiaf roedd yn ymgais i sefydlu rhyw fath o *modus vivendi* â'r Undeb Sofietaidd. Ni ellir haeru y byddai agwedd fwy digyfaddawd wedi dwyn gwell ffrwyth, ond yn sicr ni fyddai wedi codi gobeithion ac wedyn eu chwalu. Ceisiodd Roosevelt ei orau i leihau amheuon Stalin ynghylch cymhellion y Gorllewin, gan fabwysiadu arddull ddiplomyddol yn seiliedig ar *camaraderie*, agwedd a wnaeth Churchill yn bur anghyffordddus. Mae'n annhebyg, fodd bynnag, i'r ddau Gynghreiriad Gorllewinol sylweddoli i ba raddau y gwelai Stalin y rhyfel yn nhermau datrys problemau diogelwch ei wlad yn y dyfodol, safbwynt a wnaeth sefydlu'r Llen Haearn yn rhan sylfaenol o'i bolisi.

Er gwaethaf y feirniadaeth ar gytundebau Yalta a ddilynodd wrth i'r Rhyfel Oer ddatblygu, roedd yr ymateb ym Mhrydain a'r Unol Daleithiau ar y pryd yn ffafriol. Roedd trigolion y gwladwriaethau hyn yn barod i dderbyn y datganiad o blaid etholiadau rhydd yng Ngwlad Pwyl a gweddill dwyrain Ewrop fel sicrwydd na fyddai'r gwledydd hyn yn cael eu meddiannu. Sylwodd y cylchgrawn *Time*: 'ni all unrhyw ddinesydd yn yr Unol Daleithiau, yr Undeb Sofietaidd, na Phrydain gwyno fod ei wlad wedi cael ei bradychu'. Datgelodd arolwg barn yn yr Unol Daleithiau mai dim ond naw y cant o'r rhai a holwyd a ystyriai fod canlyniadau Yalta yn annheg.

Bu farw Roosevelt ar 12 Ebrill 1945, ddau fis ar ôl Cynhadledd Yalta. Yalta felly oedd y cyfarfod rhyfel olaf rhwng y Tri Mawr. Mynychwyd Cynhadledd Potsdam gan Stalin, Harry Truman, Arlywydd newydd yr

Unol Daleithiau, a Churchill ac Attlee am fod canlyniadau'r etholiad ym Mhrydain ar y pryd yn anhysbys.

Diwedd y rhyfel yn Ewrop a'r Dwyrain Pell

Ym mis Mawrth 1945 croesodd y Cynghreiriaid afon Rhein. Ffurfiwyd cylch o gwmpas 300,000 o filwyr Almaenig gan y lluoedd Prydeinig dan arweiniad Montgomery a'r Americanwyr yn y Ruhr. Roedd Churchill yn awyddus iawn i gyrraedd Berlin cyn y Fyddin Goch gan wybod y byddai Stalin yn anfodlon iawn ildio unrhyw dir a ddeuai dan ei reolaeth. Fodd bynnag, erbyn diwedd mis Mawrth cipiasai'r Fyddin Goch Gdańsk a chyrraedd ffiniau Awstria. Wrth i Praha a Wien gael eu rhyddhau gan y byddinoedd Sofietaidd beirniadwyd Eisenhower am ddal ei filwyr yn ôl. Ond o blaid Eisenhower dylid cofio bod tynged dwyrain Ewrop wedi ei phenderfynu yn Yalta ynghyd â'r cylchfaoedd meddiant. Symudodd byddinoedd Prydain, yr Unol Daleithiau a Chanada yn raddol i gyfeiriad Leipzig. Cipiodd y Prydeinwyr Bremen a Hamburg a chyraeddasant Lübeck a Wismar ychydig o oriau o flaen y Fyddin Goch ar 2 Mai.

Pan fu farw Roosevelt gobeithiai Hitler y byddai hynny rywsut yn rhannu'r Cynghrair. Ond ar 22 Ebrill dechreuodd y lluoedd Sofietaidd danio eu gynnau mawr ar Berlin. Ar 30 Ebrill penderfynodd Hitler, Eva Braun, a Goebbels a'i deulu gyflawni hunanladdiad yn lloches danddaearol y Führer. Meddiannwyd Berlin gan y Fyddin Goch ar 2 Mai 1945.

Ildiodd y lluoedd Almaenig yn yr Eidal i Alexander ar 29 Ebrill, yng ngogledd-orllewin yr Almaen i Montgomery ar 4 Mai, ac yn Awstria a Bafaria ar 5 Mai. Ar 7 Mai, ym mhencadlys Eisenhower yn Reims, ildiodd yr Almaen yn ddiamodol i bwerau'r Cynghrair Mawreddog.

Pan drechwyd yr Almaen yn y gorllewin, dirywiodd safle Japan yn y Dwyrain Pell. Ar ôl i'r Unol Daleithiau gael ei llusgo i'r rhyfel gan yr ymosodiad ar Pearl Harbour roedd buddugoliaeth Japaneaidd yn amhosibl a phrif obaith Japan oedd ymestyn y rhyfel am gyfnod mor hir ag oedd bosibl. Ni allai Japan, yn fwy na'r Almaen, ddygymod â'r syniad o golli'r rhyfel, ac roedd hi'n benderfynol o ymladd i'r eithaf ac aberthu'r peilot, morwr, a'r milwr olaf.

Erbyn mis Awst 1944 ailgipiwyd Guinea Newydd, Ynysoedd Gilbert ac Ellice, a Guam gan yr Americanwyr a rhwng hydref 1944 a gwanwyn 1945 ailgipiwyd Ynysoedd y Ffilipin hefyd. Roedd y gwrthwynebiad Japaneaidd yma fel ym mhobman arall yn hynod o filain a rhagwelai'r Americanwyr y byddai'r rhyfel yn parhau am ddeunaw mis arall neu ragor. Ond wrth iddynt ennill tir ymddangosai fod y Japaneaid yn barod i gytuno i ildio ond nid i ildio'n ddiamodol. Ar y pryd roedd yr Undeb Sofietaidd heb gyhoeddi rhyfel yn erbyn Japan a derbyniodd wybodaeth a ddangosai barodrwydd Japan i drafod amodau. Oedodd yr Undeb Sofietaidd cyn rhoi'r wybodaeth i'r Americanwyr ond gwyddai gwasanaethau cudd America beth bynnag am y newid agwedd yn Japan ac nid effeithiodd ar y penderfyniad Cynghreiriol gwreiddiol o anelu at ildio diamodol.

Pan ddaeth Truman yn Arlywydd cafodd newyddion a oedd i brofi'n fwy arwyddocaol nag unrhyw ddigwyddiad arall yn ystod y rhyfel, sef bod y bom atomig bron wedi ei pherffeithio ac arbrofion llwyddiannus wedi eu cwblhau yn México ar 16 Gorffennaf 1945. Dywedwyd wrth Stalin a Churchill am yr arf hwn ac anfonwyd neges i Japan yn galw am iddi ildio ei lluoedd arfog yn ddiamodol a bod grym y rhai hynny a fu'n gyfrifol am arwain y wlad yn y rhyfel yn cael ei ddiddymu. Byddai hefyd yn colli ei holl diriogaethau tramor. Bwriad y Cynghreiriaid oedd meddiannu rhannau o Japan ond nid oedd y trigolion i'w 'caethiwo na'u dinistrio'. Roedd dau wendid amlwg yn y rhybudd olaf hwn. Yn gyntaf ni soniwyd am dynged Ymerawdwr Japan, camgymeriad a oedd yn sicr o gynyddu amheuon y Japaneaid ynglŷn â didwylledd y neges. Yn ail, ac yn fwy arwyddocaol o lawer, ni wnaed unrhyw gyfeiriad at y dewis erchyll a wynebai Japan pe bai'n gwrthod yr amodau.

Anwybyddodd y Japaneaid y rhybudd ac ar 6 Awst 1945, gollyngwyd bom atomig ar Hiroshima gan losgi tair rhan o bump o'r ddinas a lladd 70,000 o bobl. Dioddefodd pobl losgiadau hyd at bellter o dair milltir o'r man ffrwydro. Ar 14 Awst 1945 gollyngwyd ail fom ar Nagasaki gan ladd 39,000 o bobl. Ildiodd Japan drannoeth a derbyniwyd yr ildiad ar 2 Medi ar y llong ryfel Americanaidd *Missouri* ym Mae Tōkyō.

Ysgogodd effeithiau erchyll y bomiau atomig ar y boblogaeth sifil feirniadaeth hallt. Mae'n amhosibl gwybod sut y byddai'r Japaneaid wedi ymateb pe baent yn gwybod am y bom ymlaen llaw. Mae'n bosibl y byddent wedi ildio yn ddiamodol ond mae'n rhaid cofio bod y fyddin o blaid ymladd i'r diwedd hyd yn oed ar ôl i'r bomiau ffrwydro ac i'r Ymerawdwr benderfynu ildio, a chynllwyniodd rhai swyddogion milwrol, yn aflwyddiannus, i fomio'r *Missouri*.

Cynhadledd Potsdam

Disgrifiwyd y gynhadledd ryfel olaf ym Mhotsdam rhwng 17 Gorffennaf a 2 Awst fel 'ôl-nodyn anhrefnus' ac yn sicr ychydig iawn a gyflawnwyd ynddi. Gwelwyd eisiau sirioldeb naturiol Roosevelt ac oherwydd hynny roedd yr awyrgylch yn fwy difrifol. Bu'n rhaid i'r rhai a gymerodd ran wynebu realaeth y sefyllfa filwrol a gwleidyddol fel yr oedd wedi datblygu erbyn 1945.

Penderfynwyd ar ffin ddwyreiniol Gwlad Pwyl yn Yalta ond yn awr roedd y ffin orllewinol yn destun trafod. Mynnai Stalin gynnwys rhannau o Silesia Almaenig a Pomerania Almaenig, ardaloedd oedd dan reolaeth Pwyllgor Lublin. Penderfynwyd gadael y mater hwn, ynghyd â phroblemau ffiniau eraill, hyd y gynhadledd heddwch ac yn y cyfamser parhâi Pwyllgor Lublin i reoli'r tiroedd. Dewisodd Stalin ddehongli hyn fel cydsyniad y Gorllewin i sefydlu ffin orllewinol Gwlad Pwyl ar hyd llinell Oder-Neisse.

Adlewyrchwyd ffydd yr Unol Daleithiau yn y Cenhedloedd Unedig pan ailadroddodd Truman ddatganiad Roosevelt yn Yalta y byddai'r Americanwyr yn gadael Ewrop ddwy flynedd ar ôl gorchfygiad yr Almaen. Trefnwyd cymorth i helpu'r rhannau o'r cyfandir a oedd wedi cael eu difrodi a'u dinistrio gan y rhyfel trwy sefydlu Gweinyddiaeth Cynorthwyo ac Adsefydlu y Cenhedloedd Unedig (*United Nations Relief and Rehabilitation Administration*).

Newidiodd polisïau rywfaint oherwydd bod dynion newydd, Truman ac Attlee, wrth y llyw. Roedd llai byth o bwyslais ar gosbi'r Almaen a mwy o bwyslais ar ailadeiladu, polisi yr oedd Attlee, Churchill, Byrnes, Ysgrifennydd Gwladol newydd America, a Truman ei hun yn bleidiol iddo. Anghofiwyd am y syniad o rannu'r Almaen yn nifer o wledydd bychain pan benderfynodd y Cynghreiriaid drin y wlad fel un uned economaidd. Ni fu gan Churchill erioed fawr o ffydd yng ngallu Stalin i gadw at ei addewidion yn Ewrop, ac yn awr cafodd lawer mwy o gefnogaeth oddi wrth y ddirprwyaeth Americanaidd a oedd yn llai parod na Roosevelt i fod yn gyfeillgar gyda Stalin.

Trefnwyd cyfaddawdau hyblyg ynglŷn ag ad-daliadau a meddiannu'r cylchfaoedd arfaethedig. Roedd disgwyl y byddai pob pŵer a oedd yn meddiannu darn o dir yn glynu wrth y ddogfen bolisi ar feddiant a luniwyd gan Gyngor Ymgynghorol Ewrop, ond yn ymarferol gellid ei dehongli mewn ffordd a fyddai o les i'r pŵer meddiannol. Roedd y pŵer meddiannol i reoli'r ad-daliadau oddi fewn i'w gylchfa ond roedd yr Undeb Sofietaidd hefyd i dderbyn 25 y cant o ad-daliadau'r gylchfa orllewinol fel cyfaddawd oherwydd ar y dechrau roedd yn hawlio 50 y cant o'r holl ad-daliadau.

Cafwyd anghytundeb pellach ynglŷn â llywodraeth Tito yn Iwgoslafia, natur y llywodraethau a sefydlwyd yn y Balcanau, a thynged trefedigaethau'r Eidal. Wrth i'r angen am undod milwrol ddiflannu, dechreuodd y Cynghrair Mawreddog chwalu ac roedd yr enw côd a roddwyd i'r gynhadledd, 'Terfynol', yn feddargraff priodol.

Y ffrynt cartref

Ar un olwg mae'r un nodweddion yn perthyn i bob rhyfel sef lladd, difrodi a dinistrio ond roedd gwahaniaethau sylfaenol rhwng natur ac effeithiau y ddau ryfel byd.

Gwelai'r milwyr a'r morwyr cyffredin wahaniaeth amlwg mewn cyfarpar a pheiriannau a mwy na thebyg, yn agwedd y swyddogion tuag atynt. Ymladdodd llawer o'r cadfridogion, fel swyddogion is, yn y Rhyfel Byd Cyntaf ac roedd ganddynt brofiad uniongyrchol o'r gyflafan erchyll honno. Dylanwadodd hyn ar eu hagwedd tuag at amddiffyn bywydau eu dynion a chanolbwyntiwyd ar ddatblygu strategaethau newydd a mwy soffistigedig a fyddai'n lleihau'r colledion dynol. Cawsant gefnogaeth lwyr Churchill ac o ganlyniad i hyn roedd y colledion yn y pen draw oddeutu hanner rhai'r Rhyfel Byd Cyntaf. Hefyd roedd y gwahaniaethau dosbarth y tu mewn i'r drefniadaeth filwrol wedi cael eu dileu i raddau ac roedd llai o duedd gan uwch-swyddogion i roi gorchmynion heb ystyried natur a galluoedd eu milwyr. Mewn gwirionedd, daeth y fyddin yn gyfundrefn fwy dynol o ganlyniad i'r rhyfel.

Roedd y dynion a ymladdodd yn yr Ail Ryfel Byd yn llawer parotach yn seicolegol na'r rheiny a gafodd eu hanfon i'r ffosydd yn y Rhyfel Byd Cyntaf. Roedd erchylltra'r Rhyfel Mawr a'r dadrithiad a'i dilynodd wedi esgor ar gnwd o farddoniaeth, celfyddyd, cerddoriaeth, nofelau a llyfrau eraill a ymosodai'n chwerw ar y profiad o ryfel a'i ganlyniadau. Roedd milwyr ifanc yr Ail Ryfel Byd wedi cael eu magu ar yr etifeddiaeth ddiwylliannol hon ac roeddynt yn ymwybodol iawn nad oedd rhyfel yn rhywbeth anrhydeddus ac urddasol. Hefyd deallai pobl achosion ac amcanion y rhyfel yn well ym 1939 nag ym 1914 pan oedd yr achosion wedi'u cuddio gan gymhlethdodau cytundebau milwrol a grymoedd gwleidyddol y ganrif flaenorol. Roedd Hitler a ffasgiaeth yn dargedau llawer mwy real na'r Kaiser ac imperialaeth Almaenig; roedd yr Ail Ryfel Byd yn wrthdrawiad llawer mwy amlwg rhwng y da a'r drwg.

Ond beth bynnag oedd dylanwad y rhyfel ar y milwyr, roedd yr effaith ar y boblogaeth sifil yn wahanol iawn i un unrhyw ryfel arall. Datblygodd ymdeimlad cryf o frawdgarwch di-ddosbarth wrth i'r boblogaeth, o'r Brenin i'r glanhawr stryd, ddioddef y perygl cyson o ymosodiad o'r awyr, yn arbennig yn ystod y *Blitz*.

Ar y dechrau achosodd cyfnod y 'rhyfel ffug' dipyn o ansicrwydd oherwydd y pwyslais ar encilio o'r trefi ac ar orchuddio neu ddiffodd unrhyw oleuadau wedi iddi nosi. Er na ellid gweld y gelyn ni leihawyd y paratoadau brwdfrydig am ryfel, ond dylanwadodd y diffyg gweithgarwch milwrol ar barodrwydd pobl i ymadael â'u cartrefi yn yr ardaloedd trefol.

Wrth i'r peryglon amlhau cododd ysbryd y bobl. Nid cyd-ddigwyddiad oedd yr adfywiad diddordeb mewn llenyddiaeth, cerddoriaeth a dramâu yng nghyfnod diflas y dogni bwyd a'r blacowt. Ffurfiwyd Cyngor i Annog Cerddoriaeth a'r Celfyddydau i hybu'r adfywiad hwn. Yn y mwyafrif helaeth o gartrefi mabwysiadwyd y set radio fel aelod arall o'r teulu a oedd yn darparu diddanwch a chysylltiad â'r byd y tu allan. Yn bwysicach, efallai, hwn oedd y cyfrwng a ddefnyddid gan Churchill i godi calon trigolion gwledydd Prydain.

Defnyddiodd y llywodraeth gymhorthdaliadau i reoli prisiau a chyflwynwyd dogni er mwyn goresgyn y broblem o brinder nwyddau a achoswyd gan y blocâd Almaenig. Ceisiodd y llywodraeth gyngor meddygon er mwyn sicrhau na fyddai'r boblogaeth yn dioddef o ddiffyg maeth oherwydd y polisi dogni, ac er enghraifft, darparwyd llaeth, sudd oren ac un pryd o fwyd y diwrnod yn rhad ac am ddim i blant ysgol. Rhwng 1939 a 1945 ganed 4.6 miliwn o blant ac yn y man gwelwyd bod y genhedlaeth honno yn un arbennig o iach. Cyfrannodd imwneiddiad rhag difftheria hefyd lawer at iechyd cyffredinol da y plant.

Bu newidiadau pwysig mewn gweinyddiaeth ac yn y llywodraeth. Ffurfiodd Churchill bwyllgor a oedd yn gyfrifol am gynhyrchiad. Man cyfarfod oedd y pwyllgor hwn i Arglwydd Cyntaf y Morlys a'r gweinidogion a oedd yn gyfrifol am gyflenwadau, cynhyrchu awyrennau a llafur. Trwyddo y cafodd cyflenwadau nwyddau a gwasanaethau eu trefnu hyd nes y sefydlwyd Gweinyddiaeth Gynhyrchu. Rhoddwyd y rheilffyrdd dan reolaeth y Weinyddiaeth Trafnidiaeth Ryfel a bu'r Arglwydd Leathers yn gyfrifol am Reilffyrdd Prydeinig ar ôl ei ffurfio ym mis Mai 1942. Ffurfiwyd Gweinyddiaeth Pŵer a Thanwydd i drefnu cyflenwadau tanwydd.

Sylfaen trefniadaeth Churchill oedd dirprwyo cyfrifoldeb er mwyn hyrwyddo'r ymdrech ryfel yn y dull mwyaf effeithlon. Roedd cyfeiriad dyddiol y rhyfel yn gyfrifoldeb Churchill a'i Gabinet Rhyfel o bump. Ar y ffrynt cartref Attlee oedd cadeirydd y Pwyllgor Polisi Cartref a'r Pwyllgor Polisi Bwyd a daeth Greenwood yn gadeirydd y Pwyllgor Polisi Economaidd a'r Cyngor Cynhyrchiad. Cyd-drefnid yr holl agweddau hyn o bolisi cartref gan bwyllgor dan reolaeth yr Arglwydd Arlywydd, Syr John Anderson, a oedd wedi cymryd y swydd honno wedi marwolaeth

Chamberlain. Cyflawnwyd llawer gan bwyllgorau'r ffrynt cartref. Sefydlwyd canolfannau gorffwys, canolfannau prydau bwyd a Phwyllgor y Digartref a oedd â'r hawl i ddosbarthu grantiau. Gweithiai Pwyllgor y Digartref yn ddiflino ac erbyn diwedd y *Blitz* roedd miliwn o gartrefi a ddifrodwyd neu a ddinistriwyd wedi cael eu trwsio neu eu hailgodi. Cymorth Cenedlaethol oedd y cyfrwng a fabwysiadwyd i roi budd-daliadau boddhaol i'r rheiny a oedd mewn angen, er enghraifft, budd-daliadau rhyfel a phensiynau atodol. Dilewyd y prawf moddion ym 1941 gan Ddeddf Penderfynu Anghenion a symleiddiwyd y drefn o dderbyn budd-daliadau yn ôl incwm. Ehangwyd a moderneiddiwyd y gyfundrefn ysbytai a sefydlwyd y Gwasanaeth Ysbytai ar adeg Argyfwng i reoli'r rhan fwyaf o'r ysbytai gwirfoddol a chyhoeddus. Erbyn mis Mawrth 1941 roedd y gyfundrefn newydd yn cwmpasu 80 y cant o'r ysbytai i gyd.

Addaswyd llywodraeth leol hefyd i ateb gofynion y rhyfel. Penodwyd deuddeg o gomisiynwyr rhanbarthol newydd i fod yn gyfrifol am amddiffyn sifil, i gymryd yr awenau pe bai'r Almaenwyr yn glanio ac i oruchwylio pob agwedd ar weinyddiaeth yr awdurdodau lleol. Cafwyd cydweithrediad parod swyddogion yr awdurdodau a gweithiodd y system yn dda o'r herwydd.

Yr her fwyaf i lywodraeth Churchill oedd rheolaeth dros yr economi. Roedd Ernest Bevin, y Gweinidog Gwaith, yn benderfynol o gynhyrchu cymaint ag oedd bosibl ond yr un pryd ennill gwelliannau yn amodau gwaith y dosbarth gweithiol. Sicrhaodd Deddf Pwerau mewn Argyfwng 1940 fod gan Bevin reolaeth lwyr ar lafur tra'n hyrwyddo yr un pryd berthynas dda rhwng y gweithwyr a'r rheolwyr. Yn ystod y rhyfel dyblodd cyflogau a'r unig streic o bwys oedd yn y diwydiant glo. Dull Bevin fel arfer oedd bod yn ofalus a synhwyrol a cheisio perswadio pobl yn hytrach na'u gorfodi.

Cafwyd cefnogaeth ddiflino i'r ymdrech ryfel. Cynyddodd nifer y merched mewn gwaith o 9 y cant i 34 y cant a manteisiwyd ar wasanaeth 200,000 o garcharorion. Erbyn 1943 roedd cyfanswm y dynion a'r gwragedd yn y gwasanaethau amddiffyn sifil a'r diwydiannau arfau wedi cyrraedd 46 y cant o'r boblogaeth weithiol. Cyflwynodd Bevin rai newidiadau deddfwriaethol hefyd. Ym mis Mehefin trosglwyddwyd cyfrifoldeb am y Deddfau Ffatri o'r Swyddfa Gartref i'r Weinyddiaeth Lafur. Ym mis Mawrth 1941 cyhoeddwyd y Gorchymyn Gwaith Hanfodol ac ym mis Rhagfyr 1941 cyflwynwyd Gwasanaeth Milwrol Gorfodol i wragedd rhwng ugain a deg ar hugain oed a'r Gorchymyn Cofrestru Ieuenctid i gynorthwyo pobl ifainc rhwng pymtheg a deunaw oed a oedd yn gweithio dan amodau gwael. Ym 1942 pasiwyd Deddf

Cyflogau Paratowyr Bwyd a'r Ddeddf Cyfyngiadau Gwaith. Yn y diwydiant glo yn unig y bu'n rhaid i Bevin wynebu a goresgyn problemau difrifol. Disgynnodd cynhyrchiad o 224 miliwn o dunelli i 180 miliwn. Ym 1944 roedd dwy ran o dair o'r anghydfod diwydiannol yn y diwydiant hwn, ac yn swydd Caint cosbwyd rhai glowyr am streicio.

Datblygodd rhai problemau yn sgîl y cynnydd mawr yn nifer y gweithwyr gan i hyn greu mwy o alw am nwyddau ar adeg pan oedd y cyflenwad nwyddau yn disgyn a gorfodwyd y llywodraeth i gyflwyno mesurau i reoli'r tueddiadau chwyddiannol a achoswyd gan y sefyllfa hon. Ym mlynyddoedd y rhyfel roedd dylanwad J. M. Keynes yn fawr ar gynllunio economaidd. Credai mewn rheolaeth ar yr economi drwy ymyrraeth gan y llywodraeth ac roedd ganddo ddiddordeb arbennig mewn economeg rhyfel. Cyhoeddodd amryw o lyfrau ar y testun hwn, gan gynnwys, ym 1940, *How to Pay for the War*. Ef hefyd oedd cynrychiolydd y llywodraeth yng Nghynhadledd Bretton Woods yn yr Unol Daleithiau lle y cynhaliwyd trafodaethau ar y trefniadau economaidd ar ôl y rhyfel.

Credai nad codi trethi oedd yr unig ateb i chwyddiant ac argymhellodd gynllun a orfodai bobl i gynilo arian. Yn ôl y cynllun byddai cyfran o arian yn cael ei dynnu'n uniongyrchol o gyflogau pawb a'i fuddsoddi dros gyfnod y rhyfel. Yng nghyllideb 1941 codwyd treth incwm i 10 *s*. cyflwynwyd mesurau i annog cynilo gwirfoddol yn ogystal â gosod y drefn o gynilo gorfodol, gosodwyd rheolaeth ar brisiau amryw o nwyddau a chyflwynwyd mwy o wariant cyhoeddus ar ffurf cymorthdaliadau gan ei godi o £72 miliwn (1940) i £215 miliwn (1944). Cafodd y rhyfel economaidd effaith ddifrifol ar Brydain er gwaethaf y benthyciadau Americanaidd. Erbyn dechrau 1941 roedd yr holl ddoleri ac aur wrth gefn Prydain wedi mynd; erbyn 1945 collasid dros £1000 miliwn o fuddsoddiadau tramor a lleihawyd allforion i 70 y cant o'r hyn a fuasent ym 1938.

Oherwydd natur y brwydro teimlai'r bobl eu bod yn ymladd yn enw cyfiawnder naturiol ac er mwyn amddiffyn democratiaeth. Creodd hyn awydd cryf yn eu plith i weld democratiaeth yn gwella ansawdd bywyd ac yn creu byd newydd hyderus. Daeth 'cynllunio' ac 'ailadeiladu' yn gysyniadau ffasiynol yn y llu o adroddiadau a llyfrau a gyhoeddwyd ar ôl y rhyfel yn ymwneud â'r adferiad economaidd a'r chwyldro cymdeithasol. Yn *Why Britain Fights* trafododd R. H. Tawney oblygiadau cymdeithasol y rhyfel a phwysleisiodd yr angen i gynllunio ar gyfer cyfiawnder cymdeithasol. Lleisiodd yr Eglwys ei barn, yn enwedig William Temple,

Archesgob rhyddfrydol Caer-gaint, a gyhoeddodd ei syniadau yn *Christianity and the Social Order.*

Adlewyrchwyd y syniadau ffasiynol am gynllunio, ardaloedd 'gwyrdd', parciau cenedlaethol, ardaloedd di-fwg, traffyrdd, trefi newydd a lleoliad diwydiannau yn Adroddiad Barlow (1940), Pwyllgor Uthwatt (1942), ac Adroddiad Scott (1942). Cafodd syniadau L. P. Abercrombie, Athro Dylunio Sifil yn Lerpwl, ac Athro Cynllunio Trefol ym Mhrifysgol Llundain rhwng 1935 a 1946 gryn dipyn o sylw. Ond roedd Churchill a'i lywodraeth yn llawer llai awyddus i gefnogi syniadau o'r math hwn, er gwaethaf eu poblogrwydd, am eu bod yn rhwym o arwain at ymyrraeth sylweddol yn y sector preifat a chydag eiddo preifat.

Gellir gweld rhagor o dystiolaeth dros boblogrwydd cynllunio am y dyfodol yn y diddordeb mawr a fynegid ar y pryd yn y diwygiadau a argymhellwyd gan Adroddiad Beveridge ym mis Rhagfyr 1942. Roedd Beveridge yn Rhyddfrydwr ac er ei fod yn credu mewn dehongliad eang o swyddogaeth yswiriant cenedlaethol nid oedd am i hynny amharu ar barodrwydd pobl i ddatblygu a mentro syniadau newydd ac i wynebu eu cyfrifoldebau. Meddai am ei adroddiad: 'Mae datganiad ynglŷn â pholisi o ailadeiladu gan genedl yn ystod rhyfel yn ddatganiad o sut y defnyddia'r genedl honno ei buddugoliaeth ar ôl i'r fuddugoliaeth gael ei chyflawni'.

Credai Keynes fod modd sicrhau gwaith i bawb, ond ni welai ar y llaw arall sut y gellid dileu diweithdra yn gyfan gwbl. Yn ei farn ef roedd diweithdra o ryw dri y cant yn anochel. Argymhellodd foderneiddio Deddf Lloyd George 1911 a datblygu cynllun yswiriant i ddiogelu pobl yn ystod cyfnod o salwch, henaint a diweithdra. Argymhellodd hefyd gyflwyno lwfans teulu a sefydlu Gweinyddiaeth Nawdd Cymdeithasol. Cyfeiriodd hefyd at ddyletswyddau'r llywodraeth ym meysydd adeiladu tai a'r gwasanaeth iechyd. Cafodd ei adroddiad groeso eang a gwerthwyd 635,000 o gopïau ohono. Dangosodd arolwg barn mai dim ond chwech y cant a wrthwynebai'r argymhellion, a dangosodd hefyd, wrth gwrs, nad oedd y llywodraeth mewn cytgord â'r cyhoedd ar y mater hwn. Cafwyd trafodaethau yn y Senedd ond gwrthododd y llywodraeth weithredu'r argymhellion.

Yn sgil y Papur Gwyn ar addysg a gyhoeddwyd ym 1943, ac Adroddiad Fleming (1944) a argymhellodd gadw 25 y cant o lefydd mewn ysgolion breintiedig ar gyfer plant o gartrefi llai ffodus, pasiwyd Deddf Addysg 1944. Lluniwyd rhannau helaeth o'r ddeddf gan Hadow, Spens a Norwood yn ogystal â Chuter Ede ac R. A. Butler, Llywydd y Bwrdd Addysg ym 1941.

Nid oedd y cyfnod rhwng y ddau ryfel yn nodweddiadol am ei

ddiwygiadau addysgol. Gwelwyd gostyngiad mewn safonau yn y sector cyhoeddus a chystadlu brwd yn y sector preifat, ac anghofiwyd am argymhelliad Deddf Addysg 1936 y dylid codi'r oedran gadael ysgol o bedair ar ddeg i bymtheg oed pan ddechreuodd y rhyfel. Prif fwriad Butler oedd ymestyn y sector cyhoeddus ond wynebodd y broblem o gystadleuaeth grefyddol rhwng yr Anglicaniaid a'r Anghydffurfwyr. Roedd Churchill ei hun yn amheus iawn o unrhyw ymyrraeth mewn addysg o gofio'r niwed a wnaethpwyd i'r Ceidwadwyr gan Ddeddf Addysg 1902. Ond credai Butler, yn gywir, fod yr amser wedi dod am newid. Fel y dywedodd William Temple: 'Rwy'n dweud hyn mewn ffordd amrwd iawn, ond rwy'n credu fod gan ein Harglwydd fwy o ddiddordeb mewn codi'r oedran gadael ysgol i bymtheg na chael cytundeb ar faes llafur crefyddol'.

Rhoddodd Butler ddewis i'r ysgolion gwirfoddol. Gallent ddewis gael eu rheoli, sef caniatáu i'r awdurdodau lleol fod yn gyfrifol am benodiadau staff a chyllid yr ysgolion. Byddent yn cytuno ar faes llafur crefyddol ymlaen llaw a byddai'r mwyafrif o'r llywodraethwyr yn cael eu dewis gan gyrff cyhoeddus. Y dewis arall oedd derbyn ychydig o gymorth ar gyfer talu cyflogau'r staff yn unig, gan adael popeth arall yn nwylo'r cyrff crefyddol.

Ar ôl dwy flynedd a hanner o drafodaethau penderfynodd y mwyafrif o'r ysgolion anghydffurfiol, a llawer o'r ysgolion anglicanaidd, dderbyn y dewis cyntaf. Penderfynodd yr ysgolion pabyddol fanteisio ar yr ail ddewis er nad oeddynt yn fodlon ar faint y grant, sef 50 y cant o'r costau. Pan basiwyd y ddeddf ym 1944 roed newidiadau pellach ar y gweill: y rhaniad rhwng addysg gynradd ac uwchradd yn un ar ddeg oed, a'r rhaniad rhwng ysgolion gramadeg, eilradd modern, technegol, a phreifat yn y sector uwchradd.

I grynhoi felly, tra oedd y milwyr Prydeinig yn brwydro yn Ewrop, Affrica a'r Dwyrain Pell, unodd y boblogaeth gartref i sicrhau cyflenwadau digonol o fwyd, dillad ac arfau iddynt. Daeth pobl yn nes at ei gilydd a chynyddodd y gefnogaeth i lawer o'r syniadau cymdeithasol a symbylwyd gan flynyddoedd yr argyfwng. Cododd y rhyfel statws Winston Churchill ac roedd ei arweinyddiaeth rymus yn elfen anhepgorol yn llwyddiant y Cynghreiriaid a'r ffrynt cartref.

Y Llywodraeth Lafur, 1945–1951

Buddugoliaeth y Blaid Lafur

Yn yr etholiad cyffredinol a ddilynodd yr Ail Ryfel Byd ym mis Gorffennaf 1945 enillodd y Blaid Lafur 393 o seddau, y Ceidwadwyr 213, a'r Rhyddfrydwyr 13. Nid oedd buddugoliaeth y chwith mor annisgwyl â hynny. Er gwaethaf chwe blynedd o ryfel roedd pobl yn dal i gofio problemau cymdeithasol ac economaidd y 1930au. Nid mater hawdd oedd anghofio agwedd y llywodraethau Ceidwadol a Chenedlaethol a ymddangosai mor wynebgaled yn wyneb y tlodi a'r newyn a oedd wedi llethu degau o filoedd o deuluoedd.

Teimlai llawer o etholwyr hefyd fod polisïau'r Ceidwadwyr yn rhy gyfyng a diddychymyg i gwrdd â disgwyliadau newydd y bobl ar ôl y rhyfel. Roedd ymwybyddiaeth newydd o gydraddoldeb cymdeithasol ac annibyniaeth bersonol ar gerdded ym Mhrydain ac nid oedd pobl am ddychwelyd i'r hen drefn o ddosbarthiadau cymdeithasol pendant. Roedd y system o orfodaeth filwrol wedi cyfrannu at y teimlad hwn; esgusodwyd unigolion rhag gwneud gwasanaeth milwrol ar sail eu pwysigrwydd i'r ymdrech ryfel gartref yn unig ac nid ar sail safle mewn cymdeithas.

Cyflwynwyd nifer o fesurau yn ymwneud â chytundebau cyflogaeth a symudiad llafur. Trwy Ddeddf Pwerau mewn Argyfwng 1940 yr oedd Bevin wedi derbyn llawer o rym i ddwylo swyddogion y wladwriaeth. Roedd yn ofynnol i bobl gael eu cyflogi trwy'r cyfnewidfeydd llafur ac nid oedd gan gyflogwyr hawl i ddiswyddo gweithwyr heb reswm. Ni allai gweithiwr symud i swydd arall chwaith heb ganiatâd y Weinyddiaeth Lafur. Ni chaniateid streiciau na'r arfer o 'gloi allan', a sefydlodd y Weinyddiaeth Lafur bwyllgorau i drafod a phennu cyflogau mewn diwydiant. Rhoddwyd cyflogau cyfartal i bawb a oedd yn gwneud yr un math o waith yn yr un diwydiant.

Addaswyd llawer o ffatrïoedd yn ystod y rhyfel at bwrpas cynhyrchu arfau a chyflogwyd 5.25 miliwn o weithwyr yn y ffatrïoedd hyn. Cyflogwyd 7.75 miliwn o ferched, yn rhannol oherwydd y galw cynyddol am ddefnyddiau rhyfel ac yn rhannol i gymryd lle'r dynion a oedd wedi cael eu galw i'r fyddin. Edrychai llawer o bobl ar gyfnod y rhyfel fel un o ymgyrchu gan y dosbarth gweithiol pan unodd trigolion yr Undeb Sofietaidd â hwythau fel cymrodyr yn erbyn y bygythiad ffasgaidd.

Ymestynnodd y llywodraeth ei rheolaeth ar lawer o'r gwasanaethau lles ac ar ddiwydiant a dangosodd y gallai dogni ar fwydydd sicrhau tegwch i bawb, er enghraifft, caniatawyd pedair i wyth owns o gig moch yr wythnos i bob person a dwy i bedair owns o de. Mabwysiadwyd system pwyntiau ar gyfer bwydydd a alluogai bobl i ddewis y bwyd yr oedd ei eisiau arnynt os oedd ganddynt ddigon o bwyntiau, er enghraifft, byddai 16 pwynt yn rhoi un tun o laeth cyddwys, pwys o fisgedi ac un tun o gig i unigolyn. Rhoddwyd cymorthdaliadau i wrthweithio'r duedd i gyfeiriad codiadau mawr mewn prisiau bwyd a chafwyd dogni ar ddillad a dodrefn, ac er mwyn cadw costau'n isel ni roddwyd llawer o ddewis o ran patrwm, defnydd nac arddull. Crybwyllwyd eisoes sut y bu i iechyd plant wella yn ystod y rhyfel oherwydd y sylw a roddwyd i ofal meddygol a bwyd maethlon.

Roedd cysylltiad gweinidogion o'r Blaid Lafur â rhai o'r newidiadau mwyaf poblogaidd yng nghyfnod y rhyfel yn elfen bwysig yn llwyddiant y blaid yn etholiad 1945. Prin oedd angen atgoffa pobl o gyfraniad Herbert Morrison yn y Swyddfa Gartref i amddiffyn sifil ac i gynlluniau ailadeiladu'r trefi nac o reolaeth Ernest Bevin ar ddiwydiannau a'i ymroddiad llwyddiannus i gynnwys arweinwyr undebol mewn trafodaethau a phenderfyniadau pwysig ar ddiwydiant. Roedd llawer yn cofio hefyd am gyfraniad Hugh Dalton yn y Bwrdd Masnach tuag at hybu datblygiadau rhanbarthol.

Ym 1942 cyhoeddwyd Adroddiad Beveridge a argymhellodd fyrdd o newidiadau a gwelliannau cymdeithasol. Roedd agwedd elyniaethus llywodraeth Churchill tuag at yr adroddiad yn gamgymeriad gwleidyddol a gyfrannodd at fuddugoliaeth y Blaid Lafur ym 1945.

Yr oedd Beveridge wedi arbenigo yn y gwasanaethau cymdeithasol er y Rhyfel Byd Cyntaf, ac yn ei adroddiad amlinellodd gynllun cynhwysfawr a fyddai'n diogelu safon byw deilwng i bawb gyda gofal arbennig dros hen bobl a chleifion. Amcan yr adroddiad, o weithredu ei argymhellion, oedd gwarchod pobl gyffredin rhag heintiau, anwybodaeth, tlodi a diweithdra. Roedd y gwerthoedd a'r agweddau a nodweddai'r cynllun yn gwbl wahanol i werthoedd ac agweddau'r 1920au a'r 1930au pryd yr ystyrid unrhyw gymorth i bobl mewn angen fel elusen a wrthodid ganddynt yn amlach na pheidio. Ymwrthodai Beveridge â'r dybiaeth fod pobl yn dewis bod yn segur a bod modd lleihau diweithdra drwy leihau budd-daliadau.

Tair egwyddor ganolog cynllun Beveridge oedd: lwfans teulu i'w dalu ar gyfer pob plentyn ar ôl y cyntaf heb i'r rhieni orfod gwneud unrhyw gyfraniad ariannol cyn ei dderbyn; Gwasanaeth Iechyd Cenedlaethol i bawb; cyflwyno'r mesurau angenrheidiol i osgoi lefel uchel o ddiweithdra a'r problemau cymdeithasol cysylltiedig. Fel y dywedodd yr adroddiad:

Ni fedrwch orfodi rhyddid rhag angen ar bobl na'i roddi i bobl o fewn gwlad ddemocrataidd. Rhaid iddynt ei ennill; ac i wneud hyn, rhaid wrth wroldeb, ffydd, ac undod cenedlaethol — gwroldeb i wynebu ffeithiau ac anawsterau, yna eu gorchfygu; ffydd yn ein dyfodol ac yn nelfrydau chwarae teg a rhyddid y mae ein cyndadau wedi bod yn barod i farw drostynt dros y canrifoedd; a syniad o undod cenedlaethol sydd goruwch unrhyw fanteision dosbarth neu adran. Cyflwynir y cynllun hwn o ddiogelwch cymdeithasol gan un a gred na fydd pobl Prydain yn cael eu hunain yn brin o wroldeb, ffydd, undod cenedlaethol, na nerth materol nac ysbrydol i chwarae eu rhan lawn er sicrhau diogelwch cymdeithasol a goruchafiaeth cyfiawnder . . .

(rhan o *Adroddiad Beveridge*, 1942)

Roedd yr adroddiad yn addewid am ddyfodol gwell a chymdeithas decach ac yn wrthodiad o ddifaterwch y 1930au. Nid oedd pobl yn barod i gytuno â Churchill eu bod wedi brwydro i adfer yr 'hen Loegr', ac roeddynt yn ddiamynedd â'i besimistiaeth — rhybuddiodd y byddai gwella cyflogau, tai, addysg, ac amodau gwaith yn eithriadol o gostus. Dywedir iddo wneud ei orau hefyd i gadw llawer o fanylion Adroddiad Beveridge rhag cyrraedd clustiau'r milwyr yn ystod 1943, 1944, a 1945 a chythruddwyd llawer ohonynt pan glywsant hyn.

Yn y Cabinet, Herbert Morrison oedd un o gefnogwyr mwyaf brwdfrydig yr adroddiad a bu dadlau cyson rhyngddo ef a'r Trysorlys a oedd yn ofni canlyniadau economaidd gweithredu'r adroddiad oherwydd y gost.

Yn ystod ymgyrch etholiadol 1945, llugoer iawn oedd agwedd y Ceidwadwyr tuag at argymhellion Beveridge, a bu ymdrechion i'w pardduo drwy baentio darlun brawychus o wladwriaeth gomiwnyddol ormesol a chan awgrymu mai'r wladwriaeth a fyddai'n rheoli bywydau pawb pe gwireddid y breuddwydion. Aeth rhai ymgeiswyr mor bell â sôn am wladwriaeth yn nwylo heddlu tebyg i'r Gestapo. Ond roedd lleiafrif bach o Geidwadwyr yn anhapus iawn ynglŷn â'r agwedd hon — pobl megis y Foneddiges Astor a Mavis Tate. Teimlai rhai o'r Torïaid mwyaf adnabyddus megis Eden, Butler a Lyttelton fod angen symud y blaid tuag at y canol gan ddangos mwy o gefnogaeth i syniadau Beveridge ond aflwyddiannus fu eu hymdrechion. Ni chytunai Churchill gyda hwy o gwbl. Er iddo roi arweinyddiaeth ysbrydoledig yn ystod y rhyfel, eto ar ôl iddo orffen penderfynodd y pleidleiswyr fod angen polisïau a fyddai'n cynnal ac estyn yr undod a'r gwelliannau cymdeithasol a nodweddai flynyddoedd y rhyfel.

Nid oedd pobl yn barod i ddychwelyd i'r math o gymdeithas a chyfundrefn a oedd yn bod cyn y rhyfel, yn arbennig felly llawer o'r dynion a fu'n ymladd yn y rhyfel ei hun. Nid oedd pobl wedi anghofio dioddefaint a diweithdra uchel y 1930au ac fe ddangosodd y llywodraeth, yn arbennig y gweinidogion Llafur yn ystod y rhyfel, ei bod hi'n bosibl i'r wladwriaeth ymdrin yn uniongyrchol ac yn effeithiol â phroblemau diwydiannol a chymdeithasol. Er nad y gwleidyddion Llafur yn unig fu'n gysylltiedig â'r polisïau cynllunio a chymdeithasol rhwng 1939 a 1945 — hwy gafodd y clod ac fe fanteisiwyd ar hyn ganddynt yn ystod yr ymgyrch etholiadol. Yn eu barn hwy roedd yn profi fod polisïau sosialaidd yn ymarferol ac o fudd i'r mwyafrif llethol o'r boblogaeth. Cyfrannodd y ffactorau hyn yn sylweddol at lwyddiant y blaid yn yr etholiad ar ddiwedd y rhyfel.

Pan ddaeth Clement Attlee i rym fel Prif Weinidog y llywodraeth Lafur penododd Ernest Bevin yn Ysgrifennydd Tramor, Hugh Dalton yn Ganghellor y Trysorlys, Aneurin Bevan yn Weinidog Iechyd a Stafford Cripps yn Gadeirydd y Bwrdd Masnach. Hefyd penododd yr Arglwydd Keynes yn brif ymgynghorydd i'r Trysorlys. Ym 1945 roedd gan y llywodraeth Lafur fwyafrif sylweddol ac roedd mewn sefyllfa gref i weithredu ei pholisïau. Gwnaeth bob ymdrech i wireddu ei haddewidion etholiadol, gan ymestyn rheolaeth y wladwriaeth ym Mhrydain.

Problemau economaidd

Y broblem fwyaf a wynebodd y llywodraeth newydd oedd adfywio economi a effeithiasid yn ddifrifol gan ddifrod chwe blynedd o ryfela. Roedd rhai problemau yn amlwg: roedd dros 200,000 o gartrefi wedi eu dinistrio, roedd costau byw'n cynyddu a phrinder nwyddau o bob math. Roedd 33 y cant o incwm pobl yn cael ei wario ar nwyddau hanfodol a oedd yn cael eu dogni. Erbyn 1945 ychydig iawn o fuddsoddiadau tramor oedd ar ôl, collasid llawer o'r hen farchnadoedd tramor (er enghraifft, De America i'r Unol Daleithiau) ac roedd yn rhaid wynebu problemau mantol daliadau difrifol oherwydd effaith y rhyfel ar fasnach Brydeinig. Er i fewnforion ostwng yn ystod y rhyfel lleihaodd allforion o fwy na 65 y cant rhwng 1939 a 1945 ac nid oedd gan Brydain ddigon o fuddsoddiadau tramor i wrthweithio'r diffyg ariannol a gwella'i mantol daliadau. Felly un o flaenoriaethau'r llywodraeth oedd cynyddu allforion a threfnu benthyciad newydd oddi wrth yr Unol Daleithiau gan fod yr Arlywydd Truman wedi terfynu'r benthyciadau rhyfel ym mis Mai 1945. Roedd

12. Clement Attlee yn dechrau ar ei waith fel Prif Weinidog gwledydd Prydain, 27 Gorffennaf 1945

gwledydd Prydain wedi dioddef colledion materol gwerth £5,000 miliwn yn ystod y rhyfel yn ogystal â gwerth mwy na £1,000 miliwn o fuddsoddiadau tramor, ac roedd eu dyledion tramor wedi cyrraedd £3,355 miliwn. Penderfynodd y llywodraeth fod angen cynyddu allforion 175 y cant, gan ddefnyddio'r ffigur ar gyfer 1938 fel man cychwyn. Gwyddai'r llywodraeth y byddai cyflwyno diwygiadau cymdeithasol yn gostus iawn ac yn ddibynnol i raddau helaeth ar gymorth ariannol oddi wrth yr Unol Daleithiau.

Ym mis Medi 1945 agorwyd trafodaethau gyda'r Americanwyr ynglŷn â'r benthyciad. Eglurwyd y sefyllfa economaidd iddynt yn ogystal â'r ffaith fod yr adnoddau aur wrth gefn wedi syrthio o £865 miliwn ym 1938 i £3 miliwn erbyn 1944. Gofynnodd Prydain am fenthyciad o 6,000 miliwn o ddoleri a chafodd fenthyciad o 3,750 miliwn ar log o ddau y cant, i'w dalu'n ôl dros gyfnod o hanner can mlynedd gan ddechrau ym 1951. Fel amod dros dderbyn y benthyciad Americanaidd roedd yn rhaid i Brydain addo dileu unrhyw gyfyngiadau ar fasnach dramor, hynny yw, diddymu'r bloc sterling. Golygai hyn nad oedd yn rhaid i wledydd eraill mwyach brynu a gwerthu eu nwyddau mewn punnoedd, a disgwylid i Brydain dalu am nwyddau mewn doleri gan fod y ddoler yn y cyfnod hwn yn fwy sefydlog na'r bunt.

Beirniadwyd telerau'r benthyciad gan aelodau seneddol ar ddwy ochr y Tŷ. Gwrthwynebai rhai aelodau Llafur y rheolaeth yr oedd trefn gyfalafol yr Unol Daleithiau yn ceisio ei gosod ar bolisïau sosialaidd y llywodraeth Lafur. Dadleuodd rhai Ceidwadwyr y byddai'r cytundeb yn gostwng statws a dylanwad Prydain yn y byd ac yn prysuro tranc yr Ymerodraeth Brydeinig. Sut bynnag, nid oedd llwybr arall i'r llywodraeth ar y pryd. Heb y benthyciad byddai'r problemau economaidd wedi gwaethygu gan orfodi gohirio'r cynlluniau ar gyfer ailadeiladu fframwaith economaidd a chymdeithasol y wlad. Nid oedd y farn gyhoeddus yn gryf yn erbyn nac o blaid; dim ond un peth oedd yn sicr, sef bod pobl yn dyheu am fywyd gwell. Yr oedd newyn mewn gwahanol rannau o'r byd wedi achosi prinder bwydydd megis gwenith a reis ac o ganlyniad bu gostyngiadau mewn mewnforion ac yn swm y bwyd a oedd ar gael i borthi anifeiliaid a hynny'n arwain at lai o gig ac wyau i'r cyhoedd. O ganlyniad i brinder cnau daear o India, a thymor gwael i'r pysgotwyr morfilod, cyflwynwyd dogni pellach ar ymenyn a margarîn. Hefyd, oherwydd prinder gwenith roedd yn rhaid dogni bara am tua dwy flynedd o fis Gorffennaf 1946 ymlaen.

Roedd prinder tanwydd yn broblem hefyd. Yn ystod y rhyfel nid oedd llawer o lo wedi cael ei allforio ac roedd llawer o'r glowyr wedi mynd i'r

209

lluoedd arfog. Roedd cynhyrchu glo wedi gostwng o ganlyniad ac ar ôl 1945 nid oedd yn ddigonol i gwrdd ag anghenion diwydiant. Er mwyn cynnal cyflenwadau o lo i'r gorsafoedd cynhyrchu trydan lleihawyd y cyflenwadau i ddiwydiant o 50 y cant. Yna streiciodd gweithwyr trafnidiaeth Llundain a phenderfynodd y llywodraeth ddefnyddio milwyr i symud bwyd a nwyddau hanfodol. Digwyddodd hyn ar yr un adeg ag y llethwyd Prydain gan y gaeaf caletaf ers blynyddoedd. Caewyd ffyrdd a rheilffyrdd, ac oherwydd hyn a phrinder tanwydd a thrydan bu'n rhaid cau llawer o ffatrïoedd, gan ychwanegu at nifer y di-waith. Ond ni chafodd yr holl anawsterau hyn lawer o effaith ar hyder newydd y bobl oherwydd eu bod efallai wedi eu cyflyru gan galedi a dioddefaint cyfnod y rhyfel i beidio â chwyno gormod oherwydd helyntion personol.

Ymatebodd y llywodraeth i'r prinderau hyn trwy ddefnyddio mesurau cyfnod y rhyfel — dogni bara, tatws, dillad a chig. Parhawyd hefyd gyda'r grantiau — gwerth £485 miliwn — er mwyn cadw prisiau'n wastad, a'r cyfan yn dod o drethi. Cyflwynwyd dogni ar ddefnyddiau adeiladu hefyd er mwyn hel digon o ddefnyddiau at ei gilydd i roi blaenoriaeth i adeiladu ffatrïoedd, ysgolion ac ysbytai ac i atgyweirio'r difrod yr oedd y rhyfel wedi ei achosi. Ni chaniateid adeiladu ond un tŷ preifat am bob pedwar tŷ cyngor.

Ar ôl y Rhyfel Byd Cyntaf roedd buddsoddiadau tramor Prydain wedi bod yn gymorth i'r adfywiad economaidd, ond ym 1945 nid oedd hyn yn bosibl gan fod bron y cyfan o'r buddsoddiadau tramor naill ai wedi'u colli neu wedi'u gwerthu. Yn wyneb y fath golledion ac yn dilyn y benthyciad Americanaidd roedd Prydain bellach yn ddibynnol i raddau helaeth ar gyflwr economaidd yr Unol Daleithiau.

Roedd lefelau cynhyrchu isel yn dal yn ddraenen yn ystlys y llywodraeth. Aeth rhai nwyddau yn brinnach byth ac roedd cynhyrchiant isel yn rhannol gyfrifol am barhad y mesurau dogni. Ym 1947 cyhoeddwyd y pamffled *Keep Left* gan Richard Crossman, Michael Foot ac Ian Mikado yn galw ar y llywodraeth i wladoli mwy o'r economi ac i ad-drefnu rhai o'r diwydiannau preifat. Ni chredai Attlee, Bevin a Cripps fod mwy o wladoli yn ymarferol, ond croesawodd y chwith benderfyniad Dalton i dorri gwario ar amddiffyn ar ddechrau 1947 o £1,653 miliwn i £899 miliwn.

Er mwyn hybu allforion cyfyngwyd ar farchnad gartref rhai diwydiannau. Yn y diwydiant moduron er enghraifft allforiwyd y mwyafrif llethol o'r ceir, lorïau a thractorau a gynhyrchwyd ym 1950. Dilynodd y llywodraeth yr un polisi gyda chynhyrchion y diwydiant cemegau, y diwydiant metelegol a'r diwydiant peirianyddol a chyfyngwyd ar fewnforion y prif gystadleuwyr tramor. Roedd allforion 1946 37 y cant yn uwch na rhai 1938 ac erbyn 1951 roeddynt 74 y cant yn uwch, ond nid oedd hyn yn ddigonol i gyflawni amcanion y llywodraeth. Roedd gan Brydain fanteision economaidd dros yr Almaen a Japan ar yr adeg hon gan fod eu diwydiannau hwy mewn llawer gwaeth cyflwr ac yn methu â chystadlu'n effeithiol yn y farchnad ryngwladol. Ni chafwyd dirwasgiad cyffelyb i'r un ar ôl y Rhyfel Byd Cyntaf oherwydd bod diwydianwyr wedi dysgu peidio â dibynnu'n ormodol ar hen ddulliau a thechnoleg, a datblygwyd a buddsoddwyd mewn amrywiaeth eang o ddiwydiannau ar ôl yr Ail Ryfel Byd, gan roi llai o bwyslais ar y diwydiannau sylfaenol traddodiadol. O ganlyniad i hyn nid oedd diweithdra yn gymaint o broblem ar ddiwedd yr Ail Ryfel Byd ag ar ddiwedd y Rhyfel Byd Cyntaf.

Er bod llawer o weithwyr yn edmygu'r modd yr oedd y llywodraeth yn ceisio datrys y problemau economaidd, roedd yn anorfod na allai fodloni pawb. Credai llawer o'r etholwyr dosbarth canol erbyn 1948 nad oedd Prydain yn cynhyrchu digon a bod polisïau cymdeithasol y llywodraeth wedi tanseilio'r cymhelliad i weithio. Credent hefyd fod y dosbarth gweithiol yn cael gormod o sylw gan y llywodraeth ar draul y dosbarth canol, er gwaetha'r ffaith fod llawer ohonynt wedi cefnogi'r Blaid Lafur ym 1945.

Pan ddaeth y benthyciadau Americanaidd i ben ym 1947 bu raid i lywodraeth Prydain gyflwyno mwy o fesurau cynilo. Ymestynnwyd diwrnod gwaith y glowyr, tociwyd gwerth £12 miliwn y mis oddi ar fewnforion bwyd, ataliwyd mewnforion tybaco Americanaidd, lleihawyd y dogn cig a'r dogn petrol a rhoddwyd cyfyngiadau pellach ar ddefnydd tanwydd. Er gwaethaf hyn oll, roedd y diffyg ariannol ar gyfer y flwyddyn honno yn £442 miliwn.

Ar ôl ymddiswyddiad Dalton ym mis Tachwedd 1947 daeth Stafford Cripps yn Ganghellor y Trysorlys. Gŵr piwritanaidd, llym ei ddaliadau ydoedd, a chredai y deuai adferiad cyflymach i iechyd economaidd Prydain pe bai pawb yn gweithio'n galetach ac yn gwerthu mwy.

Ar yr un adeg cytunodd 16 o wledydd Ewrop i dderbyn cymorth economaidd oddi wrth yr Unol Daleithiau am bedair blynedd dan Gynllun Marshall i adfywio economi'r cyfandir ac i'w sefydlogi'n wleidyddol yn erbyn dylanwad comiwnyddiaeth. Bwriad arall y cynllun oedd sicrhau marchnad fawr yn Ewrop i allforion yr Unol Daleithiau. O dan y cynllun hwn derbyniodd Prydain £144 miliwn ym 1948, £244 miliwn ym 1949, £239 miliwn ym 1950 a £54 miliwn ym 1951.

Yn y cyfamser rhoddodd gweinidogion fel Ernest Bevin ac Aneurin

Bevan eu cefnogaeth lawn i bwyslais Cripps ar gynyddu cynnyrch diwydiannol ac allforion. Yn hyn o beth cafwyd ymateb ffafriol oddi wrth y diwydiannau haearn a dur, gweolion a glo. Gosodwyd nod cynhyrchu ar gyfer pob diwydiant a sefydlwyd gweithgor i ystyried y gwahanol ddiwydiannau a phenderfynu sut y gellid cynyddu'r cynnyrch a moderneiddio'r dulliau. Credai Cripps hefyd mewn defnyddio'r Wasg yn helaeth er mwyn egluro pob sefyllfa a mesur i'r cyhoedd.

Cyhuddwyd y Canghellor o waethygu safonau byw y rhan fwyaf o'r boblogaeth. Dichon fod hyn yn wir ond mae'n debyg bod ei fesurau economaidd yn hanfodol o ystyried problemau'r cyfnod. Llwyddodd i ennill cydweithrediad yr undebau a chytunasant i gyfyngu ar alwadau am godiadau cyflog. Rhwng 1948 a 1951 cododd cyflogau 5 y cant ar gyfartaledd tra cododd prisiau 8 y cant. Cytunodd y cyflogwyr hefyd i gydweithio â pholisi'r Canghellor er mwyn hyrwyddo datblygiad economaidd. Gostyngwyd ymhellach ar fewnforion bwyd a thybaco yn ogystal â chostau'r lluoedd arfog. Yn ystod 1948 cododd allforion 25 y cant a mewnforion dim ond 4 y cant. Erbyn diwedd y flwyddyn roedd gan y llywodraeth £1 miliwn dros ben ac o fewn deuddeng mis arall cododd hyn i £31 miliwn.

Ond tyfiant dros dro a gyflawnwyd gan bolisïau Cripps ac ym mis Medi 1949 bu'n rhaid gostwng gwerth y bunt 30.5 y cant. Golygai hyn fod nifer y doleri i'r bunt yn disgyn o 4.03 i 2.80. O ganlyniad cynyddwyd costau mewnforion ond sicrhawyd yr un pryd fod allforion Prydeinig yn rhatach. Erbyn 1950 roedd polisïau Cripps yn dechrau dwyn ffrwyth gyda'r fantol daliadau ar y cyfan mewn gwell cyflwr nag y bu ers y 1920au (er enghraifft, rhwng 1948 a 1951 cododd allforion 60 y cant a mewnforion 14 y cant). Ond yn gyffredinol roedd yn anodd mesur effaith uniongyrchol gostwng gwerth y bunt ar yr hinsawdd economaidd gan fod gwledydd eraill yn gweithredu polisïau tebyg. Hefyd mae'n rhaid derbyn bod y cymorth a ddarparwyd gan Gynllun Marshall yn hwb i ddatblygiad economaidd ym Mhrydain a chyfrannodd at lwyddiant rhai o bolisïau'r llywodraeth rhwng 1947 a 1950.

Mae'n bwysig peidio â dibrisio'r cyfraniad a wnaeth y trefedigaethau a'r Dominiynau i adferiad yr economi Prydeinig. Golygai rheolaeth Brydeinig ar brisiau nwyddau crai mewn rhannau o Affrica, er enghraifft, fod costau cynhyrchion megis coco, olew, llysiau a chopr yn rhatach i Brydain ac roedd hyn yn gymorth i'r economi yn y blynyddoedd yn syth ar ôl y rhyfel. Sicrhaodd y polisi o ffafriaeth imperialaidd fod Prydain yn gallu wynebu'r problemau economaidd â mwy o hyder nag y gallai rhai o wledydd Ewrop.

Creodd y rhyfel yn Korea broblemau ychwanegol i'r llywodraeth oherwydd iddo ddod â phrinder rhai adnoddau crai yn ei sgîl, megis rwber, tun a chotwm. Cododd prisiau'n sylweddol ac er i hyn fod o fantais i'r Gymanwlad am gyfnod, cododd costau mewnforion i Brydain. Ymrwymodd y llywodraeth ei hunan i'r rhyfel a chynyddodd y gwario ar amddiffyn, gan gyfeirio mwy o adnoddau dur i'r diwydiant arfau. Yn sgîl hyn lleihaodd swm y dur a oedd ar gael ar gyfer allforion a diwydiannau eraill. Erbyn diwedd 1951 roedd y diffyg ariannol yn £44 miliwn.

Rheolaeth y wladwriaeth

Gwyddai Attlee a'i Gabinet fod sefyllfa eu llywodraeth yn gwbl wahanol i sefyllfa'r llywodraethau Llafur blaenorol a bod ganddynt y tro hwn gefnogaeth y bobl a mwyafrif seneddol i weithredu llu o gynlluniau diwygiol. O'u safbwynt hwy roedd polisïau'r farchnad rydd wedi methu, methiant a amlygwyd gan ddiweithdra uchel y cyfnod rhwng y rhyfeloedd.

Dangoswyd gan lywodraethau Lloyd George a Winston Churchill, yn ogystal â chan brofiad Swyddfa'r Post, Trafnidiaeth Llundain a'r Bwrdd Trydan Canolog, nad oedd rheolaeth wladwriaethol yn arwain at anhrefn. Roedd cyfle felly i gynllunio'r economi er mwyn sicrhau nad oedd patrwm y 1930au yn cael ei ailadrodd. Ystyriaeth arall gan lawer o'r aelodau Llafur oedd na ddylai elw diwydiannol fynd i bocedi lleiafrif bychan o bobl. Gwyddai'r mwyafrif o aelodau seneddol fod angen buddsoddiad anferth i ad-drefnu rhannau o'r economi yn llwyddiannus a heb y fath fuddsoddiad byddai dirywiad sydyn yn goddiweddyd diwydiannau megis y diwydiant glo a'r rheilffyrdd. Roedd cytundeb cyffredinol, uwchlaw ideoleg plaid, nad oedd gan ddiwydiannau preifat yr adnoddau na'r diddordeb i adfer y rhannau hynny o'r economi a oedd yn wynebu'r argyfwng gwaethaf.

Rheolwyd mewnforion yn ystod y rhyfel a pharhaodd y rheolaeth hon hyd at ddechrau'r 1950au. Daeth dros 90 y cant o fewnforion dan oruchwyliaeth y llywodraeth rhwng 1946 a 1949. Blaenoriaeth y llywodraeth oedd cynyddu allforion a soniwyd eisoes am gyfyngiadau ar y farchnad gartref er mwyn darparu rhagor o nwyddau allforio, am ddogni bwyd, ac am reoli prisiau gyda chydweithrediad pobl busnes. Ni ddylid, fodd bynnag, fentro'r ddamcaniaeth fod y polisïau hyn yn unigryw i syniadaeth y Blaid Lafur. Mae'n ddigon tebyg y byddai llywodraeth Geidwadol wedi gweithredu mesurau cyffelyb ar ôl 1945 er mwyn hyrwyddo trawsnewidiad esmwythach o economi rhyfel i economi heddwch gan roi amser i amodau masnach ryngwladol ymsefydlogi.

Pan wladolwyd Banc Lloegr ym 1945 ac yna'r diwydiannau nwy, trydan, glo a thrafnidiaeth ni chafwyd llawer o wrthwynebiad. Gwasanaethau oedd y mwyafrif ohonynt a fuasai dan reolaeth lwyddiannus y llywodraeth naill ai er y 1920au neu yn ystod y rhyfel. Serch hynny, anelwig iawn oedd manylion cynlluniau'r llywodraeth ar gyfer gwladoli, yn arbennig felly yr iawndal i berchenogion, y berthynas â'r gweithwyr a pholisi prisiau a chynhyrchu. Gwyddai'r llywodraeth, wrth gwrs, y byddai'r undebau'n ymladd unrhyw ymdrech i reoli cyflogau ac roedd yn eironig i rai na allai prif gefnogwyr y llywodraeth Lafur gytuno bod y fath reolaeth yn angenrheidiol er mwyn creu cymdeithas decach a mwy cydradd.

Y prif ddiwydiant i'w wladoli oedd y diwydiant glo ac roedd y dasg hon yn un sylweddol. Ychydig o wrthwynebiad oedd i'r mesur ymhlith y Torïaid a hynny'n rhannol oherwydd eu bod hwythau yr un mor ymwybodol â'r llywodraeth o'r berthynas wael rhwng y perchenogion preifat a'r glowyr er 1918. O gofio ymateb y cyflogwyr ac yn arbennig eu triniaeth o lawer o'r glowyr ar ôl methiant 1926, roedd llawer o'r Ceidwadwyr yn cydnabod y gallai gwladoli'r diwydiant arwain at welliannau sylweddol. Ar ddiwedd y rhyfel cyflogid 720,000 o weithwyr yn y diwydiant a dangosodd digwyddiadau cyn 1939 ac argymhellion comisiynau Sankey a Samuel fod angen ad-drefniant effeithiol er mwyn moderneiddio dulliau cynhyrchu, gwella amodau gwaith a'r berthynas rhwng y rheolwyr a'r gweithwyr a chynyddu lefelau cynhyrchu. Gwladolwyd y diwydiant ym 1947, gan ei rannu'n wyth rhanbarth dan reolaeth y Bwrdd Glo Cenedlaethol. Rhoddodd y llywodraeth £150 miliwn tuag at foderneiddio'r diwydiant a thalwyd £164.6 miliwn mewn iawndal i'r gwahanol gyflogwyr preifat. Gwrthwynebai aden chwith y Blaid Lafur faint yr iawndal.

Ni chafodd y newid rheolaeth lawer o effaith yn syth, yn bennaf oherwydd gaeaf caled y flwyddyn honno a nifer y streiciau yn y meysydd glo. Ym 1950 cyhoeddodd y Bwrdd Glo ei 'Gynllun am Lo' a'r bwriad oedd gwario dros £500 miliwn ar y diwydiant yn ystod y pymtheng mlynedd nesaf yn ogystal â lleihau nifer y gweithwyr i 672,000. Ond yn ystod y 1950au roedd yn rhaid newid y cynlluniau oherwydd y lleihad mewn gweithwyr i ryw 600,000 a'r methiant i gynhyrchu mwy na 200 miliwn o dunelli y flwyddyn, sef y cyfanswm a gynhyrchwyd ym 1947. Er i'r cymunedau glofaol groesawu deddf 1947 parhaodd streiciau answyddogol a lefelau uchel o absenoldeb o'r gwaith am weddill y 1940au. Roedd cryn anesmwythyd hefyd fod Undeb y Glowyr yn rhy barod i gytuno i gadw codiadau cyflog i lawr er mwyn helpu'r llywodraeth a oedd yn awyddus i gadw pris glo ar y farchnad yn gymharol isel.

Dilynwyd y ddeddf hon gan fesur i wladoli'r rheilffyrdd (52,000 o filltiroedd), camlesi (2,000 o filltiroedd), porthladdoedd a rhannau o'r gyfundrefn drafnidiaeth ffyrdd gan gynnwys Trafnidiaeth Llundain. Er i'r llywodraeth ddangos y gallai reoli'r rhain yn effeithiol yn ystod y rhyfel nid oedd pob anhawster wedi'i oresgyn. Rhwng 1939 a 1945 gwnaed defnydd helaeth o'r rheilffyrdd ond wedi i'r rhyfel orffen roedd mwy o bwyslais ar deithiau byr yn sgîl y cynnydd mewn gwyliau ac amser hamdden. Roedd rhedeg trenau i gwrdd â'r patrwm newydd yn fwy costus ac yn rhy ddibynnol ar incwm tymhorol. Prinder cyfalaf oedd un o'r prif broblemau — ar gyfer cyflwyno trenau trydan, er enghraifft — ac roedd y llywodraeth yn araf iawn yn gweithredu'r newidiadau a oedd mor angenrheidiol i ad-drefniant effeithlon y gwasanaeth. Gwrthwynebai'r Ceidwadwyr y bwriad i wladoli rhannau o'r gyfundrefn drafnidiaeth oherwydd y goblygiadau i gwmnïau lorïau a chludo preifat. Nid estynnodd y mesur reolaeth wladwriaethol dros danceri ffordd, gwasanaethau bysiau lleol a llongau arfordirol. Cwynodd y gwahanol berchenogion am iawndal y llywodraeth ond roedd yn eithaf uchel, cyfanswm o £1,217 miliwn.

Ym 1945 argymhellodd Pwyllgor Heyworth a sefydlwyd gan Gwilym Lloyd George, y Gweinidog Ynni yn ystod y rhyfel, wladoli'r diwydiant nwy a chyflawnwyd hyn gan Ddeddf Nwy ym 1948 ac yn sgîl yr ad-drefnu rhannwyd Prydain yn ddeuddeg rhanbarth dan oruchwyliaeth cyngor nwy gyda chadeirydd rhanbarthol yn atebol i gadeirydd cenedlaethol yn Llundain.

Yn wahanol i nwy roedd trydan yn ddiwydiant llewyrchus ac yn rhannol dan reolaeth y llywodraeth er 1926 (y Bwrdd Cynhyrchu Trydan Canolog). Sefydlodd Deddf Trydan 1947 bedair ar ddeg o ranbarthau o dan fwrdd canolog yn Llundain a sicrhaodd yr ad-drefniant hwn y gallai'r diwydiant ymateb yn fwy effeithiol i'r galw cynyddol am drydan ar ôl yr Ail Ryfel Byd. Roedd tua 60 y cant o'r gwasanaeth dan reolaeth y wladwriaeth ar lefel leol cyn 1947 a sicrhaodd hyn a'r iawndal sylweddol a roddwyd i gwmnïau preifat a buddsoddwyr na chafodd Deddf 1947 lawer o wrthwynebiad.

Daeth y gwrthwynebiad cryfaf i benderfyniad y llywodraeth i wladoli'r diwydiant haearn a dur, yn bennaf am fod rhannau helaeth o'r diwydiant yn gwneud elw da oherwydd y tollau a oedd yn cyfyngu ar fewnforion dur. Nid oedd traddodiad o undebaeth filwriaethus yn y diwydiant ac roedd gwell perthynas rhwng y gweithwyr a'r cyflogwyr o gymharu â'r diwydiant glo. Digon llugoer felly oedd agwedd y cyflogwyr tuag at y cynllun i wladoli'r diwydiant. Roedd allforion a lefelau cynhyrchu'r diwydiant wedi codi er y rhyfel ac roedd costau yn is nag yn Ewrop a'r Unol Daleithiau. Nid oedd llawer o achosion o anghydfod diwydiannol yn y diwydiant a dadleuai'r Ceidwadwyr nad oedd unrhyw bwynt mewn gwladoli rhan mor llewyrchus o'r economi. Ond roedd safbwynt y llywodraeth yn ddigon clir: roedd haearn a dur yn rhan allweddol o'r economi a dylai fod dan reolaeth y wladwriaeth. Roedd angen gwariant uchel iawn ar rannau o'r diwydiant ac roedd yn bwysig sicrhau nad âi'r elw o gynhyrchu dur i bocedi ychydig o unigolion cyfoethog yn unig ond yn hytrach i gynlluniau moderneiddio. Dadl gweinidogion fel Cripps, Dalton, Bevin, ac yn arbennig, Aneurin Bevan oedd na ddylid anghofio'r diweithdra yn y diwydiant yn y 1930au ac roedd yn hanfodol osgoi hynny yn y dyfodol. Roedd blaenoriaethau'r llywodraeth yn aml yn wahanol i flaenoriaethau perchenogion preifat ac roedd angen cyfyngu ar ryddid perchenogion unigol i weithredu fel y mynnent. Haerai rhai aelodau Llafur, er enghraifft, mai agwedd rhai o'r perchengion a oedd wedi achosi prinder dur ar adegau yn ystod y rhyfel.

Nid oedd Morrison ac Attlee mor awyddus â rhai ar yr adain chwith, megis Bevan, Crossman a Foot, i wthio'r cynlluniau ymlaen, yn arbennig o gofio nad oedd gweithwyr y diwydiant yn gefnogol iawn i wladoli, ond fe gytunasant i sefydlu'r Bwrdd Haearn a Dur ym 1946 i reoli masnach a phrisiau. Er hynny, roedd Morrison yn anhapus fod y fath newidiadau rheolaeth yn cael eu cyflwyno pan oedd mwy o angen yn ei farn ef i hyrwyddo allforion dur er mwyn lleddfu rhai o drafferthion ariannol y wlad. Erbyn haf 1947 roedd Morrison wedi llwyddo i gyrraedd cytundeb â'r perchenogion a fyddai'n cryfhau pwerau'r Bwrdd Haearn a Dur trwy roi'r hawl iddo i argymell dod ag unrhyw ran wan o'r diwydiant dan reolaeth y wladwriaeth. Ond ym mis Awst gwrthododd y Cabinet gefnogi'r cynllun a dywedodd Bevan y byddai'n ymddiswyddo pe bai'r llywodraeth yn cefnu ar ei hymrwymiad i wladoli'r diwydiant cyfan. Yn y diwedd lluniodd y llywodraeth fesur a fyddai'n gwladoli cwmnïau a gynhyrchodd fwy na 50,000 tunnell o haearn a 20,000 tunnell o haearn a dur ym 1946–47. Byddai'n effeithio ar 92 o gwmnïau ond heb amharu o gwbl ar eu trefniadaeth ar gyfer masnachu. Ym marn beirniaid y mesur nid oedd rheolaeth y wladwriaeth yn mynd yn ddigon pell ac oherwydd hynny yn gwneud hi'n haws i weinyddiaeth Dorïaidd i breifateiddio'r diwydiant unwaith eto. Pasiwyd y mesur yn y Senedd ar ddiwedd mis Tachwedd 1949 ond sicrhaodd gwrthwynebiad Tŷ'r Arglwyddi na allai orffen ei hynt drwy'r ddau Dŷ tan ar ôl yr etholiad cyffredinol ym 1950.

Er i fesuru gwladoli'r llywodraeth gynyddu ei rheolaeth dros yr economi nid oeddynt yn llesol iawn bob amser i'r cyhoedd nac ychwaith i hawliau'r gweithwyr y tu mewn i'r gwahanol ddiwydiannau. Ychydig iawn o newid yn amodau gwaith, cyflogau a safon y gwasanaethau a darddodd o'u gweithredu a chan fod ar y llywodraeth eisiau rheolwyr profiadol ar y byrddau corfforaethol ni chynyddodd dylanwad y gweithiwr cyffredin. Tyfodd y teimlad fod rheolaeth wladwriaethol wedi ychwanegu at y fiwrocratiaeth y tu mewn i'r diwydiannau a'r gwasanaethau. Roedd gan yr undebau broblem sylfaenol hefyd, sef cysoni eu dymuniad i gryfhau dylanwad y gweithwyr â'u hofn o agosáu at y rheolwyr. Glynodd y rhan fwyaf ohonynt at y sefyllfa fel yr oedd, gan ddehongli perthnasau diwydiannol yn nhermau 'ni' a 'nhw' yn hytrach nag yn nhermau diwydiant a allai weithio er lles pawb.

Y corfforaethau cyhoeddus a reolai'r diwydiannau a phenderfynwyd ar gyflogau mewn trafodaethau rhwng y tîm rheoli a'r undebau. Ond ychydig o ymdrech effeithiol a fu mewn gwirionedd i ddwyn ynghyd y ddwy ochr ac achosodd y rhaniad hwn broblemau dyrys i lywodraethau dilynol.

Mae'n debyg y byddai'r rhaglen wladoli wedi llwyddo'n well pe bai mwy o fuddsoddiad cyfalaf wedi cael ei ddarparu. Ond tra oedd y llywodraeth yn llwyddo i basio'r deddfau perthnasol, wynebai yr un pryd broblemau economaidd rhyngwladol. Prif ganlyniad hyn oedd buddsoddiad annigonol yn y diwydiannau glo, rheilffyrdd a thrydan, a chyfyngiad ar natur ac effeithiolrwydd yr ad-drefniant yn y rhannau hynny o'r economi. Tyfodd y gred fod gwladoli yn gyfystyr â gwasanaeth gwael neu ddiwydiant aflwyddiannus. Roedd rhywfaint o sail i'r dyfarniad hwn yn ystod yr ugain mlynedd dilynol, ond heb y cyfalaf angenrheidiol ychydig o obaith oedd i unrhyw sector economaidd ffynnu. Nid oedd y gweinidogion a oedd yn gyfrifol am y diwydiannau hyn yn meddu ar yr adnoddau ariannol i'w moderneiddio a sicrhau, trwy hynny, y cedwid costau'n isel, y cynyddid cynhyrchiant ac y bodlonid yr undebau ag amodau a chyflogau gwell.

Yr hyn a oedd yn nodweddiadol o'r mesurau gwladoli oedd yr ychydig o drafod a fu ynglŷn â'r anawsterau a allai ddatblygu mewn diwydiannau a oedd yn ddibynnol ar gefnogaeth ariannol y llywodraeth. Mewn diwydiant preifat, megis Ford neu ICI, roedd elw y cwmnïau a chynllunniau bonws yn rheoli cyflogau'r gweithwyr. Pe bai elw yn disgyn oherwydd ffactorau economaidd byd-eang, cynigid llai o godiad cyflog i'r gweithwyr. Ond pe bai'r un ffactorau yn dylanwadu ar ddiwydiannau gwladol nid oedd y sefyllfa mor syml. Gallai'r llywodraeth godi'r cyflogau beth bynnag drwy gymryd mwy o arian oddi wrth y Trysorlys, neu fynnu fod yn rhaid i unrhyw godiad fod yn gysylltiedig â chodiad mewn cynnyrch. Ond am nad oedd elw yn ystyriaeth mor bwysig yn y diwydiannau gwladol roedd gan y llywodraeth lai o ddylanwad ar gymhelliad ac agwedd y gweithwyr. Golygai hynny y gallai'r gweithwyr fynnu mwy o gyflog i gyd-fynd â lefel chwyddiant ond heb gynhyrchu mwy. Ni wyntyllwyd yn ddigon trwyadl sut y gellid ysgogi pobl i weithio'n galetach pan nad oedd eu swyddi mor ddibynnol ar reolau'r farchnad rydd fel yr oeddynt yn y sector preifat. Ychydig o sylw a roddwyd i drefniadaeth y corfforaethau newydd a dulliau o'u gwneud yn fwy atebol i'r rhai a oedd yn gweithio iddynt. I rai pobl nid oedd llawer o wahaniaeth rhwng gweithio i gwmni mawr a gweithio i un o ddiwydiannau'r llywodraeth, a pharhaodd y rhaniad amlwg rhwng y gweithwyr a'r rheolwyr yn groes i'r ddamcaniaeth y dylai gwrthdrawiad o'r fath ddiflannu mewn cyfundrefn ddiwydiannol sosialaidd.

Os oedd diffyg trafodaeth ynglŷn â threfniadaeth a pherthnasau diwydiannol cafwyd digon o drafod ar fanylion cyllid ac ar fater yr iawndal i'r perchenogion preifat. Erbyn 1951 roedd tua 20 y cant o'r economi dan reolaeth y wladwriaeth, yn bennaf y rhannau hynny a oedd yn gwasanaethu'r cyhoedd neu heb fod yn broffidiol, sefyllfa a oedd yn ddigon derbyniol i wrthwynebwyr y llywodraeth. O 1948 ymlaen daeth yn amlwg fod awydd y llywodraeth i wladoli wedi pylu a rhoddwyd llawer mwy o bwyslais ar economi cymysg.

Polisïau cymdeithasol

Un o brif amcanion llywodraeth Attlee oedd sefydlu cymdeithas fwy cydradd, yn rhydd o anghyfiawnderau'r cyfnod cyn y rhyfel. Atgofion chwerw am y cyfnod hwn oedd un o brif gymhellion rhai o aelodau'r llywodraeth wrth iddynt ymdrechu i sicrhau gweithrediad polisïau sosialaidd.

Dylid cofio, fodd bynnag, nad gwaith y llywodraeth Lafur yn unig oedd y gwelliannau cymdeithasol a ddaeth i rym yn y cyfnod hwn. Rhyddfrydwr wedi'r cyfan oedd William Beveridge ac roedd argymhellion ei adroddiad ym 1942 yn sylfaen i lawer o'r datblygiadau newydd. Roedd y Ceidwadwyr hefyd yn gefnogol i amryw o'r argymhellion ond mae'n amheus a fyddai llywodraeth Geidwadol wedi sefydlu gwladwriaeth les mor eang yn cwmpasu cymaint o bobl. Serch hynny, roedd y Ceidwadwyr eisoes wedi pasio Deddf Lwfans Teulu ym 1945 a roddai lwfans wythnosol i famau ar gyfer pob plentyn, ar ôl y plentyn cyntaf, a oedd dan un ar bymtheg oed ac yn derbyn addysg amser llawn. Credai'r Blaid Lafur fod gwladwriaeth les gynhwysfawr yn hanfodol ac yn debycach o ddarparu gwell gwasanaethau i bawb gan ddiddymu'r teimlad o israddoldeb ymhlith y rhai a oedd yn gorfod eu defnyddio.

Un o ddeddfau pwysicaf y llywodraeth oedd yr un yn ymwneud ag yswiriant cenedlaethol ym 1946. Yn unol â thelerau'r ddeddf crewyd Adran Yswiriant Cenedlaethol (dan James Griffiths) a Chronfa Yswiriant a fyddai'n derbyn cyfraniadau wythnosol oddi wrth gyflogwyr a gweithwyr yn ogystal ag arian oddi wrth y llywodraeth (£36 miliwn ym 1946). Darperid taliadau ar adeg afiechyd, ymddeoliad, diweithdra, mamolaeth a marwolaeth eu priod (i wragedd gweddw).

O safbwynt y di-waith yn ôl y ddeddf hon telid budd-dâl ar ôl tri diwrnod am 180 o ddiwrnodau ond byddai'r taliadau yn ddibynnol ar leiafswm o gyfraniadau yswiriant. Rhoddid budd-dâl hefyd i bobl a fyddai'n colli cyflog o ganlyniad i absenoldeb oherwydd salwch. Ni chynhwysai'r ddeddf ddarpariaeth ar gyfer pobl hunangyflogedig. Darparwyd budd-daliadau mamolaeth, gan gynnwys grant o £4, lwfans am bedair wythnos ar ôl genedigaeth y baban i helpu'r fam gartref, a lwfans wythnosol am dair wythnos ar ddeg i ddigolledu gwraig feichiog tra oedd hi i ffwrdd o'i gwaith. Effeithiodd y ddeddf hefyd ar deuluoedd a oedd wedi colli rhywun oherwydd marwolaeth. Rhoddid grant o £20 i'r teulu i gynorthwyo gyda chostau'r angladd a budd-dâl i wragedd gweddw o dan 60 oed am 16 wythnos wedi'r farwolaeth yn ogsytal â lwfans ar gyfer plant. Ond ni allai dderbyn yr arian os nad oedd hi wedi bod yn briod am o leiaf ddeng mlynedd. Yn olaf, darparwyd pensiynau ar gyfer dynion dros 65 oed a gwragedd dros 60 oed.

Beirniadwyd y ddeddf am nad oedd yn cydnabod y dylai pobl helpu eu hunain ac y byddai'n rhwystro'r dosbarth gweithiol yn arbennig rhag ennill digon o arian i edrych ar ôl eu teuluoedd. Ond pwysleisiodd y llywodraeth brif egwyddorion Beveridge: bod pawb i'w cynnwys yn y cynlluniau a phe bai rhywun am wneud darpariaeth wahanol gallai wneud hynny yn ychwanegol at, ond nid yn lle darpariaeth y wladwriaeth.

Daeth y ddeddf â thro ar fyd i filoedd o bobl a oedd wedi cael eu geni mewn tlodi, yn arbennig yn y trefi mawr megis Lerpwl, Glasgow, Birmingham a Llundain lle roedd amodau byw a chyfleusterau yn anfoddhaol a lle roedd diweithdra dipyn yn uwch na'r cyfartaledd Prydeinig. Felly cynigiwyd gobaith i nifer helaeth o bobl a oedd wedi byw am flynyddoedd ar ffiniau tlodi neu mewn tlodi.

Yn ystod yr un flwyddyn pasiwyd Deddf Anafiadau Diwydiannol. Seiliwyd y ddeddf ar fesur a baratowyd gan y Glymblaid cyn diwedd y rhyfel, sef y dylid rhoi iawndal i weithwyr pe digwyddai iddynt dderbyn anaf yn eu gwaith. Cytunodd y Blaid Lafur â safbwynt Beveridge mai cyfrifoldeb y llywodraeth oedd sicrhau iawndal am anafiadau ac nid disgwyl i unigolion erlyn eu cyflogwyr. Hefyd roedd angen darparu ar gyfer gwragedd a phlant y gweithwyr a ddioddefodd anafiadau difrifol. Gwasanaeth cymdeithasol oedd hwn mewn gwirionedd a gallai gweithiwr dderbyn budd-dâl am chwe mis ond bod disgwyl iddo brofi mai yn ystod oriau gwaith y digwyddodd y ddamwain. Eid ag achosion o'r fath o flaen tribiwnlys dan nawdd yr Adran Yswiriant Cenedlaethol. Byddai'r tribiwnlys yn cynnwys cynrychiolwyr undeb, cyflogwyr a chyfreithwyr a gellid apelio'n derfynol at Gomisiynydd y Llywodraeth.

Ym 1948 pasiwyd Deddf Cymorth Cenedlaethol. Trwy'r mesur hwn sefydlwyd y Bwrdd Cymorth Cenedlaethol a daethpwyd â threfn Deddf y Tlodion i ben. Derbynid y cymorth hwn pe bai'r budd-daliadau yswiriant yn annigonol a byddai'r henoed, yn arbennig, yn medru manteisio ar ddarpariaethau'r ddeddf am fod pensiynau mor fychan. Gallai hefyd estyn cymorth i weithiwr a oedd yn sydyn yn colli ei waith ond a oedd wedi'i ymrwymo i nifer o alwadau ariannol na fedrai gwrdd â hwy bellach, er enghraifft, taliadau morgais misol. Yn ystod y 1950au beth bynnag roedd 68 y cant o'r 1.5 miliwn o bobl a dderbyniodd gymorth yn bensiynwyr.

Ar ôl pasio'r deddfau hyn penbleth fwyaf y gwleidyddion oedd penderfynu maint y budd-daliadau. Wrth i safonau byw y mwyafrif godi roedd yn anos mesur tlodi yn nhermau materol. Ond roedd y budd-daliadau ar y cyfan yn rhy isel i gau'r bwlch rhwng safonau byw y rheiny a oedd yn gweithio a'r rheiny a oedd am ryw reswm neu'i gilydd yn gorfod aros gartref.

Un o brif gampau'r llywodraeth Lafur yn ddiamau oedd sefydlu'r Gwasanaeth Iechyd Cenedlaethol. Cyn 1948 gwasanaethid y bobl gan ryw dair mil o ysbytai preifat, ysbytai gwirfoddol ac eraill, a rhai degau o filoedd o feddygon. Amrywiai'r safonau a'r ddarpariaeth feddygol o un ardal i'r llall, ac roedd y gwasanaeth gorau yn ne-ddwyrain Lloegr. Gallai cleifion dosbarth canol dalu am driniaeth feddygol neu ddeintyddol neu am wasanaeth bydwraig ar adeg genedigaeth. Ond nid oedd yr un gwasanaethau ar gael i lawer iawn o bobl am resymau ariannol ac oherwydd prinder ysbytai da mewn ardaloedd megis gogledd-ddwyrain Lloegr a chanolbarth Cymru.

Bwriad y llywodraeth oedd ad-drefnu'r gwasanaethau'n gyfan gwbl a sicrhau darpariaeth fwy cytbwys ledled y wlad. Rhoddwyd y dasg enfawr hon i Aneurin Bevan a oedd wedi cael ei benodi'n Weinidog Iechyd. Bwriad y ddeddf a basiwyd ym mis Tachwedd 1946 oedd rhoi triniaeth feddygol, ddeintyddol ac offthalmig yn rhad ac am ddim i bawb, gyda'r arian am y gwasanaethau yn cael ei godi drwy dreth incwm. Er i'r mesur gael ei basio ym 1946 ni ddechreuodd y gwasanaeth hyd fis Gorffennaf 1948.

Un o'r problemau mwyaf wrth sefydlu'r gwasanaeth oedd y gwrthdrawiad rhwng Bevan ei hun a'r Gymdeithas Feddygol Brydeinig (*British Medical Association*). Er i'r Colegau Brenhinol a'r cylchgronau meddygol y *Lancet* a'r *Medical Officer* fynegi cefnogaeth i'r rhan fwyaf o gynlluniau Bevan roedd y Gymdeithas Feddygol o dan arweiniad ei chadeirydd Dr Guy Dain a'i hysgrifennydd Charles Hill yn benderfynol o ymladd yn eu herbyn. Ym 1948 yn ôl arolwg a gyhoeddwyd gan y Gymdeithas Feddygol amcangyfrifwyd bod dros 70 y cant o'r meddygon yn erbyn gweithio ar gyflog i'r Gwasanaeth Iechyd. Iddynt hwy roedd y ddeddf yn ymyrraeth cwbl annerbyniol yn eu proffesiwn a gallai amharu ar y berthynas rhwng y cleifion a'u meddygon ac ar annibyniaeth y meddygon eu hunain. Ond roedd amheuon ynglŷn â chefnogaeth meddygon teulu i safiad y Gymdeithas Feddygol ac roedd tuedd i Gyngor y Gymdeithas gynnwys gormod o feddygon a oedd yn cynrychioli maestrefi'r prifddinasoedd.

Nid oedd gan Bevan unrhyw gydymdeimlad â safbwynt y Gymdeithas Feddygol na'i chylchgrawn sef y *British Medical Journal*. Gyda'i gefndir glofaol, dosbarth gweithiol a'i atgofion clir am dlodi a dioddefaint y 1930au yn ne Cymru, ni theimlai fod eu dadleuon yn berthnasol. Roeddynt, yn ei farn ef, yn perthyn i'r dosbarth canol, yn gul eu hagwedd, ac yn meddwl am ddim ond pluo eu nyth eu hunain. Efallai bod ei feirniadaeth yn annheg ond roedd ganddo duedd i fod yn ymosodol ac i siarad yn blaen, yn arbennig yn erbyn dosbarthiadau breintiedig, ac roedd hyn wedi creu gelynion iddo oddi fewn i'r proffesiwn meddygol.

Yn ôl cynllun y Gwasanaeth Iechyd Cenedlaethol byddai'r Gweinidog Iechyd â gofal dros y gwasanaeth yn gyffredinol. Byddai'n cael ei rannu rhwng 14 o fyrddau ysbytai rhanbarthol yng Nghymru a Lloegr a phump yn yr Alban gyda phob un yn seiliedig ar gyfadran feddygol prifysgol ac wedi eu penodi gan y gweinidog. Câi'r ysgolion meddygol, y prifysgolion, yr ysbytai dysgu (36 ohonynt) a'r awdurdodau iechyd lleol fesur helaeth o annibyniaeth. Byddai pob bwrdd yn gyfrifol am nifer o ysbytai o fewn yr ardal ac am y gweithwyr yn yr ysbytai hynny. Amcan y cynllun hwn oedd sefydlu darpariaeth feddygol a gwasanaeth ysbyty gweddol gyfartal ledled Prydain a dileu safle ffafriol de-ddwyrain Lloegr. Ffurfid cynghorau meddygol gweithredol lleol — 138 yng Nghymru a Lloegr a 25 yn yr Alban — i reoli meddygon teulu a deintyddion; dewisid

13. Aneurin Bevan: Sylfaenydd y Gwasanaeth Iechyd

hanner yr aelodau gan y llywodraeth a'r awdurdodau lleol a fferyllwyr a oedd yn gweithio i'r Gwasanaeth Iechyd yn y gwahanol ardaloedd. Ond parhâi awdurdodau lleol i reoli gwasanaeth y bydwragedd, cymorth cartref a chanolfannau iechyd lleol. Roedd y ddarpariaeth eang hon yn bwysig o ystyried y prinder adnoddau yn yr ysbytai ar ôl y rhyfel ac anallu'r di-waith i dalu am driniaeth feddygol.

Yn y diwedd cytunwyd ar gyfaddawd gyda'r Gymdeithas Feddygol Brydeinig. Caniateid nifer o welyau preifat yn ysbytai'r Gwasanaeth Iechyd ac felly cydnabod hawl y meddygon i barhau â thriniaeth breifat yn ogystal â derbyn cyflog oddi wrth y llywodraeth. Rhoddid rhyddid i bobl ddewis eu meddygon eu hunain er na fyddai'r dewis yn eang iawn mewn rhai ardaloedd, a châi'r meddygon gynllun cyflog blynyddol a phensiwn hael a chronfa o £66 miliwn yn iawndal am bolisi'r llywodraeth o wrthod yr hawl iddynt werthu eu practis ar ôl ymddeol. Ym mis Mehefin 1948, a'r Gwasanaeth heb gael ei lansio eto, fe gyhoeddwyd fod dros un rhan o dair o'r meddygon teulu yng Nghymru a'r Alban a chwarter y meddygon yn Lloegr wedi ymuno â'r cynllun newydd a hynny heb aros am gyfarwyddyd gan y Gymdeithas Feddygol. Erbyn 1950 roedd 88 y cant o feddygon Prydain yn gweithio i'r Gwasanaeth Iechyd Cenedlaethol.

Roedd sefydlu'r Gwasanaeth Iechyd yn gam pwysig ymlaen. O hyn allan ystyrid gofal meddygol yn ddyletswydd gyhoeddus yn hytrach na charedigrwydd ar ran un dosbarth tuag at ddosbarth arall. Byddai triniaeth feddygol bellach yn cael ei darparu yn ôl angen ac nid yn ôl incwm. Ond wrth i'r gwasanaeth ddatblygu effeithiwyd arno gan amharodrwydd llywodraethau i wario mwy o arian i foderneiddio'r ysbytai a darparu gwasanaethau mwy effeithiol a hybodd yr amgylchiadau hyn ddatblygiad y sector preifat. Golygai bodolaeth y sector preifat, wrth gwrs, y gallai pobl fwy cefnog, yn groes i ddymuniadau Bevan, brynu gwell gwasanaeth. Ond gwyddai y gallai gwrthod caniatáu unrhyw fath o sector preifat leihau cydweithrediad y Gymdeithas Feddygol ac arwain at ddylifiad o feddygon ac arbenigwyr medrus i wledydd eraill, yn enwedig i'r Unol Daleithiau. I eraill roedd bodolaeth y sector preifat yn adlewyrchiad o ddemocratiaeth Brydeinig ac o hawl yr unigolyn i ddewis ei driniaeth ac i wario ei arian fel y dymunai.

Roedd talu am y Gwasaneth Iechyd yn broblem feunyddiol i'r llywodraeth ac yn arbennig felly costau'r ysbytai. Er enghraifft, roedd y costau ym 1950-51 yn £238 miliwn allan o gyllideb o £351 miliwn. Bu brwydro cyson rhwng Bevan a'r Trysorlys ynglŷn â'r gost gyda'r Gweinidog yn gwrthwynebu unrhyw bwysau arno i gyfyngu ar gostau'r gwasanaeth.

Ond beth bynnag oedd agwedd pobl tuag at driniaeth breifat ac at gostau cynyddol gwasanaeth y wladwriaeth (o £208 miliwn ym 1948 i £1275 miliwn ym 1965), roedd sefydlu'r Gwasanaeth Iechyd Cenedlaethol yn un o ddatblygiadau cymdeithasol pwysicaf y ganrif ac un a oedd yn esiampl i wledydd eraill y byd.

Nid oedd y newidiadau mewn addysg mor amlwg â'r rheiny mewn rhannau eraill o'r wladwriaeth les ond roeddynt, serch hynny, yn ddatblygiadau pwysig.

Hyd at 1945 roedd cyfundrefn addysg Prydain yn anhrefnus iawn gyda phlant yn gorfod mynychu ysgol rhwng pump a phedair ar ddeg oed. Gweithredodd y llywodraeth Lafur Ddeddf Addysg 1944 o dan arweiniad y Gweinidog Addysg Ellen Wilkinson yn gyntaf a George Tomlinson ar ôl hynny. Cyflwynwyd y rhaniad rhwng addysg gynradd ac addysg uwchradd yn un ar ddeg oed a chodwyd oed gadael yr ysgol i bymtheg mlwydd oed. Parhâi'r ysgolion preifat a'r ysgolion gramadeg gwaddoledig i fodoli ochr yn ochr ag ysgolion y wladwriaeth. Derbyniai'r ysgolion gramadeg gymhorthdal gan y llywodraeth dim ond iddynt gadw o leiaf 25 y cant o'u lleoedd yn agored i blant o ysgolion yr awdurdod addysg lleol. Crewyd swydd Gweinidog Addysg yn lle Llywydd y Bwrdd Addysg er mwyn codi statws addysg ym mholisïau a blaenoriaethau'r llywodraeth. Caniateid i ysgolion Anglicanaidd a Phabyddol gadw rhywfaint o'u hannibyniaeth ar yr amod fod y cyrff eglwysig yn talu 50 y cant o gostau adeiladu ac atgyweirio tra byddai'r llywodraeth yn talu'r hanner arall. Hefyd, câi'r awdurdodau eglwysig reolaeth sylweddol ar benodiadau staff yn eu hysgolion.

Ar wahân i'r ysgolion hyn a'r sector preifat, byddai addysg uwchradd yn cael ei threfnu ar dair lefel: ysgolion gramadeg, ysgolion modern ac ysgolion technegol. Dosberthid y plant yn yr ysgolion hyn ar sail arholiad yn un ar ddeg oed. Y ddamcaniaeth y tu cefn i'r rhaniadau oedd bod plant yn rhannu'n naturiol i dri chategori — y rhai a oedd yn alluog yn academaidd, y rhai a oedd heb unrhyw allu arbennig ond a oedd â gallu ymarferol digon boddhaol, a'r rhai oedd â medrusrwydd mecanyddol neu dechnegol arbennig.

Rhyw 20 y cant o ddisgyblion oedd yn mynychu'r ysgolion gramadeg ac yn y rhain fel rheol yr oedd yr athrawon a'r athrawesau a feddai ar y cymwysterau gorau. Prif amcan yr ysgolion oedd anfon eu disgyblion ymlaen i brifysgolion. Roedd yn amhosibl datblygu'r syniad o ysgolion modern a thechnegol oherwydd prinder adnoddau a staff, felly y prif raniad a weithredwyd ar ôl un ar ddeg oed oedd rhwng yr ysgolion gramadeg ac ysgolion modern. Golygai hyn fod pwyslais aruthrol ar bwysigrwydd yr arholiad yn un ar ddeg oed. Methai llawer o blant cynhenid ddisglair yr arholiad a datblygai eraill yn ddiweddarach yn eu harddegau. Roedd tuedd felly i'r arholiad fagu drwgdeimlad ymhlith rhieni wrth iddynt sylweddoli, pan oedd eu plant yn dair ar ddeg neu'n bedair ar ddeg oed, fod mynychu'r ysgolion modern wedi cyfyngu ar eu rhagolygon ar gyfer y dyfodol. Arbrofodd rhai awdurdodau lleol blaengar gydag ysgolion amlochrog lle y byddai plant yn cael eu haddysg yn ôl eu gallu a'u diddordeb mewn gwahanol bynciau.

Datblygodd y syniad, yn arbennig ymhlith rhieni dosbarth canol, fod yr ysgolion modern yn rhai israddol ac yn darparu ar gyfer disgyblion o lefel gallu isel. Ceisiodd rhai awdurdodau lleol newid y darlun drwy wella safonau adnoddau a staffio'r ysgolion modern ond roedd hi'n rhy hwyr. Dim ond trwy fynychu ysgolion gramadeg y gallai plant symud ymlaen i brifysgolion ac i swyddi proffesiynol ac o ganlyniad i hyn datblygodd yr ysgolion gramadeg yn ysgolion i'r dosbarth canol yn bennaf. Bu dadlau brwd, o ganlyniad, ynglŷn â thegwch yr arholiad didoli yn un ar ddeg oed fel dull effeithiol o fesur gallu plentyn, yn arbennig o gofio y gallai benderfynu dyfodol y plentyn hwnnw.

Dadleuai rhai aelodau Llafur yn erbyn y safbwynt hwn, gan ddweud fod rhieni o'r fath yn gwrthwynebu mewn gwirionedd ar sail gymdeithasol. Nid oeddynt am weld eu plant yn cymysgu â phlant cyffredin yr ysgolion modern. Ond os oedd y Blaid Lafur yn credu'n gryf ym mhwysigrwydd integreiddiad cymdeithasol o fewn yr ysgolion, roedd yn anodd gwybod pam y penderfynwyd caniatáu parhad yr ysgolion gramadeg yn y lle cyntaf. Ymhellach, yn ystod y blynyddoedd hyn, cynyddodd nifer y disgyblion a fynychai ysgolion preifat ac ysgolion gwaddoledig. Roedd gan aelodau mwy ariannog y dosbarthiadau canol ac uchaf ddigon o ddewis ar gyfer addysgu eu plant. Dadleuai Bevan, Shinwell a Bevin fod parhad y fath sefydliadau yn groes i egwyddorion sosialaidd ond credai'r llywodraeth fod caniatáu dewis agored i rieni yn rhan sylfaenol o unrhyw gymdeithas ddemocrataidd. Hefyd, wrth gwrs, roedd rhai o wleidyddion amlwg y llywodraeth yn gynnyrch ysgolion preifat (er enghraifft, Attlee, Dalton a Cripps) ac roedd yn anodd iddynt dderbyn y dylid diddymu'r ysgolion hyn. Ystyriaeth arall oedd bod gan lawer o'r ysgolion preifat draddodiad academaidd hir a disglair a byddai ceisio eu dileu yn llwyr wedi arwain at wrthwynebiad cryf nid yn unig yn y Senedd ond o du'r Wasg hefyd, a gallasai golli cefnogaeth llawer o'r etholwyr dosbarth canol a oedd wedi pleidleisio i'r Blaid Lafur ym 1945. Hefyd ni ddylid diystyru pwysigrwydd yr egwyddor o roi dewis i rieni — er nad oedd y dewis ar gael i'r rhan fwyaf o bobl.

Roedd llawer o Geidwadwyr yn casáu addysg wladwriaethol. Roeddynt yn talu'n ddrud i anfon eu plant i ysgolion preifat a'r un pryd yn talu, drwy dreth incwm, i gynnal ysgolion y wladwriaeth. Ond roedd y mwyafrif ar y cyfan yn cefnogi'r drefn newydd, a hynny'n bennaf, yn ôl eu gelynion, am nad oedd eu plant yn mynychu'r ysgolion modern.

Er i addysg ffurfiol wella o ran trefniadaeth a chynnwys o ganol y 1940au ymlaen, ni ellir rhoi llawer o glod am hyn i'r pleidiau gwleidyddol. Parhaodd yr ysgolion gramadeg i hyrwyddo safonau academaidd uchel ac anfon eu disgyblion ymlaen i'r prifysgolion a pharhaodd llawer o'r ysgolion bonedd i hyrwyddo safonau academaidd ac agweddau a syniadau a oedd yn gyson â gwerthoedd pendefigaidd, gan bwysleisio'n arbennig yr angen i ymddyrchafu ac i arwain. Ychydig o sylw a roddwyd yn yr ysgolion hyn i anghenion busnes a diwydiant a sut i ymdrin â phobl gyffredin mewn meysydd gwaith amrywiol. Roedd y pwyslais ar lenyddiaeth, y celfyddydau, y gwyddorau a chwaraeon ac roedd parhad y duedd hon i'w weld yn glir ym meysydd llafur y prifysgolion. Cyn belled ag yr oedd yr ysgolion modern yn y cwestiwn, roedd yn anodd gweld fod ganddynt unrhyw swyddogaeth academaidd ar wahân i'r angen i ddysgu gwybodaeth sylfaenol i'r disgyblion yn y gwahanol bynciau.

O safbwynt hybu cydraddoldeb addysgol felly, methiant llwyr fu polisi addysg y llywodraeth. Sicrhaodd parhad yr ysgolion preifat a'r drefn hierarchaidd yn y sector cyhoeddus fod y gyfundrefn addysg yn atgyfnerthu rhaniadau cymdeithasol y wladwriaeth. I rai pobl roedd hyn yn rhywbeth naturiol ac i eraill roedd yn adlewyrchiad o fethiant y llywodraeth Lafur i ddefnyddio addysg i roi cyfle cyfartal i bawb a chreu cymdeithas decach a llai breintiedig.

Pwysleisiodd Adroddiad Beveridge fod darparu cartrefi i'r boblogaeth gyfan, yn arbennig i'r rhai heb adnoddau digonol, yn rhan o gyfrifoldeb y wladwriaeth. Roedd yr aelodau Llafur yn unfrydol eu barn ac yn syth ar ôl y rhyfel aeth y llywodraeth ati i adeiladu rhagor o dai ac i ddymchwel y slymiau. Adeiladwyd llawer o dai preifat newydd yn y 1930au ond yn y trefi mawrion roedd llawer o dai o safon anfoddhaol, llawer ohonynt yn orlawn ac afiach. Roedd nifer y priodasau a'r genedigaethau yn dal i godi'n gyflym ond roedd nifer yr adeiladwyr wedi disgyn tua 60 y cant. Am fod defnyddiau adeiladu yn brin a phrisiau'n uchel roedd y Blaid Lafur yn erbyn hybu adeiladu preifat. Cymhlethwyd y sefyllfa gan ofynion adrannau eraill o'r llywodraeth a oedd yn cystadlu am yr un defnyddiau i godi ysgolion, ysbytai a ffatrïoedd. Nid oedd unrhyw ymdrech ganolog i geisio trefnu polisi fyddai'n osgoi gwrthdrawiadau rhwng y gwahanol adrannau. Penderfynwyd y byddai'r Adran Iechyd yn rhoi cymorthdaliadau i awdurdodau lleol i adeiladu tai a'u gosod ar rent i bobl. Daeth yr arian o'r Trysorlys a bwysodd yn drwm ar Bevan i gyfyngu ar ei wario gan nodi fod cost tŷ cyngor wedi codi o £380 ym 1939 i £1,242 ym 1947. Ym 1946 adeiladwyd 51,000 o dai, a chododd y ffigur i 139,000 ym 1947, 227,000 ym 1948, 197,000 ym 1949 a 198,000 ym 1950. Rhwng mis Awst 1945 a mis Rhagfyr 1951, llwyddwyd i godi dros filiwn o gartrefi ac roedd tri chwarter ohonynt yn dai cyngor.

Bu cwynion ynghylch polisi'r llywodraeth gan bobl a oedd yn talu morgeisi ac a ddadleuai eu bod hwythau'n talu trethi i adeiladu tai cyngor i bobl eraill, ond roedd miloedd lawer heb incwm digonol i brynu tŷ preifat ac yn ddibynnol ar gymorth oddi wrth y llywodraeth. Roedd y rhan fwyaf o'r rhain hefyd yn talu treth incwm, ac felly'n cyfrannu at y lwfans treth a oedd yn cael ei roi i'r rheini a dalai forgais. Diystyrodd y llywodraeth y fath gŵynion gan barhau i osod y pwyslais ar godi cartrefi i filiynau o'r dosbarth gweithiol a oedd yn ddigartref, ar restrau aros am dai neu yn byw mewn tai anaddas. Er gwaetha'r anawsterau roedd record adeiladu tai y llywodraeth erbyn 1951 yn un o'i phrif gyflawniadau.

Er mai blaenoriaeth y llywodraeth oedd adeiladu tai, pasiwyd deddfau eraill a effeithiodd ar ddosbarthiad cartrefi trwy Brydain. Ym 1946 pasiwyd Deddf y Trefi Newydd. Amcan hon oedd lleihau'r pwysau a osodid gan dwf y boblogaeth ar adnoddau'r trefi mawr. Penderfynodd y llywodraeth greu 14 o ganolfannau tyfiant newydd.

Yn ôl y cynlluniau byddai pobl yn cael cyfle i symud i'r canolfannau hyn ac fe ddarperid ysgolion, ffatrïoedd, canolfannau siopa a chanolfannau hamdden ar eu cyfer. Rheolid y trefi newydd megis Crawley, Stevenage, Cwmbrân, Glenrothes, Cumbernauld, Hemel Hempstead ac East Kilbride, gan gorfforaethau newydd. Yn Cumbernauld dewisodd swyddogion y gorfforaeth deuluoedd ar gyfer y dref newydd yn ofalus. Chwiliasant am bobl a oedd heb broblemau teuluol difrifol, a allai gymysgu'n rhwydd, neu a oedd â phrofiad o arwain cymdeithasau a chlybiau. Nod y gorfforaeth oedd creu cymuned newydd heb y problemau a oedd yn gysylltiedig ag ardaloedd dirywiedig yr hen drefi.

Un o effeithiau negyddol sefydlu'r canolfannau tyfiant hyn oedd bod pobl yn symud i fyw iddynt ond yn dal i weithio yn y trefi mawr. I geisio goresgyn y broblem hon cynigiodd y llywodraeth grantiau ariannol i annog diwydianwyr i sefydlu ffatrïoedd yn y trefi newydd, er enghraifft, drwy gynnig adeiladu ffatrïoedd, rhenti isel a chymorth i brynu offer. Hefyd rhoddwyd cymorthdaliadau i awdurdodau lleol i wella gwasanaethau a chyfathrebiadau. Ond bendith gymysg oedd unrhyw lwyddiant i'r cyfeiriad hwn gan ei fod yn aml yn arwain at farwolaeth llawer o ddiwydiannau'r hen drefi, ac erbyn 1960 un o brif broblemau'r llywodraeth oedd fod canol llawer o'r dinasoedd wedi dioddef dirywiad economaidd enbyd.

Ar ddiwedd pum mlynedd gallai'r llywodraeth ddatgan ei bod wedi cadw at ei haddewidion yn y meysydd economaidd a chymdeithasol ac ym mis Chwefror 1950 cynhaliwyd yr etholiad cyffredinol. Pleidleisiodd 86 y cant o'r etholwyr. Roedd y canlyniad yn un agos ond yn fuddugoliaeth unwaith eto i'r Blaid Lafur.

Plaid	Pleidleisiau	Canran o'r bleidlais	Seddau
Ceidwadwyr	12,502,567	43.5	298
Llafur	13,266,592	46.1	315
Rhyddfrydwyr	2,621,548	9.1	9

O ganlyniad i'r holl fesurau a basiwyd gan y llywodraeth rhwng 1945 a 1950 nid oedd llawer ar ôl i'w gyflawni ar wahân, efallai, i wladoli'r diwydiant haearn a dur.

O safbwynt polisi tramor roedd y llywodraeth yn gymharol ffodus ac ni fu'n rhaid iddi ymgodymu â phroblemau difrifol. Yn Iran gwladolwyd Cwmni Olew Lloegr–Iran gan lywodraeth Mossadegh ond pwysodd yr Americanwyr ar Brydain i beidio â gorymateb rhag ofn i'r Undeb Sofietaidd ymyrryd yn y rhanbarth. Yn yr Aifft, ym mis Hydref 1951, penderfynwyd ymestyn brenhiniaeth y Brenin Farouk dros y Sudan, ardal a oedd dan oruchwyliaeth Prydain. Tua'r un adeg bu nifer o wrthdystiadau gwrth-Brydeinig ac ymosodiadau ar ddinasyddion Prydeinig a oedd yn byw yn ardal Camlas Suez ac anfonodd y llywodraeth gŵyn swyddogol i'r llywodraeth yn El Qâhira.

Y digwyddiad pwysicaf, fodd bynnag, oedd dechrau'r rhyfel yn Korea. Pwysodd yr Unol Daleithiau ar Brydain i fynegi ei chefnogaeth ac i gymryd rhan yn y frwydr yn erbyn comiwnyddiaeth. Pan gyhoeddodd y llywodraeth ym mis Ionawr 1951 ei bod am wario £4,700 miliwn ar amddiffyn (14 y cant o incwm y wladwriaeth) yn ystod y tair blynedd nesaf achoswyd rhaniadau a chweryla agored y tu mewn i'r Blaid Lafur. Arweinydd y gwrthwynebiad oedd Aneurin Bevan, ond lleihaodd Attlee ei statws drwy ei symud i'r Adran Lafur. Roedd Bevan eisoes wedi cael ei ddiystyru pan ddewiswyd canghellor newydd ym mis Hydref 1950 ac ym mis Mawrth 1951 anwybyddwyd ef eto wrth ddewis y Gweinidog Tramor. Beth bynnag am hynny parhaodd i ymosod ar y cynnydd yng ngwariant amddiffyn y wladwriaeth pan oedd angen llawer mwy o wario gartref yn ei farn ef ar y Gwasanaeth Iechyd Cenedlaethol a'r gwasanaethau cymdeithasol.

Ym mis Ebrill cyflwynodd y Canghellor, Hugh Gaitskell, gyllideb a gododd y dreth incwm chwe cheiniog yn y bunt ac a ddyblodd y dreth bwrcas ar amryw o nwyddau. Ond pan gyhoeddodd Gaitskell y byddai'r Gwasanaeth Iechyd yn codi tâl am sbectol a dannedd gosod ymddiswyddodd Bevan, Harold Wilson, Llywydd y Bwrdd Masnach, a John Freeman, Ysgrifennydd Seneddol yn yr Adran Gyflenwadau. Yn y cyfamser gwaethygodd y diffyg yn y fantol daliadau wrth i fewnforion godi (o £920 miliwn ym 1946 i £2254 miliwn ym 1950). Roedd y llywodraeth bellach yn flinedig a heb yr ynni na'r ewyllys i geisio cyflwyno mwy o fesurau diwygiol. Rhwng mis Hydref 1950 a mis Ebrill 1951 roedd wedi colli dynion allweddol: Cripps, Bevin, Bevan, Wilson, Freeman ac Attlee. Yn wyneb yr argyfwng mewnol a'r mwyafrif seneddol tenau penderfynwyd cynnal etholiad cyffredinol arall. Y tro hwn, er i dros 80 y cant o etholwyr bleidleisio unwaith eto, roedd y canlyniad yn wahanol:

Pleidiau	Pleidleisiau	Canran o'r bleidlais	Seddau
Ceidwadwyr	13,717,538	48	321
Llafur	13,948,605	48.8	295
Rhyddfrydwyr	730,556	2.5	6

Sicrhaodd y lleihad o rhyw 70 y cant yn nifer yr ymgeiswyr Rhyddfrydol gynnydd ym mhleidlais y Toriaid. Roedd mwyafrif mawr cefnogwyr y Blaid Lafur yn yr etholaethau diwydiannol wedi rhoi pleidlais uchel iddi, yn uwch na phleidlais y Blaid Geidwadol, er iddi golli 20 o seddau a'r etholiad.

Fe ddangosodd y llywodraeth Lafur rhwng 1945 a 1950 fod ganddi'r hyder a'r medr i reoli'r wladwriaeth. Mewn materion tramor ac imperialaidd ychydig iawn o wahaniaeth oedd rhyngddi a'r Blaid Geidwadol. Bu datblygiadau pwysig mewn diwydiant, mewn peirianneg, awyrennau, moduron a chemegau, ond ni lwyddwyd i godi lefelau cynhyrchu diwydiannol yn uwch na lefelau rhai o'r prif gystadleuwyr tramor. Erbyn y 1950au roedd hyn yn gyfrifol am dyndra yn yr economi rhwng galwadau ariannol cynyddol yn deillio o bolisïau cymdeithasol a gallu diwydiant i ehangu adnoddau economaidd ar raddfa gyfatebol.

Cofir y cyfnod hwn yn bennaf am y diwygiadau cymdeithasol a'r mesurau gwladoli, polisïau a gryfhaodd yr undod a ddatblygodd yn ystod y rhyfel. Er bod rhai sosialwyr wedi gobeithio ym 1945 y byddai llywodraeth Lafur yn dileu'r rhaniadau dosbarth ym Mhrydain, nid oedd hynny'n un o amcanion y Cabinet. Y bwriad oedd ceisio creu cymdeithas decach, lleihau tlodi a chryfhau cyfrifoldeb y wladwriaeth am wasanaethau a gofal am y di-waith a'r rhai ar incwm isel. Nid oedd y wladwriaeth les newydd yn berffaith ond o leiaf roedd wedi ei sefydlu ac nid oedd y Ceidwadwyr yn debygol o'i thanseilio. O ddiwedd y 1940au ymlaen sicrhawyd fod gan y mwyafrif o drigolion gwledydd Prydain rywfaint o ddiogelwch ariannol beth bynnag oedd eu hamgylchiadau. Ond erbyn 1951 roedd y Blaid Lafur wedi dihysbyddu ei chronfa o syniadau newydd, ac yn wahanol i'r Ceidwadwyr, nid oedd ganddi ddigon o aelodau ifainc blaenllaw a allai gymryd yr awenau yn y Senedd a rhoi arweiniad grymus a chyfeiriad gwreiddiol arall iddi yn ystod y 1950au.

PENNOD 16

Y Ceidwadwyr mewn Grym, 1951–1964

Llywodraeth Churchill, 1951–1955

O edrych ar ganlyniadau etholiadau 1950 a 1951 gellir gweld mai ychydig o newid a fu ym mhleidlais y Blaid Lafur. Roedd hi'n bwysig felly i Winston Churchill, y Prif Weinidog newydd, newid delwedd ryfelgar ac wynebgaled y Ceidwadwyr mewn polisïau cartref a thramor os oeddynt am gynnal ac ymestyn eu cefnogaeth yn y dyfodol. Roedd pleidlais uchel y Blaid Lafur yn sicrhau na fyddai unrhyw gynlluniau i ddadwneud polisïau cymdeithasol ac economaidd llywodraeth Attlee, ac eithrio yn achos y diwydiant haearn a dur.

Adlewyrchiad o'r agwedd fwy cymedrol a orfodwyd arnynt gan yr amgylchiadau gwleidydol hyn oedd penodi Harold Macmillan i'r Adran Dai, Anthony Eden i'r Weinyddiaeth Dramor ac R. A. Butler yn Ganghellor. Hefyd rhoddwyd swyddi cyntaf i rai o aelodau ifainc disglair y blaid megis Edward Heath, Iain Macleod ac Enoch Powell.

Un o'r problemau cyntaf y bu'n rhaid i'r llywodraeth newydd ymgodymu â hi oedd y ddyled o £1,000 miliwn ym 1951 a phenderfynwyd rheoli tipyn ar gyflenwad arian y wladwriaeth. Yn hyn o beth ychydig o wahaniaeth o bwys oedd rhwng gweithrediadau Butler fel Canghellor a'i ragflaenydd, Hugh Gaitskell. Y prif reswm am y tebygrwydd mewn polisïau (Butskelliaeth) oedd dylanwad cryf y gwasanaeth sifil a'r Trysorlys ar y gweinidogion, dylanwad ceidwadol ac unffurf yn yr ugain mlynedd ar ôl yr Ail Ryfel Byd.

Codwyd y gyfradd banc ym mis Tachwedd 1951 o 2 y cant i 2.5 y cant ac ym mis Mawrth 1952 gostyngwyd treth incwm a thorrwyd y cymhorthdal i fwydydd o £410 miliwn i £250 miliwn. Codwyd y gyfradd banc ymhellach y flwyddyn honno i 4 y cant, tynhawyd ar reolau rhoi credyd (hur-bwrcas ac ati), lleihawyd mewnforion o £350 miliwn, a chyfyngwyd ar gyfanswm yr arian y gallai ymwelwyr Prydeinig ei wario mewn gwledydd tramor (o £100 i £25). Bu'r mesurau hyn o gymorth mawr i'r economi ac erbyn diwedd y flwyddyn roedd £300 miliwn wrth gefn er nad oedd y polisi arianyddol hwn yn bennaf gyfrifol am y gwelliant. Roedd cyflwr economi'r byd yn gwella ac yn sgil y cwymp ym mhrisiau adnoddau crai ym 1953 a 1956 galluogwyd y llywodraeth i ddod â dogni bwyd i ben erbyn diwedd 1954. Bwriad y llywodraeth, fel y Blaid Lafur o'i blaen, oedd ceisio cynyddu allforion drwy wneud prynu nwyddau gartref yn fwy costus. Allforion, wedi'r cyfan, a ddeuai â llawer o'r cyfoeth a'r arian a oedd yn angenrheidiol i brynu a thalu am nwyddau o wledydd tramor.

Roedd yn eironig fod Churchill o bawb o'r farn fod cynlluniau amddiffyn llywodraeth Attlee yn rhy gostus i'r economi a bod yn rhaid eu cwtogi er mwyn rhoi cyfle i rannau eraill o'r economi ddatblygu'n gyflymach. Rhwng 1952 a 1958 disgynnodd y gwariant ar amddiffyn o 11 y cant i 7.5 y cant o incwm y wladwriaeth a chanolbwyntiwyd y gwariant hwn ar ddatblygu arfau niwclear.

Ym 1954 diddymwyd y cynlluniau i wladoli'r diwydiant haearn a dur, a daethpwyd â dogni bwyd i ben, fel y soniwyd. Bwriad hyn oedd rhyddhau'r economi drwy ddiddymu'r hen gyfyngiadau rhyfel, polisi a ddechreuwyd gan y llywodraeth Lafur. Terfynwyd y cyfyngiadau ar y diwydiant dur ac adeiladu preifat hefyd. Dadl y llywodraeth oedd bod rheolaeth economaidd yn deg ar adeg rhyfel ond bod angen rhoi cyfle i'r economi ehangu ar adeg heddwch.

Drwy reoli lefelau llog a'r cyflenwad arian gobeithiai'r llywodraeth gadw chwyddiant yn isel, annog pobl i gynilo ar adegau arbennig a chanolbwyntio adnoddau diwydiant ar allforion. Yr enw a roddwyd ar y polisi hwn oedd 'aros-mynd' (*stop-go*) ac roedd yn un o brif nodweddion polisi economaidd y gwahanol lywodraethau rhwng 1945 a 1964. Un o anfanteision y polisi oedd ei fod yn camarwain pobl ynglŷn â chyflwr yr economi. Tra oedd masnach ryngwladol yn ffynnu roedd polisi o'r fath yn gymharol lwyddiannus, ond cuddiai amryw o wendidau economaidd a drafodir yn nes ymlaen. Yn y cyfamser roedd y llywodraeth yn teimlo'n ddigon hyderus ym 1954 i ostwng trethi ar gwmnïau er mwyn hybu buddsoddi preifat. Canlyniad hyn, a phrisiau sefydlog, oedd gostyngiad yn nifer y di-waith o 450,000 ym 1953 i 280,000 ym 1954.

Er gwaethaf y gwelliannau yn safonau byw fe wynebodd y llywodraeth dipyn o anfodlonrwydd diwydiannol. Pwysodd rhai Ceidwadwyr am reolaeth fwy tyn ar yr undebau er mwyn lleihau'r niwed i fusnes. Argymhellwyd pleidlais ddirgel cyn streicio, gwneud streiciau answyddogol yn anghyfreithlon, polisi incwm a chysylltu codiadau cyflog â chynnydd mewn cynhyrchu. Ond nid oedd aelodau'r Cabinet ar y cyfan yn gefnogol i'r fath fesurau. Roedd y mwyafrif yn erbyn unrhyw bolisi a allai arwain at wrthdrawiadau annifyr â'r undebau. Yn y cyfamser, rhwng 1953 a 1956, cododd cyflogau dair gwaith yn gyflymach na chynhyrchiad.

Nid oedd agwedd y llywodraeth tuag at y diwydiannau cyhoeddus newydd mor elyniaethus ag yr ofnai rhai. Nid oedd cymaint â hynny o brynwyr preifat wedi cynnig am y diwydiannau dur a lorïau, yn rhannol oherwydd ofn y byddai'r Blaid Lafur yn dod i rym eto ac yn parhau â'i pholisi o wladoli. Gadawyd i'r cwmnïau dur gario ymlaen ar eu liwt eu hunain ond daeth yn amlwg ar ôl byr amser na allent gystadlu ar yr un telerau â'r diwydiannau. Roedd prinder peiriannau modern yn broblem, a hefyd agwedd yr undebau tuag at gysylltu codiadau cyflog â lefelau cynhyrchu. Sefydlodd y llywodraeth Fwrdd Haearn a Dur i oruchwylio buddsoddiad a chydweithrediad rhwng cwmnïau ond bach fu ei effaith.

Ym 1952 argymhellodd Pwyllgor Ridley fod angen ymchwil pellach i bolisi prisiau a buddsoddi yn y sector cyhoeddus i ddarganfod a oedd modd gwella trefniadaeth a rheolaeth yn y meysydd hynny. Ond ni ddangosodd y llywodraeth lawer o ddiddordeb mewn gwella perfformiad y diwydiannau gwladol, a pharhaodd llawer o'r aelodau seneddol Ceidwadol i gwyno am y gorwario a'r gwastraff adnoddau yn y sector hwn.

Serch hynny, penderfynwyd gosod rhywfaint o drefn ar y gwasanaeth rheilffyrdd drwy ddatganoli awdurdod i chwe bwrdd yn lle un canolog. Yna trafodwyd cynlluniau moderneiddio i sicrhau trenau trydan a disel — cynllun a fyddai'n costio tua £1,250 miliwn dros gyfnod o bymtheng mlynedd. Yn anffodus ni roddwyd digon o ystyriaeth i effaith y cynnydd mewn trafnidiaeth ffyrdd ar ddatblygiad y rheilffyrdd.

Aed ati i ddatblygu rhaglen ar gyfer y diwydiant niwclear ac ym 1952 cefnogwyd cynllun i adeiladu adweithydd niwclear. Ym 1954 sefydlwyd yr Awdurdod Ynni Atomig gyda chyllideb o £3000 miliwn. Er bod y llywodraeth yn rhagweld dyfodol llwyddiannus i'r diwydiant newydd dros gyfnod o amser, cydnabuwyd yr un pryd mai glo fyddai'n gyfrifol am gynhyrchu'r rhan fwyaf o drydan y wlad yn y dyfodol agos.

Gorchest amlycaf y weinyddiaeth hon oedd llwyddiant Macmillan a'i Adran Dai i hyrwyddo adeiladu dros 300,000 o dai y flwyddyn gan gynnwys 327,000 ym 1953 a 354,000 ym 1954. Roedd ganddo adran weithgar a chefnogaeth y Prif Weinidog ac roedd y rhain yn hanfodol i barhad ei gynlluniau yn wyneb y cwynion ei fod yng gwastraffu adnoddau pwysig pan oedd angen ehangu diwydiant. Cododd y cymhorthdal ar gyfer tŷ cyngor o £22 i £35 a dilewyd y cyfyngiadau ar awdurdodau lleol ynghylch rhoi trwyddedau i adeiladwyr preifat. Ym 1954 roedd 30 y cant o'r tai a adeiladwyd yn rhai preifat a chynyddodd y ganran hon dan lywodraethau Ceidwadol eraill y 1950au.

Yn Ewrop rhoddwyd croeso gofalus i Gynllun Schuman ym 1950 ac i'r Gymuned Haearn a Dur Ewropeaidd ym 1951 a oedd yn cynnwys yr

Almaen, Ffrainc, Luxembourg, yr Eidal, Gwlad Belg a'r Iseldiroedd. Aeth y gwledydd hyn ati wedyn i geisio ffurfio Cymuned Amddiffyn Ewropeaidd ym 1952. Roedd cefnogaeth Prydain i'r cynllun hwn yn llugoer am nad oedd yn fodlon gadael i gyfundrefn Ewropeaidd reoli ei lluoedd arfog, yn arbennig o gofio ei hymrwymiadau i'r Gymanwlad. Gwelai Ffrainc fanteision i bresenoldeb Prydain fel gwrthbwys i'r Almaen ond pan benderfynodd y Cabinet wrthod y syniad, dylanwadodd ar Ffrainc i wneud yr un peth ym 1954 ac ni ddatblygodd y syniad o Gymuned Amddiffyn ymhellach. Ym mis Hydref 1954, fodd bynnag, llwyddodd Eden i drefnu cynhadledd yn Lancaster House yn Llundain. Yno arwyddwyd cytundeb rhwng gwledydd y Gymuned Amddiffyn, Prydain, Canada a'r Unol Daleithiau a fyddai'n sicrhau cefnogaeth filwrol i ddiogelu Ewrop ac a gynhwysodd yr Almaen yng Nghyfundrefn Cytundeb Gogledd Iwerydd (*North Atlantic Treaty Organisation*).

Fe barhaodd y rhyfel yn Korea ac nid oedd agwedd fwy cymedrol y Cabinet yn Llundain wrth fodd Washington. Roedd eithafiaeth McCarthiaeth yn dylanwadu ar ffyrnigrwydd polisi'r Unol Daleithiau yn nwyrain Asia ac ofnai Churchill ac Eden y gallai arwain at ryfel ehangach yn erbyn China. Pan ddaeth rhyfel Korea i ben ym 1953 cafwyd yr un gwahaniaeth pwyslais ac agwedd rhwng Prydain a'r Unol Daleithiau yn achos y rhyfel a oedd yn datblygu yn Indo-China. Yn y Dwyrain Canol ni fu unrhyw ddatblygiadau o bwys yn y cyfnod hwn ac eithrio dychweliad y Shah i rym yn Iran gyda chymorth gwasanaeth cudd America (CIA) mewn *coup d'état* ym mis Awst 1953 a ffurfio'r Cynghrair Canolog (*Central Treaty Organisation*), yn sgil sefydlu Cyfundrefn Cytundeb Gogledd Iwerydd a Chyfundrefn Cytundeb De-Ddwyrain Asia (*South-East Asia Treaty Organisation*), mewn ymgais i amgylchynu'r Undeb Sofietaidd.

Ym mis Ebrill 1955, dan bwysau oddi wrth y Cabinet, ymddeolodd Churchill oherwydd y dirywiad yn ei iechyd a chymerwyd ei le gan Anthony Eden. Galwodd etholiad cyffredinol ar gyfer 25 Mai ar adeg pan oedd y Blaid Lafur yn rhanedig a'r Ceidwadwyr heb golli is-etholiad er 1951. Pwysleisiodd y Ceidwadwyr y gwelliant mewn safonau byw, parhad y wladwriaeth les a phwysigrwydd eu polisi tramor o safbwynt cadw heddwch yn y byd. Pleidleisiodd 76.7 y cant o'r etholwyr a chryfhawyd gafael y Ceidwadwyr ar y Senedd:

Plaid	Pleidleisiau	Canran o'r bleidlais	Seddau
Ceidwadwyr	13,286,569	49.7	344
Llafur	12,404,970	46.4	277
Rhyddfrydwyr	722,405	2.7	6

Ar ôl llwyddiant y Ceidwadwyr dewisodd y Prif Weinidog newydd ei Gabinet. Penodwyd Macmillan yn Weinidog Tramor, Butler yn Ganghellor y Trysorlys a Selwyn Lloyd i'r Adran Amddiffyn a rhoddwyd cyfrifoldeb am y Gymanwlad i'r Arglwydd Home.

Dangosodd cyllideb mis Hydref 1955 fod y llywodraeth hon am barhau â'r polisi 'aros-mynd'. Codwyd y dreth bwrcas ar amryw o nwyddau, cyfyngwyd ar wario a buddsoddi preifat ac anogwyd pobl i gynilo arian yn lle ei wario. Bwriad Butler felly oedd tynhau'r cyflenwad arian a dileu effaith y toriadau mewn treth incwm gwerth £150 miliwn a roddasid i drethdalwyr ym mis Ebrill, ychydig o wythnosau cyn yr etholiad cyffredinol. Roedd y gyllideb yn amhoblogaidd iawn, ac i lawer o'r cyhoedd a'r papurau newydd yn gyfaddefiad fod cyllideb mis Ebrill wedi bod yn gamgymeriad. Felly penderfynodd Eden symud Macmillan o'r Weinyddiaeth Dramor i gymryd lle Butler. Er ei fod ef ei hun o blaid polisi mwy ehangol, credai fod yn rhaid cyflwyno mesurau tynhau ymhellach er lles yr economi. Ym misoedd Chwefror ac Ebrill 1956 codwyd y gyfradd banc i 5.5 y cant a chyfyngwyd ar wariant y llywodraeth (er enghraifft, ar dai a rheilffyrdd) a hefyd trigolion y wlad trwy wneud credyd yn fwy costus, yn ogystal â lleihau'r cymhorthdal bwyd o £38 miliwn a'r cymorth i'r diwydiannau cyhoeddus o £50 miliwn.

Roedd yn amlwg i lawer o arbenigwyr a gwleidyddion erbyn hyn nad oedd Prydain yn cynhyrchu digon i gwrdd â'r galw cynyddol am nwyddau traul. O ganlyniad rhaid oedd cynyddu mewnforion ac roedd hyn yn gwaethygu'r fantol daliadau. Oherwydd yr ehangu mawr yn y diwydiant moduron, er enghraifft, ni allai'r diwydiant dur gynhyrchu digon ac roedd yn rhaid mewnforio dur o wledydd Ewrop.

I ychwanegu at broblemau'r economi wynebodd y llywodraeth nifer o streiciau, gan gynnwys rhai gan weithwyr rheilffyrdd a docwyr. Fel arfer, galwadau am godiadau cyflog i wrthweithio effeithiau chwyddiant oedd y prif resymau, ond nid oedd yr undebau yn barod iawn i gysylltu'r codiadau â chynyddu cynhyrchiant. Sylweddolodd y Cabinet fod cefnogaeth yr undebau i bolisïau economaidd yn hanfodol i'w llwyddiant ond ychydig o ffydd oedd gan yr undebau mewn llywodraeth Geidwadol. Roedd hon yn agwedd afreal o gofio'r gwelliannau graddol a chyson yn safonau byw, ond un o brif amcanion yr undebau oedd ennill codiadau cyflog i'w haelodau. Prif wendid codiadau cyflog a oedd heb fod yn gysylltiedig â chynhyrchiant uwch oedd eu bod yn ychwanegu at gostau nwyddau ac allforion ac yn gwanhau safle cystadleuol Prydain mewn masnach ryngwladol. Yn ogystal, pan oedd y Ceidwadwyr yn defnyddio dulliau arianyddol i reoli'r economi, effaith codiadau o'r fath oedd lleihau'r arian a oedd ar gael ar gyfer grwpiau eraill ac yn arbennig ar gyfer gweithwyr ar gyflogau cymharol isel yn y gyfundrefn addysg a'r gwasanaeth iechyd.

Yn Ewrop crewyd problemau oherwydd y tyndra rhwng y Gorllewin a'r Undeb Sofietaidd. Cynhaliwyd cynhadledd ryngwladol yng Ngenefa ym mis Gorffennaf 1955 i drafod gwahaniaethau. Gobaith Macmillan oedd y byddai trafodaeth o'r fath yn dechrau deialog synhwyrol rhwng y Gorllewin a'r Dwyrain. Roedd y gwahaniaeth barn mwyaf yn ymwneud â safle a statws yr Almaen ar y cyfandir. Safbwynt y gwledydd gorllewinol oedd bod yn rhaid symud at sefydlu Almaen unedig ar sail etholiadau democrataidd ond gwrthwynebwyd hyn gan yr Undeb Sofietaidd a ofnai y byddai'r Almaen gyfalafol yn fygythiad i'w diogelwch. Terfynodd y gynhadledd heb gyrraedd cytundeb ac ni lwyddodd i ddod â'r ddwy ochr yn nes at ei gilydd.

Y digwyddiad mwyaf tyngedfennol yn hanes y llywodraeth hon oedd yr argyfwng yn y Dwyrain Canol yn ardal Suez. Sonnir am fanylion yr argyfwng hwn yn y bennod ar bolisi tramor, ond un o'i ganlyniadau, ynghyd â'r dirywiad yn iechyd Eden, oedd ei ymddeoliad ef fel Prif Weinidog. Cymerwyd ei le gan Harold Macmillan ym mis Ionawr 1957. Er bod tipyn o gefnogaeth i Butler y tu mewn i'r blaid, y teimlad cyffredinol oedd y byddai Macmillan yn fwy tebygol o roi arweiniad clir a chadarn.

Llywodraeth Macmillan, 1957–1959

Yn ystod 1957 ni fu unrhyw welliant yn yr economi ac nid oedd unrhyw argoel y byddai'r anghydfod diwydiannol yn lleihau. Credai'r Prif Weinidog a'i Weinidog Llafur, Iain Macleod, fodd bynnag, fod yn rhaid i'r Ceidwadwyr gryfhau eu delwedd fel plaid un genedl (*a one nation party*) a dileu delwedd y 1930au. Felly roeddynt yn erbyn cyflwyno unrhyw fesurau i reoli cyflogau a chwyddiant.

Ym mis Awst clywyd sibrydion am ostwng gwerth y bunt a bu'n rhaid i'r llywodraeth ymgodymu â'r anawsterau a gododd yn sgil hyn, yn arbennig wrth ymdrin â phobl a oedd yn awr yn anfodlon talu eu dyledion tramor yn ôl mewn punnoedd. Ym misoedd Awst a Medi collodd Prydain £186 miliwn o'r aur oedd ganddi wrth gefn a disgynnodd gwerth ei hallforion. Credai Peter Thorneycroft, y Canghellor, fod yn rhaid rheoli'r cylchrediad arian yn fwy llym er mwyn ceisio gostwng chwyddiant. Felly, ym mis Medi, codwyd y gyfradd banc i 7 y cant, y gyfradd uchaf er 1920, a mynnodd na fyddai'r llywodraeth yn cynyddu ei gwario o gwbl yn y deuddeng mis canlynol. Roedd hyn yn ddigon i atal y dylifiad aur ond parhaodd chwyddiant i godi. Gwrthododd aelodau'r Cabinet gefnogi holl gynlluniau'r Canghellor oherwydd eu pryder am effaith y fath reolaeth ariannol ar y wladawriaeth les. Ymddiswyddodd Thorneycroft a dau is-weinidog, Enoch Powell a Nigel Birch, a phenodwyd D. Heathcoat Amory yn Ganghellor. Dangosodd y digwyddiad hwn nad oedd pawb yn y llywodraeth yn fodlon ar ei pholisïau economaidd a bod lleiafrif o blaid gostyngiad pendant mewn gwariant cyhoeddus er mwyn sefydlogi'r bunt a rheoli chwyddiant. Credai Macmillan, ar y llaw arall, fod yn rhaid i'r llywodraeth barhau â rhyw fath o bolisi canol ffordd. Roedd ei athroniaeth wleidyddol wedi cael ei lliwio gan ei brofiad fel aelod seneddol Stockton yn y 1930au lle y gwelodd effaith polisïau ariannol ar y bobl.

Achosodd ymddiswyddiad Thorneycroft a chyflwr yr economi gryn ddadlau ymhlith gwleidyddion, economegwyr, arbenigwyr academaidd a'r Wasg ynglŷn â'r llwybr gorau i'w ddilyn. Roedd rhai o blaid rheoli cyflogau a gwario mwy ar fuddsoddiad preifat a'r wladwriaeth les. Cefnogodd eraill bolisi incwm fel y modd gorau i reoli chwyddiant a rhoi codiadau cyflog teg i bawb. Gwyntyllwyd y syniad o ddefnyddio cynnydd mewn diweithdra fel ffordd o leihau'r arian yn yr economi hefyd, er na chafodd y safbwynt hwn wrandawiad difrifol.

Yn y cyfamser rhoddodd Amory yr hen bolisïau ariannol cyfarwydd a ddefnyddiwyd gan Gaitskell, Butler a Macmillan ar waith. Cafodd gymorth oddi wrth y cwymp ym mhrisiau adnoddau crai a nwyddau tramor ym 1957 a 1958. Oherwydd hyn bu lleihad yng nghostau mewnforion o 10 y cant a'r un pryd cynyddodd allforion.

Rhwng mis Ebrill a mis Gorffennaf 1958 gostyngwyd y gyfradd banc i 4 y cant a rhoddwyd rhagor o lwfansau treth i ddiwydiant i hyrwyddo datblygiad. Erbyn diwedd y flwyddyn yr oedd £345 miliwn dros ben yn y fantol daliadau. Yn ystod y deuddeng mis nesaf disgynnodd diweithdra o 620,000 i 421,000 a bu cynnydd graddol mewn lefelau cynhyrchu. Yna, yng nghylllideb 1959 rhoddwyd mwy o gymorth ariannol i ddiwydianwyr a thynnwyd naw ceiniog oddi ar dreth incwm. Arhosodd prisiau yn y siopau yn gymharol sefydlog ac yn yr amgylchiadau ariannol ffafriol hyn rhoddwyd hwb i boblogrwydd y llywodraeth ar ôl argyfwng Suez.

Yn ei bolisi tramor ymdrechodd Macmillan i wella'r berthynas â'r Unol Daleithiau ar ôl Suez a chyhoeddodd ei gefnogaeth i athrawiaeth Eisenhower o ddiogelu'r Dwyrain Canol rhag comiwnyddiaeth. Symud-wyd y pwyslais ym mholisi amddiffyn Prydain o arfau confensiynol i arfau niwclear er gwaethaf gwrthwynebiad y gwrthbleidiau. Yn y Gymanwlad gwrthwynebwyd goruchafiaeth Brydeinig yng Ngogledd a De Rhodesia, Kenya a Cyprus. Ar y cyfandir ffurfiwyd y Gymuned Ewropeaidd ym 1957 ac o fewn ychydig o flynyddoedd roedd Prydain wedi ymateb i hyn drwy sefydlu Cymdeithas Masnach Rydd Ewropeaidd (*European Free Trade Association*) gyda rhai o wledydd eraill y cyfandir. Arhosodd dyfodol yr Almaen yn faen tramgwydd i berthynas foddhaol rhwng Gorllewin a Dwyrain, ac ym mis Tachwedd 1958 dywedodd Khrushchev wrth y Cynghreiriaid am adael Berlin o fewn chwe mis er mwyn iddo sefydlu'r ddinas fel prif dref Dwyrain yr Almaen. Teithiodd Macmillan i Moskva i drafod dyfodol Berlin ond heb lwyddiant. Cyhoeddodd yr Unol Daleithiau na fyddai'r Cynghreiriaid yn tynnu yn ôl a phan ddaeth y chwe mis i ben penderfynodd Khrushchev anghofio am ei fygythiad.

Cynhaliwyd etholiad cyffredinol ym mis Hydref 1959 ac erbyn hyn roedd Macmillan wedi adfer poblogrwydd ei lywodraeth. Yn yr ymgyrch etholiadol gallai'r Ceidwadwyr unwaith eto gyfeirio at y gwelliannau mewn safonau byw, a gallent ymffrostio yn sefydliad Cymdeithas Masnach Rydd Ewropeaidd, y datblygiadau cadarnhaol yn y Gymanwlad a'r berthynas agos â'r Unol Daleithiau. Roedd y Blaid Lafur, fodd bynnag, yn dal i siarad â dau lais, gyda'r chwith o blaid mwy o wladoli a chynllunio a'r dde, gyda Gaitskell yn brif lefarydd, yn pwysleisio cymedroldeb a datblygiad y wladwriaeth les. O safbwynt y rhan fwyaf o'r etholwyr nid oedd llawer o reswm ganddynt dros gefnu ar y Ceidwadwyr ac felly am y trydydd tro o fewn wyth mlynedd daeth buddugoliaeth i'w rhan, a chynyddwyd eu cynrychiolaeth unwaith eto.

Plaid	Pleidleisiau	Canran o'r bleidlais	Seddau
Ceidwadwyr	13,749,830	49.4	365
Llafur	12,215,538	43.8	258
Rhyddfrydwyr	1,638,571	5.9	6

Llywodraethau Macmillan a Home, 1959–1963

Er i'r Ceidwadwyr argyhoeddi'r cyhoedd o fanteision cyffredinol eu rheolaeth nid oedd hyn yn gysur i'r rhai hynny a oedd yn rhagweld dirywiad pellach yn safle cystadleuol Prydain mewn masnach ryngwladol. Gyda chostau a phrisiau yn dal i godi'n gyflymach ac yn uwch ym Mhrydain nag yn Ewrop a chyda chynhyrchiant yn dal i godi'n arafach, ni allai diwydiannau Prydain gystadlu'n effeithiol â'r diwydiannau cyfandirol. Roedd angen mesurau cadarn a gweledigaeth i wella'r economi ond roedd y rhaniadau barn yn y llywodraeth yn gweithio yn erbyn hyn.

Wrth ystyried cyfyng-gyngor economaidd y llywodraeth gellir bod yn rhy barod i roi'r bai i gyd ar yr undebau a'r gweithwyr am ddirywiad economaidd y cyfnod hwn ac anwybyddu ffactorau eraill yr un mor bwysig. Er bod y polisi 'aros-mynd' yn llwyddo i reoli'r cyflenwad arian nid oedd yn debygol o roi hyder i bobl busnes a diwydianwyr a oedd am weld polisi ariannol sefydlog am gyfnod hir cyn y byddent yn ystyried gwneud buddsoddiadau anferth. Un o ganlyniadau hyn oedd bod arian yn cael ei fuddsoddi dros y môr lle roedd costau llafur yn llai a'r hinsawdd economaidd yn fwy sefydlog a rhagweladwy. Problem arall, ym marn rhai, oedd maint gwariant cyhoeddus:

Cyfnod	Canran o incwm y wladwriaeth
cyn 1914	15
1914-18	52
1918-39	26
1939-45	66
1945-51	39
1951-57	37
1957-63	47

Yn y Cabinet roedd cytundeb cyffredinol ei bod hi'n bwysig i'r llywodraeth gydweithio mwy â'r diwydianwyr a'r undebau i gynllunio polisïau economaidd a chymdeithasol dros gyfnod hwy ond nid oedd pawb yn gytûn ar oblygiadau ymarferol y fath gydweithrediad.

Ym 1960 penodwyd Selwyn Lloyd yn lle Amory ac yn ei gyllideb gyntaf cododd y dreth ar elw i 12.5 y cant a'r gyfradd banc i 5 y cant ac wedyn i 6 y cant ym mis Mehefin. Tueddai Lloyd efallai, oherwydd ei ddiffyg profiad yn y maes hwn, i fod dan ddylanwad y Trysorlys a oedd yn amharod i fabwysiadu polisïau newydd a mentro oddi ar y llwybr cyfarwydd. Erbyn diwedd 1960 roedd yr economi mewn helbul unwaith eto gyda diffyg yn y fantol daliadau o £258 miliwn. Benthycwyd arian oddi wrth y Gronfa Arian Ryngwladol a chodwyd y gyfradd banc i 7 y cant, ond nid oedd y mesurau hyn yn ddigonol i rai Ceidwadwyr a oedd yn dechrau pwyso am newid cyfeiriad.

Atgyfnerthwyd y gred fod newid yn angenrheidiol gan Adroddiad Plowden a Phapur Gwyn y llywodraeth, 'Goblygiadau Economaidd ac Ariannol y Diwydiannau Gwladol'. Prif thema y ddau gyhoeddiad oedd lleihau gwario'r llywodraeth ac ad-drefnu'r gwahanol ddiwydiannau a gwasanaethau er mwyn hwyluso twf economaidd.

Penderfynodd y Canghellor geisio gwahardd codiadau cyflog ar ôl Gorffennaf 1961 ac eithrio'r rheiny a oedd yn gysylltiedig â chynnydd mewn cynhyrchiant. Effeithiodd hyn yn syth ar y sector cyhoeddus ac yn arbennig ar bobl oedd ar gyflogau isel yn barod, megis nyrsys, tra llwyddodd gweithwyr â grym diwydiannol i ennill mwy o gyflog. Gwrthwynebwyd y polisi hwn o rewi cyflogau yn daer gan Gyngres yr Undebau Llafur.

Y gwrthwynebiad hwn a fu'n gyfrifol am agwedd lugoer yr undebau tuag at sefydlu'r Cyngor Datblygiad Economaidd Cenedlaethol (*National Economic Development Council*) y flwyddyn honno. Roedd y Cyngor yn rhywbeth newydd i'r Ceidwadwyr oherwydd ei bwyslais ar gynllunio rhannau o'r economi ac roedd ei lwyddiant yn dibynnu ar drafodaethau a chydweithrediad rhwng y llywodraeth, diwydianwyr a'r undebau. Ar ôl ei gyfarfod cyntaf ym mis Mawrth 1962 argymhellodd godiadau cyflog o ddim mwy na 4 y cant ac roedd hyn yn amhoblogaidd iawn ymhlith undebwyr llafur. Cwynodd Cyngres yr Undebau Llafur am ddiwydiannau preifat a oedd yn cynnig codiadau uwch nag oedd y llywodraeth yn eu caniatáu yn y sector cyhoeddus. Erbyn mis Gorffennaf penderfynodd y llywodraeth ddiddymu'r polisi o atal codiadau am gyfnod oherwydd yr elyniaeth undebol. Parhaodd yr undebau hefyd i wrthod cydweithio â'r Comisiwn Incymau Cenedlaethol a sefydlwyd gan y llywodraeth i helpu i lunio polisi incwm, yn bennaf oherwydd y cynnydd mewn diweithdra i fwy na 800,000 ym 1962.

Erbyn dechrau'r 1960au roedd y darlun cyffredinol mewn diwydiant yn un cymysg. Er gwaethaf y galw cynyddol am longau, yn arbennig tanceri olew a llongau masnach, drwy gydol y 1950au roedd y diwydiant adeiladu llongau ym Mhrydain yn mynd ar ei waered am na allai ymateb yn effeithiol i ofynion newydd perchenogion y llyngesau masnach. Rhwng 1956 a 1964 disgynnodd cynhyrchiant fwy na 40 y cant. Roedd perchenogion yr iardau llongau yn anfodlon buddsoddi a chymerid mwy o amser i adeiladu llongau ac ar gost uwch na'r cystadleuwyr yn Japan a Sweden. Roedd gwrthdaro â'r undebau yn dal i lesteirio hyder a datblygiad ac roedd hyn yn rhannol gyfrifol am lwyddiant Japan i oddiweddyd Prydain fel cynhyrchydd llongau mawr erbyn 1957. Erbyn dechrau'r 1960au roedd cyflwr y diwydiant o safbwynt adnoddau, lefelau cynhyrchu a syniadau newydd yn llawer mwy datblygedig yn Norwy, Sweden, Gorllewin yr Almaen a Japan nag yr oedd mewn unrhyw ran o Brydain.

Roedd patrwm tebyg i'w weld yn y diwydiant cemegau lle roedd y perchenogion yn dangos agwedd geidwadol ac anhyblyg tuag at ddatblygiadau newydd. Canlyniad hyn, er gwaethaf twf y diwydiant, oedd colli marchnadoedd i'r Almaenwyr.

Ehangodd y diwydiant moduron yn gyflym ac ym 1952 unodd Austin a Morris i ffurfio'r Gorfforaeth Moduron Prydeinig. Cynyddodd nifer y ceir a oedd yn cael eu cynhyrchu o 2,307,000 ym 1950 i 9,131,000 ym 1960. Cuddiodd yr ehangu cyflym hwn wendidau mewn buddsoddi, peirianwaith a datblygiad modelau newydd ac roedd perygl y byddai cwmnïau mwy blaengar y cyfandir yn manteisio ar y diffygion hyn. Yn y diwydiant awyrennau, er gwaethaf llwyddiant arloesol peirianwyr a thechnegwyr Prydeinig wrth ddatblygu peiriannau soffistigedig (peiriannau *Rolls Royce*, er enghraifft), methodd y diwydiant â throsi'r medrau technegol hyn i lwyddiant masnachol.

Bu ehangu mawr hefyd yn y diwydiannau a gynhyrchai nwyddau trydanol, gan gynnwys peiriannau golchi a sychu dillad, peiriannau glanhau lloriau, oergelloedd, setiau radio a theledu, a chwaraewyr recordiau. Ym 1956 dim ond 8 y cant o gartrefi oedd ag oergell, ond erbyn 1962 roedd y ffigur yn 33 y cant. Ar ddechrau'r 1950au ychydig iawn o bobl oedd â theledu, ond erbyn 1961 roedd teledu i'w gael yn 75 y cant o gartrefi.

Soniwyd eisoes am y cwyno a fu am y sector cyhoeddus, yn arbennig ar ôl ymddangosiad Adroddiad Plowden a'r Papur Gwyn ar y diwydiannau gwladol. Ym mis Rhagfyr 1960 ymddangosodd Papur Gwyn ar 'Addrefniant Trafnidiaeth Gyhoeddus'. Yn sgil cyhoeddi'r adroddiad penodwyd Beeching ar ddechrau 1961 i geisio gosod trefn ar y gwasanaeth rheilffyrdd. Penderfynodd anwybyddu pwysigrwydd cymdeithasol y rheilffyrdd a chanolbwyntio ar y rheiny a allai wneud elw, gan roi sylw arbennig i drenau cymudwyr, trenau rhyng-ddinesig a threnau nwyddau. Yn wyneb y golled anferth o £86,900,000 ym 1961 dywedodd Beeching fod toriadau yn hanfodol ac argymhellodd y dylid cau un rhan o dair (5,000 o filltiroedd) o'r system. Caewyd llawer o reilffyrdd yn yr Alban, de-orllewin Lloegr, a Chymru er gwaethaf gwrthwynebiad pobl leol a ddadleuai fod y llywodraeth yn dileu gwasanaeth cymdeithasol pwysig.

Llesteiriwyd datblygiad y diwydiant glo gan gostau cynyddol a lleihad graddol yn y galw am y cynnyrch. Disgynnodd nifer y glowyr o 720,000 ym 1947 i 419,000 ym 1957 a phrofodd y diwydiant gystadleuaeth gref o du'r diwydiant olew.

Tra oedd ffyniant economaidd i'w weld mewn rhai ardaloedd roedd profiad y rhanbarthau a ddibynnai ar y diwydiannau trwm yn wahanol. Ar ddechrau'r 1960au, er bod diweithdra oddeutu 3 y cant ar gyfartaledd, roedd yn uwch o lawer mewn rhai mannau, er enghraifft, 7 y cant yng ngogledd-ddwyrain Lloegr. Ym mis Hydref 1963 penderfynwyd dileu'r swydd o Lywydd y Bwrdd Masnach a phenodwyd Edward Heath yn Ysgrifennydd Gwladol dros Ddiwydiant, Masnach a Datblygiad Rhanbarthol. Rhoddwyd mwy o bwyslais ar ddatblygiad economaidd o gwmpas trefi unigol ond prif wendid y polisi oedd ei fethiant i gysylltu hyn â datblygiad cyfathrebau i ddenu mwy o wŷr busnes i'r rhanbarthau.

Felly roedd y patrwm diwydiannol ym Mhrydain yn amrywio rhwng y gwahanol ranbarthau ac roedd gwahaniaeth mawr rhwng datblygiad y gwasanaethau a'r diwydiannau gweithgynhyrchu ar y naill law a dirywiad araf y rhai traddodiadol ar y llaw arall. Parhaodd cynhyrchiant y gweithiwr unigol dipyn yn is nag ar y cyfandir: rhwng 1950 a 1960 cynyddodd 25 y cant o gymharu â 59 y cant yn yr Almaen a 77 y cant yn Ffrainc. Rhoddwyd y bai am hyn ar nifer o ffactorau, megis buddsoddiad annigonol, polisi 'aros-mynd' y llywodraeth, agwedd geidwadol rheolwyr a gwrthwynebiad llawer o undebau i ddulliau newydd oherwydd eu pryder am ddyfodol swyddi eu haelodau. Yn ychwanegol at hyn, ac yn wahanol i brofiad y gwledydd Ewropeaidd a Japan, gwariai Prydain gyfran uchel o'i hincwm blynyddol ar amddiffyn ac ymrwymiadau imperialaidd.

Roedd poblogrwydd y llywodraeth ar drai, ffaith a amlygwyd gan boblogrwydd cynyddol y Rhyddfrydwyr a'u harweinydd, Jo Grimond, a chanlyniadau nifer o is-etholiadau. Yr enwocaf o'r rhain oedd buddugoliaeth y Rhyddfrydwyr yn Orpington ym mis Mawrth 1962 pan newidiodd y mwyafrif Ceidwadol o 14,760 i fwyafrif Rhyddfrydol o 7,855. Yn ddiweddarach, ym mis Mehefin collwyd sedd Gorllewin Middlesbrough i Lafur a bu cwymp sylweddol yn y bleidlais Dorïaidd yn is-etholiadau Gogledd-Ddwyrain Caerlŷr, Stockton a Pontefract.

Penderfynodd Macmillan geisio adfer poblogrwydd y llywodraeth er mwyn ennill etholiad 1964. Felly ym mis Gorffennaf newidiodd ei Gabinet. Ymadawodd Selwyn Lloyd (Canghellor), Harold Watkinson (Amddiffyn), J. S. MacKay (yr Alban), D. Eccles (Addysg), Dr Hill (Tai), yr Arglwydd Kilmuir (Arglwydd Ganghellor) a'r Arglwydd Mills. Penodwyd yn eu lle Reginald Maudling (Canghellor), Keith Joseph (Tai), Thorneycroft (Amddiffyn), H. Brooke (Y Swyddfa Gartref), E. Boyle (Addysg), a'r Arglwydd Dilhorne yn Arglwydd Ganghellor. O fewn wythnos arall rhoddwyd swyddi hefyd i rai o'r Ceidwadwyr ifainc blaenllaw, gan gynnwys Chris Chattaway ac Edward du Cann.

Er gwaethaf y newidiadau hyn neu 'noson y cyllyll hirion' fel y'i gelwid gan rai, ni chafodd yr etholwyr eu hargyhoeddi fod pethau gwell ar y gweill, yn arbennig wrth i ddiweithdra barhau i godi. Erbyn dechrau 1963 roedd y cyfanswm wedi cyrraedd 900,000 a chredai Maudling fod angen ehangu'r economi. Felly yn ei gyllideb y flwyddyn honno torrodd drethi o dros £270 miliwn a rhoddodd fwy o gymorth ariannol, gan gynnwys grantiau, i bobl busnes a diwydianwyr a £10 miliwn i ddyblu nifer canolfannau hyfforddiant y llywodraeth. Ond gwyddai'r llywodraeth mai perygl y fath bolisi, heb reoli cyflogau, oedd cynyddu'r gwario ar nwyddau a mewnforion a gwaethygu'r fantol daliadau a chwyddiant. Serch hynny, cynyddodd allforion 7 y cant ym 1963 a buddsoddiad preifat a chyhoeddus ryw 15 y cant. Lleihaodd diweithdra ond cafwyd diffyg yn y fantol daliadau o £87 miliwn erbyn mis Gorffennaf.

Effeithiwyd ar statws y llywodraeth gan fwy nag un sgandal ar ddechrau'r 1960au. Gwadodd yr Ysgrifennydd Rhyfel, John Profumo, er enghraifft, ym mis Mawrth 1962 fod unrhyw berthynas amheus rhyngddo ef a merch o'r enw Christine Keeler a chyn-swyddog yn llynges yr Undeb Sofietaidd, Capten Ivanov. Ar ôl ymchwiliad gan yr Arglwydd Dilhorne cyhoeddodd Profumo fod ei ddatganiad ym mis Mawrth yn gelwydd ac ymddiswyddodd. Ni fodlonwyd arweinydd newydd a mwy pigog y Blaid Lafur, Harold Wilson, gan yr ymddiswyddiad ac ymosododd yn flyrnig ar Macmillan. Cyhuddodd Macmillan o golli gafael ar y sefyllfa a haerodd fod sgandal o'r fath yn dadlennu gwendidau amlwg yn y gyfundrefn ddiogelwch.

Yn ddiweddarach mewn achos yn ymwneud â Dr Stephen Ward a gweithrediadau rhywiol amheus, cysylltwyd rhai o'r merched ag enw Peter Rachman, dyn a oedd wedi cael enw drwg fel perchennog slymiau ac fel un oedd yn manteisio ar bobl ddigartref. Rhoddodd y sgandal gyfle i Wilson i ymosod ar Rachmaniaeth a Deddf Rhent 1957 a oedd yn rhoi penrhyddid i ddynion fel Rachman.

Ym mis Medi 1963 aethpwyd â Macmillan i'r ysbyty ac erbyn dechrau mis Hydref, cyn cynhadledd flynyddol ei blaid, penderfynodd ymddeol o'i swydd. Roedd y frwydr am y brifweinidogaeth rhwng Maudling, Butler, Hailsham a'r Arglwydd Home. Er gwaethaf y cefnogaeth gref a oedd gan Butler, penderfynodd y blaid, er mwyn undod, gefnogi'r Arglwydd Home. Dilewyd ei deitl a daeth Syr Alec Douglas Home yn Brif Weinidog. Credai'r Blaid Lafur mai hwn oedd y dewis gorau o'i safbwynt hi ac ymosododd Wilson ar Home fel symbol o Geidwadaeth a berthynai i'r gorffennol tra oedd y Blaid Lafur yn rym newydd a oedd yn frwdfrydig dros newid gwyddonol a thechnolegol a fyddai'n trawsnewid yr economi.

Dilynodd Home bolisi economaidd ei ragflaenydd ond erbyn haf 1964 wynebai'r llywodraeth lu o anawsterau economaidd. Er i allforion godi

10 y cant yn ystod 1963 a 1964 cynyddodd mewnforion 16 y cant. Roedd gweithwyr yn y sector cyhoeddus a phreifat yn dal i ennill cyflogau uwchlaw y 3.5 y cant a argymhellwyd gan y llywodraeth a lleihaodd cyfran Prydain o fasnach y byd ymhellach o 20.5 y cant ym 1954 i 16.37 y cant ym 1960 ac i 14.2 y cant ym 1964. Nid oedd y llywodraeth yn barod i ostwng ei gwariant uchel ar y lluoedd arfog a rhagwelwyd diffyg ariannol sylweddol cyn diwedd y flwyddyn.

Penderfynodd Home na allai aros yn llawer hwy cyn cynnal etholiad a dewiswyd mis Hydref 1964. Yn ystod yr ymgyrch etholiadol pwysleisiodd y llywodraeth y gwelliannau cyson mewn safonau byw, y datblygiadau mewn polisi tramor, yr angen am atal grym niwclear a pheryglon ethol llywodraeth Lafur. Pwysleisiodd y Blaid Lafur bwysigrwydd cynllunio'n synhwyrol fel yn Sweden, sefydlu addysg gyfun, penodi Ysgrifennydd Gwladol dros Gymru a sefydlu Adran Dechnegol ac Adran Materion Economaidd. Gallai'r Blaid Lafur fanteisio ar y pedair miliwn o bleidleiswyr newydd er 1959, pobl a oedd heb atgofion o'r 1930au ac a oedd ag ychydig iawn o ddiddordeb yn y Gymanwlad a phwysigrwydd polisi tramor. Hefyd ymhlith rhai o'r etholwyr a gefnogasai'r Ceidwadwyr drwy'r 1950au roedd agwedd o ddiflastod wedi codi ac ymdeimlad cynyddol y byddai newid er gwell. Yn wahanol i Wilson a Grimond ni allai Home berfformio'n effeithiol o flaen cynulleidfa, yn y strydoedd, nac ar y cyfrwng newydd hwnnw, y teledu. Ond er gwaethaf y manteision a oedd gan y gwrthbleidiau roedd y canlyniad yn nes na'r disgwyl:

Plaid	Pleidleisiau	Canran o'r bleidlais	Seddau
Llafur	12,205,814	44.1	317
Ceidwadwyr	12,001,396	43.4	304
Rhyddfrydwyr	3,092,878	11.2	9

Roedd arweinyddiaeth Wilson yn ffactor allweddol yn y diwedd, yn enwedig yn y seddau ymylol. Yn anffodus i'r Rhyddfrydwyr gwasgwyd hwy unwaith eto rhwng y ddwy blaid arall, ac oherwydd dosbarthiad eang eu cefnogaeth ychydig o seddau a enillwyd ganddynt. Felly dychwelwyd y Blaid Lafur i rym ar ôl absenoldeb o dair blynedd ar ddeg.

Trafferthion Mewnol y Blaid Lafur

Ar ôl ei methiant yn etholiad cyffredinol 1951 bu cryn ddadlau y tu mewn i'r Blaid Lafur ynglŷn â'r cyfeiriad y dylai ei ddilyn yn y dyfodol. Daeth Aneurin Bevan i'r amlwg fel prif arweinydd y chwith gan ddadlau na allai'r blaid ennill etholiad arall heb sefyll dros bolisïau sosialaidd clir a chadarn. Dadleuodd Gaitskell ac Attlee ar y llaw arall fod angen polisi mwy poblogaidd a mwy cymedrol a fyddai'n ennill cefnogaeth rhychwant ehangach o bobl.

Yng nghynhadledd flynyddol y blaid ym 1952 disodlwyd Dalton, Callaghan, Morrison, Shinwell a Gaitskell o'u swyddi ar y Pwyllgor Gwaith Cenedlaethol gan Bevan, Wilson, Crossman, Driberg, Castle a Mikado. Ond yn y trafodaethau a'r pleidleisio yn y gynhadledd trechwyd y Bevaniaid yn aml gan gefnogaeth pleidleisiau bloc yr undebau i'r arweinyddiaeth fwy cymedrol. Roedd llawer o'r undebwyr yn amau gwerth mwy o wladoli ac roeddynt yn falch o'r codiadau mewn safonau byw a enillwyd er y 1930au. Iddynt hwy roedd syniadau radicalaidd Bevan yn fygythiad i'r hyn a oedd wedi cael ei gyflawni gan y gweithwyr. Serch hynny, cafodd Bevan gefnogaeth lleiafrif sylweddol yn y gynhadledd.

Aflwyddiannus hefyd oedd ymdrechion Bevan i gael ei ethol i swydd uchel yn y blaid. Ym 1952 curwyd ef gan Morrison am y swydd o Ddirprwy Arweinydd ac ym 1954 gan Gaitskell am y swydd o Drysorydd. Ond arhosodd ei egwyddorion yn gadarn ac arweiniodd wrthryfeloedd seneddol yn erbyn safiad Attlee, yn arbennig yn erbyn ei gefnogaeth i bolisi amddiffyn y Ceidwadwyr. Roedd yn bryderus iawn ynglŷn â goblygiadau sefydlu'r cynghreiriau gwrth-Sofietaidd a gwrth-gomiwnyddol ac yn amheus o werth arfau niwclear.

Ymateb y dde i hyn, dan arweiniad Gaitskell, oedd cydnabod bodolaeth arfau niwclear a'r angen i'w rheoli er mwyn cadw cydbwysedd grym. Roedd Marcsiaeth yn hen ffasiwn ac yn amherthnasol a dylid seilio sosialaeth ar egwyddorion Cristnogol neu ddyngarol gan bwysleisio rhyddid yr unigolyn a chyfiawnder cymdeithasol. Tra oedd Bevan yn cytuno â llawer o'r syniadau hyn credai nad oedd sosialaeth yn bosibl cyhyd ag y rheolai cyn lleied o bobl cymaint o gyfoeth y wlad. Ym mis Ebrill 1954 ymddiswyddodd o Gabinet yr wrthblaid oherwydd cefnogaeth hwnnw i Gyfundrefn Cytundeb De-Ddwyrain Asia a chafwyd ymdrechion aflwyddiannus i'w ddiarddel o'r blaid.

Ym 1955 daeth Hugh Gaitskell yn arweinydd ar y Blaid ar ôl ennill 157 o bleidleisiau a chan guro Bevan (70 pleidlais) a Morrison (40 pleidlais). Roedd yn rhaid iddo ef, fel Attlee o'i flaen, ymdrin ag adain chwith benderfynol. Ar fater arfau niwclear ni allai'r blaid siarad â llais cyhoeddus unedig. Roedd Gaitskell ei hun yn gefnogol i bolisi amddiffyn niwclear tra oedd Crossman yn ei erbyn ond yn gefnogol i Gyfundrefn Cytundeb Gogledd Iwerydd, ac roedd eraill, fel Frank Cousins, arweinydd yr Undeb Trafnidiaeth a Gweithwyr Cyffredinol, o blaid diarfogi niwclear a thynnu yn ôl o'r gyfundrefn.

Rhoddwyd digon o sylw yn y Wasg i'r rhaniadau hyn a hefyd i'r gwahaniaeth barn ynghylch Cymal Pedwar cyfansoddiad y Blaid Lafur a'i hymrwymodd i wladoli dulliau cynhyrchu'r wladwriaeth. Dadleuodd Gaitskell, Healey, Jenkins, Strachey a Crossland (yn ei lyfr *The Future of Socialism*) fod gwladoli rhagor o'r economi yn amherthnasol i sosialaeth. Roedd y rhain o blaid economi cymysg ac ni welent fod dim o'i le mewn elw preifat. Yr hyn oedd ei angen fwyaf oedd cyfiawnder cymdeithasol a dileu tlodi. Roeddynt hefyd yn gefnogol iawn i bolisi tramor a fyddai'n gwarantu undod gorllewinol yn erbyn bygythiad comiwnyddiaeth. Heb bolisi clir a chefnogaeth unedig ei haelodau roedd yn anodd i'r Blaid Lafur ar adegau ymddangos fel gwrthblaid gredadwy. Yn sicr roedd hyn yn un o'r rhesymau pam nad oedd yn llwyddiannus yn is-etholiadau'r 1950au yng Nghaeredin, Tonbridge, Rochdale a Torrington.

Ym 1957 yn y gynhadledd yn Brighton synnwyd llawer ar y chwith gan ddatganiad Bevan fel llefarydd yr wrthblaid ar faterion tramor. Dywedodd fod yn rhaid cydnabod bodolaeth arfau niwclear ac y byddai eu dileu hwy yn gorfodi Prydain i arwyddo llu o gytundebau â gwledydd eraill er mwyn diogelu ei hunan. Byddai hyn yn anymarferol ac ni ellid disgwyl i unrhyw wladwriaeth gysgodi dan ymbarél niwlcear gwledydd eraill. Ofnai Bevan effaith y gwahaniaeth barn ynghylch arfau niwclear ar ddyfodol ei blaid a rhagwelai fuddugoliaeth arall i'r Ceidwadwyr pe na cheid undod a chydweithrediad rhwng y gwahanol garfanau. Erbyn 1959 mae'n bosibl bod Bevan ei hun yn amau cefnogaeth y dosbarth gweithiol i syniadau sosialaidd, yn arbennig o gofio poblogrwydd cyson polisïau materoliaethol y Ceidwadwyr er 1951.

Yng nghynhadledd 1959, ar ôl i'r blaid golli unwaith eto i'r Ceidwadwyr, ymosododd Gaitskell yn hallt ar gefnogaeth cymaint o'r aelodau i Gymal Pedwar. Roedd y cymal yn perthyn i'r gorffennol a rhaid oedd i'r blaid uno y tu ôl i bolisïau cymedrol er mwyn ehangu ei hapêl. Faint bynnag o wirionedd oedd yn araith Gaitskell, cynrychiolodd ymosodiad ar ran allweddol o athroniaeth y Blaid Lafur, ar gred a wreiddiwyd yn ddwfn yn ymwybyddiaeth wleidyddol y rhan fwyaf o'r aelodau. Ymladdodd y chwith yn ôl, gyda Foot, Crossman, Greenwood a Castle ar flaen y gad, a bu raid i'r arweinydd ildio yn ei ymgais i ddileu'r pwyslais ar Gymal Pedwar erbyn gwanwyn 1960. Nid oedd trafferthion Gaitskell ar ben fodd bynnag, oherwydd rhwng 1959 a diwedd 1960 bu cynnydd aruthrol mewn cefnogaeth i'r Ymgyrch Ddiarfogi Niwclear y tu mewn i'r Blaid Lafur.

Pleidleisiodd cynhadledd 1960 o blaid cefnogi diarfogi niwclear unochrog, ond taerodd Gaitskell y byddai'n brwydro'n ddi-baid i adfer synnwyr a gonestrwydd i'w blaid. Llwyddodd i gael ei ffordd ym 1961 ar ôl dadlau a thrafod am flwyddyn o blaid Cyfundrefn Cytundeb Gogledd Iwerydd ac yn erbyn safbwynt yr Ymgyrch Ddiarfogi Niwclear. Bu farw Gaitskell yn sydyn ym mis Ionawr 1963. Ar ôl ei farwolaeth, y gwleidydd a apeliai fwyaf at garfanau'r dde a'r chwith oedd Harold Wilson ac fe drechodd George Brown yn y frwydr am yr arweinyddiaeth. Roedd Wilson yn areithiwr a dadleuwr penigamp ac roedd yn ymwybodol iawn o'r dylanwadau amrywiol a allai rwygo'r Blaid Lafur. Yn wahanol i Gaitskell roedd yn wleidydd mwy hyblyg ac ymarferol, a gallai addasu syniadau sosialaidd a'u cysylltu ag anghenion Prydain yn y 1960au mewn ffordd apelgar.

Ym 1963 cyhoeddwyd *Labour and the Scientific Revolution*, dogfen bolisi a bwysleisiodd bwysigrwydd datblygiad gwyddoniaeth a thechnoleg fel cyfrwng i hyrwyddo ffyniant economaidd. Roedd cynnwys y ddogfen yn boblogaidd, yn enwedig ymhlith y dosbarth canol, ac roedd Wilson yn ymwybodol iawn o bwysigrwydd cynyddol ennill cefnogaeth y dosbarth hwn ar adeg etholiad. Yn etholiad 1964 cafodd y Blaid Lafur fwy o gefnogaeth oddi wrth y dosbarth canol nag a gawsai erioed o'r blaen. Er iddi ennill yr etholiad ni ddiflanodd y rhaniadau ond llwyddodd Wilson i gadw mesur helaeth o undod yn ystod yr ymgyrch etholiadol. Ar ôl y fuddugoliaeth, fodd bynnag, dim ond ychydig o amser a aeth heibio cyn i'r rhaniadau ymddangos unwaith eto rhwng cefnogwyr diarfogi niwclear a'r economi gwladol a chefnogwyr polisi amddiffyn niwclear a'r economi cymysg.

Bywyd o dan y Ceidwadwyr

Roedd y 1950au, yn ôl y mwyafrif o haneswyr, yn gyfnod llewyrchus i bobl Prydain. Cododd safonau byw yn sylweddol, paradocs braidd o gofio cyflwr economaidd Prydain a'i chyflawniadau diwydiannol anfoddhaol, ac er i'r Ceidwadwyr dan Churchill, Eden a Macmillan ganolbwyntio eu hadnoddau ar gryfhau'r economi, nid anwybyddwyd polisïau mewn meysydd eraill a effeithiodd ar fywydau beunyddiol yr holl boblogaeth.

Y wladwriaeth les

Erbyn 1951 roedd mesurau'r llywodraeth Lafur a'r codiadau graddol mewn safonau byw wedi creu cymdeithas lawer mwy bodlon a theg na chymdeithas y 1930au. Ond roedd y dylanwadau hynny a fuasai'n bennaf gyfrifol am ffurfio'r wladwriaeth les yn perthyn i'r gorffennol bellach.

Pan ddaeth y Ceidwadwyr i rym ni fwriadent ddadwneud gwaith llywodraeth Attlee ond roedd eu hagwedd tuag at y wladwriaeth les yn wahanol. Eu hamcan oedd sicrhau cyfnod llewyrchus newydd drwy ehangu'r economi a chanolbwyntio adnoddau'r wladwriaeth les ar gyfer y bobl a oedd mewn gwir angen. Cryfhawyd y teimlad hwn wrth i'r economi am amryw o resymau fethu ag ehangu a datblygu'n rheolaidd yn ystod y 1950au. Wrth i gostau'r gwahanol wasanaethau gynyddu roedd gwleidyddion a'r cyhoedd yn llai parod i gefnogi gwario cynyddol ar adeg pan oedd diweithdra'n isel a safonau byw yn foddhaol.

Pan sefydlwyd y Gwasanaeth Iechyd Cenedlaethol ym 1948 bwriad Aneurin Bevan oedd creu gwasanaeth o'r safon uchaf i bawb ac nid yn unig i'r rhai a allai dalu amdano. Ond roedd y Ceidwadwyr yn amau doethineb a gwerth gwariant uchel ac ym 1953 sefydlodd llywodraeth Churchill Bwyllgor Guilleband i lunio adroddiad ar gyllid y gwasanaeth iechyd. Pan ymddangosodd yr adroddiad ym mis Ionawr 1956 dywedodd nad oedd y gwasanaeth yn gwastraffu arian ac mai chwyddiant oedd yn bennaf gyfrifol am y cynnydd mewn costau. Ymhellach canmolodd effaith gadarnhaol y gwasanaeth ar y gymdeithas a haerodd fod hyn yn arbed arian ac yn gostwng costau trwy feithrin iechyd da a glanweithdra.

Serch hynny roedd croesdynnu parhaus drwy'r 1950au a'r 1960au ynglŷn ag effeithiolrwydd y gwasanaethau, dosbarthiad adnoddau a chyfanswm yr arian a glustnodid yn flynyddol ar eu cyfer. Pan oedd yr economi'n ehangu a safonau byw yn gwella'n gyflym nid oedd pobl yn anfodlon gweld cyfran o'u hincwm yn mynd tuag at helpu'r henoed, y methedig, y di-waith, teuluoedd tlawd a phobl oedd yn sâl. Ond ar adegau pan oedd y weinyddiaeth yn tynhau ar y cyflenwad arian tueddent i fod yn llai parod i roi ac yn fwy ymwybodol o'r pwysigrwydd o ddiogelu eu safonau byw eu hunain.

Roedd dadlau brwd hefyd ynglŷn â'r goblygiadau ar gyfer rhyddid yr unigolyn i ddewis, egwyddor gymharol bwysig yng ngwledydd Prydain. Effaith codi treth incwm i dalu am wasanaethau cymdeithasol oedd lleihau'r arian a oedd gan unigolion i wario er eu lles eu hunain. Nid oedd pawb felly yn fodlon bod y wladwriaeth wedi ymestyn ei gwasanaethau gan gymryd yn ganiataol y byddai'r cyhoedd yn barod i dalu amdanynt. Un o ganlyniadau hyn oedd na wariodd y Ceidwadwyr fwy nag oedd ei angen i gynnal y gwasanaethau. Ychydig o godiadau a fu mewn pensiynau a'r gwahanol fudd-daliadau ac ni chodwyd ysbytai newydd tan ddechrau'r 1960au pryd y penderfynodd y llywodraeth wario dros £500 miliwn dros gyfnod o ddeng mlynedd. Ond roedd gwariant y llywodraeth ar y gwasanaethau cymdeithasol yn fwy o adlewyrchiad o'u blaenoriaethau hwy nag o unrhyw barch at ryddid yr unigolyn. Mae'n annhebyg, er enghraifft, y byddai'r Ceidwadwyr wedi peidio â chynyddu gwariant ar arfau ac amddiffyn am eu bod yn ofni cynyddu treth incwm i dalu amdano.

Erbyn dechrau'r 1960au roedd Prydain yn gwario llai o'i hincwm cenedlaethol ar y wladwriaeth les nag unrhyw aelod o'r Gymuned Ewropeaidd ac roedd hyn yn newid mawr o gymharu â dyddiau llywodraeth Attlee. Dadleuai gwleidyddion fel Enoch Powell nad oedd angen dilyn yr esiampl Ewropeaidd ac y dylid rhoi mwy o bwyslais ar wasanaethau preifat a gwirfoddol. Yn ei dyb ef unig ddyletswydd y wladwriaeth oedd darparu gwasanaethau ar gyfer y gwir anghenus. Roedd y gwasanaethau cymysg hyn yn nodweddiadol o'r system yn yr Unol Daleithiau a bu'n gwbl annigonol fel moddion i leihau'r tlodi a'r dioddef yn y wlad honno yn yr ugain mlynedd ar ôl y rhyfel. Nid oedd unrhyw arwydd chwaith fod gwariant uwch rhai gwledydd Ewropeaidd ar wasanaethau cymdeithasol yn effeithio ar eu perfformiad diwydiannol yn y cyfnod rhwng 1947 a 1964, er i rai o wrthwynebwyr cyfoes y wladwriaeth les haeru hyn.

Pan ddaeth llywodraeth Harold Wilson i rym roedd hi'n amlwg y byddai'n angenrheidiol cyflwyno mesurau brys i ddatrys amryw o broblemau yn gysylltiedig â'r gwasanaethau cyhoeddus. Nid oedd modd osgoi'r casgliad fod darpariaeth wladwriaethol gynhwysfawr ar gyfer yr henoed a chleifion yn hanfodol os am ddarparu gwasanaethau effeithiol. Roedd gormod o bobl ar incwm isel a oedd naill ai'n gwrthod derbyn nawdd neu na wyddai fod ganddynt hawl i wneud cais am wahanol fudd-daliadau. Gweithiai eraill am lai o gyflog na'r taliadau i'r di-waith, taliadau a oedd yn ddigon isel beth bynnag. Amcangyfrifwyd ym 1966 fod pum miliwn o bobl yn byw mewn tlodi er gwaethaf holl gyfoeth preifat y wlad, felly pan ddaeth goruchafiaeth y Ceidwadwyr i ben roedd tlodi ac anghyfiawnder ac anghydraddoldeb cymdeithasol yn bodoli o hyd mewn cymdeithas gymharol gefnog.

Creu cartrefi

Wedi'u hysbrydoli gan lewyrch economaidd dechrau'r 1950au gweithredodd y llywodraeth bolisi adeiladu tai uchelgeisiol iawn, sef 300,000 y flwyddyn. Credai rhai economegwyr fod hwn yn bolisi rhy fentrus am fod ffyniant economaidd yn ansicr o un flwyddyn i'r llall ac am fod llai o ffyrdd a ffatrïoedd yn cael eu hadeiladu oherwydd bod cymaint o arian, adnoddau crai a llafur yn cael eu defnyddio at bwrpas codi tai. Er i'r polisi tai fod yn llwyddiannus, nid pryder am y di-gartref oedd y prif reswm amdano. Wedi'r cyfan roedd y pwyslais ar godi tai preifat: ym 1952, er enghraifft, codwyd 240,000 o unedau ac ym 1954 dros 347,000. Ym 1951 rhyw 12 y cant o dai Prydain oedd yn cael eu hadeiladu gan gwmnïau preifat ond ar ôl wyth mlynedd roedd y ffigur wedi codi i dros 56 y cant. Yn ystod y cyfnod o reolaeth Geidwadol codwyd 40 y cant o'r tai gan adeiladwyr preifat. O ganlyniad, darparwyd llai o adnoddau ar gyfer cymorthdaliadau rhent ac adeiladu i'r awdurdodau lleol a rhwng 1956 a 1961 dilewyd y cymorthdaliadau'n gyfan gwbl ac eithrio rhai ar gyfer slymiau. Hefyd, fel rhan o'i pholisi o gynyddu nifer y perchenogion preifat rhoddwyd cymorth ariannol i'r cymdeithasau adeiladu a hybwyd datblygiad cymdeithasau tai. Roedd hyn i gyd yn gyson ag athroniaeth y Ceidwadwyr, yng ngeiriau Eden:

> Bwriad sosialaeth yw rheolaeth gan y wladwriaeth ar holl ddulliau cynhyrchu, cyfnewid a dosbarthu. Ein bwriad ni yw cenedl ddemocrataidd yn seiliedig ar berchenogaeth eiddo. Mae'r amcanion hyn yn sylfaenol yn wrthwynebus i'w gilydd. Tra bo sosialaeth yn anelu at ganolbwyntio perchenogaeth yn nwylo'r wladwriaeth, ein bwriad ni yw dosbarthu perchenogaeth ymhlith y nifer fwyaf posibl o unigolion.

Credai'r Ceidwadwyr felly mai'r ffordd orau i rwystro twf sosialaeth a chefnogaeth i'r Blaid Lafur oedd trwy gynyddu perchenogaeth breifat.

Ychydig o ymdrech a wnaed gan y Ceidwadwyr i ddymchwel hen dai a stadau mewn dinasoedd megis Lerpwl, Caerdydd, Birmingham, Manceinion a Glasgow a chodi tai newydd yn eu lle. Roedd cyflwr stadau anferth fel Easterhouse a Castlemilk yn Glasgow yn warthus, ond yr un pryd roedd digon o gymorth yn cael ei roi i adeiladu tai preifat ym maestrefi'r ddinas, er enghraifft, yn Bearsden a Mulgavie. Byddai rhoi cymorth i ddinasoedd i ddatrys problemau o'r fath wedi golygu ymyrraeth ar ran y llywodraeth ac roedd hyn, wrth gwrs, yn erbyn athrawiaeth *laissez-faire* llawer o'r Ceidwadwyr. Eu blaenoriaeth hwy oedd adnewyddu hen dai ac ym 1954 pasiwyd deddf yn caniatáu codiadau rhent ar yr amod fod cyflwr y tai a osodid ar rent yn cael ei wella. Wedyn cyflwynwyd grantiau ar gyfer darparu toiledau ac ystafelloedd ymolchi mwy modern mewn hen dai.

Cyhuddwyd y Ceidwadwyr nid yn unig o anwybyddu anghenion y dosbarth gweithiol ond o wastraffu adnoddau'r wlad. Dadleuodd rhai economegwyr fod y pwyslais ar godi tai preifat wedi arafu'r cynlluniau i adeiladu ffyrdd da ac wedi creu prinder defnyddiau crai ar gyfer diwydiannau a oedd yn eu barn hwy yn bwysicach o lawer i ddyfodol yr economi. Yn gysylltiedig â'r polisi tai hwn pasiwyd Deddf Rhent ym 1957 a ddileodd uchafswm rhent ar gyfer fflatiau a thai yr oedd eu gwerth trethiannol yn uwch na £30. Credai'r llywodraeth fod deddf 1915 wedi rhoi digon o ddiogelwch i denantiaid ond nad oedd wedi rhoi digon o ystyriaeth i chwyddiant a chostau rhedeg ac adnewyddu. Rhwng 1938 a 1957, er enghraifft, er i gyflogau godi 80 y cant (ar ôl tynnu treth incwm) roedd codiadau rhent oddeutu 13 y cant. Bwriad y ddeddf oedd sicrhau na fyddai perchenogion yn rhedeg eu tai a'u fflatiau ar golled ac y byddent yn gwneud elw rhesymol. Dilewyd y cyfyngiadau rhent ar 810,000 o gartrefi a chafwyd codiadau rhent ar bedair miliwn arall. Ymosododd y Blaid Lafur ar y Gweinidog Tai, Henry Brooke, gan ddweud nad oedd unrhyw rwymedigaethau cyfreithiol ar berchenogion i wella adeiladau er gwaethaf y codiadau. Cyhuddwyd y llywodraeth o weithredu yn erbyn buddiannau pobl gyffredin ac o greu sefyllfa lle y byddai llawer o bobl yn cael eu troi allan o'u cartrefi. Ond er i hyn ddigwydd i rai, ni chafodd y ddeddf yr effaith ddifrifol a broffwydwyd gan y Blaid Lafur ar hawliau tenantiaid a chyflwr y cartrefi. Roedd y codiadau ar y cyfan yn gymharol fach a rhwng 1957 a 1964 nid oedd prinder tai yn broblem ddifrifol.

Ehangu addysg

Dilynodd y Ceidwadwyr yr un llwybr â'r llywodraeth Lafur ym myd addysg drwy ganolbwyntio adnoddau ar ysgolion gramadeg ac ysgolion uwchradd modern. Rhwng 1945 a 1963 adeiladwyd dros 4,000 o ysgolion cynradd a 2,000 o ysgolion uwchradd. Cynyddodd nifer y disgyblion yn sylweddol, gyda'r nifer a oedd yn aros ymlaen yn codi o 250,000 ym 1945 i 485,000 ym 1959. Rhwng 1951 a 1964 cynyddodd nifer yr athrawon o 215,000 i 287,000. Daeth y mwyafrif ohonynt o'r colegau hyfforddi a rhyw 20 y cant o'r prifysgolion. Yn ystod y 1950au hyfforddwyd oddeutu 30,000 o athrawon y flwyddyn ar gyfartaledd ac estynnwyd cyfnod y cyrsiau o ddwy i dair blynedd.

Er i'r polisi hwn o ehangu addysg gynradd ac uwchradd fod yn gam pwysig, bu cryn ddadlau o ddiwedd y 1950au ymlaen am effeithiau'r system newydd ac yn arbennig am degwch a phriodoldeb yr arholiad didoli yn un ar ddeg oed (*eleven plus*). Credai'r Blaid Lafur fod yr arholiad yn rhannu plant yn rhy gynnar a bod plant o gefndir dosbarth canol a oedd yn mynychu ysgolion gramadeg yn bennaf yn cael gwell addysg na'r gweddill. Roedd y Blaid Lafur o blaid ysgolion cyfun am ei bod yn gweld y gyfundrefn addysg fel dull o newid cymdeithas drwy roi'r un cyfle i bawb. Dim ond lleiafrif oedd o blaid gorfodi'r awdurdodau i sefydlu ysgolion cyfun; roedd y gweddill o blaid datblygiad mwy graddol. Serch hynny fe gafodd y Blaid Lafur gefnogaeth y rhan fwyaf o arbenigwyr academaidd a seicolegwyr i'w gwrthwynebiad i arholiad y 11 + am fod natur ac amseriad yr arholiad yn anghywir yn eu tyb hwy.

Ym 1957 cyhoeddwyd adroddiad gan Ffederasiwn Cenedlaethol Ymchwil Addysgol a haerodd fod 12 y cant o ddisgyblion wedi eu hanfon i'r ysgolion anghywir a bod deallusrwydd plentyn yn gynnyrch profiad addysgol tipyn hwy na'r cyfnod mewn ysgol gynradd. Yn y cyfamser dechreuodd rhai awdurdodau addysg, yn sir Fôn, Llundain a Chaerlŷr, er enghraifft, droi eu hysgolion yn rhai cyfun. Erbyn 1964 roedd 175 o ysgolion cyfun wedi eu sefydlu o gymharu â 4,000 o ysgolion uwchradd modern a 1,300 o ysgolion gramadeg.

Yn ystod yr un cyfnod cafwyd cryn ehangu ym myd addysg bellach. Argymhellodd Adroddiad Crowther ym 1959 fod angen llenwi'r bwlch addysgol rhwng pymtheg a deunaw ag addysg ran-amser orfodol mewn colegau. Ond ni weithredwyd yr argymhellion a pharhaodd y rhan fwyaf o ddisgyblion i adael yr ysgol yn bymtheg oed ac i chwilio am waith.

Roedd y prifysgolion yn bwysicach na'r colegau ym meddylfryd y Ceidwadwyr ac ystyrid gwariant mawr ar y rhain yn fuddsoddiad pwysig ar gyfer y dyfodol. Sefydlwyd prifysgolion Keele, Sussex, Efrog, Essex, Anglia, Caint, Lancaster a Warwick ac ehangwyd colegau eraill. Un o ganlyniadau polisi'r llywodraeth oedd cynnydd nodedig yn nifer myfyrwyr prifysgol:

1946 — 68,400
1952 — 85,400
1962 — 119,000
1968 — 211,300

Roedd yr ehangu hwn, yn ogystal ag estyn statws prifysgol i golegau megis Hull a Southampton, yn un o ganlyniadau uniongyrchol Adroddiad Robbins 1963. Argymhellwyd hefyd y dylid cynyddu nifer y myfyrwyr i ryw 560,000 erbyn 1980 (gan godi'r costau o £206 miliwn i £742 miliwn) er mwyn sichrau safonau uchel mewn swyddi ar y lefel uchaf ac er mwyn galluogi'r disgyblion academaidd i barhau â'u haddysg ar ôl y chweched dosbarth.

Un gwendid yn y gyfundrefn addysg oedd bod y mwyafrif o fyfyrwyr yn dewis pynciau yn y celfyddydau, gan greu prinder myfyrwyr yn y cyrsiau gwyddoniaeth a pheirianneg. Golygai hyn fod y llawer o anghenion byd busnes, diwydiant a masnach yn cael eu cwrdd yn bennaf gan ryw 600 o sefydliadau addysg bellach a ddarparai gyrsiau blwyddyn neu lai a dosbarthiadau nos ar gyfer rhoi cymwysterau i bobl mewn meysydd fel adeiladu, rheoli busnes, gwaith trydanol a gwaith amaethyddol.

Gwelwyd datblygiadau hefyd ym myd addysg i oedolion. Soniwyd mewn pennod arall am waith Cymdeithas Addysg y Gweithwyr cyn y rhyfel. Yn ystod y 1950au ehangodd nifer y canolfannau, y dosbarthiadau a'r darlithoedd, yn arbennig yn yr Alban a Chymru. Gallai oedolion hefyd ddefnyddio gwasanaeth y nifer cynyddol o lyfrgelloedd cyhoeddus ac Adrannau Efrydiau Allanol a oedd yn gysylltiedig â'r prifysgolion. Yna ym 1962 dechreuodd trafodaethau mewn cylchoedd academaidd ynglŷn â darparu addysg ehangach i oedolion a oedd wedi colli'r cyfle yn gynharach yn eu bywyd. Canlyniad y trafodaethau hyn maes o law oedd sefydlu'r Brifysgol Agored ar ddiwedd y 1960au.

Gellir crynhoi drwy ddweud na fu unrhyw newidiadau syfrdanol ym myd addysg rhwng 1951 a 1964 ar wahân i'r twf graddol yn nifer y sefydliadau addysgol ar bob lefel, datblygiad y gellir honni ei fod yn anochel beth bynnag ac nad oedd yn ganlyniad i bolisi unrhyw blaid arbennig.

Cynllunio

Roedd yn amlwg i'r ddwy blaid ar ôl yr Ail Ryfel Byd fod yn rhaid mabwysiadu polisi a fyddai'n datrys rhai o'r problemau a oedd yn gysylltiedig â symudiad poblogaeth i ganol ac i gyffiniau y prif drefi. Roedd y cynnydd ym mhoblogaeth rhai ardaloedd, yn enwedig Llundain, yn straen ar y gwasanaethau cyhoeddus ac ar gyfathrebiadau.

Penderfynwyd mai'r ateb gorau i'r mewnlifiad oedd adeiladu trefi newydd. Soniwyd eisoes am waith y llywodraeth Lafur yn y maes hwn. Gwelodd y Ceidwadwyr fanteision y trefi newydd hefyd a pharhaodd y rhaglen ddatblygu. Rhwng 1946 a 1963 adeiladwyd un ar bymtheg ohonynt. Er mwyn ceisio datrys problemau gorboblogi yn Llundain, er enghraifft, codwyd trefi Hemel Hempstead a Harlow. Dilynwyd yr un polisi yn yr Alban y tu allan i Glasgow trwy sefydlu Cumbernauld ac East Kilbride ac yng Nghymru y tu allan i Gaerdydd trwy sefydlu Cwmbrân.

Gwaith y cynllunwyr oedd sefydlu canolfannau a fyddai ar y cyfan yn hunangynhaliol o safbwynt darparu gwaith i'r trigolion ac o safbwynt gwasanaethau. Ond er i boblogaeth y trefi hyn dyfu drwy'r 1950au roedd y rhan fwyaf o'r trigolion yn dal i weithio yn y dinasoedd cyfagos.

Estyniad ar y polisi hwn o hyrwyddo cydbwysedd demograffig drwy Brydain oedd cynlluniau'r Ceidwadwyr i gynnig cymorth ariannol er mwyn denu diwydianwyr i'r rhanbarthau. Yng nghanolbarth yr Alban, er enghraifft, cynyddwyd gwario'r llywodraeth yno o £100 miliwn ym 1962 i £140 miliwn ym 1963, ac yng ngogledd-ddwyrain Lloegr o £55 miliwn i dros £80 miliwn. Sefydlwyd rhai diwydiannau newydd o ganlyniad i'r polisi hwn (moduron yn yr Alban a dur yn ne-ddwyrain Cymru), ond heb fuddsoddiad sylweddol yng nghysylltiadau trafnidiol y rhannau hyn o Brydain nid oedd yn debygol y byddai ysgogiadau ariannol ar eu pennau eu hunain yn ddigon i ddenu diwydiant ar raddfa fawr.

Cymdeithas yn y 1950au

Yn ystod y cyfnod hwn daeth y gymdeithas yng ngwledydd Prydain yn gyfoethocach, ond roedd dosbarthiad y cyfoeth yn anwastad, gan amrywio o ardal i ardal ac o ddosbarth i ddosbarth. Er i lywodraethau sosialaidd basio nifer o fesurau diwygiol ni lwyddwyd i gau'r bwlch rhwng y dosbarthiadau nac i ddileu tyndra cymdeithasol.

Roedd rhyw 2 y cant o'r boblogaeth yn perthyn i'r dosbarth uchaf, gyda chyfoeth, traddodiadau a gwerthoedd pendefigaidd yn ymestyn yn ôl dros ganrifoedd. Er bod llawer ohonynt yn amlwg mewn gwleidyddiaeth a diplomyddiaeth, dechreuasant ymddiddori yn y cyfryngau a'r papurau newydd yn ystod y 1950au.

Rhannwyd y gweddill o gymdeithas yn weddol gyfartal rhwng y dosbarth canol, y dosbarth gweithiol uchaf a'r dosbarth gweithiol is. Roedd hi'n hawdd gosod rhyw 65 y cant o'r boblogaeth yng nghategori'r dosbarth gweithiol ond y tu mewn i hwn roedd gwahaniaethau mawr mewn incwm a safonau byw. Ychydig o debygrwydd, er enghraifft, oedd rhwng cyflogau docwyr a nyrsys. Gweithwyr gwaith trwm, fodd bynnag, oedd y mwyafrif ohonynt, ac ychydig iawn o'r rhain oedd â theleffon neu gar preifat ac roedd eu disgwyliadau ym myd addysg yn isel.

Ymhlith y dosbarth canol roedd gwahaniaethau tebyg i'w canfod rhwng gweithwyr clerigol, cyfreithwyr, athrawon a diwydianwyr. Er bod cyflogau rhai gweithwyr diwydiannol yn llawer uwch na chyflogau rhai aelodau o'r dosbarth canol ni newidiodd hyn y rhaniad cymdeithasol. Nid arian oedd yr unig ffactor yn y gwahaniaethau; roedd yn rhaid ystyried gwerthoedd, agweddau a phatrwm byw hefyd.

Gadawai'r rhan fwyaf o blant dosbarth gweithiol yr ysgol yn bymtheg oed ac yna aent ymlaen i fwrw prentisiaeth neu i swydd. Ymhlith y dosbarth canol roedd mwy o bwyslais a chefnogaeth i lwyddiant addysgol mewn ysgol ramadeg a phrifysgol a sicrhaodd hyn fod y mwyafrif llethol o fyfyrwyr prifysgol yn dod o'r dosbarth hwn. Yn gyffredinol, gwellhaodd safonau byw y dosbarth canol dan y Ceidwadwyr er gwaethaf y codiadau prisiau yn ystod y 1950au. Daeth pobl mwy uchelgeisiol i'r amlwg mewn cymdeithas, yn rheolwyr a dynion busnes. Rhwng 1938 a 1952 bu cynnydd o 50 y cant yn aelodaeth y proffesiynau, gan gynnwys dysgu, peirianneg a swyddi gweinyddol. Cynyddodd nifer y gweithwyr coler wen yn gyflym tra lleihaodd nifer y gweithwyr gwaith trwm.

Soniwyd yn gynharach am ehangiad y diwydiannau gweithgynhyrchu a gwasanaethau megis siopau, banciau, gwerthwyr eiddo, cymdeithasau adeiladu, trafnidiaeth a swyddfeydd. Cyflogid llawer o ferched yn y diwydiannau newydd hyn am amryw o resymau. Roedd nifer cynyddol o ferched yn chwilio am waith a fyddai'n codi incwm y teulu; roedd statws merched wedi newid a bellach roedd gweld merched yn ymgymryd ag amrywiaeth ehangach o swyddi yn dderbyniol. O safbwynt cyflogwyr ystyrid merched yn fwy dibynadwy a llai milwriaethus na dynion ac yn llai tebygol o gwyno am gyflogau isel.

Er i nifer y swyddi proffesiynol gynyddu nid oedd cyfraniad y dosbarth canol, y tu allan i addysg, mor amlwg ag yr oedd yn rhai o wledydd y cyfandir a'r Unol Daleithiau. Tueddai'r llywodraeth i wario gormod ar waith ymchwil gwyddonol a thechnegol yn hytrach na defnyddio doniau arbenigol i hyrwyddo datblygiad yr economi. Yn wahanol i Japan, Sweden, yr Unol Daleithiau a Gweriniaeth Ffederal yr Almaen, ychydig o wyddonwyr a pheirianwyr oedd mewn safleoedd pwysig yn y gwasanaeth sifil a'r llywodraeth. Yn y gwasanaeth sifil roedd dylanwad y dosbarth uchaf yn gryf iawn hyd yn oed yn y cyfnod hwn: rhwng 1949 a 1954, daeth 74 y cant o'r ymgeiswyr llwyddiannus ar y lefel weinyddol o'r dosbarth hwn. Ychydig o'r rhain a oedd yn meddu ar brofiad diwydiannol, yn wahanol iawn i'r sefyllfa yn Ffrainc lle roedd cefndir y gweision sifil yn allweddol i'r cydweithrediad amlwg rhwng diwydiant a'r llywodraeth.

Roedd yr un patrwm i'w ganfod mewn diwydiant ei hun ar ddechrau'r 1960au. Roedd oddeutu 42 y cant o wyddonwyr a pheirianwyr yn gweithio yn y diwydiannau ym Mhrydain o gymharu â thros 70 y cant yn y gwledydd Ewropeaidd a'r Unol Daleithiau. Roedd statws gwyddoniaeth yn uchel ond roedd gormod o bwyslais ym Mhrydain ar waith ymchwil ac ar ddatblygu dyfeisiadau newydd yn hytrach na rhoi blaenoriaeth i broblemau ymarferol costau ac apêl masnachol. Roedd gyrfa ym myd busnes a'r cysyniad o fusnes ei hun yn dal yn amhoblogaidd ym meddylfryd pobl broffesiynol ym Mhrydain ac mewn llawer o brif-ysgolion, gan gynnwys Rhydychen a Chaer-grawnt, roedd diffyg brwdfrydedd dros sefydlu cyrsiau rheoli busnes ac annog myfyrwyr i ddilyn gyrfa mewn diwydiant. Ym 1966 amcangyfrifwyd mai rhyw 20 y cant yn unig o gyfarwyddwyr diwydiannol Prydain oedd wedi cael hyfforddiant ffurfiol mewn rheoli busnes.

Un o nodweddion eraill y cyfnod oedd y codiad graddol yng nghyflogau pobl. Cododd cyflogau yn gyffredinol drwy Brydain i gyd. Rhwng 1951 a 1964 codasant 72 y cant tra cododd prisiau tua 45 y cant. Er i gyflogau gweithwyr coler las gynyddu hefyd nid oedd y codiadau mor sylweddol â hynny dros dymor hir: £8 8s 6d ar gyfartaledd ym 1951, £13 6s 6d ym 1959, a £18 ym 1964. Erbyn dechrau'r 1960au, er bod cyflogau blynyddol ar gyfartaledd yn fwy na £800 roedd 42 y cant o'r dosbarth hwn yn ennill llai na £500 y flwyddyn ar adeg pan oedd pris car newydd i deulu, er enghraifft, tua £400. Roeddynt yn gorfod gweithio llawer o oriau ychwanegol i ennill cyflogau da ac yn aml byddai'n rhaid i'r wraig weithio hefyd cyn y gallai'r teulu fforddio rhai o'r nwyddau traul sylfaenol.

Ni fu llawer o newidiadau ym mhatrwm pleidleisio pobl, nac ychwaith yn nosbarthiad cefnogaeth etholiadol. Cadarnleoedd y Blaid Lafur oedd y rhanbarthau hynny lle roedd y diwydiannau traddodiadol yn dirywio — yr Alban, gogledd-ddwyrain Lloegr, Glannau Merswy a Chymru. Ni fu unrhyw welliant yn rhagolygon y diwydiannau glo, gweolion ac adeiladu llongau, nac unrhyw ymdrech ddiffuant gan y Ceidwadwyr cyn y 1960au i ddatblygu tanadeiledd y rhanbarthau a chyflwyno diwydiannau newydd. Un o ganlyniadau hyn oedd dylifiad 30,000 o bobl o'r Alban bob blwyddyn yn ystod y 1950au.

Yn yr un ardaloedd chwalwyd hen dai a symudwyd pobl i stadau mawr o dai cyngor neu i fflatiau uchel. Yn Glasgow, Manceinion, Sheffield a rhannau o Lundain dinistriodd y polisi hwn yr hen gymdeithas gan greu problemau newydd ac anawsterau teuluol o natur wahanol, i drigolion y stadau a'r fflatiau newydd. Ni chafodd y fath newidiadau lawer o effaith ar y patrwm pleidleisio. Fe arhosodd y mwyafrif o etholaethau yn yr Alban a Chymru yn ffyddlon i'r Blaid Lafur rhwng 1951 a 1964.

Yn y trefi newydd yng nghanolbarth a de-ddwyrain Lloegr roedd y patrwm yn fwy ansefydlog. Roedd cymunedau newydd, symud gwreiddiau ynghyd â'r newid o ddiwydiant trwm i ffatrïoedd cynhyrchu yn tueddu i danseilio'r teyrngarwch i'r Blaid Lafur. Ymhlith y dosbarth gweithiol uchaf yn arbennig roedd credyd misol drwy'r system hur-bwrcas, morgeisiau, cynilo arian mewn cymdeithasau adeiladu a chodiadau cyflog da yn brofiadau newydd, ac yn rhywbeth i'w ddiogelu. Tueddent i fod yn fwy ceidwadol ac yn llai tebygol o gefnogi'r Blaid Lafur beth bynnag oedd yr amgylchiadau. Cyfrannodd hyn, ynghyd â'r nifer cynyddol o weithwyr coler wen, at deyrngarwch gwleidyddol ansicr ar adeg etholiad, a chynyddodd nifer y seddau ymylol mewn ardaloedd lle roedd y patrwm economaidd yn newid yn gyflym ar ôl y rhyfel.

Drwy'r 1950au cynyddodd y nifer o ferched mewn gwaith, tyfiant a amlygwyd yn bennaf mewn addysg, y gwasanaeth iechyd, banciau a gwasanaethau cyhoeddus eraill. Roedd yr Ail Ryfel Byd wedi rhyddhau llawer o ferched o'u rôl draddodiadol ac arweiniodd datblygiad dulliau atal cenhedlu mwy effeithiol a'r defnydd ehangach ohonynt at y posibilrwydd o gynllunio amseriad a maint teulu — 2.3 o blant ar gyfartaledd i bob teulu yn y 1950au. Ond er gwaethaf y newid hwn ychydig o newid a fu yn statws personol a delwedd draddodiadol merched fel pobl a oedd yn gyfrifol am edrych ar ôl y cartref a'r plant. Roedd cylchgronau a phapurau newydd, hysbysebion, y teledu a'r radio, a'r drefn addysg yn dal yn gyfryngau nerthol ar gyfer atgyfnerthu'r ddelwedd o ferch fel gwraig tŷ neu fel gwrthrych rhywiol.

Roedd y rhagfarnau hyn wedi'u gwreiddio'n arbennig yn ymwybydd-iaeth y dosbarthiadau gweithiol ac uchaf lle y disgwylid i wragedd dderbyn safle cwbl israddol i'w gwŷr. Ymhlith y dosbarth canol nid oedd y gwahaniaeth mor amlwg ac roedd agwedd dynion tuag at ddylet-swyddau yn y cartref ychydig yn fwy hyblyg, ond roedd yr un pwysau cymdeithasol yn erbyn cydnabyddiaeth lawn o gydraddoldeb merched i'w gael yn y dosbarth hwn hefyd.

Adlewyrchiad pellach o israddoldeb merched oedd eu cyflogau isel yn y rhan fwyaf o ffatrïoedd. Ni wnaed unrhyw ddarpariaeth ar gyfer gofalu am fabanod yn y gwaith chwaith, cyfleuster a fyddai wedi galluogi'r ddau riant i barhau i weithio. Er gwaethaf galwadau'r Blaid Lafur a'r undebau am gydraddoldeb nid oedd mor gyson ei chefnogaeth i gydraddoldeb merched. Byddai'r rhan fwyaf o ferched mewn gwaith yn gorfod ymdopi â dwy swydd gan y disgwylid iddynt wneud y gwaith tŷ i gyd hefyd. Nid oedd y darpariaethau addysgol ar eu cyfer yn rhoi sylw i'w gofynion a sicrhaodd deddfau cymdeithasol a'r drefn dreth incwm drwy gydol y cyfnod hwn fod dibyniaeth gwragedd ar ddynion yn para ac ychydig o wir gydraddoldeb a ddaeth i'w rhan.

Ychydig o newid a fu yn nosbarthiad cyfoeth. Ym 1964, er enghraifft, roedd tua 2 y cant o'r boblogaeth yn berchen ar 50 y cant o gyfoeth Prydain. Serch hynny, roedd cyfoeth personol ar gynnydd ac yn prysur greu cymdeithas defnyddwyr. Datblygwyd y siopau cadwyn mawr megis Marks and Spencer a Woolworth a chynyddodd gwerthiant bwydydd parod nes eu bod yn llyncu 20 y cant o incwm personol erbyn 1960.

Bu datblygiad sydyn cyffelyb yng ngwerthiant dillad pobl ifainc a recordiau pop. Roedd y genhedlaeth ifanc â'r gallu i wario fel y mynnai yn awr gan bod llawer ohonynt yn ennill cyflogau rhesymol. Canlyniad hyn oedd llwyddiant siopau a oedd yn gwerthu'n bennaf i'r ifanc ac yn darparu dillad ffasiynol ar gyfer y *Teddy boys*, y *Mods* a'r *Rockers*. Yn sgîl llwyddiant y ffilm *Rock around the Clock* ym 1956, ymweliad Bill Haley ym 1957 a datblygiad cwlt Elvis Presley, cododd nifer syfrdanol o grwpiau mewn clybiau a thafarnau. Y mwyaf llwyddiannus ohonynt oedd *The Beatles* a dilynwyd y rhain gan grŵp llawer mwy gwrth-sefydliad, *The Rolling Stones*. Er i hyn i gyd greu delwedd o ieuenctid gwrthryfelgar nad oedd yn poeni am ddim ond cerddoriaeth pop, roc-a-rôl, cyffuriau a rhyw, roedd y darlun yn gamarweiniol. Yr ifanc yn aml iawn a brynai'r llyfrau clawr papur, newydd a hwy hefyd a oedd yn gyfrifol am lwyddiant yr Ymgyrch Ddiarfogi Niwclear rhwng 1959 a 1961.

Un o nodweddion eraill y cyfnod oedd poblogrwydd y sinemâu a llwyddiant cwmni ffilmiau Ealing o ddiwedd y 1950au ymlaen. Cynhyrchwyd amryw o ffilmiau masnachol a mewnforiwyd ffilmiau eraill o Hollywood. Ond gwnaed rhai ffilmiau a geisiodd bortreadu cymdeithas y 1950au gan gynnwys *I'm Alright Jack* a *Room at the Top* (1959) a *Saturday Night and Sunday Morning* (1960). Hefyd cryfhaodd apêl pêl-droed ymhlith y dosbarth gweithiol a dangosodd llwyddiant y *ballet*, yr opera, dramâu a chyngherddau clasurol nad oedd y dosbarthiadau canol ac uchaf yn brin o arian i noddi'r celfyddydau.

Nid oedd pawb yn gytûn fod yr oes aur wedi cyrraedd. Ymosododd rhai llenorion ar hunanfodlonrwydd a difaterwch pobl, yn eu plith, Alan Sillitoe, John Wain, Kingsley Amis, a John Osborne yn ei ddramâu *Look Back in Anger* a *The Entertainer*. Roedd materoliaeth a cheidwadaeth yn wrthun iddynt, agweddau a adlewyrchwyd, yn eu tyb hwy, gan y gefnogaeth gyson yn y polau piniwn i wario sylweddol ar amddiffyn, i grogi, i wasanaeth milwrol, i'r teulu brenhinol a chan y gwrthwynebiad i Adroddiad Wolfendon ar wrywgydiaeth. Aeth dramodwyr fel Harold Pinter, Samuel Beckett ac N. F. Simpson gam ymhellach drwy geisio dangos ar lwyfan pa mor ddibwrpas a gwag oedd bywyd y mwyafrif o bobl. Nid pawb wrth gwrs oedd yn darllen gwaith yr awduron hyn ac roedd nofelau Graham Greene a llyfrau ditectif Agatha Christie yn fwy poblogaidd.

Defnyddiwyd y dywediadau 'You've never had it so good' ac 'I'm alright Jack' i ddisgrifio agwedd a natur cymdeithas Prydain yn y cyfnod hwn ac i raddau helaeth mae'r ddau yn gywir. Llwyddodd y Ceidwadwyr dros gyfnod o dair blynedd ar ddeg i gadw diweithdra dan 2 y cant, i adeiladu cannoedd o filoedd o dai ac i ehangu addysg. Adlewyrchwyd y gwelliant ym mywydau materol pobl yn y galw cynyddol am nwyddau traul — ceir, setiau teledu (o filiwn ym 1951 i wyth miliwn erbyn 1964) peiriannau golchi, oergelloedd, setiau radio a'r teleffon. Ar ôl profiad y 1930au, y rhyfel a gwario gofalus y llywodraeth Lafur roedd pobl yn gwerthfawrogi'r gwelliannau materol hyn. Roeddynt hefyd yn falch fod y wladwriaeth les yn sicrhau gwell gofal cyffredinol ym meysydd addysg, iechyd a bwyd, ac am yr henoed a'r di-waith.

Ond ar wahân i'r gwelliannau hyn mae'n rhaid ystyried yn ofalus rhai o fethiannau'r cyfnod llewyrchus hwn. Er i lefelau cynhyrchu godi 40 y cant rhwng 1951 a 1964 roedd y codiadau mewn gwledydd diwydiannol eraill dipyn yn uwch, er enghraifft, 200 y cant yn Ffrainc a 800 y cant yn Japan. Roedd yr un patrwm i'w weld mewn allforion dros yr un cyfnod: Prydain — cynnydd o 29 y cant, Ffrainc — cynnydd o 86 y cant, Japan — cynnydd o 378 y cant. Methodd diwydiannau Prydain â chwrdd â gofynion cynyddol y wlad ac o ganlyniad i hyn tyfodd mewnforion. Nid oedd y cynnydd mewn allforion yn ddigon i atal diffygion yn y fantol daliadau. Ymdrechodd y tair gweinyddiaeth Geidwadol i wella'r sefyllfa drwy reoli'r cyflenwad arian ond prif ganlyniad y polisïau 'aros-mynd' oedd toriadau mewn gwario cyhoeddus, cyfyngiadau ar fenthyciadau, a gohirio cynlluniau buddsoddi diwydianwyr a phobl busnes. Roedd y Ceidwadwyr yn amharod i ystyried strategaeth economaidd bendant tan 1962, ac yn sicr nid oedd eu polisïau economaidd yn rhoi hyder i ddiwydianwyr i fuddsoddi dros gyfnod hir nac yn creu'r amgylchiadau angenrheidiol i ddatblygu a moderneiddio'r economi. Hefyd, o ystyried cyflwr yr economi a'r diffyg buddsoddi gartref roedd cyfiawnhad dros feirniadu'r llywodraeth am wario gormod ar amddiffyn pan ellid fod wedi sianelu'r adnoddau hyn i rannau eraill o'r economi.

Efallai na ddylid collfarnu'r llywodraeth am lunio polisïau a oedd yn ymdrech fwriadol i ymateb i anghenion materol y boblogaeth. Roedd yn rhaid i bob plaid feddwl yn nhermau etholiad cyffredinol bob pum mlynedd. Serch hynny, nid oedd y cynllunio economaidd tymor byr hwn yn hwyluso prynu a gwerthu nwyddau ym marchnadoedd y byd. Roedd Prydain yn ynys ac yn mewnforio dros 50 y cant o'i bwyd a'i hadnoddau crai. Felly roedd ffyniant ei diwydiannau yn hanfodol i'w gallu i dalu am ei mewnforion. Methwyd â chyrraedd y nod beth bynnag rhwng 1951 a 1964, ffaith a amlygir gan y twf economaidd blynyddol isel drwy'r cyfnod. Gwariwyd digon ar fuddsoddi tramor, gormod ar ddefnyddiau a nwyddau o wledydd tramor, a rhy ychydig ar foderneiddio gweithfeydd ac ehangu'r diwydiant cynhyrchu gartref. Erbyn 1961 roedd y rhannau hynny o'r economi nad oedd yn gwneud elw (y sector di-farchnad) yn tyfu'n gyflymach nag yn unman arall yn Ewrop. Gwendid hyn yn ôl yr economegwyr oedd ei fod yn gosod mwy o straen ar y sector marchnad a oedd er yr Ail Ryfel Byd heb ehangu'n gyflym iawn ac a oedd yn wynebu cystadleuaeth gref iawn erbyn dechrau'r 1960au. Felly, heb sylfaen ddiwydiannol gref roedd hi'n anodd cynnal gwasanaethau effeithiol.

Rhoddodd rhai y bai am y diffygion economaidd hyn ar yr undebau ond dadl orsyml yw hon. Roedd eu hagwedd negyddol tuag at newidiadau technegol a'u gwrthwynebiad i unrhyw reolaeth ar gyflogau yn rhannol gyfrifol am chwyddiant y 1950au a'r dirywiad yn safle cystadleuol Prydain mae'n wir, ond roedd agwedd geidwadol rheolwyr a'r rhaniadau traddodiadol mewn diwydiant rhwng 'ni' a 'nhw' yn ffactorau negyddol eraill nad oedd mor amlwg yn yr Unol Daleithiau a'r cyfandir. Mae'n rhaid hefyd amau doethineb, yn nhermau economaidd, y gwario mawr ar amddiffyn ac ar y diwydiannau peirianyddol a oedd yn gysylltiedig ag amddiffyn, a maint y gwario tramor yn gyffredinol o gofio'r straen ar y fantol daliadau. Er na chafodd hyn ar y pryd lawer o effaith ar safonau byw y rhan fwyaf o bobl, effeithiodd ar ddatblygiad y wladwriaeth les (yn wahanol i wledydd Sgandinafia) ac ar amodau byw pobl a oedd yn gorfod dibynnu ar incwm sefydlog (pensiynwyr, er enghraifft). Wrth gloriannu'r holl ffactorau hyn, mae'n anodd osgoi'r dyfarniad mai'r Ceidwadwyr a'u dewis o flaenoriaethau yn y cyfnod hwn oedd yn gyfrifol yn y pen draw am y dirywiad yn safle cystadleuol Prydain yn y byd erbyn 1964.

PENNOD 17

Prydain a'r Rhyfel Oer, 1945-1964

Roedd y Rhyfel Oer i raddau helaeth iawn yn ganlyniad anochel i'r newidiadau mewn grym a achoswyd gan yr Ail Ryfel Byd. Crewyd gwacter gwleidyddol gan orchfygiad yr Almaen a Japan, un a oedd yn sicr o greu cystadleuaeth am fwy o ddylanwad rhwng yr ideolegau cyfalafol a chomiwnyddol. Y methiant i sylweddoli, ym 1945, mai priodas gyfleus oedd y cyfeillgarwch rhwng yr Unol Daleithiau a'r Undeb Sofietaidd yn ystod yr Ail Ryfel Byd a arweiniodd at ddadrithiad chwerw blynyddoedd cynnar y Rhyfel Oer.

Roedd tuedd i anghofio pwysigrwydd ideoleg wrth ddadansoddi cymhellion yr Undeb Sofietaidd. Cyhoeddodd Lenin un o egwyddorion sylfaenol athroniaeth Karl Marx pan ddywedodd ym 1919:

> Rydym yn byw nid yn unig mewn un wladwriaeth ond mewn cyfundrefn o wladwriaethau ac mae'n amhosibl i'r Weriniaeth Sofietaidd gyd-fyw ochr yn ochr am gyfnod hir â phwerau imperialaidd; yn y diwedd mae'n rhaid i'r naill neu'r llall orchfygu.

Roedd yr Americanwyr, yn arbennig, yn araf i gydnabod hyn wrth ymdrin â Stalin yn ystod ac ar ôl y rhyfel.

Fodd bynnag, byddai'n rhy syml i dderbyn eglurhad athrawiaethol yn unig am ddigwyddiadau'r Rhyfel Oer. Rhwng 1917 a 1941 ychydig iawn o gyfeillgarwch a ddangoswyd gan y Gorllewin tuag at yr Undeb Sofietaidd a phan ddaeth y rhyfel i ben nid oedd Stalin am weld ei wlad yn cael ei rhoi mewn safle mor ddiamddiffyn eto ar adeg argyfwng. Felly, ei flaenoriaeth ym 1945 oedd diogelwch yr Undeb Sofietaidd ac i Stalin yr unig ffordd i gyflawni hyn oedd drwy ymestyn rheolaeth anuniongyrchol yr Undeb Sofietaidd dros wledydd dwyrain Ewrop. Er i lywodraethau Attlee a Truman gwyno am y polisi hwn, credai Stalin fod y fath gondemniad yn rhagrithiol o gofio dylanwad gormesol yr Unol Daleithiau yng Nghanol a De America a dylanwad digroeso gwledydd Prydain yn y Dwyrain Canol, Affrica ac isgyfandir India.

Ym mis Chwefror 1946 gwnaeth Stalin araith ymosodol yn ategu syniadau Marx a Lenin fod rhyfel yn erbyn cyfalafiaeth yn anochel. I rai pobl, hwn oedd man cychwyn y Rhyfel Oer. Ond i raddau, adwaith oedd yr araith i fethiannau diplomataidd yr Undeb Sofietaidd yn Iran ac yn Nhwrci lle y methwyd â sicrhau llwybr drwy'r Dardanelles i'r Môr Canoldir. I eraill, datganiad athrawiaeth Truman a ddechreuodd y Rhyfel Oer, athrawiaeth a luniodd bolisi tramor yr Unol Daleithiau hyd heddiw. Beth bynnag yw safbwynt haneswyr a gwleidyddion am ddechrau'r gwrthdrawiad ideolegol hwn, nid oes amheuaeth i'r tyndra cynyddol rhwng prif athrawiaethau gwleidyddol y byd effeithio'n ddwfn ar gwrs hanes rhyngwladol yn yr ugain mlynedd ar ôl cytundebau Potsdam a Yalta.

Y Sefyllfa yn Ewrop

Problem fwyaf gwledydd Ewrop ar ôl yr Ail Ryfel Byd oedd ailadeiladu'r economi cyfandirol a cheisio sicrhau na fyddai rhyfel arall yn digwydd. Ymhellach, beth bynnag oedd cymhellion yr Undeb Sofietaidd, roedd presenoldeb ei milwyr yn nwyrain Ewrop yn achosi pryder yn y Gorllewin. Pan ddywedodd Churchill ym Missouri ym mis Mawrth 1946: 'O Szczecin yn y Baltig, i Trieste yn yr Adriatig, mae llen haearn wedi disgyn ar draws y cyfandir', roedd hefyd yn mynegi teimladau'r llywodraeth yn Washington am y rhaniad newydd yn Ewrop.

Cynyddwyd y pryder hwn ym 1946 gan ddigwyddiadau yng Ngroeg. Ers i filwyr Prydain rwystro ymdrech gan gomiwnyddion Groeg, yn cael eu cefnogi gan yr Undeb Sofietaidd, i ddisodli'r llywodraeth yn Athen ym 1944 fe gefnogodd Prydain weinyddiaeth aden dde yn y wlad. Pan etholwyd llywodraeth geidwadol yno ddwy flynedd yn ddiweddarach fe ddwysáodd y rhyfel cartref rhwng cefnogwyr y llywodraeth a gwleidyddion rhyddfrydol ar y naill law a'r gwrthryfelwyr comiwnyddol ar y llaw arall. Er bod aden chwith y Blaid Lafur ym Mhrydain yn anfodlon gyda chefnogaeth llywodraeth Attlee i'r elfennau monarchaidd a cheidwadol yn y rhyfel cartref nid dyna achos y pryder mwyaf, ond yn hytrach y gost o gynnal y presenoldeb Prydeinig yng Ngroeg. Roedd gan Brydain ddeugain mil o filwyr wedi eu lleoli yno ac roedd hyn yn ychwanegu £60 miliwn y flwyddyn at wario amddiffyn ar adeg pan oedd y Trysorlys yn ceisio gwneud toriadau oherwydd cyflwr yr economi. Bwriad y llywodraeth felly oedd tynnu yn ôl o Roeg, ond cyn gwneud hynny eglurwyd y sefyllfa i'r llywodraeth Americanaidd a ofnai y byddai llwyddiant comiwnyddol yng Ngroeg yn arwain at ddigwyddiadau cyffelyb yn Iran, Twrci a'r Eidal. Penderfynodd yr Arlywydd Truman roi 400 miliwn o ddoleri i Roeg a Thwrci, ac roedd hyn yn ddigon nid yn unig i drechu'r Comiwnyddion ond i ymestyn dylanwad yr Unol Daleithiau yn hytrach na Phrydain yn y Dwyrain Agos.

Yn sgîl y digwyddiadau hyn y daeth datganiad Truman ym mis Mawrth 1947 fod llywodraeth yr Unol Daleithiau yn fodlon rhoi cymorth i unrhyw wlad a oedd yn ymladd yn erbyn comiwnyddiaeth ac yn fuan wedyn cyhoeddodd yr Ysgrifennydd Gwladol, George Marshall ei bod yn angenrheidiol rhoi cymorth economaidd i Ewrop er mwyn atal twf comiwnyddiaeth. Roedd Ernest Bevin, Gweinidog Tramor y llywodraeth Lafur, yn gefnogol iawn i Marshall am ei fod yn ofni cryfder y Blaid Gomiwnyddol yn yr Eidal ac yn Ffrainc.

Cytunodd un ar bymtheg o wledydd Ewrop i dderbyn y cymorth economaidd a ffurfiwyd y Gymdeithas dros Gydweithrediad Economaidd Ewropeaidd i'w ddosbarthu. Ym mis Ebrill 1948 cytunodd y Senedd yn yr Unol Daleithiau i gefnogi gwario 13,000 miliwn o ddoleri ar y cynllun rhwng 1948 a 1952. Roedd disgrifiad *Pravda* o'r cynllun, 'athrawiaeth Truman â doleri!' yn llygad ei le ac ni fyddai'r mwyafrif o wledydd Ewrop a dderbyniodd gymorth wedi gwadu mai bwriad Marshall oedd rhwystro comiwnyddiaeth drwy godi safonau byw a'r un pryd ehangu'r marchnadoedd i nwyddau Americanaidd. Un o ganlyniadau pellach y cynllun oedd gwneud cydweithrediad economaidd rhwng yr Undeb Sofietaidd a'r Unol Daleithiau yn anos. Ar y llaw arall pe bai'r Undeb Sofietaidd a gwledydd dwyrain Ewrop wedi derbyn cymorth Marshall byddai'n ddiddorol dyfalu beth fyddai adwaith yr Unol Daleithiau wedi bod. Gallai ymateb o'r fath gan Stalin fod wedi tanseilio cefnogaeth i'r cynllun yn y Gyngres, ac efallai, yn y pen draw wedi bod yn llawer mwy buddiol i Stalin yn Ewrop.

Roedd goruchafiaeth yr Undeb Sofietaidd dros ran helaeth o ddwyrain Ewrop wedi achosi syndod i lawer yng ngwledydd Prydain ond eto nid oedd pawb yn y Blaid Lafur yn gefnogol i safbwynt cadarn Bevin yn erbyn Stalin. Yn wir, ar ôl i Churchill wneud ei araith enwog ym Missouri, arwyddodd cant a phump o aelodau seneddol Llafur gynnig yn ei gollfarnu.

Yn Tsiecoslofacia nid oedd dylanwad Moskva mor gryf ym 1945 ac yn y flwyddyn olynol etholwyd llywodraeth amlbleidiol. Ond erbyn mis Chwefror 1948 dim ond y gweinidogion comiwnyddol oedd ar ôl ac roedd Tsiecoslofacia hefyd wedi llithro i gylch dylanwad yr Undeb Sofietaidd.

Yn ystod yr un mis dechreuodd trafodaethau yn Llundain yn y gobaith y byddent yn arwain at gynnwys Gorllewin yr Almaen yn adfywiad economaidd Ewrop. Credai San Steffan a Washington fod hynny'n hanfodol i sicrhau sefydlogrwydd gwleidyddol yng nghanol y cyfandir ond nid oedd y Ffrancwyr yn frwdfrydig. Gwrthododd yr Undeb

Sofietaidd dderbyn yr ymdrechion hyn gan Washington i integreiddio economi'r Almaen a gweddill Ewrop a phenderfynodd sefydlu arian cyfred gwahanol yn Nwyrain yr Almaen a gwahardd symud unrhyw drafnidiaeth rhwng Gorllewin yr Almaen a Berlin er mwyn gorfodi'r Cynghreiriaid Gorllewinol i adael y rhannau o'r ddinas a oedd dan eu rheolaeth.

Er nad oedd Bevin ac Attlee yn sicr o'r ffordd orau i oresgyn y blocâd, roeddynt yn gytûn â'r Americanwyr y byddai'n rhaid gweithredu'n effeithiol i gynorthwyo trigolion gorllewin y ddinas a rhwystro lledaeniad dylanwad yr Undeb Sofietaidd drwy'r Almaen i weddill Ewrop. Ym mis Mehefin 1948 cytunwyd i ddefnyddio awyrennau i gludo dros 13,000 tunnell o gyflenwadau y diwrnod i orllewin Berlin. Byddai Prydain yn gyfrifol am chwarter yr awyrgludiadau. Ym mis Mai 1949 cododd Stalin y blocâd ar ôl iddo sylweddoli mai'r unig ffordd i rwystro'r awyrennau fyddai eu saethu i lawr ac nid oedd rhyfel arall yn ymarferol o ystyried grym yr Unol Daleithiau yn Ewrop.

O ganlyniad i'r digwyddiadau hyn pwysodd Bevin yn gryf am fwy o gydweithrediad milwrol yn Ewrop a fyddai'n dibynnu i raddau helaeth ar gefnogaeth yr Unol Daleithiau. Roedd safbwynt y Gweinidog Tramor yn ddigon clir: 'Mae'r llywodraeth Sofietaidd wedi seilio ei pholisi ar y gobaith y bydd gorllewin Ewrop yn suddo mewn anhrefn economaidd a gellir dibynnu arni i geisio atal unrhyw gymorth Americanaidd ac adfywiad yn y Gorllewin'. Ymdrechodd yn galed felly i sefydlu cyfundrefn filwrol a fyddai'n ymestyn o Sgandinafia i'r Môr Canoldir. Ym mis Ebrill 1949 ffurfiwyd Cyfundrefn Cytundeb Gogledd Iwerydd *(NATO)* gan Ffrainc, Gwlad Belg, yr Iseldiroedd, Luxembourg, Norwy, Denmarc, Gwlad yr Iâ, Portiwgal, yr Eidal, yr Unol Daleithiau a gwledydd Prydain ac ar ddechrau'r 1950au ymunodd Twrci a Groeg. Roedd Bevin felly'n rhannol gyfrifol am newid cyfeiriad polisi tramor yr Unol Daleithiau drwy glymu ei grym milwrol i amddiffyn gorllewin Ewrop yn erbyn comiwnyddiaeth.

Gellir dadlau bod sefydlu'r gyfundrefn yn orymateb gan yr Unol Daleithiau i'r sefyllfa yn Ewrop. Wedi'r cyfan, y Gorllewin a fu'n llwyddiannus gyda gweithrediad Cynllun Marshall ac wrth wrthwynebu'r blocâd ar Berlin. Byddai sefydlu'r gyfundrefn wedi bod yn adwaith fwy naturiol pe bai wedi digwydd ar ôl llwyddiant Mao Tse-tung yn China neu ar ôl ffrwydrad y bom atomig Sofietaidd. Pwysleisiodd raniad Ewrop gan wneud *détente* â'r Undeb Sofietaidd yn llai tebygol a sicrhaodd y byddai dylanwad a 'cyfeillgarwch arbennig' a fodolai rhwng gwledydd Prydain a'r Americanwyr yn cael ei ymestyn i'r cyfandir.

Ar ddechrau'r 1950au symudodd canolbwynt y Rhyfel Oer i gyfandir Asia. Yn China ar ôl rhyfel cartref hir, daeth Mao Tse-tung a'r Blaid Gomiwnyddol i rym. Gwrthododd Washington gydnabod llywodraeth Beijing (Peking) gan ddewis yn hytrach gydnabod y cyn-arweinydd Chiang Kai-shek a'i ddilynwyr a oedd wedi ffoi i ynys Taiwan. Er gwaethaf gwrthwynebiad yr Americanwyr, penderfynodd Attlee a'i Gabinet gydnabod y llywodraeth gomiwnyddol fel llywodraeth swyddogol China ond nid oeddynt yn fodlon gwrthwynebu presenoldeb Taiwan fel cynrychiolwyr China yn y Cenhedloedd Unedig oherwydd cefnogaeth yr Unol Daleithiau iddi.

O fewn blwyddyn symudodd y frwydr yn erbyn comiwnyddiaeth i ffiniau gogledd-ddwyrain China — i wlad fechan Korea. Cyn 1945 Japan oedd yn rheoli'r wlad ond ar ddiwedd y rhyfel meddiannodd y Fyddin Goch ogledd Korea a milwyr Americanaidd y de. Methodd y ddwy ochr â chytuno ar lywodraeth addas ar gyfer Korea unedig. Canlyniad hyn oedd sefydlu llywodraeth gomiwnyddol yn y Gogledd ac un unbenaethol gyfalafol yn y De dan Syngman Rhee. Derbyniodd Rhee werth 440 miliwn o ddoleri mewn cymorth milwrol ac economaidd oddi wrth yr Unol Daleithiau a defnyddiodd y llywodraeth ei grym i ddinistrio gwrthwynebiad cryf y chwith.

Credai Washington fod Stalin, ar ôl ei fethiant yn Ewrop, yn ceisio dechrau chwyldroadau yn Asia. Prin iawn oedd y dystiolaeth i gefnogi'r safbwynt hwn ond roedd digon o anfodlonrwydd cymdeithasol yn Korea ar yr adeg hon i achosi gwrthryfel. Buasai gwrthdrawiadau cyson ar draws y ffin cyn 1950 gan gynnwys cyrch cryf gan filwyr De Korea yn erbyn tref Haeju yn y Gogledd. Dechreuodd y rhyfel ym mis Mehefin 1950 ac anfonodd y Cenhedloedd Unedig luoedd rhyngwladol (y mwyafrif o'r Unol Daleithiau) i gynorthwyo Rhee.

Dangosodd y llywodraeth Brydeinig ei pharodrwydd i ymladd comiwnyddiaeth drwy anfon milwyr a llongau. Ofnai Mao mai bwriad yr Unol Daleithiau oedd ffurfio Korea gyfalafol dan ddylanwad Washington fel cam tuag at baratoi ar gyfer ymosodiad ar China ei hunan. Felly pan ddaeth milwyr y Cenhedloedd Unedig yn agos at afon Yalu ar ffin China anfonodd Mao dros 300,000 o filwyr i Ogledd Korea a'u gwthio yn ôl i'r deheudir. Adwaith y Cadfridog MacArthur, arweinydd y fyddin ryngwladol yno, oedd sôn am ddefnyddio arfau niwclear tactegol. Pan glywodd y Cabinet yn Llundain am hyn teithiodd Attlee i Washington i drafod y mater â'r Arlywydd Eisenhower ac i fynegi gwrthwynebiad ei lywodraeth i unrhyw ledaeniad o'r rhyfel.

Daethpwyd â'r rhyfel i ben ym mis Gorffennaf 1953, fwy neu lai yn yr un lle ag y dechreuodd — ar hyd cyflinell 38. Roedd y gost mewn bywydau dynol yn uchel, gyda thros 33,000 o Americanwyr wedi eu lladd a thros 110,000 wedi eu niweidio. Lladdwyd dros 900,000 o bobl Korea a chollodd 2.5 miliwn eu cartrefi. Er nad oedd llywodraeth Prydain wedi gwneud cyfraniad sylweddol lladdwyd dros 800 o filwyr Prydeinig.

Cryfhaodd y digwyddiadau yn Korea a China y ddrwgdybiaeth yn y Gorllewin fod comiwnyddiaeth yn ehangu a bod angen datblygu ffrynt unedig yn ei herbyn a chynyddu'r gwario ar amddiffyn. Roedd y llywodraeth Brydeinig eisoes wedi ymestyn y cyfnod o wasanaeth milwrol o 18 i 24 mis a phenderfynwyd hefyd gynyddu'r gwario ar amddiffyn i £3.6 biliwn erbyn diwedd 1953, cynnydd o dros 50 y cant.

Wrth i'r rhyfel yn Korea ddirwyn i ben dirywiodd y sefyllfa wleidyddol yn Indo-China. Cyn yr Ail Ryfel Byd roedd y rhanbarth hwn yn rhan o ymerodraeth Ffrainc ond fe'i meddiannwyd gan Japan rhwng 1939 a 1945. Roedd y rhanbarth yn cynnwys Viet Nam, Kampuchea a Laos ac yn ystod y cyfnodau o reolaeth Ffrengig a Japaneaidd buasai mudiad cenedlaethol y Viet Minh yn brwydro i sefydlu gwladwriaeth annibynnol yn Viet Nam. Ym 1945 cyhoeddodd arweinydd y mudiad, Ho Chi Minh, a oedd hefyd yn gomiwnydd, fod Viet Nam bellach yn weriniaeth annibynnol, ond roedd hyn yn annerbyniol i Ffrainc a geisiodd ailsefydlu ei rheolaeth gyda chymorth ariannol yr Unol Daleithiau. Erbyn 1953 roedd yn amlwg na allai Ffrainc ennill ac ofnai'r llywodraethau gorllewinol y byddai buddugoliaeth i'r Viet Minh yn arwain at golli gweddill de-ddwyrain Asia i'r comiwnyddion.

Roedd John Foster Dulles, Ysgrifennydd Gwladol yr Unol Daleithiau, ac Anthony Eden, Gweinidog Tramor gwledydd Prydain, yn benderfynol o rwystro hyn ond ni allent gytuno ar y dulliau gorau. Credai Dulles fod angen ymyrraeth milwrol effeithiol gan yr Unol Daleithiau i ddinistrio'r Viet Minh ond nid oedd y Gyngres yn gefnogol iawn ar ôl perfformiad anfoddhaol y lluoedd Americanaidd yn Korea. Gwyddai Eden a Churchill na fyddai'r farn gyhoeddus yng ngwledydd Prydain nac yng ngwledydd y Gymanwlad o blaid ymyrraeth milwrol mewn gwlad mor bell i ffwrdd. Pwysodd y Cabinet am gynhadledd yng Ngenefa ym 1954 i drafod dyfodol y rhanbarth ar ôl buddugoliaeth fawr y Viet Minh ym mrwydr Dien Bien Phu. Argymhellodd Eden y dylid sefydlu gwledydd annibynnol niwtral yn Laos a Kampuchea a rhannu Viet Nam yn ddwy wlad, cynllun a fyddai'n gwanhau'r bygythiad comiwnyddol i reolaeth Brydeinig ym Malaya.

Gadawodd Dulles y gynhadledd, gan ddadlau fod y cynllun yn anrheg i gomiwnyddion China a'r Undeb Sofietaidd a fyddai wedyn yn cymryd mantais o'r sefyllfa drwy oresgyn y rhanbarth cyfan, ond yn y diwedd cytunwyd i'w weithredu er i Ho Chi Minh wrthod ei dderbyn. Iddo ef roedd rhannu Viet Nam yn gwbl annaturiol a dechreuodd rhyfel cartref rhwng y gogledd a'r de a arweiniodd at ymyrraeth milwrol Americanaidd cyn diwedd y 1950au.

Yn y cyfamser roedd Eden a Churchill yn falch nad oedd buddugoliaeth y Viet Minh dros Ffrainc wedi arwain at ryfel ehangach yn ne-ddwyrain Asia. Pwysodd Eden am gyfundrefn amddiffynnol yn y Dwyrain Pell ac ym mis Medi 1954 arwyddwyd cytundeb ym Manila gan yr Unol Daleithiau, Ffrainc, Prydain, Awstralia, Seland Newydd, Pakistan, Ynysoedd y Philipîn a Gwlad Thai (Cyfundrefn Cytundeb De-ddwyrain Asia — *SEATO*) i sefydlu grym a allai wrthweithio twf comiwnyddiaeth yn y Dwyrain Pell.

Y sefyllfa yn y Dwyrain Canol

Roedd Prydain wedi estyn ei dylanwad yn sylweddol yn y Dwyrain Canol ar ôl 1918 wedi iddi etifeddu rhannau o hen Ymerodraeth Ottoman. Erbyn 1945 roedd ei chyfrifoldebau imperialaidd yn cwmpasu Palesteina, Suez, Aden, Iraq, Gwlad Iorddonen a'r Gwlff. Er bod llywodraethau Prydeinig ar ôl y rhyfel yn awyddus i leihau'r ymrwymiadau hyn ofnent y gellid creu gwacter gwleidyddol a fyddai'n ansefydlogi'r rhanbarth ac yn agor y drws i ddylanwad Sofietaidd. Gwyddent nad oedd gan Brydain mo'r adnoddau economaidd nac ariannol i gynnal presenoldeb milwrol effeithiol yn y Dwyrain Canol ond roeddynt yn amharod i adael. Roedd Suez yn hanfodol i gyfathrebu strategol ac economaidd y Gymanwlad ac ychwanegodd dibyniaeth yr economi Prydeinig ar olew y Dwyrain Canol at bwysigrwydd y rhan hon o'r byd i fuddiannau Prydeinig. Problem arall i Brydain oedd ei chyfeillgarwch ag Israel a oedd yn ennyn gelyniaeth y gwledydd Arabaidd.

Roedd Washington yn bryderus ynglŷn ag ymdrechion y gwledydd comiwnyddol i gryfhau eu buddiannau mewn rhannau o'r Dwyrain Canol, er enghraifft, cysylltiadau masnachol yr Aifft â Tsiecoslofacia a dylanwad yr Undeb Sofietaidd yn Iran a Gwlad Iorddonen. Yn Iran ym 1951 gwladolwyd purfa olew Abādān gan y llywodraeth. Prydain oedd yn berchen ar y rhan fwyaf o'r cyfranddaliadau yn y cwmni ond roedd San Steffan yn ofni pwyso'n drwm am iawndal rhag ofn iddi gael ei chyhuddo o ymddwyn fel pŵer imperialaidd barus a rhoi mwy o goel i haeriadau'r comiwnyddion. Nid oedd hi'n fodlon derbyn y sefyllfa yn ddibrotest chwaith rhag ofn i hynny gael ei gymryd fel arwydd o wendid. Ond cafodd y benbleth ei datrys heb i Brydain orfod ymyrryd. Sichraodd y cwmnïau olew rhyngwladol na allai Iran symud a gwerthu ei holew yn ddirwystr ac ym 1953 disodlwyd y llywodraeth mewn *coup d'état* a gefnogwyd gan wasanaeth cudd yr Unol Daleithiau.

Ym mis Ebrill 1955 ymatebodd Prydain i'r bygythiad i'w goruchafiaeth drwy lunio Cytundeb Baghdād (Cyfundrefn y Cytundeb Canolog — *CENTO*) â Thwrci, Pakistan, Iraq ac Iran. O safbwynt Nasser, Arlywydd yr Aifft, nid diogelu y rhanbarth yn erbyn yr Undeb Sofietaidd oedd bwriad y cytundeb ond cadarnhau safle imperialaeth Brydeinig. Ym 1957 gwnaed datganiad gan yr Arlywydd Eisenhower y byddai'n barod i roi cymorth i unrhyw wlad yn y Dwyrain Canol a wynebai fygythiad comiwnyddol. Rhoddwyd cymorth i'r Brenin Hussein yng Ngwlad Iorddonen y flwyddyn honno ac i lywodraeth Libanus ym 1958. Ym 1958 hefyd anfonodd y llywodraeth Brydeinig filwyr i Wlad Iorddonen i gryfhau sefydlogrwydd y llywodraeth.

Sefyllfa'r Almaen

Drwy'r 1950au ni laciwyd tyndra'r Rhyfel Oer yn Ewrop. Roedd Eden yn argyhoeddedig mai bwriad yr Undeb Sofietaidd oedd chwalu Cyfundrefn Cytundeb Gogledd Iwerydd ac ni lwyddasid i gyrraedd cytundeb ar ddyfodol yr Almaen. Dymunai gwledydd y gyfundrefn weld Gorllewin yr Almaen fel gwlad gyfalafol rydd ac roedd yr Unol Daleithiau yn frwd o blaid caniatáu iddi ymaelodi â'r gyfundrefn ei hunan a'i hailarfogi fel rhan o ffrynt unedig yn erbyn lluoedd milwrol y gwladwriaethau sosialaidd ac fel rhanbarth glustog (*buffer state*) yn erbyn comwinyddiaeth.

Roedd Ffrainc yn bryderus ynglŷn â'r argymhellion hyn ond roedd yn fodlon trafod syniad Eden am Gymuned Amddiffyn Ewropeaidd lle y byddai'r Almaen yn gwneud cyfraniad milwrol i fyddin Ewropeaidd dan oruchwyliaeth y gyfundrefn.

Dadleuai Stalin o blaid Almaen unedig niwtral gan roi'r argraff y byddai'n fodlon aberthu comiwnyddiaeth yn nwyrain y wlad, dim ond i'r niwtraliaeth hwnnw gael ei sicrhau. Ond roedd y Gorllewin yn ddrwgdybus o'i gymhellion gan gredu y gallai cam o'r fath yn y diwedd arwain at ledaeniad comiwnyddiaeth drwy ddulliau mwy cudd yn yr Almaen. Ar ôl marwolaeth Stalin ym 1953 ceisiodd Eden a Churchill ailagor trafodaethau gyda Moskva ond ni chawsant unrhyw gefnogaeth oddi wrth yr Unol Daleithiau na llywodraeth Konrad Adenauer yng Ngorllewin yr Almaen. Roedd Eisenhower a Dulles yn fwy pleidiol i gymuned amddiffyn gref yn Ewrop, ond ym mis Awst 1954 penderfynodd Cynulliad Cenedlaethol Ffrainc wrthwynebu cymuned o'r fath. Peryglodd hyn gynlluniau yn Llundain a Washington i integreiddio Gorllewin yr Almaen yn nhrefniadaeth y gyfundrefn. Felly cynhaliodd Eden gynadleddau yn Llundain a Pharis. Yn y diwedd, â'r Unol Daleithiau yn pwyso'n drwm arnynt, cytunodd gwledydd Cyfundrefn Cytundeb Gogledd Iwerydd dderbyn Gorllewin yr Almaen fel aelod ac i'w hailarfogi ac eithrio ag arfau cemegol a niwclear. Cytunodd yr Unol Daleithiau a Phrydain i gadw presenoldeb milwrol yn yr Almaen i sicrhau na cheid ymdrechion yn y dyfodol i danseilio'r trefniadau hyn. Canlyniad mynediad Gorllewin yr Almaen i'r gyfundrefn oedd ffurfio gwrth-fesur diplomyddol gan yr Undeb Sofietaidd. Ffurfiwyd Cyfundrefn Cytundeb Warszawa (*Warsaw Treaty Organisation*) gan Albania, Bwlgaria, Tsiecoslofacia, Dwyrain yr Almaen, Hwngari, România a'r Undeb Sofietaidd.

Tawelwyd y sefyllfa yn Ewrop am ychydig o flynyddoedd ond ym 1958 gwnaeth Khrushchev ddatganiad yn gresynu at dwf y fyddin Almaenig a galwodd ar y pwerau cyfalafol i adael gorllewin Berlin. Teithiodd y Prif Weinidog, Harold Macmillan, i Moskva ym mis Chwefror 1959 i drafod dyfodol Berlin ac i geisio gwella'r berthynas â'r Undeb Sofietaidd. Er iddo fethu â chael cytundeb, cafodd gefnogaeth Khrushchev i'r syniad o gynnal cynhadledd i arweinwyr y prif bwerau ym Mharis ym mis Mai 1960. Tanseiliwyd amcanion y gynhadledd pan gafodd un o awyrennau ysbïo yr Unol Daleithiau ei saethu i lawr wrth hedfan uwchben yr Undeb Sofietaidd. Dirywiodd y berthynas ymhellach ym 1961 ar ôl i Khrushchev benderfynu adeiladu mur anferth yn rhannu dinas Berlin, gweithred a dorrodd y cytundeb a wnaed â'r Gorllewin ym 1945. Roedd de Gaulle ac Adenauer am i'r gyfundrefn weithredu yn erbyn yr Undeb Sofietaidd ond gwrthododd Kennedy a Macmillan eu cefnogi. Yn y pen draw bu'n rhaid derbyn y mur ym Merlin.

Y sefyllfa yn Cuba

Ym mis Hydref, 1962, y digwyddodd argyfwng mwyaf peryglus y Rhyfel Oer pan ddarganfuwyd taflegrau Sofietaidd ar ynys Cuba. Cyfiawnhaodd Fidel Castro eu presenoldeb drwy fynnu eu bod hwy yno ar ei gais ef i amddiffyn ei wlad yn erbyn ymosodiad arall gan yr Americanwyr ar ôl methiant goresgyniad Bae'r Moch. Roedd Kennedy yn gyndyn i ganiatáu lleoliad taflegrau gelyniaethus mor agos i'r Unol Daleithiau. Trafododd y broblem a'i goblygiadau â Macmillan a rhoddodd rybudd i Khrushchev i symud y taflegrau. Galwodd hefyd am gyfarfod brys o'r Cyngor Diogelwch. Dechreuodd y ddwy ochr wneud paratoadau ar gyfer rhyfel wrth i'r tyndra ddwysáu a bu cyfnewid llythyrau rhwng Kennedy a Khrushchev. Ar ôl ychydig o ddyddiau penderfynodd Khrushchev ildio yn hytrach na pheryglu heddwch y byd a symudwyd y taflegrau o'r ynys. Canlyniad pwysicaf yr argyfwng oedd y cytundeb a arwyddwyd gan yr Unol Daleithiau, yr Undeb Sofietaidd, Prydain a rhai gwledydd eraill yn atal arbrofion niwclear yn yr atmosffer.

Yr ataliad niwclear

Drwy gydol y Rhyfel Oer roedd Prydain yn arbrofi yn y maes niwclear gyda'r bwriad o gynhyrchu bom atomig. Dechreuodd y gwaith ymchwil ym 1941 oherwydd yr ofn fod y Natsïaid yn datblygu arfau atomig. Parhaodd y gwaith arbrofol ym Mhrydain a'r Unol Daleithiau drwy gyfnod y rhyfel a blynyddoedd llywodraeth Lafur Attlee. Roedd y Cabinet, ac yn arbennig Bevin, o blaid datblygu arfau niwclear ond ni roddwyd unrhyw gyhoeddusrwydd i'r gwaith. Dechreuodd gwyddonwyr yng ngwledydd Prydain ddatblygu bom atomig ym 1947 ac roedd y rhesymau dros yr ymroddiad i'r gwaith hwn yn gysylltiedig â statws Prydain yn y byd a bygythiad yr Undeb Sofietaidd yn Ewrop.

Gwyddai Attlee, fel Churchill ac Eden ar ei ôl, nad oedd gan Brydain yr adnoddau economaidd i gadw lluoedd arfog enfawr ar draws y byd. Dangosodd y rhyfel yn Korea sut y gallai rhyfel pellennig effeithio ar yr economi a'r fantol daliadau ac ysgogwyd Churchill i ofyn i arweinwyr y lluoedd arfog wneud asesiad newydd o strategaeth Prydain yn y byd. Ym 1952 ymddangosodd eu papur 'Strategaeth Fyd-eang'. Pwysleisiodd hwn mai'r ffordd orau o atal bygythiad yr Undeb Sofietaidd oedd drwy bolisi amddiffyn niwclear a fyddai'n galluogi Cyfundrefn Cytundeb Gogledd Iwerydd i leihau nifer ei milwyr a'r un pryd osgoi rhoi anogaeth i gomiwnyddiaeth. Drwy weithredu'r argymhellion hyn Prydain fyddai'r wladwriaeth gyntaf i seilio ei pholisi amddiffyn ar arfau niwclear.

Pwysleisiwyd eisoes fod gan Brydain ymrwymiadau eang ond nad oedd ganddi ddigon o adnoddau economaidd a milwrol i'w diogelu ac na allai ddibynnu'n ormodol ar yr Unol Daleithiau. Felly roedd y bom atomig yn galluogi Prydain i gadw ei statws fel un o'r Pwerau Mawrion heb orfod cynnal a thalu am lefelau annerbyniol o uchel o luoedd confensiynol. Roedd hefyd yn ffordd o gadw a chryfhau ei chyfeillgarwch â'r Unol Daleithiau drwy rannu llawer o'r gwaith arbrofol a dangos ei bod o ddifrif ynglŷn â diogelu Ewrop yn erbyn yr Undeb Sofietaidd.

Ym 1952 ffrwydrwyd bom atomig gyntaf gwledydd Prydain ym Monte Bello yng Nghefnfor India. Ymhen pum mlynedd ffrwydrwyd ei bom hydrogen gyntaf, arbrawf a ddangosodd fod gan Brydain y gallu gwyddonol a thechnolegol i ddatblygu arfau soffistigedig. Yn ail hanner y 1950au bu gwell cydweithrediad rhwng gwyddonwyr yr Unol Daleithiau a gwyddonwyr Prydain. Yn sgîl y cydweithrediad hwn cynigiodd yr Unol Daleithiau ddatblygu taflegrau *Blue Streak* ar y cyd ond rhoddwyd y gorau i'r prosiect oherwydd y costau uchel. Wedyn cytunodd y ddwy wlad i ddatblygu taflegrau *Skybolt* ond terfynwyd y gwaith ar y rhain hefyd pan ddaeth yn amlwg y byddai'r taflegrau *Polaris* yn rhagori arnynt, ac ym 1962, er mwyn sichrau bod gan Brydain ei hataliad niwclear annibynnol ei hunan, cytunodd Kennedy a Macmillan i arfogi llongau tanfor Prydeinig â thaflegrau *Polaris*. Ar ddechrau'r 1960au nid oedd gan yr Unol Daleithiau daflegrau digon cryf i gyrraedd yr Undeb Sofietaidd ac felly roedd y cytundeb hwn yn fanteisiol dros ben iddi.

Credai'r llywodraeth Geidwadol, a llawer yn rhengoedd seneddol y Blaid Lafur a'r Blaid Ryddfrydol, y byddai *Polaris* yn cryfhau diogelwch gwledydd Prydain a Chyfundrefn Cytundeb Gogledd Iwerydd. Ond cytunodd llawer yn y Blaid Lafur hefyd â safbwynt de Gaulle, Arlywydd Ffrainc, bod cytundeb o'r fath yn rhannu undod Ewrop ar fater pwysig iawn ac yn gosod diogelwch y cyfandir yn nwylo'r llywodraeth yn Washington. Bu datblygiad mawr yng ngweithgarwch yr Ymgyrch Ddiarfogi Niwclear rhwng 1958 a 1962. Dadleuai gwleidyddion fel Michael Foot nad oedd gan bobl unrhyw wlad y doethineb i reoli arfau mor erchyll ac y byddai presenoldeb arfau niwclear yng ngwledydd Prydain yn cynyddu gwario'r llywodraeth ym Moskva ar arfau tebyg. Ymhellach nid oedd cefnogwyr y mudiad yn argyhoeddedig fod yr Undeb Sofietaidd yn fygythiad i orllewin Ewrop a chredent fod polisi Moskva yn un amddiffynnol yn hytrach nag yn un ymosodol.

Nid yw'r dadleuon dros nac yn erbyn arfau niwclear wedi newid llawer er dechrau'r 1960au ond yn ystod y cyfnod hwnnw ystyrid, ar y cyfan, mai polisi amddiffyn niwclear y llywodraeth oedd y ffordd fwyaf effeithiol o gadw statws byd-eang y wladwriaeth Brydeinig ar adeg pan nad oedd ganddi'r adnoddau diwydiannol i gynnal y lluoedd arfog confensiynol a fyddai'n angenrheidiol i ddiogelu ei rôl fel Pŵer Mawr imperialaidd a heddwas rhyngwladol.

Nid oes llawer o gytuno ymhlith haneswyr ynglŷn â phwy oedd yn gyfrifol am ddechrau'r Rhyfel Oer. Mae'r ffeithiau'n syml a chlir ond gellir eu dehongli mewn mwy nag un ffordd. Gellid, er enghraifft, rhoi'r bai amdano ar Adolf Hitler am iddo greu'r rhaniad yn Ewrop a'r ddrwgdybiaeth Sofietaidd o'r Gorllewin.

Beth bynnag am hynny, rhwng 1945 a 1964 ceisiodd llywodraethau Prydeinig gymryd rhan flaenllaw ym mrwydr y pwerau gorllewinol i atal lledaeniad comiwnyddiaeth ym mhob rhan o'r byd. Roedd eu cyfraniad yn un diplomyddol yn hytrach nag un milwrol oherwydd prinder adnoddau ond ni ddylid ei ddiystyrru. Yr Americanwyr oedd fwyaf blaenllaw yn holl ddigwyddiadau'r Rhyfel Oer ac roedd y Cabinet yn San Steffan yn aml yn gyfrifol am ffrwyno neu gymedroli polisïau a syniadau unigolion dylanwadol fel John Foster Dulles, Harry Truman a Dwight Eisenhower.

Ni laciodd tyndra rhyngwladol drwy'r cyfnod hwn, yn bennaf oherwydd diffyg ymddiriedaeth ac amharodrwydd i gyfaddawdu ar y ddwy ochr. Yn y cyfamser parhaodd y gwladwriaethau democrataidd a'r gwladwriaethau comiwnyddol i herio ei gilydd drwy ychwanegu at eu cronfeydd arfau niwclear, datblygiad a fyddai'n cryfhau, am flynyddoedd i ddod, y rhaniadau a achoswyd gan y Rhyfel Oer.

PENNOD 18

Prydain a'r Gymuned Ewropeaidd

Ym 1950 gwrthododd Prydain ymuno â'r Gymuned Haearn a Dur Ewropeaidd ac yn ystod llywodraethau Churchill ac Eden ni ddangosodd barodrwydd i drosglwyddo grym economaidd na gwleidyddol i gorff Ewropeaidd. Pan ffurfiwyd y Gymuned Ewropeaidd ym 1957 ni chafwyd unrhyw newid yn agwedd y llywodraeth ac ystyrid y gyfundrefn newydd yn gynllun ag amcanion llawer rhy uchelgeisiol. Roedd Prydain o blaid trefn fasnachu fwy hyblyg oherwydd ei chysylltiadau economaidd â'r Gymanwlad ac ym mis Tachwedd 1959 ffurfiwyd Cymdeithas Fasnach Rydd Ewrop (*EFTA*) gyda Phortiwgal, Sweden, Denmarc, Norwy, y Swistir ac Awstria. Cytunwyd i leihau tollau ar fasnach rhwng aelodau'r gymdeithas ond yn wahanol i'r Gymuned Ewropeaidd roedd ganddynt yr hawl i osod eu tollau eu hunain ar fewnforion oddi wrth rannau eraill o'r byd.

Roedd rhai pobl, fodd bynnag, yn arbennig yn y gwasanaeth sifil ac ym myd busnes, yn gweld manteision pendant mewn ymaelodi â'r Gymuned Ewropeaidd. Dadleuai Syr Frank Lee, Ysgrifennydd Parhaol i'r Trysorlys, fod yn rhaid i ddiwydiant ddatblygu a moderneiddio er mwyn bod yn gystadleuol ac nid oedd hyn yn bosibl oddi mewn i amgylchiadau gwarchodol y Gymanwlad a'r ardal sterling. Ym 1960 a 1961 roedd aelodaeth yn fwy o destun trafod nag a fuasai drwy'r 1950au. Nid oedd rhai yn gweld unrhyw fanteision yn y berthynas â'r Unol Daleithiau a thybient y dylid clymu dyfodol economaidd a gwleidyddol Prydain â'r cyfandir ac nid â grym y ddoler.

Cefnogwyd aelodaeth gan bapurau newydd y *Guardian*, yr *Observer*, y *Daily Mail*, y *Daily Telegraph*, y *Sunday Times* a'r *Economist*, yn ogystal â'r Blaid Ryddfrydol. Gwrthwynebwyd aelodaeth gan y *Daily Worker*, y *New Statesman*, y mwyafrif o'r Blaid Lafur erbyn 1962 a llawer o'r undebau, gan gynnwys y ffermwyr. Roedd Macmillan, y Prif Weinidog, gyda chymeradwyaeth frwdfrydig yr Arlywydd Kennedy, wedi penderfynu ceisio ymuno, yn bennaf oherwydd fe welai fanteision y farchnad ehangach i nwyddau Prydeinig. Roedd yn ymwybodol hefyd o'r anawsterau economaidd a allai godi pe bai Prydain yn ymaelodi

14. Y Farchnad Gyffredin

oherwydd roedd cynhyrchiant diwydiannol gwledydd y Gymuned Ewropeaidd yn well ac roedd diweithdra yn is. Ym 1962, er enghraifft, roedd nifer y di-waith yn yr Almaen a Ffrainc yn llai na 100,000 tra oedd y ffigur ym Mhrydain dros 463,000. Nid oedd y Gymuned Ewropeaidd yn debygol o gymeradwyo polisi Prydain o roi ffafriaeth economaidd ac roedd y cysylltiad agos â Washington yn sicr o gorddi rhai o'r aelodau.

Roedd pryder mawr ynglŷn ag effaith aelodaeth ar y diwydiannau hynny a oedd yn barod yn methu ag ymateb yn effeithiol i'r galw cynyddol am eu cynnyrch, megis y diwydiannau adeiladu llongau, cotwm, peirianneg a lledr. Ar y llaw arall gallai eraill, gyda marchnata effeithiol, megis y diwydiant cerbydau, y diwydiant cemegol a nwyddau trydanol, fanteisio ar y farchnad ehangach ac roedd gan y Gymuned Ewropeaidd gynlluniau hefyd i ail-hyfforddi ac adleoli gweithwyr ac i gynorthwyo rhanbarthau arbennig a oedd yn ddibynnol ar yr hen ddiwydiannau.

I rai pobl ym Mhrydain ac ar y cyfandir roedd y Gymuned Ewropeaidd yn gam cyntaf tuag at greu undod gwleidyddol Ewropeaidd a allai arwain at ffurfio pŵer newydd a fyddai'n gydradd â'r Unol Daleithiau a'r Undeb Sofietaidd. I eraill roedd syniad o'r fath yn ddigon o reswm dros wrthwynebu aelodaeth.

Pan ddechreuodd y trafodaethau yn ystod haf 1961, Edward Heath oedd arweinydd y ddirprwyaeth Brydeinig. Cafodd hi'n anodd i gadw'r ddysgl yn wastad rhwng gofynion y Gymanwlad a Chymdeithas Fasnach Rydd Ewrop ar y naill law a gofynion y Gymuned Ewropeaidd ar y llaw arall. Roedd yn ofynnol iddo hefyd ddarbwyllo aelodau'r Gymuned fod ei lywodraeth â gwir awydd i ymuno, heb roi'r argraff i bobl Prydain chwaith ei fod yn cyfaddawdu gormod. Dechreuodd yr ymgais ffurfiol i ymuno ym mis Awst a pharhaodd hyd at fis Ionawr 1963.

Prif fantais ymuno fyddai ennill marchnad lawer iawn mwy i ddiwydianwyr gan ddileu tollau mewnforio yn y broses. Y prif berygl oedd y byddai diwydianwyr Prydain yn cael trafferth dygymod â'r amodau newydd ac y byddai prisiau nwyddau yn codi'n gyflym, yn enwedig prisiau bwydydd. Ceisiodd Heath a'i ddirprwyaeth sicrhau na fyddai'n rhaid gosod treth mewnforio ar rai nwyddau er mwyn diogelu marchnadoedd traddodiadol gwledydd y Gymanwlad, er enghraifft, menyn o Seland Newydd, te o India ac alwminiwm o Ganada, ond heb lwyddiant. Y broblem hon a'r gwrthwynebiad i'r berthynas 'arbennig' â'r Unol Daleithiau oedd y meini tramgwydd mawr ac roedd gwahaniaeth barn hefyd ynglŷn â pholisi amaethyddol. Tra oedd Prydain, er enghraifft, yn gosod toll o ryw 5 y cant ar fewnforion bwyd roedd y Gymuned Ewropeaidd am godi toll o rhwng 25 a 30 y cant.

Yn naturiol roedd gwledydd y Gymanwlad yn bryderus ynghylch effaith andwyol aelodaeth Prydain ar eu datblygiad economaidd hwy, ond ar wahân i'r cysylltiadau economaidd roedd cysylltiadau teimladol cryf hefyd ac nid oedd llawer yn y Senedd ar ddwy ochr y Tŷ am weld buddiannau'r Gymuned yn disodli ymrwymiadau a chyfrifoldebau traddodiadol. Oherwydd hyn, gwnaeth Heath safiad cadarn.

Roedd llawer o'r anghytuno ynghylch polisïau amaethyddol yn deillio o'r cymorthdaliadau a dderbyniai ffermwyr Prydain oddi wrth y llywodraeth. Roedd y rhain yn werth £270 miliwn y flwyddyn ac yn sicrhau incwm i'r ffermwyr yn ogystal â chadw prisiau dipyn yn is yn y siopau nag yr oeddynt yng ngwledydd y Gymuned. Gwrthwynebwyd polisi o'r fath gan yr Ewropeaid oherwydd eu hofn y gallai arwain at fwydydd rhad yn llifo i farchnadoedd y cyfandir. Roedd disgwyl felly i Brydain weithredu polisi'r Gymuned o warantu pris da i ffermwyr am bob cynnyrch, beth bynnag oedd y pris ar y farchnad agored. Dadleuodd Heath dros gael cyfnod trawsnewidiol hir i gynorthwyo ffermwyr Prydain i ddygymod â'r drefn Ewropeaidd ond gwrthwynebwyd hyn. Mynnai'r Gymuned fod yn rhaid i Brydain godi ei phrisiau i lefelau Ewropeaidd mor fuan ag oedd bosibl cyn y gallai unrhyw drawsnewidiad fod yn effeithiol.

Rhwystr arall oedd gelyniaeth yr Arlywydd de Gaulle, a oedd yn anfodlon derbyn aelodaeth Brydeinig tra oedd ei pherthynas arbennig â'r Unol Daleithiau yn parhau. Defnyddiodd hyn, yn ogystal â phryderon Prydain ynghylch y Gymanwlad a Chymdeithas Fasnach Rydd Ewrop, i gryfhau ei ddadl y byddai aelodaeth Prydain yn dinistrio'r Gymuned ac ofnai hefyd y byddai aelodaeth Prydain yn disodli goruchafiaeth Ffrainc y tu mewn iddi. Felly ym, mis Ionawr 1963, cyhoeddodd de Gaulle yn swyddogol y byddai'n gwrthwynebu aelodaeth Prydain a daeth y trafodaethau i ben.

PENNOD 19

O Ymerodraeth i Gymanwlad, 1945–1964

Cyflwyniad a chefndir

Gellid disgwyl y byddai'r Rhyfel Byd Cyntaf wedi cael effaith sylweddol ar yr Ymerodraeth Brydeinig, ac yn wir, ar ymerodraethau eraill Ewrop. Tanseiliwyd y ddelwedd o oruchafiaeth Ewropeaidd a oedd yn sail i rym yr ymerodraethau gan natur anwaraidd y rhyfel. Rhoddwyd lle amlwg yn nhermau Cytundeb Versailles i'r ddelfryd o ymreolaeth genedlaethol a chadarnhawyd cyfundrefn mandadau Cynghrair y Cenhedloedd. Yn ychwanegol, roedd grymoedd imperialaidd Ewrop wedi cael eu gwanhau yn ddifrifol gan gost y rhyfel.

Ond sicrhaodd cwymp ymerodraethau'r Almaen a Thwrci fod ffiniau tiroedd Prydain a Ffrainc yn ehangach nag erioed. Diben y system mandadau oedd gwanhau grym imperialaidd ond drwy sicrhau bod y tiriogaethau o fewn y sytem yn ogystal â threfedigaethau eraill yn Affrica, India a'r Dwyrain Canol yn parhau i dalu gwrogaeth i'r famwlad ac i ddibynnu arni am gymorth ariannol ac economaidd, diogelwyd safle ymerodraethau Prydain a Ffrainc. Bu amryw o wrthryfeloedd aflwyddiannus yn y 1920au a'r 1930au yn erbyn rheolaeth imperialaidd a dangosodd polisïau tramor ehangol Japan a'r Eidal yn y 1930au fod imperialaeth yn perthyn cymaint i'r ugeinfed ganrif ag yr oedd i'r bedwaredd ganrif ar bymtheg.

Er gwaethaf hyn, ildiodd Prydain ychydig i'r egwyddorion a ysgogwyd o ganlyniad i gyflafan y Rhyfel Byd Cyntaf. Yn wyneb cenedlaetholdeb penderfynol yn y Dominiynau, India a'r Dwyrain Canol bu cyfres o ddiwygiadau gweinyddol, gan gynnwys rhywfaint o ddatganoli. Fodd bynnag, arhosodd polisïau tramor, amddiffyn ac economaidd yn nwylo'r llywodraeth yn San Steffan.

Erbyn 1939 roedd yr Ymerodraeth Brydeinig yn dal yn hynod o gadarn ac nid oedd llawer o dystiolaeth y byddai ei goruchafiaeth imperialaidd yn cael ei herio ar raddfa fawr a'i dymchwel ar ôl y rhyfel.

Y sefyllfa ryngwladol: Perthynas Prydain â'r Unol Daleithiau

Un o'r ffactorau pwysicaf yn nadfeiliad yr Ymerodraeth Brydeinig oedd

ei pherthynas â phŵer cynyddol yr Unol Daleithiau ar ôl yr Ail Ryfel Byd.
Roedd y llywodraeth Brydeinig wedi benthyca'n drwm oddi wrth yr
Americanwyr yn ystod y rhyfel ac erbyn 1946 roedd cyfanswm ei dyledion
wedi cyrraedd £3,555 miliwn. O ganlyniad i hyn gwanychwyd safle
Prydain ac aeth yn fwyfwy dan ddylanwad penderfyniadau a pholisïau'r
Unol Daleithiau.

Prif thema polisi tramor America wedi'r rhyfel oedd cyfyngu
comiwnyddiaeth ac ailadeiladu trefn economaidd a fyddai'n bleidiol iddi
hi. Cefnogai llywodraethau Prydeinig y polisi hwn er nad oeddynt efallai
mor filwriaethus ac ymosodol â'r Americanwyr yn eu hymateb i
gomiwnyddiaeth. Nid oedd Prydain mor gefnogol i un o nodweddion
eraill polisi tramor America, sef lleihau dylanwad yr hen ymerodraethau. I
genedlaetholwyr roedd y safbwynt hwn yn galonogol, ond roedd digon o
le i amau cymhellion yr Americanwyr. I rai, gwir amcan y polisi oedd
ymestyn dylanwad yr Unol Daleithiau ar draul Prydain a Ffrainc.

Yn sicr, ar ôl y rhyfel roedd gan yr hen ymerodraethau broblemau
mewnol gwirioneddol ddifrifol. Roedd cenedlaetholdeb a thlodi yn
rhemp ac nid oedd gan y llywodraethau yn Llundain a Pharis yr adnoddau
milwrol ac economaidd i reoli'r sefyllfa'n effeithiol. Ofnai'r Americanwyr
fod yr amgylchiadau yn addas iawn i dwf comiwnyddiaeth ac yr arweiniai
hynny at golledion sylweddol yn nhermau'r adnoddau crai byd-eang a
oedd ar gael i'r byd cyfalafol, ac y byddai hynny yn ei dro yn cyfyngu ar
allu'r Unol Daleithiau i gadw cydbwysedd grym yn y byd rhyngddi hi a'r
Undeb Sofietaidd. Felly er nad oedd Washington yn hollol fodlon ar
barhad yr Ymerodraeth Brydeinig, roedd yn barod i dderbyn ei rôl
imperialaidd yn y rhannau hynny o'r byd lle gallai lesteirio neu ddiddymu
dylanwad y comiwnyddion.

Y Cenhedloedd Unedig a'r Cyngor Ymddiriedolaeth

Roedd gwaith y Cenhedloedd Unedig yn bwysig yn y trawsnewidiad o
ymerodraeth i gymanwlad. Nid oedd, ar y cyfan, o blaid trefniadaeth
imperialaidd ac awgrymodd Awstralia y dylai pob tiriogaeth ddibynnol
ddod dan ymddiriedolaeth y Cenhedloedd Unedig.

Roedd Cyngor Ymddiriedolaeth (*Trusteeship Council*) y Cenhedloedd
Unedig yn wahanol i system y Comisiwn Mandadau Parhaol a fu'n
weithgar dan Gynghrair y Cenhedloedd. Rheolid hwnnw gan arbenigwyr
ar reolaeth drefedigaethol ac roedd yn tueddu i hybu parhad rheolaeth
imperialaidd. Ond roedd y Cyngor Ymddiriedolaeth yng ngofal
cynrychiolwyr rhai o brif wledydd Affrica ac Asia. Yn wahanol i
swyddogaeth ymgynghorol y Comisiwn Mandadau Parhaol roedd gan y

Cyngor alluoedd goruchwyliol eang ac erbyn canol y 1960au roedd y rhan fwyaf o'r tiriogaethau a oedd dan ei oruchwyliaeth wedi ennill annibyniaeth.

Roedd hi'n bosibl i gynrychiolwyr sefydliadau neu fudiadau cenedlaethol ddeisebu ar lafar gerbron y Cyngor, ac felly am y tro cyntaf sicrhawyd fforwm rhyngwladol a llwyfan agored i hawliau a chwynion cenhedloedd darostyngedig. Defnyddiodd cenedlaetholwyr Tanzania yr hawl hon i ennill ei rhyddid ym 1961, yn llawer cynt nag y gallasai wneud fel arall.

Amlygir athroniaeth y Cenhedloedd Unedig yn erthygl 73 o'i Siarter sy'n gofyn i aelodau dderbyn fod buddiannau'r trefedigaethau hyn yn hollbwysig, i dderbyn datblygiad ymreolaeth, i gydymdeimlo'n llwyr â gofynion gwleidyddol y trigolion, ac i'w helpu i ddatblygu eu sefydliadau gwleidyddol rhydd eu hunain.

Twf cenedlaetholdeb yn yr ymerodraeth ar ôl yr Ail Ryfel Byd

Ar ôl yr Ail Ryfel Byd heriwyd Prydain yn amlach gan ei threfedigaethau ac ni allai bellach osgoi gweithredu i gwrdd â'u gofynion. Roedd y rhyfel wedi hybu datblygiad economaidd y trefedigaethau ac wedi gorfodi'r llywodraeth ganolog i dynnu gweision sifil yn ôl gan adael mwy o rym yn nwylo'r trigolion lleol. Ar ôl y rhyfel roedd y bobl hyn yn gyndyn iawn i ildio eu hawliau newydd.

Roedd y mwyafrif o'r llywodraethau canolog wedi gosod rheolaeth gadarn ar gynhyrchion yn ystod y rhyfel, a pharhaodd hyn ar ôl 1945 er gwaethaf protestiadau eang. Hefyd, roedd llawer o filwyr Affricanaidd wedi ymladd yn Asia lle roeddynt wedi cydweithio â chenedlaetholwyr pybyr megis yr Indiaid a hyrwyddodd y cysylltiadau hyn syniadau gwleidyddiaeth ryngwladol. Roedd mudiadau cenedlaethol milwriaethus yn ennill cryfder yn Asia ac Arabia ac nid oedd gan y pwerau imperialaidd yr adnoddau i ddal y llanw'n ôl am gyfnod amhenodol.

Datblygiadau o fewn yr ymerodraeth: India

I lawer o bobl yng ngwledydd Prydain roedd India yn gyfystyr ag ymerodraeth. Yr isgyfandir oedd canolbwynt strategol, economaidd a rhamantaidd yr Ymerodraeth Brydeinig. Er i annibyniaeth gael ei hennill yn fuan ar ôl y rhyfel (1947) ni ddylid tybio mai'r rhyfel oedd yn bennaf gyfrifol am ddeffroad sydyn ymwybyddiaeth genedlaethol yn y wlad honno.

Fel y soniwyd eisoes cafodd y Rhyfel Byd Cyntaf effaith ddofn ar yr Indiaid. Fe'u digiwyd gan y colledion trymion a ddioddefodd eu gwlad, yn ddynion ac yn adnoddau ac roedd natur anwaraidd y rhyfel wedi tanseilio'r syniad fod Saeson, Cymry ac Albanwyr yn rhagori arnynt o ran egwyddorion a moesoldeb.

Ar derfyn y rhyfel hwnnw roedd Prydain yn amlwg yn benderfynol o ddal ei gafael ar India ac yr oedd Datganiad Montagu ym 1917 a Deddf Llywodraeth India 1919 yn groes i obeithion a dymuniadau'r cenedlaetholwyr am fod San Steffan yn dal i reoli'r gyfraith, cyllid, diogelwch mewnol a pholisïau tramor ac amddiffyn.

Drwy'r 1920au a'r 1930au tyfodd y mudiad dros annibyniaeth, yn bennaf oherwydd dylanwad a charisma Mahatma Gandhi. Ar ôl i Ddeddf 1919 fethu â thanseilio ei gefnogaeth sefydlwyd Comisiwn Simon ym 1927 a phasiwyd deddf arall ym 1935. Erbyn 1939, er nad oedd San Steffan wedi colli rheolaeth ar yr isgyfandir roedd y sefyllfa yno'n ansefydlog iawn a methodd y mesurau datganoli â gwanhau'r gefnogaeth i Blaid y Gyngres.

Cythruddwyd yr Indiaid pan gyhoeddodd y llywodraeth Brydeinig y byddai India yn ymuno â'r Ail Ryfel Byd a hynny heb ymgynghori o gwbl â gwleidyddion y wlad. Oherwydd safle strategol India a'i photensial fel cronfa o adnoddau milwrol, roedd ewyllys da y bobl yn hanfodol i Brydain ac er mwyn ennill eu cefnogaeth addawyd annibyniaeth iddynt ar derfyn y rhyfel.

Ym 1945 felly, yn rhannol oherwydd yr addewid, yn rhannol oherwydd cryfder y cenedlaetholwyr ac yn rhannol am nad oedd ganddi'r grym i ddarostwng y wlad bellach na chefnogaeth yr Unol Daleithiau pe bai'n ceisio gwneud hynny, aeth Prydain ati i wneud trefniadau ar gyfer annibyniaeth i India.

Roedd llywodraeth Attlee yn ddigon parod i adael ond ar delerau arbennig, sef sefydlogrwydd yn India ac ymrwymiad y byddai'r isgyfandir yn ymaelodi â'r Gymanwlad (am resymau amddiffynnol yn bennaf). Problem arall i'r llywodraeth oedd y perygl o ryfel cartref rhwng yr Hindŵaid a'r Moslemiaid. Eisoes buasai terfysgoedd gwaedlyd yn Calcutta ym 1946.

Nid oedd Jinnah a'r Cynghrair Moslemaidd yn fodlon derbyn cynllun y Gyngres o India unedig oherwydd eu pryder y byddai Hindŵaeth yn llywodraethu pob agwedd ar fywyd a pholisi'r llywodraeth. Roeddynt yn benderfynol o rannu'r isgyfandir i sicrhau gwlad ar wahân i'r Moslemiaid a thrwy hynny ddiogelu eu crefydd a'u traddodiadau. Nid oedd Jinnah yn bwriadu cyfaddawdu o gwbl ar y mater hwn.

Yn y cyfamser roedd y llywodraeth Lafur wedi cytuno i adael erbyn mis Mehefin 1948. Ond roedd yr Arglwydd Mountbatten, llywodraethwr newydd India er 1946, o'r farn bod y sefyllfa fewnol yn un eithriadol o ansefydlog a pheryglus a bod angen cyfaddawdu â'r Moslemiaid a gadael cyn 1948. Cytunwyd i symud annibyniaeth ymlaen i fis Awst 1947 ac i rannu'r isgyfandir rhwng yr Hindŵaid (India) a'r Moslemiaid (Pakistan).

Y Dwyrain Canol: Palesteina

Daeth argyfwng Palesteina i fodolaeth o ganlyniad i ddau gymal yn Natganiad Balfour yn ystod y Rhyfel Byd Cyntaf:

(a)   yr angen i greu cartrefle cenedlaethol i'r Iddewon;
(b)   y pwysigrwydd o osgoi gwneud unrhyw beth i beryglu hawliau cymdeithasol a chrefyddol cymunedau eraill ym Mhalesteina.

Yn wreiddiol roedd y syniad o gartrefle Iddewig yn ddeniadol oherwydd pwysigrwydd cadw presenoldeb milwrol yn agos at Suez ac yn y Dwyrain Canol yn gyffredinol. Ond rhwng y rhyfeloedd sylweddolodd y llywodraeth fod angen cadw cyfeillgarwch yr Arabiaid am yr un rhesymau. Hefyd, erbyn 1939, roedd potensial adnoddau olew y rhanbarth yn fwy amlwg i'r pwerau gorllewinol ac yn naturiol dylanwadodd hyn ar gyfeiriad polisi'r llywodraeth.

Rhwng y ddau ryfel byd ac wedi hynny gwaethygodd y sefyllfa ym Mhalesteina. Er gwaethaf holl ymdrechion y llywodraeth i gyfyngu ar fewnfudiad, cynyddodd poblogaeth Iddewig Palesteina o 85,000 ym 1918 (o gymharu â 700,000 o Arabiaid) i dros 450,000 ym 1939 (o gymharu â 1,000,000 o Arabiaid). Achosodd hyn ymrafael a gwrthdrawiadau gwaedlyd rhwng yr Iddewon a'r Palesteiniaid a rhwng grwpiau terfysgol Iddewig a milwyr Prydeinig.

Ym 1945 roedd profiadau a thynged yr Iddewon yn ystod y rhyfel yn adnabyddus i bawb. Lladdwyd dros chwe miliwn ohonynt, y mwyafrif yng ngwersylloedd erchyll y Natsïaid yn Auschwitz, Treblinka, Belsen, Sobibor a mannau eraill. Ar ddiwedd y rhyfel roedd y mwyafrif a oedd ar ôl yn cael eu cadw mewn gwersylloedd arbennig yn Ewrop dan oruchwyliaeth y Cynghreiriaid, gyda'r Unol Daleithiau yn talu'r holl gostau am fwyd, dillad a chyflenwadau eraill. Nid oedd y Cynghreiriaid yn fodlon eu cadw yn Ewrop am eu bod yn ystyried y ffoaduriaid Iddewig yn elfen ansefydlog iawn ar adeg pan oedd y pwerau gorllewinol yn ceisio sefydlogi'r Almaen, yn arbennig yn wyneb y bygythiad newydd o'r dwyrain — yr Undeb Sofietaidd.

Ni ddymunai'r rhan fwyaf o'r Iddewon aros yn Ewrop chwaith am fod eu profiadau rhyfel wedi bod yr un mor frawychus ym mhob rhan o'r cyfandir ac nid oedd gan lywodraethau Ewrop, ar ôl dinistr y rhyfel, lawer o ddiddordeb mewn rhoi sylw arbennig iddynt. Roedd yr Americanwyr yn amharod i dderbyn mewnfudwyr Iddewig i'w gwlad mewn niferoedd mawr, a phwysodd y llywodraeth yn Washington ar y weinyddiaeth Lafur i ganiatáu i'r Iddewon fynd i Balesteina. Ond roedd yn rhaid i lywodraeth Attlee ystyried ei pherthynas ag Arabiaid y Dwyrain Canol ac roedd gan Bevin, y Gweinidog Tramor, lawer o gydymdeimlad â'r Palesteiniaid. Roedd ef o'r farn ei bod yn annheg llenwi tiroedd y bobl hyn â ffoaduriaid Iddewig yn erbyn eu dymuniadau.

Fodd bynnag, roedd barn ryngwladol a datganiadau cyhoeddus llywodraeth yr Unol Daleithiau yn gryf o blaid yr ateb Seionaidd, sef cartrefle Iddewig ym Mhalesteina, yn arbennig ar ôl datguddio'r driniaeth annynol a ddioddefodd yr Iddewon yng ngwersylloedd erchyll y Natsïaid. Hefyd, roedd y gost o gadw 80,000 o filwyr Prydeinig ym Mhalesteina yn bris rhy uchel i'w dalu pan oedd eu dyletswyddau pennaf yn ymwneud â chadw'r heddwch rhwng Iddewon a Phalesteiniaid ac amddiffyn eu hunain yr un pryd.

Rhwng 1945 a 1947 gwariwyd £100 miliwn ar gynnal y presenoldeb Prydeinig ym Mhalesteina, ond, fel yng Ngogledd Iwerddon heddiw, nid oedd hyn yn ddigon i gadw'r heddwch. Cynyddwyd y tyndra gan ymosodiadau cyson y terfysgwyr Iddewig ar dargedau milwrol a sifil Prydeinig; er enghraifft, ym mis Gorffennaf 1946 dinistriwyd Gwesty King David yn Jerwsalem gan ffrwydrynnau a lladdwyd 91 o bobl. Parhaodd mudiad yr Haganah i symud cannoedd o Iddewon i Balesteina yn anghyfreithlon a gyrrwyd Iddewon yn ôl i wersylloedd ffoaduriaid yn yr Almaen. Prif effaith digwyddiadau fel hyn oedd cryfhau'r farn ryngwladol yn erbyn polisi'r llywodraeth Lafur o gyfyngu ar fewnfudiad.

Ym mis Chwefror 1947 penderfynodd y llywodraeth nad oedd ganddi'r gallu na'r adnoddau i ddatrys problem Palesteina a throsglwyddwyd y mandad i'r Cenhedloedd Unedig. Ym mis Mehefin anfonwyd Comisiwn Arbennig i Balesteina gan y Cenhedloedd Unedig i baratoi adroddiad ar y sefyllfa yno. Ym mis Awst argymhellodd y comisiwn y dylid rhannu Palesteina a ffurfio gwladwriaeth i'r Iddewon a gwladwriaeth i'r Palesteiniaid. Roedd yr Iddewon a'u harweinydd, David Ben-Gurion, yn gefnogol i'r argymhellion, ond gwrthododd y llywodraeth Lafur a'r Arabiaid eu derbyn. Serch hynny, ym mis Tachwedd 1947 pleidleisiodd y Cenhedloedd Unedig o'u plaid.

Arweiniodd y bleidlais at anhrefn ddifrifol ym Mhalesteina. Bu cynnydd sylweddol mewn trais ac ymlafuriodd y milwyr Prydeinig i geisio cadw'r heddwch am nad oeddynt yn gadael hyd fis Mai 1948. Pan adawodd y milwyr olaf ymunodd rhai o'r gwledydd Arabaidd â'i gilydd ac ymosodasant ar y wladwriaeth newydd. Ond o fewn ychydig o fisoedd

Israel a orfu, a llwyddodd i ymestyn ei thiriogaeth yn bellach na'r ffiniau a argymhellwyd gan y Cenhedloedd Unedig, gan ddatgan y byddai'n cadw'r tiroedd ychwanegol a enillwyd i gryfhau ei diogelwch yn y dyfodol.

Y Dwyrain Canol: y gwledydd Arabaidd

Roedd Prydain yn amharod i ildio ei dylanwad yn y Dwyrain Canol oherwydd y perygl o greu gwacter gwleidyddol a allai arwain at ansefydlogrwydd a chynnydd yn nylanwad yr Undeb Sofietaidd. Roedd bod ar delerau da ag arweinwyr unbenaethol Trawsiorddonen a gwledydd y Gwlff yn hanfodol oherwydd pwysigrwydd strategol y rhanbarth. Roedd diogelwch Camlas Suez a'r cyflenwadau olew yn bwysig i'r economi Prydeinig ac roedd lleoliad y rhanbarth yn ddefnyddiol ar adeg rhyfel pe bai angen defnyddio awyrennau a thaflegrau yn erbyn yr Undeb Sofietaidd.

Yn Iran roedd gan Brydain fuddiannau pwysig oherwydd ei rheolaeth ar burfa olew Abādān. Ond ym 1951 llofruddiwyd y Prif Weinidog a ffurfiwyd llywodraeth newydd dan Dr Mohammed Mossadegh. Gwladolwyd y cwmni olew fel rhan o ymdrech yr arweinydd newydd i ymestyn rheolaeth llywodraeth Iran dros adnoddau naturiol y wlad. Methodd y Cabinet â newid agwedd Mossadegh a chollodd Prydain lawer o'i dylanwad yno i'r Americanwyr ar ôl iddynt drefnu *coup d'état* i ddisodli'r llywodraeth ym 1953. Lluniwyd trefniadau newydd i ymdrin â diwydiant olew Iran, gan gynnwys caniatáu i Brydain ddal 40 y cant o'r cyfranddaliadau yn y cwmni olew.

Yn Iraq wynebodd Prydain yr un teimladau gwrth-imperialaidd er gwaethaf cyfeillgarwch Nuri-es-Said. Roedd pwysau arno ef, fel ar Mossadegh, i wladoli'r diwydiant olew er mwyn cadw'r rhan fwyaf o'r elw o'r diwydiant yn Iraq. Ond parhaodd y llywodraeth yn gefnogol i bresenoldeb Prydain yn y Dwyrain Canol fel gwrthbwys i ddylanwad yr Aifft ac apêl syniadau comiwnyddol. Ym 1955 aeth Iraq gam ymhellach drwy arwyddo Cytundeb Baghdad (Cyfundrefn y Cytundeb Canolog) gyda'r bwriad o ddiogelu'r Dwyrain Canol yn erbyn yr Undeb Sofietaidd. Gwrthododd yr Aifft, Syria a Saudi Arabia ei gefnogi am eu bod yn ystyried bod y cytundeb yn ymdrech gan Brydain i gadw ei dylanwad imperialaidd ymhlith y gwledydd Arabaidd.

Ym 1958 llofruddiwyd y Brenin Feisal II a Nuri-es-Said mewn gwrthryfel milwrol a arweiniwyd gan y Cadfridogion Aref a Kassem. Roedd comiwnyddion ymhlith y gwrthryfelwyr ac roedd hyn yn ddigon o reswm i ysbarduno'r gweinidogion yn Llundain a'r arweinwyr yn

Washington i weithredu'n gyflym. Tybiai'r Arlywydd Chanoun yn Libanus a'r Brenin Hussein yng Ngwlad Iorddonen y gallai'r anfodlonrwydd ledaenu i'w gwledydd hwy ac felly derbyniwyd cymorth milwrol oddi wrth Brydain a'r Unol Daleithiau ym 1958 er mwyn ailsefydlu rheolaeth frenhinol.

Yng Ngwlff Persia roedd y llywodraeth Brydeinig yn gyndyn i ollwng ei gafael ar Kuwait, Qatar, Aden a Bahrain a oedd yn bwysig yng nghyddestun diogelu cysylltiadau morwrol rhwng Asia a'r Gorllewin. Roedd yr ystyriaeth hon yn dal yn un bwysig ar ôl 1945 ond erbyn hynny roedd cyflenwadau olew y rhanbarth yr un mor bwysig. Cyn 1939, er enghraifft, roedd mwy na hanner cyflenwadau olew Prydain yn dod o'r Unol Daleithiau ond erbyn 1950 roedd y sefyllfa wedi newid a deuai mwy na'u hanner o Kuwait.

Roedd 50 y cant o Gwmni Olew Kuwait dan reolaeth *British Petroleum* a banciau yn Llundain a drafodai gyfran helaeth o arian Kuwait. Roedd cysylltiad Prydain â Kuwait felly'n un pwysig a chyfeillgar. Ym 1961 dechreuodd y Cadfridog Kassem o Iraq sôn yn gyhoeddus am hawl draddodiadol ei wlad i reoli Kuwait. Apeliodd Kuwait am gymorth i achub y blaen ar gynlluniau Kassem ac ym mis Gorffennaf glaniwyd milwyr Prydeinig yno. Yn yr un flwyddyn daeth Kuwait yn wlad annibynnol ac ymaelododd â'r Cynghrair Arabaidd.

Daliodd Prydain ei gafael ar Aden, Yemen a Saudi Arabia ond nid oedd cefnogaeth unfrydol yn San Steffan i hyn. Credai'r Blaid Lafur fod tynnu yn ôl o'r rhanbarth yn anochel oherwydd y gost ac amhoblogrwydd y presenoldeb Prydeinig ymhlith y brodorion, ac eithrio'r teuluoedd brenhinol. Pan ddychwelwyd y Blaid Lafur i rym ym 1964 cyflymwyd ymadawiad dylanwad uniongyrchol Prydain â'r rhan hon o'r byd.

Y Dwyrain Canol: yr Aifft ac argyfwng Suez

O gyfnod y Rhyfel Byd Cyntaf ymlaen roedd yr Aifft wedi bod dan oruchwyliaeth Brydeinig er iddi ennill mesur helaeth iawn o annibyniaeth ym 1922. Ym 1936 arwyddwyd cytundeb gan y ddwy lywodraeth yn rhoi'r hawl i Brydain gadw 10,000 o filwyr yn ardal Camlas Suez am ugain mlynedd. Roedd gan Brydain resymau amlwg dros wneud hyn ond roedd hefyd yn fanteisiol i'r Aifft ar adeg pan oedd Benito Mussolini yn ehangu grym yr Eidal yn Affrica.

Ym 1945 ffurfiwyd y Cynghrair Arabaidd a oedd yn cynnwys yr Aifft, Saudi Arabia, Yemen, Iraq, Libanus, Syria a Thrawsiorddonen. Ar y dechrau roedd y llywodraeth Brydeinig yn gefnogol iddo, ond i'r

Eifftiaid roedd y cynghrair yn gyfrwng i uno'r byd Arabaidd a lleihau dylanwad Prydain yn y Dwyrain Canol. Yr Aifft oedd y wlad Arabaidd fwyaf di-ildio yn ei hymosodiadau ar imperialaeth Brydeinig. Roedd hi hefyd yn flin ynglŷn â'r ddyled i'r Aifft o £400 miliwn er cyfnod y rhyfel. Nid oedd yr Eifftiaid yn ystyried bod yr Undeb Sofietaidd yn fygythiad i'r Dwyrain Canol a gwrthodasant gymryd rhan mewn unrhyw gynllun amddiffyn a ddyfeisiwyd gan y Gorllewin yn ei herbyn. Ym 1951 collfarnodd y llywodraeth yn El Qâhira gytundeb 1936 a dechreuodd gwrthdystiadau a therfysgoedd yn erbyn presenoldeb milwrol Prydain yn ardal Camlas Suez.

Pan ddaeth y Cadfridog Neguib a Cyrnol Nasser i rym ym 1952 roeddynt yn ymwybodol iawn o'r teimladau gwrth-Brydeinig cryf a fodolai yn y wlad. Ym mis Gorffennaf 1954 cytunodd y llywodraeth Brydeinig i adael Suez o fewn ugain mis ond y byddai ganddynt yr hawl i ddychwelyd pe bai unrhyw fygythiad i un o wledydd y Cynghrair Arabaidd ac felly hefyd i'r gamlas.

Dirywiodd y berthynas rhwng yr Aifft a Phrydain yn gyflym ar ôl Cytundeb Baghdad. I Nasser roedd y cytundeb yn enghraifft bellach o ymdrech Prydain a'r Americanwyr i gynnal eu dylanwad digroeso yn y Dwyrain Canol drwy rannu undod y byd Arabaidd a chynnwys gwledydd y Dwyrain Canol yn ddiangen ym mheryglon y Rhyfel Oer. Gobeithiai Nasser sefydlu ei hun fel arweinydd naturiol y byd Arabaidd a'r unig fygythiad i'w freuddwyd oedd arweinydd Iraq, y Cadfridog Kassem, a oedd am uno Syria, Iraq, Libanus a Phalesteina yn un wladwriaeth fawr. Credai Nasser fod Cytundeb Baghdad wedi dangos cefnogaeth Prydain i'r ochr arall.

Problem gyson yn y Dwyrain Canol yn y cyfnod hwn oedd perthynas y gwledydd Arabaidd ag Israel. O ganlyniad i elyniaeth yr Arabiaid roedd yr Israeliaid yn cryfhau eu lluoedd arfog yn gyflym ac yn ceisio prynu arfau soffistigedig oddi wrth Ffrainc. Dylanwadodd y ffactor hwn ar benderfyniad Nasser i chwilio am gymorth milwrol oddi wrth Washington a Llundain. Fe wrthodwyd ef a throdd yntau at Tsiecoslofacia fel ffynhonnell awyrennau a thanciau. Yn sgîl hyn cytunodd Ffrainc i werthu arfau i Israel.

Ar ôl ei fethiant i gael cymorth milwrol yn y Gorllewin llwyddodd Nasser i gael addewid o gymorth economaidd ganddynt i adeiladu argae Aswân. Cost lawn y cynllun oedd 1,300 miliwn o ddoleri. Byddai'r Americanwyr yn cyfrannu 56 miliwn, Prydain 14 miliwn a Banc y Byd 200 miliwn ar yr amod bod yr Aifft yn cyfrannu 900 miliwn. Ond nid oedd yr Americanwyr, yn arbennig John Foster Dulles, yn fodlon ar y sefyllfa.

Roedd y cytundeb arfau â Tsiecoslofacia wedi cynddeiriogi Washington a gwaethygwyd y berthynas rhwng y ddwy wlad pan gydnabu Nasser lywodraeth Mao Tse-tung yn China ym 1956. Hefyd roedd cynhyrchwyr cotwm yr Unol Daleithiau yn erbyn rhoi benthyg arian i'r Aifft a oedd yn un o'u prif gystadleuwyr, yn arbennig pan oedd yr elw o'i gwerthiant cotwm yn cael ei ddefnyddio i brynu arfau comiwnyddol.

Mae'n rhaid cydnabod hefyd fod yna elyniaeth fwy personol tuag at Nasser a'i agwedd drahaus mewn materion rhyngwladol. Roedd y teimlad hwn yn gryf yn Llundain. Nid oedd y gweinidogion yn ymddiried ynddo ac fe'i hystyrid gan Eden yn 'Hitler' y Dwyrain Canol.

Ar 19 Gorffennaf penderfynodd yr Americanwyr dynnu eu cynnig o gymorth ariannol yn ôl a gwnaeth Prydain yr un fath. Ar 26 Gorffennaf 1956 ymatebodd Nasser drwy wladoli Camlas Suez. Yna ceisiodd ymddangos yn rhesymol yn llygaid gwledydd eraill y byd drwy addo iawndal, sef pris y farchnad am y cyfranddaliadau, a thrwy dynnu sylw at y ffaith na dderbyniodd yr Aifft fwy na 7 y cant o elw Cwmni Suez er 1949.

Cafwyd ymateb eithafol ym Mhrydain. Roedd y Ceidwadwyr am droi at fesurau milwrol i ddysgu gwers i Nasser. Roedd llywodraeth Ffrainc hefyd yn anfodlon, yn bennaf oherwydd cefnogaeth yr Aifft i'r gwrthryfelwyr yn Algeria. Ar y dechrau ymddangosai fod safbwynt Washington yn gadarn o blaid Prydain ac yn erbyn yr Aifft, ond mewn gwirionedd nid oedd Dulles nac Eisenhower yn gefnogol i ddefnyddio lluoedd arfog. Roedd yn well ganddynt ddefnyddio dulliau diplomataidd yn gyntaf a cheisio gweithio drwy'r Cenhedloedd Unedig.

Roedd Eisenhower yn erbyn defnyddio grym milwrol i ddatrys yr argyfwng oherwydd yn ei farn ef nid oedd gwladoli'r gamlas yn cyfiawnhau unrhyw fath o ryfel yn y Dwyrain Canol. Gwyddai na fyddai llawer o gefnogaeth i weithredu milwrol ymhlith Americanwyr na'r Gyngres. Roedd hefyd yn flwyddyn etholiad i'r Arlywydd. Dymuniad Eisenhower oedd cael Cynhadledd ryngwladol i dawelu'r dyfroedd ac yna trafod dyfodol y gamlas.

Pan dderbyniodd yr Arlywydd negeseuon o Lundain oddi wrth ei Is-Ysgrifennydd Gwladol Robert Murphy yn ei rybuddio fod Eden a'i Gabinet yn benderfynol o ddisodli Nasser, penderfynodd ymateb yn gyflym. Anfonodd ei Ysgrifennydd Gwladol John Foster Dulles i Lundain i drafod y sefyllfa ac i drosglwyddo llythyr personol i'r Prif Weinidog. Yn ei lythyr pwysleisiodd arweinydd yr Unol Daleithiau na allai gefnogi ymosodiad milwrol yn arbennig o gofio nad oedd Prydain wedi ymdrechu i ddatrys y broblem drwy sianelau diplomyddol. Rhybuddiodd hefyd y byddai adwaith rhyngwladol cryf yn erbyn y fath ymosodiad.

Fodd bynnag, cymhlethwyd dehongliad Eden o safbwynt America gan agwedd amwys Dulles. Roedd ef o'r farn mai'r pwerau gorllewinol oedd yn atal comiwnyddiaeth yn y rhanbarth a sicrhaodd y Cabinet y gallent ddibynnu ar gefnogaeth foesol a chydymdeimlad America. Roedd Dulles hefyd, fel Eden, ond yn wahanol i Eisenhower yn casáu arweinydd yr Aifft. I raddau fe roddodd hyn gamargraff i'r llywodraeth ym Mhrydain o safbwynt Washington er gwaetha'r llythyr gan yr Arlywydd.

Nid oedd Eden wedi anghofio methiant polisi cymodi y 1930au ac roedd yn awyddus i ddilyn polisi mwy ymosodol y tro hwn. Roedd gwleidyddion fel Winston Churchill a Julian Amery a llawer o'r papurau newydd o'r farn fod yn rhaid i Brydain weithredu'n filwrol er mwyn cadw ei statws yn y byd a'i hunanbarch ac na ddylid caniatáu i unrhyw wlad dorri cyfreithiau rhyngwladol. Credai Eden yn bendant y byddai llwyddiant Nasser yn tanseilio safle Prydain a'r Gorllewin yn y Dwyrain Canol unwaith ac am byth. Nid oedd safbwynt y Blaid Lafur mor eglur. Roedd yn barod i gefnogi ymyrraeth filwrol a oedd wedi cael sêl bendith y Cenhedloedd Unedig ond ni welai sut y gallai gweithred anghyfreithlon gan un ochr gyfiawnhau un gan yr ochr arall. Serch hynny, rhoddodd Gaitskell gefnogaeth gyhoeddus i'r llywodraeth gan gymharu Nasser â Hitler a Mussolini.

Rhwng mis Awst a mis Hydref trafodwyd y broblem y tu mewn a'r tu allan i'r Cenhedloedd Unedig. Awgrymwyd rheolaeth ryngwladol dros y gamlas ond gwrthododd Nasser. Cynigiodd Dulles ffurfio Cymdeithas Defnyddwyr Camlas Suez ond gwrthodwyd y cynnig hwn hefyd. Yn wyneb y methiannau diplomyddol penderfynodd Prydain a Ffrainc, gyda chydweithrediad Israel, ymyrryd yn filwrol. Ar 26 Hydref arwyddwyd cytundeb cyfrinachol gan y tair gwlad i weithredu 'Cynllun Musketeer'.

Roedd llywodraeth Ben-Gurion yn selog o blaid y Cynllun oherwydd ymosodiadau cyson y *fedayeen* ar ffermydd a phentrefi Iddewig a pholisi'r Eifftiaid o gadw Gwlff Aqaba ar gau er mwyn cyfyngu ar gyfathrebau a masnach Israel. Rhan gyntaf y cynllun oedd ymosodiad gan Israel ar draws anialwch Sinai gan herio'r Eifftiaid i'w hatal. Yna byddai Prydain a Ffrainc yn galw ar y ddwy ochr i gadw'n glir o'r gamlas oherwydd bygythiad y rhyfel i'w buddiannau hwy. Ar ôl i Israel wrthod gwneud hynny gallai'r ddau bŵer Ewropeaidd gyfiawnhau ymyrraeth filwrol.

Ymosododd Israel ar 28 Hydref 1956 ac ar ôl dau ddiwrnod o ymladd galwodd y llywodraeth Brydeinig ar y ddwy wlad i dynnu'n ôl ddeng milltir o'r gamlas. Golygai hyn y byddai'n rhaid i Nasser ildio'r gamlas, a gwrthododd. Ar 5 Tachwedd glaniodd milwyr Prydain a Ffrainc yn Port Said gan gipio'r dref. Erbyn hyn roedd yr Eifftiaid wedi suddo 47 o longau yn y gamlas a phwysodd yr Americanwyr ar yr Ewropeaid i gyhoeddi cadoediad. Gwnaed hyn ar 6 Tachwedd. Gwyddai'r Cabinet na fyddai Washington a'r Gronfa Arianyddol Ryngwladol yn fodlon rhoi benthyciadau mawr i gynnal gwerth y bunt yn ystod yr arfygwng nes i'r llywodraeth gytuno i atal yr ymladd. Ar ôl condemniadau byd-eang cytunodd Prydain a Ffrainc i dynnu eu milwyr yn ôl erbyn Nadolig 1956. Roedd argyfwng Suez yn un o'r digwyddiadau pwysicaf yn hanes yr ymerodraeth yn yr ugeinfed ganrif. Wrth edrych yn ôl ar yr amgylchiadau a cheisio gwneud asesiad o'r argyfwng mae'n rhaid rhoi sylw i nifer o ffactorau perthnasol.

Credai rhai, yn arbennig yr Americanwyr, fod y Wasg yng ngwledydd Prydain wedi gwneud camgymeriad trwy bortreadu Nasser fel ail Hitler. Ond ym marn rhai pobl nid oedd y gymhariaeth mor eithafol â hynny. Roedd gan Nasser gynlluniau i ddod yn arweinydd ar Arabiaid y Dwyrain Canol ond yn wahanol i Hitler nid oedd ganddo'r un adnoddau economaidd i weithredu ei syniadau. Gwnaeth ei orau i gythruddo Prydain. Yn ôl llyfr a gyhoeddwyd gan Selwyn Lloyd, cyn-Weinidog Tramor, defnyddiodd Nasser ei ddylanwad i orfodi diswyddo Syr John Glubb, Cadfridog Prydeinig y llengoedd Arabaidd yng Ngwlad Iorddonen. Y diwrnod ar ôl y diswyddiad roedd Nasser yn ddigon haerllug i longyfarch Lloyd ar drefnu ymddiswyddiad Glubb er mwyn gwella'r berthynas rhwng gwledydd Prydain a'r Aifft. Yn ychwanegol, o'r cyfnod y daeth yn arweinydd ar yr Aifft aeth ati i gyhoeddi propaganda cyson yn erbyn Prydain, gan gynnwys darllediadau mewn Swahili ar Radio El Qâhira. Polisi bwriadol oedd hwn ar ran Nasser i ddwysáu'r teimladau gwrth-Brydeinig a fodolai yno eisoes.

Roedd y farn gyhoeddus ym Mhrydain wedi ei rhannu ar y mater ond rhwng 5 Medi a 2 Rhagfyr cynyddodd y gefnogaeth i bolisi Eden o 34 y cant i 49 y cant o'r bobl a holwyd a lleihaodd y gwrthwynebiad o 49 y cant i 36 y cant. Ymhlith y papurau newydd roedd y *Daily Telegraph*, y *Daily Sketch* a'r *Daily Express* yn hael eu cefnogaeth i bolisi'r Ceidwadwyr gan ddadlau fod trafodaethau wedi methu a bod yn rhaid defnyddio milwyr i adennill safle Prydain yn Suez. Ar yr ochr arall, roedd y *Daily Mirror*, yr *Observer* a'r *Guardian* yn erbyn ymyrraeth filwrol. Roeddynt o'r farn na ddeuai unrhyw fudd o ailgymryd Suez am y golygai y byddai'n rhaid cadw presenoldeb milwrol costus, parhaol yn yr ardal ac roedd y Cabinet beth bynnag wedi penderfynu trosglwyddo rheolaeth i'r Aifft yng nghytundeb 1954 a chanolbwyntio adnoddau Prydeinig yn y rhanbarth ar ynys Cyprus.

Nid oedd yr Americanwyr wedi datgan y naill ffordd na'r llall ar y dechrau ac ni chryfhawyd safle Eden gan yr amwysedd hwn. I raddau hwy oedd wedi annog Nasser i wladoli Cwmni Camlas Suez drwy dorri eu haddewid i roi benthyg arian at bwrpas adeiladu Argae Aswân am fod Nasser wedi ceisio bod yn annibynnol ar y Pwerau Mawrion a chadw cyfeillgarwch Washington a Moskva. Ond polisi Dulles oedd bod unrhyw gymorth ariannol gan yr Unol Daleithiau yn dibynnu ar agwedd ffafriol tuag at y Gorllewin. Yn ychwanegol, ni thrafodwyd y penderfyniad i wrthod y benthyciad gyda'r Cabinet ymlaen llaw, er bod Prydain wedi'i rhwymo gan y cytundeb benthyca hefyd. Digiwyd llawer gan gondemniad hunangyfiawn a rhagrithiol yr Americanwyr o imperialaeth Prydain. Roeddynt hwy hefyd wedi cychwyn ar ymgyrch imperialaidd yn Indo-China ac yn ddigon parod i ymyrryd yng ngwleidyddiaeth gwledydd eraill pe codai bygythiad i'w buddiannau, er enghraifft, yn Iran ym 1953 ac Iraq ym 1958. Roedd gwrthwynebiad yr Unol Daleithiau i ddefnyddio lluoedd arfog yn Suez yn seiliedig ar eu hagwedd tuag at yr Undeb Sofietaidd. Prif bryder Dulles oedd y byddai polisi ymosodol gan yr Ewropeaid yn cythruddo'r Arabiaid i'r fath raddau fel y byddent yn troi at yr Undeb Sofietaidd i'w gwarchod. Hefyd, wrth gwrs, nid oedd yr Unol Daleithiau mor ddibynnol ar olew'r Dwyrain Canol ag yr oedd y pwerau Ewropeaidd yn y 1950au a chredai ei bod hi'n bosibl diogelu ei buddiannau drwy'r cwmnïau olew Americanaidd a thrwy weithgareddau gwasanaethau cudd yr Unol Daleithiau.

O safbwynt gwledydd y Gymanwlad nid gwladoli'r gamlas oedd wrth wraidd yr argyfwng ond y cwestiwn o rym Prydeinig a'r agwedd tuag at imperialaeth. Dywedodd Nehru: 'Mewn argyfyngau o'r math hwn rydym yn ymdrin nid yn unig â'r mater ei hun, ond yn dystion i dwf a gwrthdrawiad grymoedd pwerus'. Yn Asia yn gyffredinol, gyda'i hatgofion trefedigaethol, achoswyd dicter mawr gan ymyrraeth filwrol Prydain a Ffrainc. Ond nid oedd y feirniadaeth yn unfrydol. Datblygodd rhaniad amlwg rhwng yr hen aelodau a'r rhai newydd. I India roedd yr ymyrraeth yn enghraifft o imperialaeth ar ei gwaethaf. Roedd hi wedi ceisio datblygu cysylltiadau agos â'r Aifft er 1947 ac wedi ymdrechu'n galed i ddatrys yr argyfwng drwy drafodaeth. Roedd Pakistan o'r un farn, gan fynegi ei siom bod y famwlad wedi ymuno â Ffrainc, a'r Israeliaid o bawb, wedi ymosod ar bobl Foslemaidd.

Nid oedd gan Dde Affrica unrhyw beth i'w ennill drwy gefnogi Prydain ond ar y llaw arall roedd cau'r gamlas yn fanteisiol iawn iddi gan i hyn arwain at gynnydd yn y drafnidiaeth o gwmpas yr arfordir deheuol. Nid oedd ganddi lawer i'w ennill chwaith drwy gefnogi gwledydd Asia. Felly polisi'r llywodraeth oedd aros yn amhleidiol.

I raddau penderfynwyd safiad Awstralia a Seland Newydd gan eu teyrngarwch traddodiadol i'r famwlad. Hefyd, ym 1956 credent fod Camlas Suez yn allweddol i'w datblygiad economaidd. Mewn gwirionedd roedd y Dwyrain Pell yn bwysicach o lawer iddynt ond dim ond lleiafrif, y Blaid Lafur er enghraifft, a sylweddolai hyn. Nid oedd cefnogaeth Canada mor ddiamod â chefnogaeth Awstralia a Seland Newydd. Am flynyddoedd bellach buasai'n flaenllaw yn y mudiad i sicrhau ymaelodaeth gwledydd ifainc Asia â'r Gymanwlad ac roedd ganddi gydymdeimlad pendant ag agwedd eu llywodraethau tuag at Suez. Daeth y bygythiad i ddyfodol y Gymanwlad felly o gyfeiriad yr aelodau newydd. Ni chwalodd dros fater Suez ond roedd hyn yn bennaf oherwydd agwedd graff rhai o'r arweinwyr yn hytrach nag am resymau sentimental. Gwyddai arweinwyr fel Nehru fod aelodaeth o'r Gymanwlad yn bwysig yn economaidd ac roedd yn gyfle i gymryd rhan amlwg mewn materion rhyngwladol. Gwyddent hefyd nad oedd y Blaid Lafur Brydeinig wedi cefnogi safiad y llywodraeth ar Suez.

Cafodd yr argyfwng effaith bellach ar y Gymanwlad am nad oedd Eden wedi trafod cynlluniau'r llywodraeth ymlaen llaw â'r arweinwyr eraill. Prinder amser oedd ei esgus am hynny ond ni dderbyniwyd yr esgus hwn am ei bod yn hysbys fod ganddo o leiaf bedwar diwrnod i ymgynghori cyn gweithredu. Tanseiliodd egwyddor bwysig a phe bai wedi ymgynghori ymlaen llaw mae'n debyg na fyddai ymateb rhai o'r aelodau wedi bod mor anffafriol.

Daeth methiant y cyrch ar yr Aifft ag anfri i'r ymosodwyr. Cafodd effaith niweidiol ar berthynas gwledydd Prydain â Ffrainc a chryfhaodd safle a statws Nasser. Yn sgil hyn cynyddwyd y bygythiad i ddiogelwch Israel. Tynnodd sylw'r byd oddi wrth ymyrraeth filwrol yr Undeb Sofietaidd yn Hwngari a gwrthweithiodd hawl foesol y Gorllewin i gollfarnu'r gorchfygiad fel imperialaeth gomiwnyddol. I wledydd y Trydydd Byd roedd yn enghraifft nodweddiadol o imperialaeth y bedwaredd ganrif ar bymtheg, ond dangoswyd, serch hynny, ei bod hi'n bosibl herio pŵer imperialaidd yn llwyddiannus. Roedd yn hwb felly i genedlaetholdeb yn Affrica a rhannau eraill o'r byd. Dangosodd hefyd fod grym a statws Prydain wedi lleihau a bod hi'n anodd iddi weithredu'n annibynnol mewn materion polisi tramor. Roedd argyfwng Suez yn brofiad trawmatig i'r Gymanwlad ond ni ddylid gorbwysleisio ei bwysigrwydd.

Y sefyllfa yn Affrica

Nid oedd rheolaeth drefedigaethol yn Affrica wedi cael ei difetha gan y Rhyfel Byd Cyntaf. Roedd gan Dde Rhodesia gyngor etholedig gwyn ond roedd y gweddill o'r trefedigaethau yn cael eu rheoli gan bobl a benodwyd gan y llywodraeth Brydeinig. Rhwng y rhyfeloedd bu ychydig o newidiadau gweinyddol a datblygiadau cymdeithasol ac economaidd: adeiladwyd ffyrdd, rheilffyrdd, ysgolion ac ysbytai ac ehangwyd mwyngloddio a diwydiant. Cyflwynwyd cyfansoddiadau newydd yn Nigeria (1922), yn Sierra Leone (1924) a Ghana (1925), ond ni chafodd hyn lawer o effaith ar Brydain.

Er i'r bobl groenddu ddangos eu gwrthwynebiad i oruchafiaeth imperialaidd ar adegau nid oeddynt yn ddigon cryf ac unedig i'w dymchwel. Yng Ngogledd Rhodesia, er enghraifft, (a oedd yr un maint â Phrydain, yr Almaen, y Siwstir, Gwlad Belg a'r Iseldiroedd gyda'i gilydd) roedd 800 o filwyr yn ddigon i gadw trefn.

Ond effeithiodd yr Ail Ryfel Byd yn ddyfnach ar wleidyddiaeth Affricanaidd. Rhoddwyd mwy o swyddi i'r brodorion yn y meysydd gweinyddol a diwydiannol a thyfodd nifer a dylanwad yr Affricaniaid dosbarth canol oedd eisoes wedi profi eu hunain fel undebwyr llafur neu genedlaetholwyr, er enghraifft, ym 1944 ffurfiwyd plaid wleidyddol fodern gyntaf Nigeria, sef Cyngor Cenedlaethol Nigeria a'r Cameroon.

Daeth y Blaid Lafur i rym ym 1945 ac roedd hi'n barotach i gydnabod a chydymdeimlo â theimladau'r Affricaniaid hynny a oedd o blaid ennill mwy o ymreolaeth. Cryfhawyd hunanhyder y cenedlaetholwyr yn Affrica hefyd gan lwyddiant mudiadau cenedlaethol yn Asia yn erbyn yr Iseldirwyr (Indonesia 1945–47) a'r Ffrancwyr (Indo-China 1946–54).

Cafodd yr Arfordir Aur gyfansoddiad newydd ym 1946, yn rhannol o ganlyniad i ddylanwad cynyddol y dosbarth canol croenddu dan arweiniad Kwame Nkrumah. Ef hefyd oedd arweinydd Plaid Cynulliad y Bobl a thyfodd cefnogaeth y blaid hon yn ardaloedd trefol newydd y drefedigaeth. Carcharwyd Nkrumah ym 1950 ar ôl terfysgoedd yn Accra ac mewn ymgais i leihau ei ddylanwad ar y mudiad cenedlaethol, ond ar ôl etholiadau ym 1951 cafodd ei ryddhau er mwyn arwain y senedd newydd. Chwe blynedd yn ddiweddarach enillodd yr Arfordir Aur ei hannibyniaeth. Newidiwyd enw'r wlad i Ghana a daeth Nkrumah yn Brif Weinidog.

Dylanwadodd digwyddiadau yn yr Arfordir Aur ar ddatblygiadau yn Nigeria. Roedd tri rhanbarth yn Nigeria gyda phlaid wleidyddol wahanol ym mhob un. Mynnodd y llywodraeth Brydeinig na allai roi annibyniaeth i'r wlad hyd nes y ceid cytundeb gwleidyddol rhwng y rhanbarthau. Ffactor arall a ddylanwadodd ar y llywodraeth oedd bod y rhan fwyaf o'r brodorion a oedd yn gefnogol i Brydain yn y gogledd ond nad oedd dosbarth canol Affricanaidd o unrhyw bwys yno. Yn y rhanbarthau eraill roedd y dosbarth canol croenddu yn fwy o ran nifer a dylanwad ond roedd teimladau gwrth-Brydeinig yn llawer cryfach. Amcan y llywodraeth felly oedd creu gwlad annibynnol lle roedd y rhan fwyaf o'r pŵer gwleidyddol yn nwylo brodorion y rhanbarth gogleddol. Cyflymodd y proses o baratoi ar gyfer annibyniaeth pan ddaeth Iain Macleod yn Weinidog dros y Trefedigaethau ym 1959, a daeth Nigeria yn wladwriaeth annibynnol ym 1960.

Roedd Tanganyika wedi bod o dan reolaeth Prydain er 1918 ac ym 1926 ffurfiwyd Cyngor Deddfwriaethol arbennig a oedd yn cynnwys Ewropeaid a phobl groenddu i weinyddu'r drefedigaeth. Ar ôl yr Ail Ryfel Byd roedd Tanganyika yn un o diroedd ymddiriedolaethol y Cenhedloedd Unedig. Rhwng 1948 a 1960 ymwelodd cynrychiolwyr y Cenhedloedd Unedig â'r drefedigaeth bump o weithiau, gan roi llwyfan agored i ddadleuon y cenedlaetholwyr a'u harweinydd, Julius Nyerere. Ym 1954 ffurfiwyd Undeb Affricanaidd Cenedlaethol Tanzania dan arweinyddiaeth *élite* Affricanaidd a llawer o weision sifil. Ehangwyd cefnogaeth boblogaidd y blaid gan arweinyddiaeth Nyerere a bwysleisiodd ei phrif amcanion: cydraddoldeb hiliol ac annibyniaeth. Yn etholiad 1958 enillodd y blaid 12 o seddau ond dwy flynedd yn ddiweddarach enillodd 70 o'r 71 sedd ar y Cyngor Deddfwriaethol. Ym 1961 daeth trefedigaeth Tanganyika yn wlad annibynnol ac ym 1964 unodd Tanganyika a Zanzibar i ffurifo Tanzania.

Yn Uganda cymhlethwyd y sefyllfa wleidyddol gan ranbarth Buganda a oedd dan reolaeth y *Kabaka*, y llywodraethwr brodorol. Ceisiodd llywodraethwr Uganda, Syr Andrew Cohen, gyflwyno newidiadau cyfansoddiadol newydd ar ddechrau'r 1950au fel cam tuag at hunan-lywodraeth, ond gwrthwynebwyd y rhain gan y *Kabaka* a'u hystyriai yn fygythiad i'w ddylanwad yn Buganda. Penderfynodd y llywodraeth alltudio'r *Kabaka* ym 1953 ac yn y cyfamser aethant ymlaen i ddatblygu senedd yn Uganda ac yn Buganda. Pan ddychwelodd y *Kabaka* ym 1955 cytunodd i dderbyn statws Buganda fel rhanbarth gyda senedd — y *Lukiko* a brenin cyfansoddiadol y tu mewn i Uganda. Ond parhaodd yr anghytuno rhwng y *Kabaka* a'r *Lukiko* ar y naill law, a ddymunai gael mwy o annibyniaeth ranbarthol, a Senedd Uganda a'r llywodraeth Brydeinig ar y llaw arall a oedd yn gwrthwynebu hynny. Yng ngweddill Uganda tyfodd cefnogaeth Plaid Cyngres Pobloedd Uganda dan arweiniad Milton Obote. Yn etholiad 1962 ffurfiodd Obote gynghrair â chynrychiolwyr Buganda er mwyn ennill y mwyafrif o'r seddau yn Senedd Uganda. Canlyniad hyn oedd i Uganda ennill ei hannibyniaeth yn ddiweddarach y flwyddyn honno.

Kenya oedd y drefedigaeth gyfoethocaf yn nwyrain Affrica a'r un oedd â'r traddodiad cynharaf o wleidyddiaeth plaid. Roedd dylanwad y lleiafrif croenwyn yn amlwg ym mhob agwedd o fywyd ond yn fwyaf arbennig yn eu rheolaeth dros amaethyddiaeth. Ymddangosodd rhywfaint o wrthwynebiad croenddu i hyn yn y cyfnod rhwng y rhyfeloedd (gweithgareddau Cymdeithas y Kikuyu, er enghraifft) ond ni chafwyd gwrthdaro difrifol tan ar ôl yr Ail Ryfel Byd. Roedd y bobl groenddu yn anfodlon â dosbarthiad tir annheg, prisiau uchel, diweithdra cynyddol a diffyg cydraddoldeb hiliol. Rhoddodd eu harweinydd, Jomo Kenyatta, fynegiant huawdl i'r cwynion hyn ac arweiniodd amryw o wrthdystiadau, ond ni chawsant effaith ar agwedd a dylanwad y lleiafrif gwyn.

Newidiwyd awyrgylch wleidyddol y drefedigaeth gan wrthryfel y Mau Mau, cymdeithas gudd llwyth y Kikuyu, ym 1952. Roedd yn gymdeithas wrth-Ewropeaidd a gwrth-Gristnogol ac fe ymosododd ar Affricaniaid yn ogystal ag ar bobl wyn. Anfonwyd milwyr Prydeinig yno rhwng 1952 a 1955 i gadw trefn ond lladdwyd dros 10,000 o bobl gan gynnwys 95 o'r ymsefydlwyr croenwyn. Ym 1952 carcharwyd Kenyatta am saith mlynedd er nad oedd prawf pendant ei fod wedi cymryd rhan yn y gwrthryfel.

Ym 1956 gwnaeth y llywodraeth Brydeinig ymdrech i ddangos ei chefnogaeth i gydraddoldeb hiliol drwy roi cynrychiolaeth gydradd i'r gwahanol hiliau yn y Cynulliad Deddfwriaethol. Gwrthododd yr Affricaniaid gydweithredu oherwydd yr annhegwch o roi'r un gynrychiolaeth i'r lleiafrif croenwyn ag i'r mwyafrif croenddu ac am fod Kenyatta yn dal yn y carchar. Ni thanseiliwyd goruchafiaeth economaidd yr ymsefydlwyr chwaith.

Ym 1959 rhyddhawyd Kenyatta ac yn y flwyddyn olynol cynhaliwyd cynhadledd gyfansoddiadol yn Llundain i drafod dyfodol Kenya. Roedd annibyniaeth bellach yn anochel ond roedd y bobl groenddu'n rhanedig. Ar y naill law yr oedd Undeb Cenedlaethol Affricanaidd Kenya (Kanu) dan arweiniad Kenyatta, plaid y Kikuyu a'r Luo yn bennaf, sef y llwythau mwyaf yn Kenya. Roedd y llwythau hyn yn weddol ddatblygedig yn addysgiadol ac roeddynt o blaid gwlad annibynnol a threfn lywodraethol ganolog. Ar y llaw arall yr oedd Undeb Democrataidd Affricanaidd Kenya a'i lefarydd Ronald Ngala, Prif Weinidog y Cynulliad Deddfwriaethol. Roedd hwn yn dibynnu ar gefnogaeth y llwythau lleiafrifol ac yn bleidiol i fframwaith ffederal ar ôl ennill annibyniaeth fel y ffordd orau o ddiogelu hawliau'r lleiafrifoedd. Yn y diwedd Kenyatta a gafodd ei ffordd mewn cynhadledd yn Llundain ym 1962. Yna ar ôl llwyddiant ei blaid yn etholiadau mis Mai 1963, rhoddwyd annibyniaeth i Kenya ym mis Rhagfyr 1963 sef yr un flwyddyn ag y daeth Kenyatta yn Brif Weinidog.

Roedd dylanwad Prydain yng nghanoldir Affrica wedi bod yn gryf er diwedd y bedwaredd ganrif ar bymtheg oherwydd gweithgareddau masnachol. Ar ôl y Rhyfel Byd Cyntaf rheolid Gogledd Rhodesia a Nyasaland gan gynrychiolwyr y llywodraeth Brydeinig, ond yn Ne Rhodesia roedd rheolaeth yn nwylo Cyngor Etholedig croenwyn. Er mai dim ond 7 y cant o'r boblogaeth oedd lleiafrif gwyn De Rhodesia, hwy oedd yn rheoli holl adnoddau economaidd a gwleidyddol y drefedigaeth. Roedd nifer y bobl groenwyn yn y ddwy drefedigaeth gyfagos yn llai na 2 y cant ac roeddynt yn awyddus i uno â De Rhodesia. Tra oedd polisïau'r Cyngor Etholedig yn sicrhau goruchafiaeth y dyn gwyn yn Ne Rhodesia, roedd polisi Llundain o roi blaenoriaeth i fuddiannau'r trigolion croenddu yn ei gwneud hi'n anodd i drigolion croenwyn Gogledd Rhodesia a Nyasaland brynu tir amaethyddol, rheoli diwydiant a chyflwyno cyfreithiau hiliol.

Ym 1938 sefydlwyd Comisiwn Bledisloe i archwilio'r posibilrwydd o uno'r trefedigaethau ond penderfynodd yn erbyn hynny oherwydd ofnai y byddai'n dwysáu rhaniadau hiliol. Wrth i apêl cenedlaetholdeb du dyfu o'r 1930au ymlaen, cynyddodd pryder y lleiafrifoedd gwyn am eu dyfodol. Roedd hyn yn amlycach fyth ar ôl yr Ail Ryfel Byd pan oedd pobl wyn y tair trefedigaeth o blaid ffurfio un wlad annibynnol anferth yng nghanoldir Affrica. Yn y 1940au a'r 1950au roedd agwedd a theimladau'r bobl groenddu yn fwy milwriaethus ac adlewyrchwyd hyn yn y streiciau yn y diwydiant copr ym 1940 a 1953. Pwysodd yr ymsefydlwyr ar lywodraeth Attlee i uno'r tiroedd, yn rhannol am resymau economaidd. Dadleuent y byddai'n haws moderneiddio a datblygu diwydiannau y tu mewn i wlad fawr a hefyd byddai'n creu hinsawdd economaidd fwy ffafriol o safbwynt denu cyfalaf o'r tu allan. Roedd y ddadl hon gan Brif Weinidog De Rhodesia, Godfrey Higgins, yn un synhwyrol, ond nid oedd yn ddigon i argyhoeddi'r llywodraeth Lafur oherwydd eu pryderon ynglŷn â hawliau a gwrthwynebiad y mwyafrif croenddu.

Pan ddychwelwyd y Ceidwadwyr i rym ym 1951 dangoswyd mwy o gydymdeimlad â sefyllfa'r ymsefydlwyr ac â'r syniad o ffurfio ffederasiwn yng nghanoldir Affrica. Gallai'r ffederasiwn fod yn arbrawf mewn partneriaeth hiliol ac yn gyfrwng i gynnal dylanwad Prydain yn Affrica. Dadleuai'r llywodraeth y byddai partneriaeth o'r fath yn cymedroli hiliaeth De Rhodesia ac yn gwella statws a hawliau y bobl groenddu. Rheswm pellach dros gefnogaeth y Ceidwadwyr a'r pleidiau eraill i'r syniad o ffederasiwn oedd canlyniad yr etholiad cyffredinol yn Ne Affrica ym 1948 pan enillodd yr Affrikaaniaid (Afrikaans) fwyafrif o'r seddau. Roedd dylanwad yr Affrikaaniaid wedi cryfhau yn Ne Rhodesia ar ôl y rhyfel. Rhwng 1945 a 1950 am bob 100 o fewnfudwyr Prydeinig i'r wlad roedd 174 o fewnfudwyr Affrikaanaidd, ac roedd cysylltiadau economaidd hefyd yn cynyddu. Prif bryder y Blaid Lafur a'r Rhydd-frydwyr ar ôl 1948 oedd y byddai dylanwadau apartheid yn lledaenu i Ogledd Rhodesia ac yn effeithio ar y sefyllfa hiliol yno. Fel y dywedodd Robert Blake yn ei lyfr ar hanes Rhodesia: 'gellid ystyried apartheid yn dad y ffederasiwn'.

Sefydlwyd Ffederasiwn Canoldir Affrica (Ffederasiwn Rhodesia a Nyasaland) ar 1 Awst 1953 a Roy Welensky yn Brif Weinidog. Roedd gan y tair trefedigaeth eu cynulliad eu hunain yn ogystal â chynrychiolwyr yn y Senedd Ffederal. Er nad oedd yn fethiant economaidd daeth y ffederasiwn i ben ym 1963 oherwydd gwrthwynebiad y mwyafrif croenddu. Roedd y mwyafrif o'r cynrychiolwyr ffederal yn wyn eu croen ac nid oedd gan y trigolion croenddu yr un hawliau â hwy. Gwaethygwyd safle'r brodorion ym 1957 pan basiwyd Deddf Gyfansoddiadol yn San Steffan yn addo peidio â newid deddfau ffederal. Yn y flwyddyn olynol cyflwynwyd newidiadau etholiadol a ddiogelai oruchafiaeth y lleiafrif croenwyn. Ergyd arall i statws y dinasyddion croenddu oedd cyfreithiau hiliol a'u hisraddiodd drwy eu gwahardd rhag mynychu yr un lleoedd cyhoeddus â phobl groenwyn. Sianelwyd gwrthwynebiad y duon gan genedlaetholwyr megis Joshua Nkomo yn Ne Rhodesia, Kenneth Kaunda yng Ngogledd Rhodesia, a Hastings Banda yn Nyasaland. Cynyddodd nifer y gwrthdystiadau a'r gweithrediadau treisgar yn erbyn grym y ffederasiwn a oedd, i'r bobl groenddu yn symbol o ormes y dyn gwyn.

Soniodd Macmillan am y 'wind of change' yn chwythu drwy Affrica. Ei brif effaith yn Nyasaland a Gogledd Rhodesia oedd cryfhau'n sylweddol ddylanwad y cenedlaetholwyr croenddu tra yn Ne Rhodesia y prif effaith oedd uno'r ymsefydlwyr y tu ôl i syniadau ceidwadol iawn Plaid De Rhodesia. Ymateb y llywodraeth i'r newidiadau hyn oedd anfon comisiwn dan yr Arglwydd Monckton i ymchwilio i'r sefyllfa. Sylweddolodd fod chwalfa'r ffederasiwn yn anochel heb ymroddiad gwleidyddol pendant i system etholiadol o un bleidlais i bawb. Gweithredwyd hyn yn Nyasaland a Gogledd Rhodesia a gadawsant y ffederasiwn ym 1963. Daeth Malawi (Nyasaland) a Zambia (Gogledd Rhodesia) yn wledydd annibynnol ym 1964. Diddymwyd Ffederasiwn Rhodesia a Nyasaland gan ymadawiad y ddwy ac er i wrthwynebiad y bobl groenddu sichrau ei fethiant roeddynt hefyd wedi cael profiad gweinyddol drwyddo ac wedi datblygu ymwybyddiaeth wleidyddol drwy ei wrthwynebu.

Gwrthododd De Rhodesia gyd-fynd â gofynion llywodraeth Lafur Harold Wilson ynglŷn â chyflwyno pleidlais gyffredinol a dileu'r cyfreithiau hiliol ac nid oedd Prydain, o ganlyniad, yn barod i ildio annibyniaeth iddi. Ond ym 1965 penderfynodd Ian Smith, y Prif Weinidog, a Phlaid De Rhodesia gyhoeddi annibyniaeth unochrog a thorri pob cysylltiad â'r famwlad.

Er i Dde Affrica ennill ei hannibyniaeth ym 1910 roedd ei phresenoldeb yn y Gymanwlad, yn arbennig ar ôl llwyddiant yr Affrikaaniaid yn etholiad 1948, yn broblem i Brydain. Roedd y gyfundrefn apartheid a ddaeth i rym ar ôl 1948 yn amlygu nodweddion gwaethaf imperialaeth ac yn achos cywilydd i'r Dominiynau gwyn yn ogystal â Phrydain ar adeg sensitif yn ei pherthynas â'i threfedigaethau yn nwyrain a chanoldir Affrica. Ym 1948, fodd bynnag, nid oedd cymaint o wrthwynebiad i Dde Affrica am fod y mwyafrif o aelodau'r Gymanwlad yn wyn. Newidiwyd y patrwm hwn gan ymaelodaeth India, Pakistan a Ceylon (Sri Lanka) ar ddiwedd y 1940au ond hyd yn oed wedyn nid ystyrid apartheid yn destun trafod pwysig gan y Gymanwlad yn y 1950au. Roedd hyn yn rhannol am mai mater mewnol oedd apartheid ac yn rhannol am nad oedd aelodau eraill am dynnu sylw at eu polisïau gormesol hwy chwaith, er enghraifft, rheolaeth India yn Kashmir ac agwedd Awstralia a Seland Newydd tuag at y trigolion brodorol. Serch hynny, roedd gwrthwynebiad y Cenhedloedd Unedig a llywodraethau unigol ym mhob rhan o'r byd i apartheid yn gadarn a chyson.

Roedd agwedd Prydain yn bwysig iawn. Roedd gan y ddwy wladwriaeth gysylltiadau economaidd a milwrol agos a chynyddodd pwysigrwydd y llwybr môr o gwmpas y penrhyn deheuol ar ôl argyfwng Suez ym 1956. Roedd aelodaeth De Affrica o'r Gymanwlad yn rhoi statws a llwyfan rhyngwladol iddi ac roedd masnach Brydeinig â hi ar ddechrau'r 1950au yn fwy na chydag unrhyw Ddominiwn arall. Erbyn 1960 roedd yn anodd i Brydain ddangos cefnogaeth agored i Dde Affrica a chadw perthynas dda ag aelodau eraill o'r Gymanwlad yr un pryd, yn arbennig o gofio'r twf yn aelodaeth gwledydd croenddu Affrica. Daeth llywodraeth De Affrica yn fwy gwrthun yng ngolwg y byd yn dilyn cyflafan Sharpville ym 1960 pryd y lladdwyd 83 o wrthdystwyr croenddu a niweidiwyd dros 350 gan yr heddlu.

Y flwyddyn honno cyflwynodd De Affrica ei chais i ddod yn weriniaeth gan chwilio am gydnabyddiaeth o'i statws newydd arfaethedig y tu mewn i'r Gymanwlad. Fel rheol ni fyddai newid o'r fath wedi effeithio ar aelodaeth unrhyw wlad, ond ysgogodd Sharpville arweinwyr fel Nkrumah a Nehru i godi'r cwestiwn o hiliaeth yn Ne Affrica yng nghynhadledd y Gymanwlad. Dirywiodd yr awyrgylch yn y gynhadledd oherwydd agwedd grefyddol anhyblyg Prif Weinidog De Affrica, Hendrik Verwoerd, o blaid apartheid a chan y wybodaeth y byddai De Affrica yn gwrthod derbyn cynrychiolwyr croenddu neu Asiaidd y Gymanwlad i'r wlad honno.

Roedd yn amlwg ym 1960 y byddai De Affrica yn cael ei diarddel o'r Gymanwlad oni byddai'n gadael o'i gwirfodd, a phenderfynodd wneud hynny ym 1961 gan ddefnyddio'r esgus nad oedd am weld chwalu'r Gymanwlad oherwydd ei pholisi apartheid. Ni chafodd ei hymadawiad fawr o effaith ar y Gymanwlad ei hun a pharhaodd Prydain a gwledydd eraill, gan gynnwys rhai Affricanaidd i gynyddu eu buddsoddiadau economaidd yn Ne Affrica. Yr hyn a gyflawnwyd oedd cadarnhad o ymroddiad y Gymanwlad i bolisïau ac egwyddorion aml-hiliol ac i'r ddealltwriaeth ei bod yn gymuned ideolegol yn ogystal ag un hanesyddol.

Y sefyllfa mewn rhannau eraill o'r Gymanwlad

Yn y Môr Canoldir roedd ynys Cyprus wedi bod mewn dwylo Prydeinig er 1914. Groegiaid oedd y mwyafrif o'r boblogaeth ac roedd y rhan fwyaf ohonynt o blaid *enosis* neu uniad â gwlad Groeg. Ond roedd y lleiafrif Twrcaidd (18 y cant o'r trigolion) yn gwrthwynebu hyn gan eu bod yn ofni erledigaeth a cholli hawliau. Ar ôl yr Ail Ryfel Byd roedd dyfodol yr ynys yn ansicr ond rhagwelai cynllunwyr polisïau Adran Dramor ac Adran Amddiffyn Prydain y byddai presenoldeb milwrol ar yr ynys yn fanteisiol, yn arbennig ar ôl iddi orfod tynnu ei milwyr yn ôl o ardal Suez rhwng 1954 a 1956. Roedd y Groegiaid yn anfodlon iawn â'r fath sylw imperialaidd a sefydlwyd mudiad terfysgol *EOKA* i ymladd dros achos *enosis.*

Cynhaliwyd trafodaethau yng nghanol y 1950au i ystyried dyfodol yr ynys, ond gwrthododd Eden dderbyn syniad y llywodraeth yn Athen y gallai Prydain gadw presenoldeb milwrol yno dim ond iddynt gytuno gydag uniad Cyprus â Groeg. Cynigiwyd y syniad o ymreolaeth ond gwrthodwyd hyn gan y Twrciaid a gwrthododd y Groegiaid derbyn ymraniad. Yn y cyfamser gwaethygodd yr ymladd rhwng y Twrciaid a'r Groegiaid tra ymdrechodd milwyr Prydain yn ofer i gadw'r heddwch. Alltudiwyd arweinydd Groegiaid Cyprus, yr Archesgob Makarios, ym 1956, yn y gobaith y byddai hynny'n tawelu'r sefyllfa, a darganfuwyd tystiolaeth yn ei gysylltu ef ac offeiriaid eraill â chynlluniau *EOKA* i ymosod ar adeiladau a phobl. Parhaodd y trafodaethau a'r ymladd hyd at 1959 pryd y trafodwyd dyfodol yr ynys yn y Cenhedloedd Unedig a chan aelodau Cyfundrefn Cytundeb Gogledd Iwerydd.

Yn y diwedd argymhellwyd annibyniaeth ond ar yr amod fod Prydain yn gallu cadw lluoedd arfog ar yr ynys. Argymhellwyd rhannu'r swyddi gweinyddol a llywodraethol yn ôl y gymhareb 7:3 rhwng y Groegiaid a'r Twrciaid. Golygai hyn, er enghraifft, y byddai'r Arlywydd yn Roegwr a'r Is-arlywydd yn Dwrc. Sefydlid Tŷ'r Cynrychiolwyr hefyd a gynhwysai 70 y cant o Roegiaid a 30 y cant o Dwrciaid. Rhyddhawyd Makarios a derbyniodd yr argymhellion, ond mynegodd ei farn na allai trefniant o'r fath weithio'n llwyddiannus. Daeth Cyprus yn wlad annibynnol ym 1960 heb ddatrys yr anghydfod sylfaenol rhwng y Groegiaid a'r Twrciaid.

Ym Malta ni chafwyd cymaint o broblemau. Ym 1947 enillwyd ymreolaeth dan lywodraethwr Prydeinig. Y prif anhawster oedd perthynas ariannol a chyfansoddiadol Prydain â'r ynys. Galwodd arweinydd Llafur Malta, Don Mintoff, am gynnydd sylweddol mewn cymorth Prydeinig ac erbyn 1964 cytunwyd i roi annibyniaeth lawn a chymorth ariannol o £50 miliwn.

Yn y Dwyrain Pell roedd gan Brydain fuddiannau ym Malaya, Borneo, Singapore a Hong Kong. Roedd Malaya yn cynnwys poblogaeth gymysg o frodorion a lleiafrifoedd Chineaidd ac Indiaidd. Ym 1948 ffurfiwyd ffederasiwn o daleithiau'r penrhyn gyda gweinyddwyr o Malaya a Phrydain yn gyfrifol am bob un. Roedd y lleiafrifoedd yn anfodlon ar y drefn hon a manteisiodd y Comiwnyddion ar eu hansicrwydd i ddechrau gwrthryfel. Parhaodd y brwydro rhwng 50,000 o filwyr Prydeinig a 70,000 o heddweision yn erbyn 5,000 o gyrchfilwyr comiwnyddol am naw mlynedd a symudwyd y boblogaeth wledig i bentrefi amddiffynnol er mwyn torri cyflenwadau bwyd a dynion i'r cyrchfilwyr. Yn y cyfamser rhoddwyd mwy o ymreolaeth i Malaya. Ym 1955 etholwyd cynghrair o wleidyddion Malaya a China i'r mwyafrif o'r seddau ar y Cyngor Etholedig, a phrif amcan y cynghrair oedd annibyniaeth. Enillwyd hyn ym mis Awst 1957.

Roedd gan Singapore boblogaeth o 1.5 miliwn, tri chwarter ohonynt yn Chineaid, ac roedd yn ganolfan strategol bwysig i Brydain yn y Dwyrain Pell. Ar ôl 1945 ildiwyd rhagor o ymreolaeth iddi a therfynwyd rheolaeth Brydeinig ym 1963 pan ymunodd â Ffederasiwn Malaysia, er iddi ymneilltuo o'r ffederasiwn ym 1965. Roedd Prydain hefyd yn gyfrifol am Sarawak, Gogledd Borneo (Sabah) a Brunei a phenderfynodd uno'r ddau gyntaf â Singapore a Malaya ym 1963 i ffurfio Ffederasiwn Malaysia.

Yn Burma, fel yn Malaya, roedd rhaniadau ethnig, a phenderfynodd llywodraeth Attlee ar ôl y rhyfel y byddai'n rhy gostus i reoli'r rhanbarth i gyd, yn arbennig o gofio cryfder Cynghrair Rhyddid a Gwrth-Ffasgaidd y Bobl yn ystod y rhyfel. Daeth Burma yn wlad annibynnol ym 1948.

Yn Ynysoedd India'r Gorllewin roedd y llywodraeth ym 1958 o blaid sefydlu ffederasiwn a gynhwysai Trinidad, Barbados, Jamaica, Antigua, St Kitts, Dominica, St Vincent, St Lucia, Grenada a Montserrat. Byddai'r llywodraeth ffederal yn gyfrifol am bolisi tramor ac amddiffyn a byddai pob mater arall yn cael ei reoli'n lleol. Methodd y cynllun yn y diwedd oherwydd anallu'r ynysoedd mawr i gytuno ar bolisïau a fyddai hefyd o gymorth i'w cymdogion llai. Chwalodd ffederasiwn Ynysoedd India'r Gorllewin ym 1962 ac o fewn pedair blynedd roedd y mwyafrif o'r ynysoedd wedi dod yn wledydd annibynnol ac yn aelodau o'r Gymanwlad.

Y Gymanwlad a gwleidyddiaeth Brydeinig

Ychydig iawn o wahaniaeth oedd yn agwedd pleidiau mawr Prydain tuag at y Gymanwlad a thuag at y broses o ddadwladychu. Yng nghyfnod llywodraeth Attlee, er enghraifft, daeth rheolaeth Prydain i ben yn rhannau pwysicaf yr ymerodraeth — India a'r Dwyrain Canol — ac am weddill y cyfnod dan ystyriaeth ni ddangosodd y Ceidwadwyr lawer o wrthwynebiad i'r colledion trefedigaethol. Roedd gan y Ceidwadwyr fwy o gydymeimlad â'r lleiafrifoedd croenwyn mewn rhai rhannau o'r ymerodraeth ond nid oedd gwahaniaeth amlwg yng nghyfeiriad polisi y gwahanol lywodraethau.

Cafwyd gwahaniaeth barn, serch hynny, ar fater mewnfudo i Brydain o'r Gymanwlad. Yn ystod y 1950au daeth miloedd o bobl, yn arbennig o Ynysoedd India'r Gorllewin, India a Pakistan i fyw yn nhrefi mwyaf Prydain, yn arbennig yn Llundain, Birmingham, Lerpwl a Wolverhampton. Ychydig o sgiliau oedd gan y mwyafrif ohonynt a chawsant waith ar gyflogau isel mewn, er enghraifft, trafnidiaeth gyhoeddus a'r gwasanaeth iechyd. Cynyddodd eu nifer yn gyflym ar ddechrau'r 1960au:

Blwyddyn	Ynysoedd India'r Gorllewin	India	Pakistan	Eraill
1961	172,000	81,000	25,000	80,000
1964	430,000	165,000	100,000	125,000

Effeithiodd hyn ar natur a dosbarthiad poblogaeth mewn stadau, strydoedd a chymunedau ledled Prydain. Tyfodd yr adwaith yn eu herbyn a ffurfiwyd grwpiau hiliol eithafol i wrthwynebu mewnfudiad o'r hen drefedigaethau croenddu.

Achosodd y mewnfudo a'i amhoblogrwydd ymysg y cyhoedd anniddigrwydd mawr i'r Ceidwadwyr. Roeddynt eisoes wedi ffurfio'r

Sefydliad Cydberthynas Hiliol (1958) a Chyngor Ymgynghorol Mewn-fudwyr y Gymanwlad (1962) i ymdrin â phroblemau trigolion newydd er na ddylanwadodd y rhain ar deimladau a rhagfarn pobl wyn a oedd yn byw yn y dinasoedd. Felly ym 1962, er gwaethaf gwrthwynebiad Hugh Gaitskell a'r Blaid Lafur, pasiwyd Deddf Mewnfudwyr y Gymanwlad a gyfyngai nifer y mewnfudwyr i'r rheiny a oedd yn dod i Brydain i ymgymryd â swyddi penodol. Dadleuai gwleidyddion y chwith fod gan Brydain gyfrifoldeb moesol i drigolion y Gymanwlad a bod y mesur yn ildio i ragfarn er mwyn cynnal poblogrwydd y llywodraeth. Ond pan ddychwelwyd y Blaid Lafur i rym ym 1964 pasiwyd mwy o ddeddfau yn cyfyngu ymhellach ar fewnfudo o'r Gymanwlad.

Datblygodd rhaniadau gwleidyddol hefyd yn sgîl penderfyniad y Ceidwadwyr i geisio ymaelodi â'r Gymuned Ewropeaidd. Nid oedd y gwrthwynebiad i'r dimensiwn Ewropeaidd bob amser yn unol â theyrngarwch plaid ac achosoddd ddadlau brwd yn y Senedd a'r tu mewn i'r Gymanwlad. Dadleuai gwledydd megis Canada, Awstralia a Seland Newydd y byddai'r Gymanwlad yn dioddef yn economaidd ac y câi effaith ddinistriol iawn ar economi gwledydd Affrica ac Asia. Dadleuai rhai gwleidyddion y dylai cyfrifoldeb Prydain i'r Gymanwlad ddod o flaen ei chysylltiad â'r Gymuned Ewropeaidd ond nid effeithiodd hyn ar benderfyniad y llywodraeth i barhau â'r ymdrech i ymaelodi. Pan fethodd y trafodaethau ymaelodi oherwydd gwrthwynebiad Ffrainc gohiriwyd y dadleuon am ychydig o flynyddoedd.

Ni chafodd y trawsnewidiad o ymerodraeth i gymanwlad unrhyw effaith o bwys ar y sefyllfa bleidiol ym Mhrydain. Roedd tebygrwydd polisïau'r ddwy blaid fawr i raddau'n adlewyrchu'r ffaith fod yn rhaid i Brydain dderbyn nad oedd ganddi'r adnoddau bellach i gynnal ymerodraeth enfawr a bod cymanwlad o leiaf yn gyfrwng i gynnal ei statws fel Pŵer Mawr.

Gwleidyddiaeth Cymru, 1945–1964

Yn yr etholiad cyffredinol ar ddiwedd yr Ail Ryfel Byd trechwyd Churchill a'r Ceidwadwyr ac etholwyd llywodraeth Lafur. Enillodd 48 y cant o'r bleidlais trwy Brydain ond yng Nghymru roedd y gyfran dipyn yn uwch — 58 y cant — ac enillodd 25 o'r 35 o seddau Cymreig. Llwyddodd i gipio seddau ychwanegol yng Nghaerdydd, y Barri a Chaernarfon a bu cynnydd sylweddol ym mhleidlais y blaid yn yr ardaloedd gwledig, yn arbennig yn sir Fôn a sir Feirionnydd. Methiant llwyr fu hanes ymgeiswyr Plaid Cymru yn yr etholiad; parhaodd y Rhyddfrydwyr i gynrychioli'r Gymru wledig gyda saith aelod seneddol a chyfyngwyd cynrychiolaeth y Ceidwadwyr i ardal Caerfyrddin, Dinbych, Dwyrain y Fflint a sir Fynwy.

Blaenoriaeth llywodraeth Attlee oedd pasio amryw o fesurau diwygiol a fyddai'n cryfhau rheolaeth y llywodraeth ar yr economi ac ymestyn ei chyfrifoldeb cymdeithasol. Ychydig o sylw ac amser felly a roddwyd i faterion Cymreig. Serch hynny, pwysai gwleidyddion unigol megis James Griffiths, y Gweinidog Yswiriant, Goronwy Roberts (Caernarfon), ac S. O. Davies (Merthyr) am fwy o gydnabyddiaeth i statws Cymru fel uned ar wahân.

Ym 1946 gofynnodd y Blaid Seneddol Gymreig i'r llywodraeth ystyried sefydlu Ysgrifennydd Gwladol i Gymru ond gwrthodwyd hyn gan Attlee a gynigiodd yn ei le un diwrnod y flwyddyn i drafod materion Cymreig. I Aneurin Bevan, y Gweinidog Iechyd a gwleidydd amlycaf Cymru yn y 1950au, roedd unrhyw fath o ddatganoli i Gymru yn amherthnasol i anghenion y bobl. Credai y byddai penodi Gweinidog Gwladol yn fwy o rwystr i'r ymdrechion i ddatrys problemau Cymreig ac roedd cyfaddawdu ar unrhyw lefel yn debygol o atal datblygiad sosialaeth.

Collfarnwyd ei safbwynt gan Blaid Cymru ond roedd y Cenedlaetholwyr yn wan iawn ar ddiwedd y 1940au ac ychydig o ddylanwad a gawsant ar y cyhoedd yng Nghymru a'r gwleidyddion yn San Steffan. Er na soniodd y Rhyddfrydwyr am ddatganoli ym 1945 penderfynodd eu cynhadledd flynyddol ym 1947 gefnogi sefydlu seneddau yng Nghymru a'r Alban, ac roedd y Rhyddfrydwyr Cymreig yn flaenllaw yn ymgyrch y 1950au dros sefydlu senedd Gymreig.

Cyn diwedd y 1940au addawodd y Ceidwadwyr sefydlu adran a fyddai'n gyfrifol am faterion Cymreig. Yn rhannol fel adwaith i hyn, ac yn rhannol o ganlyniad i bwysau a dylanwad James Griffiths, penderfynodd llywodraeth Attlee sefydlu Cyngor Cymreig ym 1948 a fyddai'n cynnwys 27 o aelodau dan gadeiryddiaeth yr undebwr llafur, Huw T. Edwards. Gwrthododd y llywodraeth, fodd bynnag, unrhyw lais arbennig i Gymru y tu mewn i'r Cabinet.

Pan ddychwelwyd y Ceidwadwyr i rym ym 1951 sefydlwyd Gweinyddiaeth Materion Cymreig fel rhan o'r Swyddfa Gartref. Y gweinidog cyntaf i lenwi'r swydd oedd Syr David Maxwell Hamilton-Fyfe, neu Dai Bananas fel y'i gelwid gan rai yng Nghymru. Roedd yn atebol i Dŷ'r Cyffredin a'i brif ddyletswydd oedd sylwi ar effaith polisïau'r llywodraeth ar Gymru a llunio Papur Gwyn blynyddol ar sail y wybodaeth a gasglasai, ond nid oedd ganddo unrhyw beirianwaith adrannol a roddai fwy o statws i faterion Cymreig. Dilynwyd ef yn y swydd hon gan Gwilym Lloyd George ym 1954 a oedd wedi gadael y Blaid Ryddfrydol ar ôl ei fethiant i gipio sedd sir Benfro ym 1950. Etholwyd ef yn un o gynrychiolwyr seneddol Ceidwadol Newcastle ym 1957.

Ni welai'r Blaid Lafur fod y weinyddiaeth hon yn anghydnaws â'i hathroniaeth ganoli hi am mai addurniadol yn fwy na dim oedd pwerau'r gweinidog. Ym 1952 galwodd Cyngor Rhanbarthol Cymreig y Blaid Lafur am bolisi pendant ar gyfer Cymru. Pan ymddangosodd ei dogfen ym 1954, 'Labour Policy for Wales', ymgorfforodd ymosodiad cryf ar y syniad o senedd i Gymru. Roedd llawer yn y blaid yn gresynu at gefnogaeth aelodau fel Goronwy Roberts, Cledwyn Hughes, Tudor Watkins ac S. O. Davies i'r Ymgyrch dros Senedd i Gymru.

Dechreuodd yr ymgyrch hon ym 1949. Roedd Megan Lloyd George yn un o'i phrif symbylwyr ond roedd ganddi gefnogaeth ym mhob plaid. Ym 1957 cyflwynwyd deiseb i'r llywodraeth wedi'i harwyddo gan fwy na 250,000 o bobl ond ni chafodd unrhyw effaith ar agwedd y Ceidwadwyr. Methiant hefyd fu ymgais S. O. Davies ym 1955 i gyflwyno mesur ymreolaeth i Gymru. Trechwyd y mesur gan 64 o bleidleisiau i 16. Chwalodd yr ymgyrch y flwyddyn honno oherwydd prinder arian a diffyg cefnogaeth yn yr ardaloedd trefol, a thynnwyd sylw oddi arni hefyd gan argyfwng Suez a goresgyniad Hwngari gan filwyr yr Undeb Sofietaidd.

Pan ddaeth Macmillan yn Brif Weinidog ym 1957 symudodd y cyfrifoldeb am faterion Cymreig o'r Swyddfa Gartref i'r Adran Dai a

Llywodraeth Leol dan Henry Brooke. Yn yr un flwyddyn bu'n rhaid i Brooke ymgodymu â dwy broblem yng Nghymru. Y gyntaf oedd Tryweryn.

Cefnogodd Brooke benderfyniad Corfforaeth Dinas Lerpwl i geisio cael caniatâd seneddol i foddi Cwm Tryweryn er mwyn darparu cyflenwad o ddŵr rhad i'r ddinas. Gwrthwynebwyd y bwriad yn ffyrnig gan Blaid Cymru a ddadleuai y dylai adnoddau naturiol Cymru gael eu gwerthu er lles unrhyw gymuned a effeithiwyd neu a ddinistriwyd gan ddatblygiadau sifil a masnachol a chythruddwyd miloedd o bobl nad oedd yn genedlaetholwyr gan y gallu a oedd gan gorfforaeth fawr Seisnig i orfodi Cymry i adael eu cartrefi a gweld eu cymdeithas yn cael ei dinistrio. Ond er gwaethaf y gwrthdystiadau yn Nhryweryn, ger y Bala (lle y cyfarfu 4,000 o bobl ym mis Medi 1956), ac yn Lerpwl, rhai ohonynt wedi'u harwain gan Lywydd Plaid Cymru, Gwynfor Evans, rhoddodd y llywodraeth ei chefnogaeth i'r gorfforaeth a phasiwyd y mesur seneddol yn ddidrafferth er i bob aelod seneddol Cymreig bleidleisio yn ei erbyn.

Er i hyn gryfhau dadl y Cenedlaetholwyr fod Cymru yn ddiymadferth ac na allai warchod ei buddiannau yng nghyd-destun democratiaeth Brydeinig, ni chafodd hyn lawer o effaith ar eu llwyddiant etholiadol. Mae'n wir i'w cefnogaeth gynyddu o 45,119 o bleidleisiau ym 1955 i dros 77,000 ym 1959 ond bu cynnydd hefyd yn nifer eu hymgeiswyr seneddol o 11 i 20. Cyfyngwyd ar apêl Plaid Cymru a llesteiriwyd ei hymdrechion i argyhoeddi pobl Cymru fod ei pholisïau yn rhai ymarferol a synhwyrol gan y ffaith bod ei chefnogaeth yn dod yn draddodiadol o rengoedd y dosbarth canol gwledig Cymreig yn bennaf.

Yr ail broblem i wynebu Brooke ym 1957 oedd adroddiad y Cyngor Cymreig. Ar ôl ymchwilio i waith adrannau'r llywodraeth (17 ohonynt) yng Nghymru am ddwy flynedd gwnaethpwyd nifer o sylwadau a datganiadau pwysig. Mynegwyd y gred na fyddai cydweithrediad effeithiol rhwng y gwahanol adrannau a bod angen caniatâd gweision sifil yn Llundain i wneud gormod o'r penderfyniadau a effeithiai ar Gymru. Felly argymhellodd y Cyngor Cymreig y dylid uno'r gwahanol adrannau i ffurfio Swyddfa Gymreig ac y dylid penodi Ysgrifennydd Gwladol i fod yn gyfrifol amdani.

Yn y drafodaeth seneddol ar yr adroddiad cefnogwyd ei argymhellion yn gryf gan yr aelodau seneddol Cymreig ond gwrthodwyd hwy gan lywodraeth Macmillan. Dywedodd y Prif Weinidog y byddai Swyddfa Gymreig yn rhy fach i fod yn ymarferol ac effeithiol. Credai'r Cyngor Cymreig fod adwaith y llywodraeth yn sarhad ar ddwy flynedd o waith manwl a gofalus. Ymddiswyddodd nifer o'i aelodau, gan gynnwys y cadeirydd, Huw T. Edwards a ymddiswyddodd hefyd o'r Blaid Lafur gan benderfynu ymaelodi â Phlaid Cymru a oedd, yn ei dyb ef, yr unig gyfrwng y gellid ennill llais effeithiol i Gymru trwyddo.

Achosodd ei ymddiswyddiad dipyn o drafod a dadlau oddi mewn i'r Blaid Lafur ac ym 1958 penderfynwyd sefydlu pwyllgor yn cynnwys cynrychiolwyr o blith yr aelodau seneddol Cymreig, Cyngor Llafur Cymru a'r Cyngor Gwaith Cenedlaethol. Bu dadlau brwd o blaid ac yn erbyn, yn arbennig rhwng Aneurin Bevan a James Griffiths. Cyn diwedd y flwyddyn, fodd bynnag, cytunodd Bevan, efallai dan ddylanwad argyhoeddiad cryf Griffiths ar y mater, i beidio â gwrthwynebu'r syniad o sefydlu'r swydd o Ysgrifennydd Gwladol i Gymru. Dylanwadodd hyn ar safbwynt eraill yn y blaid ac ar gyfer etholiad 1959 cynhwysodd y Blaid Lafur addewid yn ei maniffesto y sefydlid Swyddfa Gymreig ac Ysgrifennydd Gwladol yn gyfrifol am faterion Cymreig pe bai llywodraeth Lafur yn cael ei hethol.

Ond enillodd y Ceidwadwyr ac yng Nghymru cynyddodd eu pleidlais o 428,866 (29.9 y cant) ym 1955 i 486,335 (32.6 y cant) tra disgynnodd cyfran y Blaid Lafur ychydig o 57.6 y cant i 56.6 y cant er i'w phleidlais gynyddu o 825,690 i 841,450. Dioddefodd pleidlais y Rhyddfrydwyr — disgynnodd o 104,095 (7.3 y cant) i 78,951 (5.3 y cant) — a thyfodd cefnogaeth Plaid Cymru o 45,119 (3.1 y cant) i 77,571 (5.2 y cant). Roedd y canlyniad yn arwydd pellach o ddirywiad y Blaid Ryddfrydol. Roedd Megan Lloyd George wedi ymuno â'r Blaid Lafur ym 1955 ac wedi ennill is-etholiad Caerfyrddin ym 1957. Dim ond dwy sedd, Trefaldwyn ac Aberteifi, y llwyddodd y Rhyddfrydwyr i ddal eu gafael arnynt.

Rai misoedd ar ôl yr etholiad sefydlodd y llywodraeth yr Uwch-bwyllgor Cymreig a oedd yn cynnwys 36 aelod seneddol Cymru a rhoddwyd iddynt yr hawl ddamcaniaethol i holi gweinidogion y llywodraeth am natur a chanlyniadau eu polisïau yng Nghymru.

Ym 1961 ategodd Hugh Gaitskell gefnogaeth ei blaid i benodi Ysgrifennydd Gwladol a rhoddwyd yr un ymrwymiad gan Harold Wilson ym 1963. Pan ddisodlwyd y Ceidwadwyr yn etholiad cyffredinol 1964 parchwyd yr addewid a sefydlwyd y Swyddfa Gymreig yng Nghaerdydd. Penodwyd James Griffiths yn Ysgrifennydd Gwladol cyntaf Cymru.

Rhwng 1945 a 1964 cryfhaodd y Blaid Lafur ei gafael ar yr etholaethau Cymreig ac amrywiodd ei chyfran o'r bleidlais rhwng 56.5 y cant a 60.5 y cant. Ychydig o gydnabyddiaeth swyddogol a roddwyd i Gymru yn y cyfnod hwn a methodd y Rhyddfrydwyr a Phlaid Cymru â newid athroniaethau canoli y ddwy blaid fawr a'r polisïau economaidd a gwleidyddol a darddai ohonynt. Dim ond o ganol y 1960au ymlaen y dechreuodd y patrwm gwleidyddol newid unwaith eto.

PENNOD 21

Newidiadau Economaidd yng Nghymru, 1945–1964

Yn y cyfnod rhwng y rhyfeloedd roedd Cymru wedi profi problemau economaidd a chymdeithasol difrifol iawn am fod yr economi yn rhy ddibynnol ar y diwydiannau haearn, dur a glo. O ganlyniad i'r dirwasgiad yn y diwydiannau hyn bu diweithdra uchel yng Nghymru hyd at 1939. Er i'r rhyfel ei hun roi hwb dros dro i'r diwydiannau traddodiadol roedd eu sefyllfa erbyn 1945 wedi dirywio unwaith eto. Lleihaodd nifer y glowyr yn ystod y rhyfel o 136,000 i 112,000 ac yn y diwydiant alcan disgynnodd nifer y gweithwyr o 26,000 i 10,000.

Ond yn ystod y rhyfel adeiladwyd amryw o ffatrïoedd newydd yng Nghymru er mwyn hyrwyddo datblygiad y diwydiant arfau y tu allan i ardaloedd mwy peryglus Llundain a'r de-ddwyrain. Pan ddaeth y rhyfel i ben manteisiwyd ar fodolaeth yr adeiladau hyn i geisio denu diwydianwyr i Gymru ar adeg pan oedd prinder defnyddiau adeiladu yn cyfyngu datblygiad diwydiannol mewn ardaloedd eraill.

Dim ond rhan o bolisi'r llywodraeth Lafur newydd oedd hon. Gwyddai'r llywodraeth y byddai'n rhaid ehangu sylfaen economaidd Cymru er mwyn goresgyn problemau'r presennol ac osgoi llithro'n ôl i gyni'r gorffennol. Roedd Cymru hefyd yn un o gadarnleoedd y Blaid Lafur ym Mhrydain ac roedd datblygu polisi rhanbarthol yn flaenoriaeth wleidyddol bwysig.

Roedd profiad economaidd Cymru yn ystod cyfnod llywodraeth Attlee yn un cymharol lewyrchus, nid yn unig oherwydd datblygiad y sectorau cynhyrchu a gwasanaethau ond hefyd yn y diwydiannau glo a dur. Roedd polisi'r llywodraeth o gynnig ysgogiadau ariannol i gwmnïau i symud i Gymru yn rhannol gyfrifol am hyn ond cynorthwywyd yr economi Cymreig hefyd gan y dinistr economaidd trwy Ewrop ac yn Japan. Wedi'r rhyfel cymerodd rhai gwledydd flynyddoedd lawer i ailadeiladu ac adfer eu heconomïau i'w cyflwr cystadleuol gwreiddiol.

Pan etholwyd y Blaid Lafur aeth y llywodraeth ati i gyflwyno mesurau a fyddai'n ymestyn rheolaeth y llywodraeth dros yr economi. O bwysigrwydd mawr i drigolion de Cymru yn arbennig oedd y ddeddf a basiwyd ym 1947 yn gwladoli'r diwydiant glo. I'r glowyr a'u teuluoedd roedd breuddwyd wedi ei wireddu. Ar ôl degawdau o chwerwder a brwydro parhaol yn erbyn y perchenogion preifat roedd y wladwriaeth o'r diwedd wedi derbyn ei chyfrifoldeb am y diwydiant.

Un o ganlyniadau pwysicaf gweithredu'r ddeddf oedd y cynnydd mewn buddsoddiad. Buddsoddwyd £32 miliwn mewn pyllau yn ardal Caerdydd rhwng 1948 a 1953 a gwariwyd miliynau ar ddatblygu pyllau yn Nantgarw, Cynheidre ac Aber-nant. Ond nid oedd hyn yn ddigon i ddatrys rhai problemau sylfaenol yn y diwydiant. O'r 300 o byllau yng Nghymru roedd oddeutu hanner ohonynt yn cyflogi llai na 250 o weithwyr. Polisi'r Bwrdd Glo oedd cau'r pyllau bach a'r rhai llai proffidiol a chanolbwyntio ar foderneiddio eraill. Ond nid oedd hyn yn ddigon i wrthweithio effeithiau cystadleuaeth y diwydiant olew a oedd yn ehangu ei farchnad ar draul y diwydiant glo mewn llongau, pwerdai, cartrefi a ffatrïoedd. Ar ddechrau'r 1950au roedd y pyllau'n dal i gyflogi chwarter y gweithwyr mewn swyddi diwydiannol ond roedd y colledion blynyddol yn uwch nag yn unrhyw faes glo arall ym Mhrydain. Yn rhan dde-orllewinol y maes glo, er enghraifft, collodd y diwydiant £10 miliwn ym 1947 yn unig. Gwelwyd dirywiad tebyg yn y pyllau glo carreg a gostyngodd eu nifer o 39 ym 1948 i 21 ym 1963.

Ar wahân i broblem cystadleuaeth amharwyd ar lwyddiant y diwydiant yn ne Cymru gan anawsterau eraill, gan gynnwys trafferthion daearegol, costau cynhyrchu uchel ac absenoldeb aml ymhlith y gweithwyr. Ni ddylid chwaith anwybyddu nod y llywodraeth yn y cyfnod hwn o sicrhau cyflenwadau tanwydd rhad i ddiwydiant, yn arbennig i'r sector preifat. Oherwydd hyn fe fabwysiadwyd polisi a oedd yn llai dibynnol ar lo ac yn fwy dibynnol ar olew ac ynni niwclear. O gyfuno'r ffactorau hyn gellir deall pam roedd dirywiad cyson yn y diwydiant yn yr ugain mlynedd a ddilynodd yr Ail Ryfel Byd:

Gweithwyr (miloedd)	Tunelli (miloedd)	Nifer y pyllau
1944 — 115	1948 — 25.66	1950 — 171
1954 — 110	1954 — 27.39	1959 — 137
1960 — 91	1960 — 22.38	1962 — 116
1962 — 85	1962 — 22.29	1964 — 104
1964 — 78	1964 — 23.64	

Yn y diwydiant mawr arall sef haearn a dur, roedd hwn yn gyfnod o ehangu graddol a thrawsnewidiad cyffredinol o bwyslais ar amryw o weithfeydd bach ledled y maes glo i nifer llai o weithfeydd mawr yn nes at yr arfordir. Un o'r prif resymau am y galw cynyddol am ddur oedd datblygiad cyflym y diwydiant moduron yn ystod y 1950au. Yn y gogledd-ddwyrain ffynnai'r gweithfeydd ym Mostyn (hyd at 1964), Shotton a Brymbo ac roedd yr un patrwm o ddatblygiad a chyflwyno technoleg newydd i'w weld yn y de. Ym 1945 unodd Cwmni Richard Thomas â Baldwins gan roi 340 o felinau dur dan reolaeth un cwmni. Sefydlwyd y gwaith dur mwyaf ym Mhrydain ym Margam ger Port Talbot ym 1947 a dechreuodd gynhyrchu ym 1951. Erbyn 1963 cyflogwyd 17,000 o ddynion yn y gwaith a chynhyrchai dros dair miliwn o dunelli y flwyddyn. Ym 1962 agorwyd gwaith mawr arall yn Llan-wern yn cynhyrchu dros 1.5 miliwn o dunelli y flwyddyn ac agorwyd rhai llai yn Felindre a Throstre. Rhwng 1948 a 1964 cynyddodd cynhyrchiad dur Cymru 167 y cant, tair gwaith mor gyflym â'r cyfartaledd Prydeinig.

Tra ehangai'r farchnad gartref a thramor roedd datblygiad a dyfodol y diwydiant haearn a dur yn ddigon sicr. Ond yn ystod y cyfnod hwn nid oedd y rhaglen fuddsoddi wedi bod yn ddigonol ac nid oedd safon y rheolaeth wedi cael ei hadolygu. Ni lwyddwyd chwaith i ennill cydweithrediad yr undebau er mwyn cysylltu cyflogau â lefelau cynhyrchiant. Erbyn canol y 1960au dechreuodd y galw am ddur Cymru leihau o ganlyniad i gystadleuaeth oddi wrth wledydd â diwydiannau mwy modern megis Japan, Gorllewin yr Almaen a'r Unol Daleithiau, er enghraifft — ac oherwydd y dirwasgiad economaidd mewn rhannau o'r byd. Erbyn hynny hefyd roedd llywodraeth Lafur wedi dod i rym ac roedd yn fwy amharod na'r Ceidwadwyr i geisio datrys y problemau hyn drwy aberthu swyddi a rheoli cyflogau.

Daeth yr ehangu mwyaf yn sector y diwydiannau cynhyrchu a'r gwasanaethau. Defnyddiodd y Bwrdd Masnach Ddeddf Dosbarthiad Diwydiannol (1945), Deddf Cynllunio Gwlad a Thref (1947), ac ysgogiadau ariannol i ddenu pobl busnes a diwydianwyr i Gymru. Rhwng 1945 a 1949 agorwyd 179 o ffatrïoedd newydd yn y De yn unig a'r mwyafrif yn derbyn cymorth ariannol oddi wrth lywodraeth Attlee. Crewyd 84,000 o swyddi newydd yng Nghymru gyfan.

Agorwyd llawer o'r gweithfeydd newydd ar hyd arfordiroedd gogledd a de Cymru. Yn y gogledd, er enghraifft, canolbwyntiwyd y datblygiadau newydd rhwng y Fflint a Queensferry. Ehangwyd ffatrïoedd rayon a sidan Courtaulds ym Maes-glas a'r Fflint, a ffatri awyrennau de Havilland ym Mrychdyn. Cyflogai pyllau glo Bers, y Parlwr Du, Hafod, Llai a Gresffordd dros 6,000 o ddynion a chynhyrchid dwy filiwn o dunelli y flwyddyn erbyn dechrau'r 1960au. Roedd y diwydiant glo felly yn gyflogwr pwysig i bobl ardal Wrecsam er na allai fodloni anghenion cyflogaeth y dref fwyaf yn y gogledd. Rhan o bolisi'r llywodraeth oedd datblygu stadau diwydiannol ac agorwyd un ym Marchwiail ar gyffiniau'r dref. Sefydlwyd ffatrïoedd rayon a dillad yno, yn ogystal â changhennau o rai cwmnïau mawr megis Kelloggs a Firestone.

Cafwyd datblygiadau tebyg yn y de, yn enwedig rhwng Abertawe a Chasnewydd. Agorwyd stadau diwydiannol ym Mhen-y-bont ar Ogwr, Hirwaun a Fforest-fach ac ehangwyd yr un yn Nhrefforest. Agorwyd ffatrïoedd gan Hoover ym Merthyr Tudful a chan Imperial Metals yn Nhre-gŵyr. Roedd tuedd i'r gweithfeydd newydd ddatblygu yn agos i'r diwydiannau trwm oherwydd y gyfran uchel o wragedd yn y mannau hyn a oedd yn chwilio am waith. Roedd yn bwysig, o safbwynt y llywodraeth a'r cymunedau i ehangu sylfaen economaidd yr ardaloedd hyn er mwyn lleddfu effeithiau dirwasgiadau yn y dyfodol ar gyflogaeth a'r economi lleol. Agorwyd ffatri rwber yn y Barri, ffatri neilon ym Mhont-y-pŵl, ffatri oergelloedd yn Abertawe, a ffatrïoedd yn cynhyrchu setiau radio a defnyddiau electroneg yng Nghasnewydd ac Aberdâr.

O ganol y 1950au ymlaen datblygodd y diwydiant moduron yn Llanelli a Chasnewydd a'r diwydiant olew yn sir Benfro. Ym 1961 penderfynodd British Petroleum ehangu ei burfa yn Llandarsi i dderbyn wyth miliwn tunnell o olew y flwyddyn. Adeiladwyd porthladd yn Aberdaugleddau ac oherwydd dyfnder y dŵr yno gellid derbyn tanceri 250,000 tunnell o'r Dwyrain Canol. Yn sgil y datblygiad hwn ar ddechrau'r 1960au adeiladwyd purfeydd olew yn Aberdaugleddau gan Esso a Texaco. Ond tra oedd y diwydiant yn cyflogi llawer o bobl yn ystod y cyfnod adeiladu lleihaodd y ffigwr yn sylweddol ar ôl cwblhau'r gwaith. Wedyn defnyddid dulliau mecanyddol i drin yr olew ac arbenigwyr technegol i redeg y purfeydd.

Bu datblygiadau hefyd yn y diwydiannau gwasanaethol, yn arbennig o gwmpas Caerdydd, Castell-nedd, Abertawe, Casnewydd a Phen-y-bont ar Ogwr a ddaeth yn ganolfannau masnachol pwysig wrth i'w poblogaeth dyfu yn sgil dyfodiad y diwydiannau newydd megis argraffu, peirianneg, tybaco, bwydydd, ac ati. Erbyn 1964 roedd y sector gwasanaethau yng Nghymru yn cyfrif am yn agos at hanner y nifer o swyddi amser llawn a chynyddodd y canran ymhellach cyn diwedd y degawd hwnnw.

Nifer y gweithwyr (miloedd) yn y diwydiannau gwasanaethol

Diwydiant	1948	1953	1958	1964
Adeiladu	66	62.9	62	77.2
Trafnidiaeth	91.4	86.2	85.1	76
Dosbarthu	82.7	83.7	93.3	111.1
Proffesiynol	58.4	67.9	76.3	100.1
Amrywiol	73.5	65.4	66.8	77.8

Yng nghefn gwlad Cymru, fodd bynnag, ni phrofwyd yr un llewyrch economaidd, ac roedd yr ugain mlynedd ar ôl y rhyfel yn gyfnod o ddiboblogi parhaus. Dirywiodd y diwydiant llechi yn wyneb datblygiad y diwydiant teils. Caewyd chwareli ym Mlaenau Ffestiniog a Dyffryn Nantlle a disgynnodd nifer y gweithwyr i ychydig gannoedd erbyn canol y 1960au. Yr un fu hanes y diwydiant gwlân a arferai gyflogi dros 8,000 yn ne-orllewin Cymru yn ystod ail hanner y bedwaredd ganrif ar bymtheg ond a gyflogai ddim ond 300 erbyn 1960. Llwyddodd polisi'r llywodraeth o gynnig ysgogiadau ariannol (lwfansau treth, rhenti isel, talu cyfran o gostau peiriannau a chyflogau) ac adeiladu ffatrïoedd parod i ddenu nifer o ffatrïoedd newydd: Ferodo ger Caernarfon, Ferranti ym Mangor, Pilkington yn Llanelwy ac alwminiwm yn Nolgarrog. Wrth gwrs, nid y diwydiannau eu hunain a symudwyd i gefn gwlad Cymru ond canghennau ohonynt, a'r tu allan i Gymru y gwneid y penderfyniadau i gyd. Roedd tuedd hefyd i gwmnïau ddod â'u rheolwyr a'u gweithwyr allweddol eu hunain ac i gyflogi pobl leol ar gyfer y swyddi llai medrus yn unig.

Er i'r Comisiwn Coedwigaeth ychwanegu tua 10,000 erw y flwyddyn at ei ddaliadau drwy'r 1950au ni chafwyd cynnydd sylweddol mewn swyddi i bobl leol. Ceisiodd y llywodraeth hybu datblygiad o gwmpas trefi bychain megis y Trallwng, Aberystwyth, Llanymddyfri, Llandrindod a'r Bala drwy ddarparu ffatrïoedd pwrpasol i ddiwydianwyr a chymorth ariannol i gwmnïau bysiau lleol, ond roedd gwendidau amlwg yn y polisi. Wrth i wariant cyhoeddus gael ei ganolbwyntio ar y canolfannau hyn cyflymwyd dirywiad y pentrefi o amgylch. Golygai yn aml fod yn rhaid i bobl a oedd yn gweithio ar stadau diwydiannol bychain fod yn berchen ar gar, ac oherwydd cysylltiadau trafnidiol gwael rhyngddynt a'u marchnadoedd neu ganolfannau dosbarthu ac oherwydd prinder gwaith yn lleol, tueddai'r cyflogwyr i dalu cyflogau bychain a chyflogi cyfran uchel o wragedd.

Codwyd gorsafoedd pŵer niwclear yn yr Wylfa ar ynys Môn ac yn Nhrawsfynydd. Er i'r undebau llafur groesawu'r datblygiadau hyn, unwaith eto nid oedd newid arwyddocaol yn y patrwm cyflogaeth cyffredinol. Er i'r cyfnod o adeiladu roi gwaith ar gyflogau uchel i lawer o bobl nid oedd angen cymaint o weithwyr lleol wedi i'r gorsafoedd gael eu cwblhau. Nid oedd diwydiannau lleol yn gallu cynnig cyflogau cyffelyb ac un o ganlyniadau sefydlu'r pwerdai oedd arafu'r diboblogi am gyfnod ac yna ei gyflymu gan fod y cyn-weithwyr bellach yn chwilio am gyflogau uwch nag a gynigid yn eu hardaloedd gan ffatrïoedd bychain.

Dibynnai amaethyddiaeth hefyd ar gymorth y llywodraeth am yr ychydig ffyniant a fwynhâi ar ôl y rhyfel. Ym 1951 roedd 7.5 y cant o boblogaeth Cymru yn ddibynnol ar amaethyddiaeth o gymharu â chyfartaledd Prydeinig o 5 y cant. Mewn rhannau o Gymru, wrth gwrs, roedd y ffigur yn llawer uwch — 40 y cant yn sir Drefaldwyn, er enghraifft. Er i Ddeddf Amaethyddiaeth 1947 sicrhau gwell prisiau i ffermwyr yr ucheldiroedd nid oedd yn ddigon i atal y lleihad yn nifer y ffermydd yn y blynyddoedd ar ôl y rhyfel. Mewn adroddiad gan y llywodraeth ar amaethyddiaeth ym 1955 pwysleisiwyd y manteision o uno ffermydd bychain. Er na fyddai hyn o reidrwydd yn cynyddu cynhyrchiant byddai'r arian a werid ar offer yn cael ei haneru.

Roedd y rhan fwyaf o ffermydd Cymru rhwng 20 a 100 acer o ran maint (tua 24,000 ohonynt) a rhwng 1945 a diwedd y 1960au bu lleihad sylweddol yn nifer y rheini a oedd yn llai nag 20 acer. Yn ystod y 1950au cynyddodd nifer y ffermydd dros 150 acer o 2,852 i 3,426 ym 1960, y mwyafrif ohonynt yng nghanolbarth a de-orllewin Cymru. Yn rhai o'r ardaloedd hyn, er enghraifft, sir Benfro, roedd ffermio llaeth a gwartheg yn bwysig yn ogystal â rhywfaint o ffermio cymysg. Roedd ffermio llaeth gryfaf ar borfeydd brasach gorllewin Cymru, dyffrynnoedd Clwyd a Hafren ac yng Ngwent. Yn Eryri, Bannau Brycheiniog a thiroedd uwch y canolbarth roedd y tir salach yn fwy addas i ffermio defaid.

Wrth i'r ffermydd dyfu mewn maint a manteisio fwyfwy ar ddulliau mecanyddol lleihaodd nifer y gweithwyr fferm o 31,301 ym 1951 i 14,237 ym 1968. Trodd rhai ffermwyr at amaethu rhan amser gan ychwanegu at eu hincwm drwy ddarparu caeau ar gyfer gwersyllwyr a charafanwyr ond ni fu'r datblygiadau yn y diwydiant ymwelwyr yn ddigon i atal y dirywiad economaidd cyffredinol yng nghefn gwlad.

Ergyd ddifrifol i'r ardaloedd gwledig oedd Adroddiad Beeching ar y rheilffyrdd ym 1963. Penderfynodd y llywodraeth, o ganlyniad i golledion uchel Rheilffyrdd Prydeinig, gau llawer o reilffyrdd drwy Brydain. Yn wahanol i lywodraethau Ffrainc, y Swistir, Norwy a Sweden gwrthododd y llywodraeth ystyried goblygiadau cymdeithasol cau rheilffyrdd ac o'r 637 o filltiroedd o reilffordd yng Nghymru caewyd 274, er enghraifft, rhwng Pwllheli a Bangor, Abermo a Rhiwabon, Aberystwyth ac Abertawe. Ni chafwyd llawer o wrthwynebiad i Beeching o du'r Ceidwadwyr na'r Blaid Lafur ond roedd colli'r rheilffyrdd yn ysgytwad mawr i rannau helaeth o Gymru lle roedd cysylltiadau trafnidiol ar y ffyrdd yn wan hefyd.

Effeithiodd y toriadau rywfaint ar dwristiaeth ond ar y cyfan tyfodd nifer yr ymwelwyr ar ôl y rhyfel. Wrth i gyflogau godi yn niwydiannau newydd canolbarth a gorllewin Lloegr ac wrth i'r diwydiant moduron ehangu daeth mwy a mwy o dwristiaid i drefi a phentrefi gwyliau Cymru ac erbyn 1961 roedd yr incwm oddi wrth y diwydiant ymwelwyr wedi cyrraedd £50 miliwn.

Datblygodd canolfannau gwyliau ym Mhwllheli, Prestatyn a'r Rhyl fel ymateb i anghenion teuluoedd ifainc o sir Gaerhirfryn a Glannau Merswy. Yn Llandudno, Llandrillo-yn-Rhos, Bae Colwyn a Hen Golwyn roedd tuedd i'r ymwelwyr fod dipyn yn hŷn ac roeddynt yn manteisio ar y cyfleusterau a gynigid gan westai yn hytrach na charafanau a gwely a brecwast. Roedd arfordir gorllewinol Cymru yn boblogaidd hefyd, o ynys Môn a Llŷn i Abermo, Harlech, Aberdyfi ac Aberystwyth. Ar hyd yr arfordir deheuol datblygodd y diwydiant yn Nhyddewi, Dinbych-y-pysgod, Porth-cawl, y Barri a phentrefi Bro Gŵyr. Ehangodd apêl gwyliau mwy anarferol hefyd megis cerdded, dringo, hwylio, marchogaeth ac aros mewn ffermydd — a rhoddwyd hwb a bywyd newydd i drefi cefn gwlad megis Betws-y-coed, Beddgelert, Machynlleth a'r Bala. Ond yn yr un cyfnod hefyd cynyddodd poblogrwydd gwersylla a charafanio ac arweiniodd hyn at gau llawer o westai bychain.

Un arall o ganlyniadau llewyrch y 1950au oedd y cynnydd mewn tai haf. Deuai'r rhan fwyaf o'r perchenogion o ogledd Lloegr a'r ardaloedd a oedd fwyaf poblogaidd ganddynt oedd Môn, Arfon a Meirionnydd. Ar y dechrau prynwyd bythynnod neu adfeilion anghysbell ac ni chafodd hyn lawer o effaith ar y gymdeithas leol. Ond erbyn dechrau'r 1960au nid oedd digon o'r rhain ar gael a dechreuwyd prynu tai gwyliau yng nghanol pentrefi megis y Borth, Aber-soch, Aberaeron a Thyddewi. Roedd datblygiad y farchnad dai haf yn adlewyrchiad pellach o ddirywiad economaidd cefn gwlad Cymru.

Felly, un o brif nodweddion y cyfnod ar ôl y rhyfel oedd ymdrechion pob llywodraeth yn ei thro i fabwysiadu a datblygu polisïau rhanbarthol er mwyn gwrthweithio'r anghydbwysedd mewn datblygiad economaidd ym Mhrydain, ac yn wir, llwyddodd yr ysgogiadau ariannol a darparu ffatrïoedd pwrpasol i newid patrwm cyflogaeth Cymru i raddau helaeth. Gwelir tystiolaeth o hyn yn y tabl a geir ar dudalen 312.

Rhwng cyfnod y rhyfel a diwedd y 1960au lleihaodd y nifer a oedd yn ennill bywoliaeth o amaethyddiaeth a choedwigaeth i 3.2 y cant tra cynyddodd y nifer a gyflogid yn y sector gwasanaethol i 56.7 y cant. I'r mwyafrif o bobl roedd y newid yn welliant aruthrol ar gyfnod y 1930au.

Prif wendid y polisi rhanbarthol oedd y methiant i ddatblygu cyfathrebiadau Cymru. Roedd ysgogiadau ariannol yn bolisi cadarnhaol ond tueddent i ddenu cwmnïau a oedd yn ddibynnol arnynt am eu parhad. I gwmnïau llwyddiannus nid grantiau oedd y prif flaenoriaeth ond

Nifer y gweithwyr (miloedd)

Diwydiant	1950	1958	1964
mwyngloddio	264.4	248.2	188.6
cynhyrchu metelau	83.3	85.9	95.6
peirianneg a nwyddau metel	58.3	73.8	79.5
moduron	30.1	31.2	18.4
cemegau	19.5	25.1	23.4
gweolion	33.1	33	34.7
bwyd, diod, tybaco	22.8	25.3	21.7
gweithgynhyrchu	33.7	38.3	43.5

lleoliad y ffatri, safon y cyflenwadau trydan, nwy a dŵr, ac yn fwy na dim ansawdd cyfathrebiadau a'r pellter o'r prif farchnadoedd.

Yr anhawster arall o safbwynt Cymru oedd natur ganolig yr economi Prydeinig. Un o nodweddion y cyfnod oedd y cynnydd mewn cyfuno cwmnïau mawr a bach a sefydlu pencadlysoedd gweinyddol yn Llundain. Dylifodd darpar-reolwyr a graddedigion o Gymru i dde-dwyrain Lloegr yn sgil y datblygiadau hyn. Rhwng 1945 a 1965 darparwyd 31 y cant o swyddi cynhyrchu a 47 y cant o swyddi merched gan gwmnïau a oedd â'u pencadlys y tu allan i Gymru. Gellid disgwyl, efallai, na fyddai hyn yn andwyol i fuddiannau Cymreig, ond yn ymarferol roedd hi'n anochel y byddai persbectif cwmni â'i bencadlys yn Llundain yn wahanol i bersbectif cwmni â'i wreiddiau yng Nghymru. Ychydig o bwysau mewnol a fyddai'n gweithredu y tu mewn i gwmni o'r fath i ehangu ei gangen Gymreig. Erbyn 1970 roedd 49 o gwmnïau preifat yng Nghymru yn cyflogi dros 1,000 o weithwyr ond dim ond saith ohonynt oedd â'u pencadlys yno. O'r 94 o gwmnïau a gyflogai rhwng 500 a 1000 o weithwyr, dim ond 16 oedd â'u pencadlys yng Nghymru. Roedd yr un peth yn wir am y prif ddiwydiannau — glo, haearn a dur — ac roedd hyn yn sicr o ddylanwadu ar eu hagwedd tuag at ddatblygu eu ffatrïoedd Cymreig. Fel y dywedodd Merfyn Jones, Cadeirydd Bwrdd Nwy Cymru wrth Gomisiwn Kilbrandon:

> Mae'n anorfod erbyn hyn i agwedd Llundain tuag at unrhyw ddiwydiant cenedlaethol, yn arbennig y diwydiant gwasanaethol, dueddu at grebachu gweithgareddau yng Nghymru a rhannau ymylol y Deyrnas Unedig gan ganolbwyntio ar rannau cefnog a gorbrysur y Canolbarth, Llundain a De Lloegr.

Felly, heb unrhyw bwyslais effeithiol ar ddatblygu tanadeiledd diwydiannol Cymru ni allai polisïau rhanbarthol y Blaid Lafur ac wedyn y Ceidwadwyr sicrhau newidiadau a gwelliannau parhaol ac atgyfnerthwyd hyn gan y fframwaith economaidd canolig. Yr hyn a gyflawnwyd gan y polisi rhanbarthol oedd nid cydbwysedd mewn datblygiad economaidd ym Mhrydain ond lleihad yn y gwahaniaethau.

Newidiadau Cymdeithasol yng Nghymru, 1945–1964

Drwy gydol yr ugeinfed ganrif collodd Cymru gyfran uchel o'i phoblogaeth o ganlyniad i'r rhyfeloedd a'r ymfudo i Loegr i chwilio am waith. Ond symudodd llawer o bobl i mewn i'r wlad hefyd, naill ai i swyddi arbennig neu i ymddeol. Hyn i raddau helaeth a fu'n gyfrifol am y sefydlogrwydd yng nghyfanswm poblogaeth Cymru yn ystod y cyfnod hwn. Rhwng 1921 a dechrau'r Ail Ryfel Byd, er enghraifft, disgynnodd y boblogaeth o 2,658,000 i 2,567,000 ac yna cynyddodd i 2,644,000 erbyn 1961. Ond er na fu cynnydd mawr yn y boblogaeth ar ôl 1945 effeithiodd y newidiadau economaidd ar ôl y rhyfel ar ei natur a'i dosbarthiad.

Roedd tri chwarter y boblogaeth yn byw yn siroedd y Fflint, Dinbych, Morgannwg a Mynwy, ond y tu mewn i'r ardaloedd hyn cafwyd newidiadau demograffig pwysig. Soniwyd eisoes am ddatblygiad y sectorau gwasanaethol a chynhyrchu a'u tueddi i ehangu naill ai o gwmpas y prif drefi megis Caerdydd, Abertawe a Chasnewydd neu mewn mannau strategol yn agos i'r hen gymoedd diwydiannol, er enghraifft, ym Mhontypridd, Llantrisant, Pen-y-bont ar Ogwr a Chwmbrân.

Credai'r llywodraeth mai'r ardaloedd hyn oedd orau ar gyfer sefydlu'r diwydiannau newydd oherwydd prinder tir adeiladu yn y cymoedd a hefyd agosrwydd ffyrdd cymharol dda a chyfleusterau'r prif drefi. Credent hefyd na fyddai'n rhaid i bobl adael eu cymdeithas yn y cymoedd am fod lleoliad y diwydiannau newydd yn ddigon agos iddynt deithio yno. Ni chymerai hyn gostau teithio dyddiol i ystyriaeth, yn enwedig o safbwynt trigolion y cymoedd oherwydd roedd llai ohonynt hwy ar gyfartaledd yn berchenogion ceir. Mudodd llawer o bobl ifainc i'r trefi deheuol a'r stadau newydd yn hytrach nag aros yn y cymoedd. Roedd y rhan fwyaf o'r rhain yn bobl wedi derbyn hyfforddiant arbennig neu mewn swyddi proffesiynol ac yn berchen ar eu cartrefi eu hunain. Felly collodd y cymoedd gyfran uchel o bobl a oedd yn y grŵp incwm canol ac yn gwneud cyfraniad pwysig i'r economi a'r cyfleusterau lleol a gwelwyd twf yng nghanran y boblogaeth dros hanner cant oed mewn ardaloedd megis Rhondda, Aberdâr, Aberpennar, Dowlais a Merthyr Tudful. Dros gyfnod o ugain mlynedd cyflymodd dirywiad y gwasanaethau yn y cymoedd ac roedd hyn ynddo'i hun wedyn yn gyfrifol am hybu ymhellach y dylifiad i ddinasoedd y de.

Canolfan	Poblogaeth (miloedd)		
	1951	1959	1964
Caerdydd	244	254	260
Casnewydd	105	104	108
Abertawe	161	164	170

Yn yr un cyfnod disgynnodd poblogaeth y brif dref yng ngogledd y maes glo — Merthyr Tudful — o 61,000 i 58,000 ac erbyn 1970 roedd poblogaeth Rhondda wedi disgyn i 94,000 o gymharu â phoblogaeth o fwy na 163,000 ym 1921.

Wrth i'r diwydiannau gwasanaethol a'r boblogaeth dyfu yn y canolfannau deheuol ac yn y gogledd-ddwyrain ehangwyd maint yr ardaloedd trefol. Yn y gogledd, er enghraifft, ffurfiwyd ardal drefol gymharol fawr yn ymestyn o Queensferry drwy Shotton, y Fflint, Mostyn, Ffynnongroyw, y Ffrith, Prestatyn, a'r Rhyl. Yn y de bu datblygiadau cyffelyb o gwmpas Llansawel, Abertawe a Margam ac yn ehangiad maestrefi dinas Caerdydd i gyfeiriad Radur, Llandaf, Cyncoed a Dinas Powys.

Yng nghefn gwlad Cymru nid oedd y fframwaith economaidd yn ddigon cryf i sefydlogi'r boblogaeth ac o ganlyniad i hyn roedd ymfudiad teuluoedd ifainc yn un o brif nodweddion yr ugain mlynedd ar ôl y rhyfel. Tueddai'r rhan fwyaf ohonynt i symud i Loegr, i sir y Fflint a sir Ddinbych, neu i'r de i sir Forgannwg a sir Fynwy. Hyn fu'n rhannol gyfrifol am y newidiadau amlwg ym mhatrwm poblogaeth Cymru yn ystod y cyfnod hwn:

Sir	Poblogaeth (miloedd)		
	1951	1959	1963
Brycheiniog	57	56	54
Caernarfon	124	121	121
Aberteifi	53	53	53
Caerfyrddin	172	169	167
Meirionnydd	41	39	38
Trefaldwyn	46	45	44
Maesyfed	20	19	18
Penfro	91	95	95
Môn	51	52	52
Dinbych	171	170	175
Y Fflint	145	147	152
Mynwy	320	329	343
Morgannwg	737	746	752

Cynyddodd y boblogaeth yn y siroedd diwydiannol yn ogystal â sir Benfro lle roedd datblygiad y diwydiant olew yn bwysig. Yn sir Fôn cyflogid gweithlu sylweddol yn yr Wylfa ac yng nghanolfan filwrol y Fali a mewnfudodd llawer o bobl i bentrefi megis Benllech, Biwmares, a Phorthaethwy i ymddeol. Arhosodd y boblogaeth yn ei hunfan fwy neu lai. Yn y siroedd eraill, fodd bynnag, er gwaethaf mewnfudiad pobl o Loegr i ardaloedd poblogaidd megis Cricieth, Aber-soch, Conwy, Aberdyfi a Harlech ac ymdrechion y llywodraeth i ddenu diwydiannau newydd, parhau i ostwng wnaeth y boblogaeth.

Newidiodd natur y gymdeithas yng nghefn gwlad Cymru. Lleihawyd cyfran y bobl ifanc dan 35 oed a nifer y Cymry dwyieithog a chynyddodd nifer y bobl dros 55 oed a'r gyfran oedd yn uniaith Saesneg. Wrth i boblogaeth y pentrefi ostwng cynyddwyd costau'r gwasanaethau — bysiau lleol, siopau bychain neu faniau yn gwerthu bwyd, er enghraifft. Erbyn y 1960au daethai llawer o'r gwasanaethau yn y pentrefi i ben. Roedd llai o blant yn mynychu'r ysgolion a chaewyd llawer ohonynt. Daeth tai haf yn broblem i'r gymdeithas leol mewn llawer o bentrefi: Ceinewydd yng Ngheredigion, y Borth ger Aberystwyth ac amryw o bentrefi ym mhenrhyn Llŷn. Cystadleuai mewnfudwyr cyfoethocach Lloegr â phobl leol a chwiliai am eu tŷ cyntaf. Wrth i brisiau tai godi a thai addas fynd yn brinnach gorfodwyd nifer gynyddol o bobl leol i fynd ar restrau aros am dai cyngor, i fyw mewn carafanau neu gyda'u rhieni, i ohirio priodi, neu i adael eu cynefin yn gyfan gwbl, yn arbennig yn Llŷn a Cheredigion. Tra bod rhai astudiaethau wedi nodi cyfraniad economaidd prynwyr tai gwyliau mae digon o le i amau dilysrwydd y cyfraniad yn y pen draw o gofio bod y mwyafrif o'r teuluoedd hyn yn dod â'u bwyd a'u diod gyda hwy o Loegr am fod prisiau yn is nag yng nghefn gwlad Cymru.

Ymhellach mae'n anodd mesur gwerth cyfraniad economaidd o'r math hwn yn erbyn y dirywiad diwylliannol a chymdeithasol sy'n aml yn gysylltiedig â chynnydd yn nifer y cartrefi gwyliau mewn pentref.

Soniwyd yn gynharach am ddatblygiad y diwydiant ymwelwyr ac am duedd estroniaid i ymddeol i bentrefi ar hyd arfordir Cymru. Gwelwyd hyn yn amlwg yn sir Fôn, deheudir sir Gaernarfon, sir Benfro, ac mewn trefi unigol megis Llandudno, Llandrillo-yn-Rhos, Bae Colwyn, Aberaeron, Cricieth ac Aberdyfi. Y prif anhawster a gododd yn sgil y mewnfudiad oedd bod cyfraniad y newydd-ddyfodiaid i'r gymdeithas leol yn gyfyngedig oherwydd eu hoedran ond bod y baich a osodwyd ganddynt am yr un rheswm ar y gwasanaethau cymdeithasol yn sylweddol, yn arbennig o gofio bod eu teuluoedd yn byw yng nghanolbarth neu orllewin Lloegr. Felly dwysawyd problemau'r siroedd gwledig ar adeg pan oedd diboblogi yn effeithio ar eu gallu i gynnal gwasanaethau sylfaenol.

Cafodd y dirywiad economaidd a'r newidiadau mewn poblogaeth effeithiau andwyol ar y Gymraeg yn ei chadarnleoedd gwledig. Rhwng 1951 a 1961 gostyngodd canran y siaradwyr Cymraeg o 80 y cant i 76 y cant yn sir Fôn, o 77 y cant i 75 y cant yn sir Gaerfyrddin, ac o 80 y cant i 75 y cant yn sir Aberteifi. Heb ymdrech bwrpasol i ddatblygu tanadeiledd ddiwydiannol yr ardaloedd hyn nid oedd unrhyw arwydd erbyn canol y 1960au y byddai'r dirywiad ieithyddol yn cael ei atal.

Fel y trafodwyd eisoes, roedd y cyfnod rhwng 1945 a 1964 yn un llewyrchus i'r mwyafrif o bobl ym Mhrydain a chyfranogodd y Cymry o'r gwelliant cyffredinol mewn safonau byw a'r cynnydd mewn nwyddau traul. Ond roedd patrwm y datblygiad yng Nghymru rywfaint yn wahanol i weddill gwledydd Prydain.

Sicrhaodd polisïau'r llywodraeth a ffactorau economaidd ffafriol, byd-eang y gellid datblygu ac ehangu sylfaen yr economi Cymreig. Fel hyn y lleddfwyd canlyniadau cymdeithasol dinistriol dirywiad rhai o'r diwydiannau traddodiadol. Tra oedd datblygiad gwasanaethau a diwydiannau ysgafn o gymorth mawr i rannau o Gymru eto fe arhosodd diweithdra yn uwch na'r cyfartaledd Prydeinig drwy'r cyfnod hwn ac ni lwyddwyd i arafu'r dylifiad o Gymru. Erbyn dechrau'r 1960au roedd 22,000 o bobl y flwyddyn yn gadael y wlad.

Cyfartaledd diweithdra

Blwyddyn	Cymru	Prydain
1948	4.5	2.0
1958	3.7	2.0
1965	2.2	1.2

Y tu mewn i Gymru ceid amrywiaethau o ardal i ardal. Ar ddechrau 1960 roedd cyfartaledd diweithdra yng Nghymru yn 2.3 y cant ond yn sir Fôn roedd y ffigur yn 7.5 y cant. Ar ddiwedd 1964 pan oedd y cyfartaledd yng Nghymru yn 2.7 y cant roedd yn 7 y cant yn sir Fôn, 11.9 y cant yn Aberdaugleddau, 5.9 y cant yng Nghaernarfon a 4.7 y cant yn Rhondda. Nid oedd y ffigurau hyn, wrth gwrs, yn uchel o gymharu â'r 1930au.

Un o ganlyniadau'r twf yn y sector cynhyrchu a'r sector gwasanaethol oedd y cynnydd yn nifer y merched a gâi eu cyflogi. Ym 1953 cyflogid 250,000 o ferched a 676,000 o ddynion. Erbyn 1963 roedd y nifer o ferched mewn gwaith wedi codi i 297,000 tra oedd y nifer o ddynion ond wedi codi i 686,000. Er bod merched yn cynrychioli cyfran uchel o'r

317

gweithlu erbyn canol y 1960au nid swyddi arbenigol oedd y rhan fwyaf ohonynt. Ymhlith y swyddi mwyaf poblogaidd roedd gwaith clerigol, gweithio peiriannau a gwaith rhan amser fel glanhawyr. Roedd angen hyfforddiant ar nyrsys ac athrawesau ond fel yn y swyddi eraill nid oedd cyflogau'n uchel. Roedd llawer o ferched heb drefniadaeth undebol i warchod eu buddiannau, roedd eu swyddi yn fwy ansefydlog, ac ychydig iawn o hawliau cyfreithiol oedd gan ferched a oedd mewn gwaith rhan amser.

Felly er i ddiweithdra fod yn gymharol isel yn gyffredinol ac er i lawer o swyddi newydd ddod i Gymru ar ôl y rhyfel nid oedd y sylfeini economaidd newydd yn rhai cadarn iawn. Roedd y llu o ffatrïoedd a agorwyd fel arfer yn ganghennau o ddiwydiannau a oedd â'u pencadlys a'u prif uned gynhyrchu yn ne-ddwyrain Lloegr ac yn fwy tebygol o gael eu cau pe bai'r diwydiant hwnnw mewn trybini. Dibynnai llawer o'r gwaith newydd ar gymorthdaliadau a gallai'r rheini gael eu dileu neu eu harolygu yn ôl mympwy'r llywodraeth mewn grym. Ymhellach, gyda'r trawsnewidiad graddol o waith mwy arbenigol y diwydiannau trwm i'r gwaith llai medrus a gynigid gan y diwydiannau newydd roedd y cyflogau fel arfer yn is ac erbyn 1960 rhagwelai rhai y byddai'r ddibyniaeth gynyddol ar y swyddi hyn yn creu problemau cymdeithasol ar adeg pan oedd prisiau unwaith eto yn dechrau codi'n gyflym.

Tra oedd pobl busnes a diwydianwyr yn aml o blaid cyflogi merched a phobl ifainc fel y gallent dalu cyflogau llai roedd y twf yn nifer y merched mewn gwaith yn adlewyrchiad hefyd o'u hannibyniaeth gynyddol ers cyfnod y Rhyfel Byd Cyntaf. Er hynny hyd yn oed yn y 1960au roedd merched yn dal yn gaeth i raddau helaeth i'r hen agweddau cymdeithasol ynglŷn â'u rôl mewn cymdeithas. Haera rhai haneswyr fod chwyldro cymdeithasol wedi digwydd yng Nghymru ac yng ngweddill Prydain ar ôl yr Ail Ryfel Byd. Ond o safbwynt merched nid oedd llawer wedi newid. Cawsant brofiad o wneud gwaith o bob math mewn dau ryfel byd a thrwy hynny dangoswyd eu gallu i wneud y rhan fwyaf o swyddi a oedd yn draddodiadol yn swyddi i ddynion. Ond ar ôl y rhyfeloedd aethpwyd yn ôl at yr hen drefn. Er i'r nifer o swyddi i ferched gynyddu'n sylweddol ar ôl 1945 gellir dehongli hyn yn nhermau amcanion ac anghenion y llywodraeth a chyflogwyr. Wedi'r cyfan, ni wnaed unrhyw ymdrech gan gyflogwyr i ddarparu gofal am fabanod a phlant dan bump oed mewn ffatrïoedd a swyddfeydd er mwyn galluogi'r ddau riant, yn arbennig y mamau, i barhau yn eu swydd. Byddai newid o'r math hwn, yn bendant, wedi bod yn chwyldro cymdeithasol.

Enillodd merched fwy o ryddid yn sgîl datblygiad dulliau atal cenhedlu mwy dibynadwy a thrwy dderbyn cyflogau ar wahân i'w gwŷr. Roedd

318

gwelliannau materol yn un o brif nodweddion y 1950au a'r 1960au ac yn y cyfnod hwn y cynhyrchwyd llawer o nwyddau trydanol i hwyluso'r gwaith o amgylch y cartref. Ond er hyn i gyd, parhaodd yr hen draddodiad mai'r ferch a oedd yn briod â'i thŷ (h.y. gwraig y tŷ) ac yn gyfrifol am edrych ar ei ôl.

Efallai y gellid dadlau bod y cynnydd mawr yn y nifer o ferched cyflogedig ar ôl y rhyfel yn chwyldro ynddo'i hun, ond os gwir hynny roedd y canlyniadau yn gymysg. Er gwaethaf eu hannibyniaeth newydd roedd y drefn addysg, cylchgronau, papurau newydd, hysbysebion, y cyfryngau, y drefn dreth incwm, rheolau banciau a chymdeithasau adeiladu, y gyfraith ysgariad a llu o gyfreithiau eraill yn atgyfnerthu'r hen ragfarnau a statws eilradd merched mewn cymdeithas. Ychwanegu at eu dyletswyddau a'u cyfrifoldebau a wnaeth y 'chwyldro' hwn yn hytrach na'u newid.

Chwyldro cymdeithasol wrth gwrs oedd breuddwyd llawer o'r Cymry a gefnogodd y Blaid Lafur ym 1945. Ar ôl diweithdra uchel a chyni'r 1920au a'r 1930au roedd pobl yn ffyddiog y byddai llywodraeth sosialaidd y tro hwn yn sicrhau gwell bywyd i bawb.

Un o bolisïau llywodraeth Attlee oedd adeiladu mwy o dai i bobl a oedd heb yr adnoddau ariannol i brynu eu cartrefi eu hunain. Oherwydd y prinder adnoddau crai ar gyfer adeiladu rhwng 1945 a 1949 penderfynodd y llywodraeth, er mwyn cadw prisiau'n isel, drosglwyddo'r cyfrifoldeb am godi tai i'r awdurdodau lleol. Rhoddwyd cyfyngiadau llym ar adeiladu preifat a chymorthdaliadau i'r awdurdodau nid yn unig i godi tai cyngor ond hefyd i glirio slymiau. Rhwng 1946 a 1952 cliriwyd miloedd o hen dai yn Abertawe, Caerdydd, Casnewydd, Wrecsam a nifer o ardaloedd eraill. Codwyd 6,000 o dai yn Abertawe yn unig. Codwyd cannoedd o dai rhad yn Wrecsam, Llanelli a Chaerdydd a rhoddwyd grantiau i lawer o bobl i adnewyddu eu cartrefi. Ond gyda'r llywodraeth yn gwario cymaint ar raglenni gwariant cyhoeddus eraill, a Stafford Cripps ac yna Hugh Gaitskell yn cyflwyno cyllidebau cymharol geidwadol, ni chyflawnwyd y gwelliannau mawr a ddisgwyliwyd oddi wrth y polisi tai yng Nghymru.

Ailgyfeiriodd llywodraethau Churchill a Macmillan y polisi tai drwy roi'r flaenoriaeth i godi cartrefi preifat. Adeiladwyd degau o filoedd o dai ar stadau newydd ar gyffiniau'r trefi mawrion ac mewn ardaloedd megis Llantrisant, Pen-y-bont ar Ogwr, Llandudno, Rhuddlan, y Rhyl, Aberystwyth, Bwcle, Cei Connah, Bae Colwyn a Wrecsam. Erbyn 1960 roedd tyfiant y trefi hyn yn dyst i lwyddiant y polisi, i ffyniant y cymdeithasau adeiladu ac i lewyrch materol cyffredinol yr ugain mlynedd blaenorol.

Ond er gwaethaf y llwyddiant hwn a datblygiad y wladwriaeth les roedd y sefyllfa dai yng Nghymru erbyn canol y 1960au yn dal yn anfoddhaol. Yng Nghaerdydd, Abertawe, Casnewydd, Merthyr Tudful a chymoedd Cynon a Rhondda roedd cyfran uchel o'r tai wedi cael eu codi cyn 1914 ac roedd y problemau arferol a gysylltir â hen dai megis systemau trydan hynafol, lleithder, diffyg cyfleusterau sylfaenol ac yn y blaen yn rhai cyffredin iawn. Yng Nghymru roedd yn agos i chwarter y cartrefi heb dŷ bach yn y tŷ na baddon — y canran rhanbarthol uchaf ym Mhrydain. Ym mhentrefi Rhondda roedd y ffigur dros 50 y cant. Mewn arolwg cyffredinol ym 1961 darganfuwyd mai'r tai yn ardaloedd Blaenafon, Aberpennar, Abertyleri, Rhondda a Ffestiniog oedd y rhai gwaethaf yng ngwledydd Prydain. Roedd llawer o'r tai yn y cymoedd yn cael eu gosod ar rent gan y Bwrdd Glo (a oedd dan reolaeth ariannol y llywodraeth) ac roedd y rhain ymhlith y rhai mwyaf annerbyniol o safbwynt cyflwr a chyfleusterau.

Am fod cymaint o dai yn y ddau faes glo yn anaddas (dros 100,000 ym 1970) neu yn brin o ryw gyfleuster sylfaenol tueddai prisiau tai preifat i aros yn isel, hyd yn oed y rhai a oedd mewn cyflwr da. Felly adeiladwyd y rhan fwyaf o dai preifat newydd y tu allan i'r ardaloedd hyn, datblygiad a roddodd hwb arall i symudiad poblogaeth allan o'r cymoedd ac a gyfrannodd at ddirywiad pellach y cymunedau traddodiadol. Gosodwyd pwysau aruthrol ar gynghorau trefol a dinesig megis Wrecsam, Caerdydd ac Abertawe a oedd â rhestrau aros hir am dai cyngor erbyn canol y 1960au. Felly er nad oes modd gweld tebygrwydd rhwng amodau a safonau byw y 1920au a'r 1960au nid oedd y cyfuniad o bolisïau gwladwriaethol a gweithrediadau'r farchnad rydd wedi llwyddo i ddileu'r problemau dirfawr a fodolai yng Nghymru o safbwynt ansawdd a chyflwr tai.

Camp fwyaf y llywodraeth Lafur oedd sefydlu'r Gwasanaeth Iechyd Cenedlaethol. Roedd gan y Cymry ddiddordeb arbennig ynddo gan mai Aneurin Bevan, yr aelod seneddol dros Lynebwy, a oedd yn bennaf gyfrifol am ei roi ar ei draed. Roedd gweledigaeth Bevan yn glir a phendant:

> Yn y mater hwn, mae gweithredu unigol a chydgysylltiol yn cymryd rhan mewn cyfres o frwydrau dramatig. Haera'r egwyddor gydgysylltiol y dylai adnoddau sgiliau meddygol a chyfarpar iechyd fod ar gael i'r claf yn ddi-dâl pan fydd eu hangen arno ef neu hi; y dylai triniaeth a gofal meddygol fod yn gyfrifoldeb cymdeithasol ac ar gael ar gyfer y cyfoethog a'r tlawd fel ei gilydd yn ôl anghenion meddygol ac nid yn ôl unrhyw faen prawf arall. Mae'n haeru fod

gofid ariannol ar adeg salwch yn rhwystr difrifol i adferiad iechyd, heb sôn am achosi creulondeb diangen. Mae'n mynnu na all unrhyw gymdeithas yn gyfreithiol alw ei hunan yn wâr os gwrthodir cymorth i berson claf oherwydd diffyg modd.

Sicrhaodd ymdrechion Bevan wasanaeth meddygol i bawb ac i safonau cyffredinol yn yr ysbytai a chyflwr iechyd pobl wella rhwng diwedd y rhyfel a chanol y 1960au. Roedd pobl nid yn unig yn bwyta'n well ond roedd ganddynt fwy o arian i brynu amrywiaeth ehangach o fwydydd.

Ond ni ddilewyd y gwahaniaethau pendant rhwng Cymru a rhannau o Loegr cyn belled ag yr oedd effeithiolrwydd y gwasanaeth yn y cwestiwn. Amlygwyd hyn gan y canran uwch o Gymry a oedd yn marw o rai clefydau arbennig, patrwm na newidiodd yn sylweddol o 1931 hyd 1965. Roedd cyfran uwch o lawer yn marw o'r darfodedigaeth, trawiad ar y galon a chlefyd y frest. I raddau roedd hyn, ynghyd â'r nifer uchel o bobl anabl, yn adlewyrchiad o ddibyniaeth Cymru ar waith peryglus ac afiach, yn arbennig yn y diwydiant glo. Serch hynny, os oedd yr afiechydon hyn mor gyffredin yng Nghymru, yn arbennig yn yr ardaloedd diwydiannol, roedd yn syndod na roddwyd llawer mwy o sylw i'r broblem yng nghyfnod Bevan ac yn ystod rheolaeth y Ceidwadwyr. Unwaith eto cyfyngwyd ar ddatblygiad ac ehangiad y gwasanaeth gan y sefyllfa economaidd cyn 1953 a chan flaenoriaethau gwahanol rhwng 1952 a 1964.

Er nad oedd yn rhaid talu am y rhan fwyaf o'r gwasanaethau meddygol, daliodd iechyd pobl Cymru i amrywio yn ôl eu cefndir cymdeithasol. Ym 1931, er enghraifft, roedd cyfradd y marwolaethau ar gyfer gweithwyr llaw dihyfforddiant yn ddim ond 23 y cant yn uwch na'r cyfradd ar gyfer pobl broffesiynol, ond ym 1961 roedd y gwahaniaeth yn 88 y cant.

Marwolaethau ym mhob mil yn ôl dosbarth

Cyfnod	Proffesiynol	Hyfforddiant arbennig	Hyfforddiant rhannol	Dihyfforddiant
1930–32	90	97	102	111
1949–53	86	101	104	118
1959–63	76	100	103	143

Dengys ffigurau fel hyn fod cysylltiad uniongyrchol rhwng dosbarth a marwolaethau a bod sefydlu'r Gwasanaeth Iechyd heb gael effaith syfrdanol ar iechyd pobl oedd ar gyflogau isel. Gellir amau, o edrych ar y ffigurau, a oedd iechyd y dosbarth gweithiol yn well yn y 1950au nag yr oedd yn y 1930au. Mae'n amlwg nad oedd y gwelliannau mewn maeth a darpariaeth feddygol yn ddigon i ddileu canlyniadau gweithio mewn amgylchiadau afiach.

Dioddefodd Cymru yn y 1950au o ganlyniad i benderfyniad y Ceidwadwyr i beidio ag adeiladu mwy o ysbytai ond bu rheolau'r Gwasanaeth Iechyd yn gyfrwng i ddiogelu bod yr ysbytai a oedd mewn bodolaeth yn darparu triniaeth feddygol i bawb a chyfrannodd hyn at y gostyngiad yn nifer y marwolaethau oddi wrth y darfodedigaeth yng Nghymru o 1,086 ym 1951 i 333 ym 1959 ac i 211 ym 1964. Yn anffodus ni welwyd yr un gostyngiad yn achos marwolaethau oddi wrth afiechydon y galon — 9,642 ym 1951, 9,286 ym 1959, a 10,269 ym 1964. Mae'n bosibl y gellir cysylltu'r ffenomen hon â'r nifer cynyddol o bobl nad oedd yn gwneud unrhyw fath o ymarfer corfforol yn eu gwaith, a oedd yn bwyta llawer o fwydydd a allai fod yn andwyol i'r corff, a hefyd yn teimlo straen pwysau seicolegol cynyddol a chymhleth y 1950au a'r 1960au.

Yn ystod yr ugain mlynedd ar ôl y rhyfel cynyddodd costau'r Gwasanaeth Iechyd yng Nghymru bob blwyddyn, er enghraifft, £12,471,000 ym 1949, £23,489,000 ym 1953, £33,839,000 ym 1959 a £45,623,000 ym 1964. Prif achos y cynnydd oedd chwyddiant ac nid datblygiadau sylweddol yn y ddarpariaeth feddygol. Parhaodd ardaloedd gwledig, yn arbennig siroedd Maesyfed, Brycheiniog a Threfaldwyn, i ddioddef yn ddifrifol oherwydd y pellter i'r ysbytai mawr agosaf yn Aberystwyth, Caerdydd, Wrecsam a Lerpwl ac roedd cyfran uwch o feddygon o hyd yn gwasanaethu'r ardaloedd trefol mwy llewyrchus.

Felly er gwaethaf popeth a gyflawnwyd gan y Gwasanaeth Iechyd Cenedlaethol, roedd nifer o wendidau sylfaenol yn dal o hyd. Roedd nifer helaeth o'r ysbytai yn hen iawn ac roedd prinder staff ac adnoddau yn benbleth barhaus. Roedd gwahaniaethau amlwg rhwng safon y ddarpariaeth feddygol yng Nghymru a'r un yn ne-ddwyrain Lloegr ac roedd iechyd trigolion yr ardaloedd diwydiannol yn waeth na iechyd gweddill pobl Cymru. Darganfuwyd bod cysylltiad pendant rhwng gwaith, dosbarth, ac ardal â iechyd. Erbyn 1964 nid oedd breuddwyd Aneurin Bevan wedi cael ei wireddu yng Nghymru.

Ym maes addysg dechreuodd llywodraeth Attlee weithredu'r newidiadau a ymgorfforwyd yn Neddf Addysg Butler (1944). Rhannwyd y gyfundrefn addysg yn ysgolion cynradd ac ysgolion uwchradd gramadeg, modern, technegol a phreifat. Roedd y prif raniad uwchradd rhwng yr ysgolion gramadeg a modern yn y sector cyhoeddus a'r ysgolion preifat. Yng Nghymru, o'r bedwaredd ganrif ar bymtheg ymlaen, buasai'r traddodiad addysgol yn un academaidd. Adlewyrchwyd hyn yn y 1950au gan y nifer a fynychai'r ysgolion gramadeg — rhwng 36 y cant a 50 y cant o gymharu â rhwng 18 y cant a 25 y cant yn Lloegr.

Er i sir Fôn arloesi ym myd addysg gyfun o 1951 ymlaen roedd yr awdurdodau Cymreig eraill yn gyndyn i ddiddymu'r ysgolion gramadeg. Roedd gan sir Aberteifi yn arbennig draddodiad academaidd hir ac roedd y gyfran o ddisgyblion a âi i brifysgolion cyfuwch ag unrhyw ardal ym Mhrydain. Roedd y pwyslais hwn ar addysg academaidd yn rhan o'r traddodiad anghydffurfiol Cymreig. Roedd addysg yn bwysig am ei fod yn cyfrannu at barhad gwerthoedd cymdeithasol a diwylliannol arbennig.

Roedd atgofion am brofiadau chwerw'r dirwasgiad yn y 1920au a'r 1930au yng Nghymru yn hybu rhieni i annog eu plant i gyrraedd safon addysgol uchel. Addysg oedd y cyfrwng a alluogai blant y dirwasgiad i ddianc rhag y gormes economaidd yr oedd eu rhieni wedi ei ddioddef. Nid oes syndod i'r cyfnod hwn gynhyrchu cymaint o athrawon y 1950au a'r 1960au.

Ond tra oedd traddodiad a dirwasgiad wedi atgyfnerthu'r pwyslais academaidd yng Nghymru ar ôl yr Ail Ryfel Byd nid oedd o gymorth i ddisgyblion a oedd yn brin o'r galluoedd cydnabyddedig hyn. Er bod cyfran uwch o ddisgyblion Cymru erbyn 1965 yn ennill cymwysterau addysgol gwell na'u cyfoedion yn Lloegr, eto roedd mwy yn gadael yr ysgolion heb unrhyw gymwysterau o gwbl.

Ychydig o bwysigrwydd a roddwyd i gysylltu addysg ag anghenion cymdeithas, yn arbennig cymdeithas ddiwydiannol. Yn hytrach na hyfforddi disgyblion ar gyfer y swyddi newydd a fyddai'n codi yn sgil newidiadau economaidd, parhaodd yr ysgolion, hyd yn oed llawer o'r rhai modern, i ganolbwyntio ar bynciau academaidd er eu bod yn aml yn rhy gymhleth i'r rhan fwyaf ac yn amherthnasol i'w dyfodol. Gwaethygwyd y sefyllfa gan amharodrwydd y llywodraeth i wario mwy ar adeiladau newydd ac ar ddarparu cyflenwad o athrawon gyda hyfforddiant mwy arbenigol mewn pynciau ymarferol. Yng Nghymru ym 1965 roedd 29 y cant o'r ysgolion cynradd wedi cael eu codi cyn 1903 a 48 y cant cyn 1945. Yn y sector uwchradd roedd 19 y cant wedi eu hadeiladu cyn 1945 ond yng Nghanol Morgannwg roedd y ffigur yn 39 y cant. Ymhellach, roedd y ddarpariaeth ar gyfer addysg arbennig yn hollol anfoddhaol drwy gydol y cyfnod hwn.

Felly er i'r nifer o blant a fynychai ysgolion o ryw fath gynyddu'n sylweddol ar ôl 1945 roedd y pwyslais yn dal ar addysg draddodiadol academaidd ac oherwydd hynny'n anaddas ar gyfer dyfodol nifer fawr o'r disgyblion. Roedd y gyfundrefn addysg wedi'i threfnu er mwyn bodloni anghenion Prifysgol Cymru a sefydlwyd yn swyddogol yn y 1890au. Erbyn y 1960au roedd gan y Brifysgol golegau yn Aberystwyth, Bangor, Abertawe a Chaerdydd a hefyd coleg meddygol a choleg technegol addysg uwch yn y brifddinas. Bu dadlau brwd ar ddechrau'r 1960au ynglŷn â statws y brifysgol pan geisiodd penaethiaid rhai o'r colegau ddinistrio'i statws ffederal a ffurfio sefydliadau annibynnol. Yn y pen draw, fodd bynnag, penderfynodd Anthony Crossland, y Gweinidog Addysg, gefnogi safbwynt Alwyn D. Rees o Aberystwyth a'i gydffederalwyr na ddeuai unrhyw fantais o chwalu'r hen drefniadaeth.

Yn y 1950au y dechreuwyd datblygu addysg ddwyieithog. Roedd rhai awdurdodau addysg megis sir y Fflint, yn flaenllaw yn y maes hwn. Bu cynnydd cyffredinol yn nifer yr athrawon a oedd yn cael eu hyfforddi i gwrdd â'r galw a grewyd gan ysgolion newydd ond ni chafwyd newid o bwys yn nifer y staff i bob disgybl (un i 25 mewn ysgolion cynradd ac un i 19 mewn ysgolion uwchradd ym 1950-51) yn yr ugain mlynedd ar ôl y rhyfel.

Ar adeg pan oedd iaith a diwylliant Cymru yn wynebu dirywiad pellach ysbardunwyd ymdrech rymus gan Gymry di-Gymraeg i geisio ymdrin â'u hunaniaeth eu hunain.

Ym myd barddoniaeth ymddangosodd gwaith John Tripp, Raymond Garlick ac R. S. Thomas, ac ym 1965 sefydlwyd *Poetry Wales* gan Meic Stephens er mwyn rhoi llwyfan i lenorion di-Gymraeg. Roedd gwaith Dylan Thomas yn dal yn boblogaidd ymhell y tu draw i ffiniau Cymru ond beirniadwyd ef gan rai am anwybyddu ei Gymreictod. Ymhlith yr awduron eraill daeth gwaith Emyr Humphreys a Gwyn Thomas yn adnabyddus. Roeddynt yn canolbwyntio ar agweddau ar fywyd Cymreig ond nid o reidrwydd ar fywyd y Cymry Cymraeg. Un o'r awduron mwyaf llwyddiannus oedd Alexander Cordell a werthodd filoedd lawer o'i nofelau hanesyddol clawr papur a ymdriniai â phobl gyffredin yn y meysydd glo (*Rape of the Fair Country, Song of the Earth, The Fire People*).

Daeth gwaith yr arlunwyr Kyffin Williams a David Jones ym boblogaidd ond roedd hi'n anodd cysylltu eu gwaith ag unrhyw draddodiad Cymreig neillituol. Roedd yr un peth yn wir am Gwmni Opera Cenedlaethol Cymru a sefydlwyd yng Nghaerdydd ym 1946 ac a ddaeth ag enwogrwydd i gantorion fel Syr Geraint Evans, Margaret Price a Gwyneth Jones. Roedd yn sefydliad cenedlaethol ond operâu Ewropeaidd a berfformid. Daliodd traddodiad corawl Cymru yn gryf mewn pentrefi, clybiau ac ardaloedd cyfan. Ffurfiwyd corau meibion, corau merched a chorau cymysg i gystadlu yn Gymraeg neu yn Saesneg mewn eisteddfodau a chystadlaethau eraill, ac i berfformio mewn cyngherddau ar hyd a lled y wlad.

O ran chwaraeon ni fu unrhyw newid amlwg yn chwaeth y Cymry ar ôl 1945 ac eithrio, efallai, y cynnydd ym mhoblogrwydd criced, yn enwedig ar ôl i sir Forgannwg ennill y bencampwriaeth sirol ym 1948. Roedd pêl-droed yn fwy poblogaidd yn y gogledd ac yn yr ardaloedd gwledig ond roedd tuedd i ddilynwyr y gêm gefnogi timau Lloegr (Lerpwl, Manceinion, Everton, Leeds) yn hytrach na'r pedwar tîm Cymreig yng nghynghrair Lloegr, sef Wrecsam, Casnewydd, Abertawe a Chaerdydd. Rygbi oedd y gêm fawr yn y meysydd glo deheuol a daliodd ei gafael ar deyrngarwch y deheuwyr ar bob lefel ar ôl y rhyfel. Achosodd y cysylltiadau â De Affrica wahaniaeth barn a rhywfaint o ddadrithiad ymhlith y cefnogwyr o ddechrau'r 1960au ymlaen.

Roedd ansawdd bywyd pobl ifanc Cymru yn well nag a fuasai cyn y rhyfel, yn bennaf am fod gan y mwyafrif ohonynt swyddi ac arian i'w wario. Yng Nghymru fel mewn rhannau eraill o Brydain bu'r cynnydd yn incwm y genhedlaeth ifanc yn gyfrwng i hyrwyddo diwylliant unigryw yn gysylltiedig â newidiadau ffasiwn a cherddoriaeth bop. Elvis Presley, Billy Fury, Billy J. Kramer, Cliff Richard, Gerry and the Pacemakers, ac wrth gwrs, The Beatles, a The Rolling Stones oedd arwyr y diwylliant newydd ar adegau gwahanol ac roedd y dawnsfeydd roc-a-rôl a'r caffis lleol yr un mor boblogaidd ymhlith yr ifainc yng Nghymru ag yr oeddynt ym mhobman arall.

Cyfnod o drawsnewidiad economaidd a chymdeithasol felly oedd yr ugain mlynedd ar ôl y rhyfel. Dirywiodd y diwydiannau traddodiadol a gyflogai ddynion yn bennaf ac ehangodd y diwydiant gwasanaethol a'r diwydiant cynhyrchu a oedd yn cyflogi cyfran gynyddol o ferched yn galw am lai o fedrusrwydd arbennig ac yn talu cyflogau is. Yn dilyn y newid hwn cyflymwyd dirywiad y cymoedd a thyfodd poblogaeth y canolfannau deheuol ac arfordirol. Trigai llawer o'r boblogaeth hon mewn stadau newydd gan greu dull o fyw a oedd yn fwy amhersonol ac yn fwy hunanol i raddau na'r un yr oeddynt wedi arfer ag ef yn yr hen gymunedau.

Parhaodd y dirywiad yng nghefn gwlad Cymru a chynyddodd dibyniaeth yr ardaloedd hyn ar y diwydiant ymwelwyr lle roedd gwaith yn dymhorol, yn ansefydlog ac yn cynnig cyflogau gwael. O ganlyniad i fethiant polisïau'r llywodraeth i atal diboblogi roedd cefn gwlad Cymru yn cael ei drawsnewid yn raddol yn ardal wyliau ar gyfer pobl o ddwyrain Cymru a gorllewin a chanolbarth Lloegr. Un o effeithiau hyn oedd lleihad pellach yn nifer y Cymry Cymraeg, a heb adfywiad economaidd roedd adfer y tir a gollwyd yn orchwyl enfawr.

Bu gwelliant cyffredinol ym mywyd materol y boblogaeth ond roedd safon y gwasanaethau a lefelau gweithgarwch economaidd yn is yng Nghymru nag ym Mhrydain yn gyffredinol. Roedd safle ymylol Cymru yn ddaearyddol ac yn weinyddol bron yr un mor gyfrifol am hyn â'r anghyfartaledd dosbarth a strwythur cymdeithasol. Ceisiwyd lleihau'r gwahaniaethau rhanbarthol drwy weithredu polisïau ariannol arbennig, ond ni fu unrhyw ymdrech i integreiddio gwahanol rannau o'r economi Cymreig ac i adeiladu ffyrdd da yn cysylltu'r gorllewin â'r dwyrain a'r gogledd â'r de. Canolbwyntiodd y llywodraeth ar foderneiddio'r cysylltiadau cyfathrebol a oedd gan Gymru'n barod â Glannau Merswy, ardal Bryste, ardal Birmingham a Llundain. Canlyniad hyn oedd gwanychu'r economi Cymreig a chynyddu ei ddibyniaeth ar Lundain a de-ddwyrain Lloegr. Nid oedd unrhyw arwydd erbyn dechrau'r 1960au fod cynlluniau cynhwysfawr yn cael eu paratoi i ddatblygu'r fframwaith economaidd a chymdeithasol yng Nghymru ac anodd felly oedd credu y byddai'r gwelliannau a enillwyd yn goroesi dirwasgiad neu ddirywiad yn yr economi Prydeinig.

Twf a Datblygiad Plaid Cymru, 1925–1964

Yng Nghynhadledd Heddwch Versailles ym 1919 pwysleisiodd yr Arlywydd Wilson a'r Prif Weinidog Prydeinig, David Lloyd George, bwysigrwydd hawliau cenhedloedd bychain. Un o ganlyniadau Cytundeb Versailles oedd sefydlu amryw o wladwriaethau bychain ar y cyfandir yn dilyn chwalfa ymerodraethau Otoman, Habsburg a Howhenzollern. Gellir amau cymhellion y Pwerau Mawrion ym Mharis dros sefydlu'r gwledydd newydd ond roedd y gydnabyddiaeth hon o hawliau'r cenhedloedd lleiafrifol yn anogaeth newydd i fudiadau cenedlaethol mewn rhannau eraill o'r byd, gan gynnwys India, Iwerddon a'r Aifft.

Yng Nghymru nid oedd poblogrwydd Lloyd George yn ddigon i atal trai'r Rhyddfrydwyr, ac erbyn canol y 1920au roeddynt yn colli eu lle yn gyflym i'r Blaid Lafur fel cynrychiolwyr gwleidyddol Cymru yn Llundain. Yn sgil methiant Cymru Fydd ac o ganlyniad i ymroddiad Lloyd George i faterion Prydeinig ac achosion rhyngwladol a phwyslais y Blaid Lafur ar fuddiannau'r dosbarth gweithiol nid oedd unrhyw arwydd y byddai Cymru a'r iaith Gymraeg yn cael llawer o sylw yn y dyfodol agos. Yna, llwyddodd cenedlaetholwyr Sinn Féin a Byddin Weriniaethol Iwerddon i ennill annibyniaeth i ddeheudir yr ynys ym 1922 wedi nifer o ymgyrchoedd treisgar a oedd wedi achosi tyndra gwleidyddol parhaus er Gwrthryfel y Pasg ym 1916.

Dyma rai o'r ffactorau a ddylanwadodd ar nifer fechan o bobl addysgiedig dosbarth canol a ddaeth at ei gilydd yn Eisteddfod Genedlaethol Pwllheli ym 1925 i ffurfio Plaid Genedlaethol Cymru. Roedd y bobl hyn wedi eu dadrithio'n llwyr gyda'r pleidiau Prydeinig a chredent na allai Cymru gadw ei hunaniaeth fel cenedl oddi fewn i gyfundrefn wleidyddol Brydeinig. Roedd llwyddiant Sinn Féin hefyd yn arwydd o obaith dim ond iddynt weithredu'n annibynnol ar y pleidiau mawr. Penderfynodd yr aelodau cynnar felly — Saunders Lewis, D. J. Williams, H. R. Jones, Ambrose Bebb a Lewis Valentine yn eu plith — na allai aelodau o'u plaid hwy berthyn i blaid arall a dilynasant esiampl Sinn Féin drwy ddatgan na fyddai unrhyw gynrychiolydd o'r Blaid a etholid yn aelod seneddol yn eistedd yn San Steffan.

Prif amcanion y blaid newydd oedd sicrhau amodau a fyddai'n diogelu parhad yr iaith Gymraeg a'r diwylliant Cymreig. Lewis Valentine oedd y llywydd cyntaf ond ar ôl blwyddyn cymerwyd ei le gan Saunders Lewis a arhosodd yn y swydd hyd ddechrau'r Ail Ryfel Byd ac a ddylanwadodd yn fwy na neb arall ar syniadau a chyfeiriad cyffredinol polisïau'r Blaid rhwng 1926 a 1939.

Pan gynhaliwyd y cyfarfod blynyddol cyntaf ym Machynlleth ym 1926 trafodwyd amryw o faterion gan gynnwys cyllid, propaganda ac addysg, ac roedd Saunders Lewis yn bendant ynglŷn â chyfeiriad y Blaid. Iddo ef, sail ddiwylliadol oedd i ymreolaeth Gymreig yn hytrach nag un faterol ac ni welai ychwaith unrhyw reswm dros geisio ymreolaeth i Gymru Seisnig.

Ond prin iawn oedd y sôn am broblemau cymdeithasol ac economaidd Cymru. Roedd hyn yn peri rywfaint o syndod ar y pryd o gofio mai 1926 oedd blwyddyn y Streic Gyffredinol. Yn ôl Saunders Lewis nid oedd angen y fath bolisi yn nyddiau cynnar y Blaid. Gwreiddiau cenedlaetholdeb Lewis oedd yr argyfwng ieithyddol a diwylliannol ac nid anghyfiawnder cymdeithasol ac economaidd. Roedd diogelu'r gwareiddiad Cymreig yn un o themâu mwyaf cyson Lewis yn ei areithiau a'i golofnau yn *Y Ddraig Goch* a sefydlwyd ym 1926 a *The Welsh Nationalist* a sefydlwyd ym 1932. Ymosododd ar fateroliaeth sosialaeth o unrhyw fath ac ar rym dinistriol cyfalafiaeth ac imperialaeth. Un o wendidau mawr sosialaeth y Blaid Lafur a chyfalafiaeth y pleidiau eraill oedd y pwyslais ar ganoli ac ar greu unedau a reolai bob agwedd ar fywyd pobl. Cyfeiriodd yn aml at faes glo'r deheudir fel enghraifft o ddinistr y cymunedau clòs Cymreig gan rymoedd estron a chanolog. Rhan hanfodol o'r Gymru ddelfrydol i Lewis oedd cymdeithas yn seiliedig ar economi amaethyddol a hwnnw'n ddibynnol ar gydweithrediad rhwng ffermydd bychain. Roedd newid o'r fath yn allweddol i barhad yr iaith yn ei dyb ef ac roedd y ffaith honno yn bwysicach yn y pen draw nag unrhyw ffurf o hunanlywodraeth.

Yn y 1920au grŵp ymwthiol, diwylliannol oedd y Blaid yn fwy na dim er i unigolion fel Lewis, H. R. Jones, Valentine, Kate Roberts ac Iorwerth Peate ei hystyried fel mudiad cenedlaethol. Erbyn 1930 roedd ganddi oddeutu 500 o aelodau, y mwyafrif ohonynt yn athrawon, gweinidogion, darlithwyr coleg a gweithwyr yn y diwydiant llechi yng Ngwynedd.

Ym 1929 ymladdwyd yr etholiad cyntaf a'r etholaeth a ddewiswyd oedd sir Gaernarfon gyda Lewis Valentine yn ymgeisydd. Enillodd 609 o bleidleisiau a gyfatebai i 1.1 y cant o'r bleidlais. Er mai hon oedd yr ymdrech etholiadol gyntaf mae'n sicr nad oedd datganiad Valentine, yn unol â pholisi'r Blaid, na fyddai'n eistedd yn San Steffan, wedi cynorthwyo ei ymgyrch.

Dyma flwyddyn Cwymp Wall Street hefyd a dechrau'r Dirwasgiad Mawr. Wrth i'r llywodraethau Llafur a Chenedlaethol ymgodymu â'r dasg o redeg yr economi mewn amgylchiadau mor ddyrys roedd neges y Blaid yn ymddangos yn amherthnasol ac ychydig iawn o sylw a roddwyd iddi yn y Wasg ac ar y radio.

Pan chwalodd llywodraeth MacDonald ym 1931 cynhaliwyd etholiad cyffredinol arall ac enillodd ymgeiswyr Cenedlaethol y gwahanol bleidiau y mwyafrif llethol o seddau. Yn yr etholiad hwn ymladdodd y Blaid mewn dwy etholaeth, sef sir Gaernarfon a Phrifysgol Cymru. Yn y gyntaf enillodd yr Athro J. E. Daniel 1,136 o bleidleisiau (2.2 y cant o'r bleidlais) ac yn yr ail enillodd Saunders Lewis 914 o bleidleisiau (17.9 y cant o'r bleidlais).

Un o wersi'r perfformiadau trychinebus ym 1929 a 1931 oedd gorfodi pwysau cynyddol ar yr arweinyddiaeth i fabwysiadu delwedd a pholisïau a fyddai'n ymddangos yn fwy realistig a pherthnasol i bleidleiswyr y wlad. Ym 1930 er enghraifft, er gwaethaf gwrthwynebiad Saunders Lewis, penderfynodd y pwyllgor gwaith y byddai ymgeiswyr seneddol llwyddiannus y Blaid yn cael eistedd yn San Steffan. Ym 1931 penderfynwyd anelu am statws Dominiwn fel un o brif amcanion y Blaid. O fewn blwyddyn, unwaith eto yn groes i ddymuniad rhai o wŷr amlwg y Blaid, fe lansiwyd y misolyn Seisnig *The Welsh Nationalist* fel rhan o'r ymdrech i ledaenu apêl cenedlaetholdeb. Hefyd ym 1932 daeth hunanlywodraeth yn rhan swyddogol o bolisi Plaid Genedlaethol Cymru ynghyd â diogelu'r iaith ac aelodaeth o Gynghrair y Cenhedloedd.

Un o'r cenedlaetholwyr a fu'n fwyaf cyfrifol am wthio'r Blaid i'r cyfeiriad hwn oedd D. J. Davies. Oherwydd ei gefndir dosbarth gweithiol, ei ymweliadau â'r Unol Daleithiau a Denmarc a'i weithgarwch cynnar dros y Blaid Lafur, Davies oedd y gwleidydd cyntaf ag unrhyw fath o brofiad i ymuno â'r blaid. Nid oedd yn anghytuno â rhai o amcanion Lewis a'i gyfeillion, megis H. R. Jones (trefnydd) ac Ambrose Bebb (golygydd *Y Ddraig Goch*), ond credai fod rhai o'u syniadau a'u dulliau yn parhau i fod yn anaeddfed. Haerai na allai cenedlaetholdeb lwyddo heb gefnogaeth y Cymry di-Gymraeg ac yn arbennig y dosbarth gweithiol yn y meysydd glo. Roedd yn rhaid ystyried Cymru fel uned ddaearyddol ac nid canolbwyntio'n unig ar yr ardaloedd Cymraeg eu hiaith.

Ym 1924 roedd wedi treulio rhai misoedd yng Ngholeg Gwerin Elsinor ac Ysgol Werin Vesbirk yn Nenmarc a chafodd y rhain ddylanwad mawr ar ei syniadau. Sefydlwyd yr ysgolion uwchradd hyn ar ddiwedd y bedwaredd ganrif ar bymtheg o ganlyniad i ddylanwad Nikolai Grundtvig, ar feddyliau'r Daniaid. Bwriad y colegau oedd hyfforddi'r bobl mewn dulliau amaethyddol a diwydiannol cydweithredol, a throsglwyddo gwybodaeth iddynt am ddiwylliant, llenyddiaeth ac iaith eu cenedl er mwyn creu adfywiad cenedlaethol.

O 1927 ymlaen aeth Davies a'i wraig Nolle (a gyfarfu yn Elsinor) ati i ysgrifennu'n helaeth am gydweithrediad economaidd gan drafod rhai o'r dulliau y gellid eu defnyddio i drosglwyddo rheolaeth o ddwylo perchenogion a'r llywodraeth i'r bobl gan ddatgan eu cred ym mhwysigrwydd y polisïau cydweithredol hyn i Gymru:

> Mewn diwydiant yn llawn cymaint ag mewn amaethyddiaeth, y ffurf ddelfrydol o berchnogaeth a rheolaeth yw'r un gydweithredol gan mai dyma'r un sy'n caniatáu datblygiad gorau'r gweithiwr ac sy'n hybu menter unigol ynghyd ag ymdeimlad o gyfrifoldeb ac unoliaeth a hon yw'r ddelfryd y dylai Llywodraeth Genedlaethol Gymreig ymgyrraedd ati.

Cyhoeddodd Davies ei waith ysgrifenedig ar economi Cymru ym 1931 — *The Economics of Welsh Self Government*. Roedd y pwyslais ar ddatganoli a chydweithrediad economaidd fel y prif ddulliau o ehangu sylfeini'r economi a lleihau diweithdra.

Ond er i'r Blaid ddechrau aeddfedu fel plaid wleidyddol yn y 1930au cynnar daliodd i gadw'r ddelwedd Gymreig a gwledig. Saunders Lewis oedd yn bennaf gyfrifol am hynny ac roedd ei bwyslais ef ar yr iaith Gymraeg heb newid o gwbl:

> Nid annibyniaeth. Nid hyd yn oed rhyddid diamod. Ond llawn cymaint o ryddid ag a fo'n hanfodol i sefydlu a diogelu gwareiddiad yng Nghymru . . . Y drychfeddwl gwareiddiol Cymreig yw'r unig ddadl wiw dros ymreolaeth. Ni ellid er enghraifft hawlio ymreolaeth o gwbl i Gymru Seisnig, ond yn unig ar sail yr hen genedlaetholdeb materol — sail sydd i mi yn wrthun.

Roedd cenedlaetholdeb yn ôl Lewis yn athroniaeth geidwadol ond fe wrthododd fynd mor bell â chefnogi safbwynt Ambrose Bebb oedd am i'r Blaid efelychu syniadau neo-ffasgaidd *Action Française* yn Ffrainc. Roedd Lewis yn argyhoeddedig mai cyfalafiaeth a grym gwladwriaeth ganolog oedd yn gyfrifol am y tlodi a'r diweithdra yng Nghymru. Ond nid sosialaeth oedd yr ateb — roedd honno'n rhy faterol heb roi unrhyw bwyslais ar werth ysbrydol dyn a'i genedl. Drwy feithrin cymdeithas gydweithredol lle roedd amaethyddiaeth yn bwysicach na'r un diwydiant arall, lle roedd gan bob teulu ei eiddo a'i gartref ei hun a lle roedd llywodraeth Gymreig yn gallu rheoli'r cyflenwad arian yn ôl yr angen mewn gwahanol rannau o'r gymdeithas — roedd hi'n bosibl, medd Lewis mewn dogfen bolisi ym 1934, i drigolion Cymru wrthsefyll dylanwadau dinistriol y wladwriaeth Brydeinig.

Nid oedd pawb yn y Blaid yn cytuno â'r ddelfryd hon o Gymru'r dyfodol. Sosialwyr ar y cyfan oedd rhai o'r aelodau newydd fel Ben Bowen Thomas, Kate Roberts, Iorwerth Peate, D. J. Williams a D. J. Davies. Roedd rhai ohonynt am weld mwy o gydweithrediad â'r Blaid Lafur i ennill ymreolaeth ac eraill am weld y Blaid yn canolbwyntio mwy ar anghenion y Gymru ddiwydiannol a di-Gymraeg. Ychydig o anghytuno oedd ynglŷn â'r persbectif hanesyddol a'r dadleuon moesol neu ysbrydol am hawliau cenedl. Drwy gydol y 1930au fe barhaodd y dadlau mewnol ynglŷn â delwedd a pholisïau'r Blaid mewn cyfnod o ddirwasgiad economaidd a thyndra rhyngwladol.

Ym 1936, fodd bynnag, denodd y Blaid gryn sylw y tu allan i Gymru wedi ymgais Saunders Lewis, D. J. Williams a Lewis Valentine i losgi ysgol fomio ym Mhenyberth yn Llŷn. Roedd y Blaid wedi mynegi ei gwrthwynebiad y flwyddyn cynt wrth i'r Awyrlu Brenhinol ddatgelu cynllun i sefydlu canolfan fyddai'n hyfforddi ei swyddogion yn y dechneg o fomio. I arweinyddiaeth y Blaid roedd hyn yn ymestyniad o rym milwrol y wladwriaeth Seisnig i berfeddion y fro Gymraeg.

Yn sir Gaernarfon fodd bynnag ychydig iawn o gefnogaeth a gafodd y fath safiad ymhlith y trigolion lleol ar y dechrau. Felly, aeth y Blaid ati i gynnal protestiadau a dosbarthu taflenni yn egluro'u gwrthwynebiad. Fe fyddai'r ysgol fomio yn eu tyb hwy'n fygythiad i'r iaith a'r diwylliant Cymreig yn un o'i chadarnleoedd. Roedd yn fygythiad felly i'r genedl Gymreig. Ym mis Chwefror 1936 ymgasglodd dros 400 o bobl mewn cyfarfod ym Mhwllheli i wrando ar areithiau gan y cenedlaetholwyr. Ym mis Mai mewn cyfarfod tebyg — roedd yno gynulleidfa o dros chwe mil gyda'r mwyafrif bellach yn cefnogi safbwynt Saunders Lewis. Ym mis Gorffennaf, anfonwyd deiseb at y llywodraeth gan dros bum mil o drigolion yn mynegi eu gwrthwynebiad i'r ysgol fomio. Ar 8 Medi 1936, aeth Lewis a charfan fechan o genedlaetholwyr ati i losgi cabanau'r gweithwyr ar safle'r ysgol fomio ger adfeilion ffermdy Penyberth. Wedi'r digwyddiad aeth Lewis, Valentine a D. J. Williams i orsaf yr heddlu ym Mhwllheli i gyfaddef y trosedd.

Gwysiwyd y tri gerbron llys yng Nghaernarfon ym mis Hydref ond methodd y rheithgor â chytuno ar ddyfarniad. Cynhaliwyd ail brawf yn yr Old Bailey ac fe garcharwyd y tri yng ngharchar Wormwood Scrubs am naw mis yr un. Un o ganlyniadau'r ddedfryd hon oedd i Lewis golli ei swydd fel darlithydd yng Ngholeg y Brifysgol Abertawe.

Rhoddwyd croeso mawr i'r tri yng Nghaernarfon ar ôl iddynt gael eu rhyddhau ond nid oedd ymateb pawb yn unfrydol. I lawer o bobl, yn arbennig yn y de-ddwyrain, roedd y weithred yn un hollol afresymol gan griw bach o eithafwyr. Wedi'r cyfan, beth oedd gwerth dinistrio rhywbeth a roddai waith i rai pobl ar adeg o ddiweithdra mawr? Pa werth hefyd oedd mewn ymosod ar ganolfan filwrol pan oedd bygythiad Hitler a Mussolini yn cryfhau o fis i fis? Serch hynny, un o effeithiau'r tân yn Llŷn oedd cynyddu aelodaeth y Blaid ac erbyn 1939 roedd wedi cyrraedd 3,750.

Erbyn diwedd y 1930au fodd bynnag roedd anfodlonrwydd ymhlith rhai o aelodau'r Blaid ynglŷn ag arweinyddiaeth Saunders Lewis. O gyfeiriad y chwith mynegwyd pryderon am bwyslais yr arweinyddiaeth ar y Gymru wledig, Gymreig yn ogystal â rhai o sylwadau Lewis a Bebb ar faterion tramor. Wrth i Hitler a Mussolini fabwysiadu polisïau ymosodol tuag at wledydd eraill rhwng 1933 a 1939 dadleuodd llywydd y Blaid na ddylai Cenedlaetholwyr gefnogi'r gwrthsafiad Prydeinig iddynt. Cymhellion imperialaidd ac economaidd oedd gan Brydain yn ôl Lewis ac nid rhai democrataidd. Roedd agwedd y llywodraeth tuag at Hitler a Mussolini yn un ragrithiol oherwydd polisïau'r gorllewin oedd wedi creu amgylchiadau ffafriol i lwyddiant ffasgaeth. Credai nad oedd unrhyw gyfiawnhad dros fynd i ryfel er mwyn dymchwel yr unbeniaid. Pan ddechreuodd yr Ail Ryfel Byd mynnodd fod y Blaid yn mabwysiadu safbwynt niwtral am mai rhyfel Seisnig i gyflawni amcanion Seisnig ydoedd.

Rheswm pellach am yr anesmwythyd ynglŷn ag arweinyddiaeth Lewis oedd ei fod yn Babydd tra bod y mwyafrif o aelodau'r Blaid yn Anghydffurfwyr. Roedd Lewis ei hun yn ymwybodol o'r feirniadaeth hon ac y gallai hyn lesteirio llwyddiant y Blaid yn y Gymru Gymraeg. Ym 1939 felly penderfynodd roi'r gorau i'r llywyddiaeth a daeth yr Athro J. E. Daniel yn llywydd yn ei le hyd at 1943 ac yna Abi Williams hyd ddiwedd y Rhyfel.

Fe greodd yr Ail Ryfel Byd broblemau i'r Blaid oherwydd datganiadau cyhoeddus Saunders Lewis a'i gwrthwynebiad i orfodaeth filwrol. Roedd y Blaid yn gobeithio y byddai nifer helaeth yn gwrthwynebu ymuno â'r lluoedd Prydeinig ond yn ystod y Rhyfel dim ond deuddeg o Genedlaetholwyr a garcharwyd am wrthod ag ymuno oherwydd eu daliadau gwleidyddol.

Parhaodd y Blaid i droedio'r llwybr niwtral gan ddatgan dro ar ôl tro nad oedd cyfiawnhad dros i'r Rhyfel ddechrau ym 1939 a bod rheswm digonol i ddod â'r brwydro i ben ar unwaith. Ond ni chafodd y fath safiad gefnogaeth unfrydol. Fe ddaeth sawl galwad oddi wrth ganghennau unigol o'r Blaid am newid cyfeiriad. I'r rhain roedd Natsïaeth yn fwy o fygythiad i Gymru na Phrydain ac roedd angen am y tro i gefnogi ymgyrch ryfel y Cynghreiriaid. Penderfynodd eraill beidio â herio'r arweinyddiaeth yn agored ond yr un pryd anwybyddwyd polisi y Blaid ganddynt oherwydd iddynt ymuno â'r lluoedd arfog.

Roedd blynyddoedd cyntaf y Rhyfel felly'n gyfnod anodd i'r Blaid ond daeth tro ar fyd ym 1943 gydag is-etholiad yn sedd Prifysgol Cymru. Oherwydd bod cymaint o bobl o gefndir prifysgol yn cefnogi'r Blaid credai'r Cenedlaetholwyr y gallent ennill y sedd hon. Wrth ddewis Saunders Lewis fel ymgeisydd credai llawer fod buddugoliaeth yn gwbl bosibl.

I geisio gwanhau cefnogaeth Lewis ac er mwyn dewis yr ymgeisydd mwyaf grymus penderfynodd y Rhyddfrydwyr ddewis yr Athro W. J. Gruffydd, gŵr â chefndir academaidd disglair ac un a fu ar un amser yn is-lywydd y Blaid. Cafodd Gruffydd gefnogaeth agored aelodau amlycaf y sefydliad Cymreig ac fe ymosododd y Wasg, yn arbennig y *Western Mail* yn ffiaidd ar Saunders Lewis. Y Rhyddfrydwyr a orfu gyda 3,098 o bleidleisiau gyda Lewis yn ail yn ennill 1,330.

Er iddynt golli'r is-etholiad fe gafodd y Cenedlaetholwyr lawer o sylw yn yr ymgyrch. Rhoddodd hyn hwb i'w cefnogaeth ac erbyn diwedd y Rhyfel roedd yr aelodaeth wedi cynyddu i 6,050.

Erbyn canol y 1940au roedd yr arweinyddiaeth hefyd wedi dechrau ymateb i'r cwynion cynyddol a fynegwyd gan bobl fel Dr D. J. Davies a Dr Noëlle Davies fod y Blaid yn anwybyddu'r rhan fwyaf o drigolion Cymru sef y Cymry di-Gymraeg. Ym 1944 agorwyd swyddfa Plaid Genedlaethol Cymru yng Nghaerdydd. Y flwyddyn ganlynol dewiswyd Gwynfor Evans, is-lywydd y Blaid, yn arweinydd y Cenedlaetholwyr yng Nghymru.

Yn fuan wedi hynny cyhoeddodd y llywodraeth etholiad cyffredinol a phenderfynodd y Blaid ymladd saith o'r seddau. Roedd tair ohonynt yn y gogledd — Bwrdeistref Caernarfon a siroedd Caernarfon a Meirionnydd, a phedair yn y de — Castell-nedd, Dwyrain Rhondda, Ogwr a hefyd sedd y Brifysgol. Er gwaethaf yr ymroddiad a'r brwdfrydedd newydd i ymladd seddau, ni chafodd yr ymgeiswyr fawr o lwyddiant. Cyfanswm eu pleidleisiau yn yr etholiad oedd 16,017. Ond un o ganlyniadau mwyaf arwyddocaol dosbarthiad y pleidleisiau hynny oedd fod yr ymgeiswyr yn ardaloedd di-Gymraeg y de-ddwyrain wedi gwneud yn well nag a wnaeth gwŷr amlwg y Blaid yn seddau Caernarfon. Cefnogai hyn y meddylfryd fod angen rhoi sylw i holl drigolion Cymru ac nid y Cymry Cymraeg eu hiaith yn unig.

Dan arweiniad mwy pragmatig a llai athrawiaethol Gwynfor Evans datblygwyd mwy o ganghennau yn yr ardaloedd diwydiannol er bod y pwyslais o hyd ar iaith a diwylliant. Adlewyrchiad o'r newid cyfeiriad hwn oedd y penderfyniad i ymladd dau is-etholiad yn y de-ddwyrain ym 1946, un yn Ogwr lle yr enillwyd dros 30 y cant o'r bleidlais a'r llall yn Aberdâr lle yr enillwyd dros 20 y cant. Ni lwyddodd y Blaid, fodd bynnag, yn rhannol oherwydd prinder arian ac aelodau, i ddatblygu ei threfniadaeth yn yr ardaloedd hyn cyn etholiad 1950. Erbyn hynny roedd llywodraeth Attlee yn neilltuo un diwrnod ar gyfer trafod materion Cymreig ac roedd y Cyngor Cymreig wedi ei sefydlu i baratoi adroddiadau ac argymhellion mewn perthynas â'r sefyllfa yng Nghymru.

Yn yr etholiad cyffredinol cododd pleidlais y Blaid o 14,751 y cant i 17,580 y cant, ond roedd hwn yn ganlyniad siomedig a ddangosai nad oedd cefnogaeth y Blaid wedi datblygu llawer ar ôl chwarter canrif. Pan gynhaliwyd yr ail etholiad ym 1951 nid oedd gan y Cenedlaetholwyr yr adnoddau i ymladd ar yr un raddfa a phenderfynwyd canolbwyntio ar bedair sedd. Enillwyd 10,920 o bleidleisiau (0.8 y cant).

Yn ystod llywodraeth Churchill canolbwyntiodd y Blaid ar yr ymdrech unedig gyda'r Rhyddfrydwyr a'r Blaid Lafur i ennill senedd i Gymru. Dechreuodd yr ymgyrch ym 1949 a chynhaliwyd cyfarfodydd cyhoeddus mewn nifer o ganolfannau, gan gynnwys Llandrindod lle yr anerchwyd y dyrfa gan Gwynfor Evans, Megan Lloyd George, T. I. Ellis, Ifan ab Owen Edwards ac S. O. Davies. Cafwyd cyfarfodydd mawr eraill yng Nghaerdydd ym 1953 ac Ystradgynlais ym 1954 ac erbyn dechrau 1956 roedd 240,652 o bobl wedi arwyddo deiseb o blaid y senedd. Un o wrthwynebwyr mwyaf digyfaddawd yr ymgyrch oedd y *Western Mail* ac roedd Undeb y Glowyr, Cyngor Rhanbarthol y Blaid Lafur ac aelodau seneddol megis James Callaghan, George Thomas, Edward Heath ac Iain Macleod yr un mor elyniaethus. Pan gyflwynwyd y ddeiseb i'r llywodraeth gan Goronwy Roberts cafodd ei hanwybyddu.

Yn fuan wedyn chwalodd yr ymgyrch ac ymatebodd y Cenedlaetholwyr yn sinigaidd i benderfyniad Megan Lloyd George i ymladd is-etholiad Caerfyrddin ym 1957 dan faner y Blaid Lafur a fu mor wrthwynebus i'r ymgyrch dros senedd i Gymru rhwng 1949 a 1956. Er gwaethaf ei methiant yn y diwedd llwyddodd yr ymgyrch i groesi ffiniau gwleidyddol ac ieithyddol yng Nghymru ac uno llawer o Gymry mewn ymgyrch boblogaidd.

Yn etholiad cyffredinol 1955 roedd gan y Blaid un ar ddeg o ymgeiswyr a chododd ei phleidlais i 45,119 (3.2 y cant). Roedd y twf mwyaf yn Wrecsam, Meirionnydd, Llanelli a Gorllewin Rhondda. Yn ystod yr un flwyddyn trodd ei sylw at Gwm Tryweryn lle roedd gan Gorfforaeth Dinas Lerpwl gynllun i greu cronfa ddŵr ar ôl gwthio mesur preifat drwy'r Senedd. Teithiodd Gwynfor Evans a Dr Tudur Jones i Lerpwl i drafod y mater ag aelodau o'r cyngor ym mis Tachwedd 1956 ond ni chawsant ymateb boddhaol. Ni roddodd y *Daily Post* lawer o sylw i'r cynnwrf yng Nghymru yn argraffiad Lerpwl ond cafwyd ymdriniaeth deg yn yr argraffiad Cymreig. Gorymdeithiodd trigolion Capel Celyn drwy Lerpwl ar ddiwedd y mis i dynnu sylw pobl y ddinas at eu hachos a chawsant gyfle i ymddangos ar un o raglenni Granada i ddatgan eu teimladau ynglŷn â bwriad y Gorfforaeth i foddi eu cartrefi. Yn ystod y deunaw mis nesaf cynhaliodd y Blaid nifer o gyfarfodydd cyhoeddus yn datgan ei gwrthwynebiad i foddi'r cwm. Cafwyd cefnogaeth pob plaid arall ac oddi wrth bob rhan o'r gymdeithas, gan gynnwys 125 a awdurdodau lleol a rhanbarth De Cymru o Undeb y Glowyr. Ond ofer fu'r ymdrechion i arbed cymuned Capel Celyn a phasiwyd y mesur yn caniatáu i Gorfforaeth Lerpwl adeiladu cronfa ddŵr yng Nghwm Tryweryn ym 1957.

Dwysaodd y methiant hwn y gwahaniaeth barn rhwng cefnogwyr dulliau cyfansoddiadol a chefnogwyr dulliau mwy uniongyrchol. Ond arhosodd y Blaid yn unedig dan ddylanwad personoliaeth gref Gwynfor Evans a fynnai gadw at ddulliau cyfansoddiadol a di-drais. Cyn diwedd y flwyddyn ymddangosodd adroddiad y Cyngor Cymreig yn argymell penodi Ysgrifennydd Gwladol i Gymru. Er i hyn gael ei wrthod rhoddodd gefnogaeth a chydnabyddiaeth o gyfeiriad annisgwyl i rai o ofynion y Cenedlaetholwyr.

Yn etholiad cyffredinol 1959 cododd pleidlais y Blaid i 77,571 (5.2 y cant). Roedd yn achlysur pwysig i'r Cenedlaetholwyr am eu bod yn ymladd naw sedd y tro hwn yn sir Forgannwg a sir Fynwy o gymharu â phedair ym 1955 ac ymladdwyd wyth sedd am y tro cyntaf. Ond roedd llawer o aelodau yn anfodlon ar berfformiad etholiadol gwan y Blaid a dechreuasant bwyso am newidiadau polisi fyddai'n lledu ei hapêl.

Roedd aelodaeth yn y de-ddwyrain wedi cynyddu, a llawer o'r aelodau newydd yn aelodau o'r dosbarth canol. Dadleuodd unigolion fel Huw T. Edwards, Emrys Roberts a Glyn James fod yn rhaid canolbwyntio mwy ar anghenion y dosbarth gweithiol, y di-Gymraeg a materion economaidd a chymdeithasol yn gyffredinol. Roedd eraill am ddatblygu cysylltiadau cryfach â mudiadau megis yr Ymgyrch Diarfogi Niwclear. Fel yn y cyfnod rhwng y rhyfeloedd adweithiodd y Cenedlaetholwyr diwylliannol traddodiadol yn erbyn syniadau'r de-ddwyrain gan resymu fod yn rhaid i iaith a diwylliant gael eu priod le ym mlaenoriaethau'r Blaid. Ym 1961 galwodd Grŵp Belle Vue a Chymru Ein Gwlad am ddefnyddio dulliau mwy uniongyrchol i ymladd y drefn wladwriaethol a thynnu sylw'r cyhoedd at yr achos cenedlaethol. Yna, ym mis Chwefror 1962, darlledwyd darlith Saunders Lewis ar 'Dynged yr Iaith'. Argymhellodd ddefnyddio dulliau uniongyrchol i ennill statws i'r iaith a datganodd fod yn rhaid rhoi blaenoriaeth i'r iaith ar draul yr ymgyrch dros hunanlywodraeth. Canlyniad y ddarlith hon oedd sefydlu Cymdeithas yr Iaith Gymraeg ym 1962.

I bob golwg roedd y Blaid ar chwal yn y blynyddoedd hyn ond ni ddylid gorliwio'r gwahaniaethau y tu mewn iddi. Enillodd seddau lleol a'u colli ym Merthyr, Aberystwyth, yr Wyddgrug a Rhydaman a thrwy hynny cafodd brofiad gwerthfawr o lywodraeth leol. Yr un adeg newidiwyd tipyn ar ei threfniant mewnol er mwyn hwyluso'r broses o wneud penderfyniadau a llunio polisïau. Roedd y gwahaniaethau barn yn anochel wrth i'r Blaid dyfu ac ehangu ac wrth i ddylanwad cynrychiolwyr yr ardaloedd diwydiannol a dinesig amlygu ei hun. Croesawyd sefydlu Cymdeithas yr Iaith Gymraeg gan rai pobl oherwydd i hyn leihau'r pwysau ar y Blaid Genedlaethol i arwain y frwydr ieithyddol. Golygai y gallai'r arweinyddiaeth ganolbwyntio mwy ar ddatblygu polisïau economaidd a chymdeithasol a oedd mor hanfodol i'w llwyddiant yn yr ardaloedd diwydiannol a di-Gymraeg.

Ym 1962 a 1963 dirwywyd nifer o aelodau am achosi difrod i'r gwaith a oedd yn cael ei ddarparu ar argae Tryweryn, a chafodd un ohonynt, Emyr Llywelyn Jones, ei garcharu am flwyddyn. Rhoddwyd llawer o sylw i weithrediadau fel hyn ac i wrthdystiadau Cymdeithas yr Iaith yng ngholofnau gwrth-genedlaethol y *Western Mail* a'r *Daily Post*. Pwysleisiwyd hefyd y tyndra oddi mewn i'r Blaid rhwng yr elfennau milwriaethus a'r rhai a oedd o blaid dulliau cyfansoddiadol. Ni wnaeth cyhoeddusrwydd negyddol o'r math hwn unrhyw les i'w delwedd ond parhaodd yr aelodau ymroddgar yng Ngwynedd, Rhondda, Merthyr, Caerffili, Castell-nedd ac Aberdâr i weithio'n galed er mwyn ehangu neges y Blaid ar lefel leol. Drwy ddangos llawer mwy o barodrwydd ac ymroddiad i ddatblygu fframwaith lleol, i gystadlu mewn etholiadau lleol, ac i lunio polisïau cymdeithasol ac economaidd manwl yn cwmpasu'r Cymry di-Gymraeg yn ogystal â'r Cymry Cymraeg, profodd ei bod wedi cyrraedd lefel o aeddfedrwydd gwleidyddol nad oedd yn bodoli cyn y Rhyfel neu hyd yn oed cyn etholiad 1959.

Er hynny, yn etholiad cyffredinol 1964 disgynnodd ei phleidlais i 69,507 (4.8 y cant). Enillodd ymgeiswyr unigol 8.4 y cant o'r bleidlais ar gyfartaledd o gymharu â 10.3 y cant ym 1959. Roedd y canlyniad yn siom i Bleidwyr a rhoddwyd y bai ar amryw o ffactorau gan gynnwys y sylw a roddwyd gan y papurau newydd i weithgareddau Cymdeithas yr Iaith ac elfennau mwy eithafol y mudiad cenedlaethol yn ogystal ag adfywiad y Rhyddfrydwyr, a phwysigrwydd cynyddol y teledu a'i duedd i ganolbwyntio ar y ddwy blaid fawr Brydeinig.

Wrth edrych yn ôl ar hanes y Blaid er 1925 mae'n bosibl gweld y blynyddoedd cyn y rhyfel fel y cyfnod gwleidyddol mwyaf anaeddfed o safbwynt gwleidyddiaeth bleidiol ac ennill pleidleisiau. Roedd yr arweinyddiaeth a'r aelodaeth yn gul eu sylfaen cymdeithasol, yn hannu o'r dosbarth canol academaidd yn bennaf, ac roedd gweledigaeth Saunders Lewis am wareiddiad gwledig Cymreig, ei wrthwynebiad ffyrnig i sosialaeth, a'i bwyslais ar yr iaith a'r Cymry Cymraeg yn unig, yn ymddangos i lawer o bobl Cymru yn afreal, eithafol ac anoddefgar. Roedd anesmwythyd amlwg ymhlith nifer o'r aelodau ynglŷn â syniadau ceidwadol Lewis ond ni theimlai neb yn atebol i'w herio fel arweinydd. Roedd ef ei hun ar adegau yn ymwybodol o wendidau ei arweinyddiaeth ond parhaodd yn ei swydd am fod cyn lleied o'r aelodau'n amharod i'w wrthwynebu'n agored y tu allan i ffiniau'r Blaid. Ymddangosai Saunders Lewis i lawer o bobl fel symbol o'r Blaid ac roedd hynny'n un o'r prif resymau am fethiant y mudiad i ehangu ei apêl cyn diwedd yr Ail Ryfel Byd.

Roedd y pwyslais ar iaith yn thema gyson hyd at ddechrau'r 1960au a gellir nodi patrwm tebyg yn hanes mudiadau cenedlaethol eraill — y Basgiaid, y Quebecois yng Nghanada a'r Ffleminiaid yng Ngwlad Belg. Ymhellach, drwy ganolbwyntio ar etholaethau sir Gaernarfon, Prifysgol Cymru, Bwrdeistref Caernarfon a Chastell-nedd cyn 1945 cyfyngwyd ar ddatblygiad y Blaid ar adeg pan y gallai fanteisio ar newydd-deb ei syniadau a gwreiddioldeb ei safiad dros hawliau Cymreig.

Cyfyngwyd ei hapêl i raddau helaeth trwy roi blaenoriaeth i'r iaith Gymraeg. I'r mwyafrif di-Gymraeg ac i elynion gwleidyddol y Cenedlaetholwyr roedd y flaenoriaeth hon yn beryglus ac yn medru achosi rhaniadau dibwrpas rhwng Cymru a Lloegr a rhwng y Cymry Cymraeg a 75 y cant o'r boblogaeth na siaradai'r iaith. O ganlyniad i'r pwyslais ar yr iaith rhwng 1925 a 1959 atgyfnerthwyd delwedd y Blaid fel cynrychiolydd Cymry Cymraeg yn unig. Roedd yn eironig fod yr elfen hanfodol hon o genedlaetholdeb Cymreig yn gymaint o rwystr i lwyddiant y Blaid yn yr ardaloedd mwyaf poblog.

G. R.

"WELSH PIONEERS"
RECRUITS
WANTED AT ONCE

ORDINARY TERMS OF SERVICE OR DURATION OF THE WAR.

The Pioneers are employed on Engineering Earthworks, Bridging, Demolitions, &c.

Warrant Officers, N.C.O.'s and Men will be paid Twopence per day more than the corresponding Ranks in the Infantry Line, and will be eligible for "Proficiency Pay" under conditions similar to those in force in that Arm of the Service.

Separation and Family Allowances will be granted in all cases in accordance with the revised Army Orders issued since the outbreak of War.

MINERS are especially invited to join the 23rd Service Battalion (Welsh Pioneers), as it is to be raised in Wales. Carpenters and Joiners, Blacksmiths, Tinsmiths, Masons, Bricklayers, Engine Drivers, Fitters, Stokers and Motor Mechanics are required.

Your King wants you for the Service of your Country. Enlist at once, so that you may commence training in order to defend our **HOMES** and **COUNTRY.**

Apply to the nearest Recruiting Office for any further particulars, or to
OFFICER COMMANDING
23rd Service Batt. Welsh Pioneers, PORTHCAWL.
Or to the Raiser of this Battalion,
D. WATTS MORGAN. Capt., Welsh Pioneers, PORTH, Glam.

GOD SAVE THE KING.

Western Mail, Limited, Cardiff.

15. Poster yn annog dynion i ymuno â'r fyddin yn ystod y Rhyfel Byd Cyntaf

chymathu'n gyfan gwbl bron i'r gyfundrefn wleidyddol a chymdeithasol Seisnig. Yn wahanol i'r Alban nid oedd gan Gymru gyfundrefn addysg annibynnol, system gyfreithiol annibynnol, papurau newydd cenedlaethol a'i banciau ei hunan, sefydliadau a allasai gynorthwyo'r Cymry i ddiogleu eu hunaniaeth yn wyneb y dylanwadau integreiddio. Cadarnhawyd hunaniaeth Brydeinig yn y 1950au a'r 1960au gan y diwylliant pop Eingl-Americanaidd a chan ddylanwad y teledu a'i newyddion 'cenedlaethol'. Roedd hi'n anochel y byddai'r pwysau diwylliannol hyn yn creu agwedd arbennig ymhlith y bobl tuag at yr iaith Gymraeg a phethau Cymreig. Israddiwyd yr iaith gan y drefn addysg ac ychydig o statws oedd ganddi mewn unrhyw agwedd o fywyd cyhoeddus. Ni theimlai pobl y dylent fod yn falch o'u Cymreictod ac o'r herwydd ni allent barchu cymhellion ac ideoleg plaid wleidyddol a oedd nid yn unig yn sefyll dros y Cymreictod hwnnw ond yn bwriadu ei ailsefydlu ym mhob maes o fywyd cymdeithasol, economaidd ac addysgol. I lawer roedd Cenedlaetholwyr y 1920au a'r 1930au yn ymddangos yn lleiafrif bychan elitaidd a goleddai syniadau rhyfedd neu eithafol ac a oedd yn barod i orfodi eu syniadau plwyfol amhoblogaidd ar y mwyafrif. Er i'r Blaid geisio newid ei delwedd ar ôl y rhyfel roedd yn dal yn hawdd i'w gelynion ei cheryddu ar sail y gwawdlun yr oeddynt wedi'i lunio ar ei chyfer yn ystod ei blynyddoedd cynnar.

Erbyn canol y 1960au roedd hi'n amlwg y byddai ffactor arall yn mygu ei datblygiad mewn rhai rhannau o Gymru. Gyda mewnfudiad Saeson i drefi'r de-ddwyrain a'r gogledd-ddwyrain ac ar hyd yr arfordiroedd cynyddwyd y gyfran o'r boblogaeth a oedd yn annhebyg o bleidleisio i'r achos cenedlaethol. Y tu allan i Aberystwyth, er enghraifft, ac ym Mae Colwyn, Porthaethwy, Llandudno a Biwmares tyfodd poblogaeth gwbl Seisnig ei hiaith a'i chefndir a bu cynnydd cyfatebol yng nghefnogaeth y Blaid Geidwadol.

Roedd trefniadaeth y Blaid yn fwy datblygedig yn sir Gaernarfon, sir Fôn, a sir Gaerfyrddin erbyn 1964 nag yn unman arall ond parhaodd delwedd Gymreig y Rhyddfrydwyr a'r Blaid Lafur yng ngorllewin Cymru yn ddigon cryf i fedru atal ei llwyddiant yno am ychydig o flynyddoedd eto. Yn yr ardaloedd di-Gymraeg ychydig iawn o lwyddiant parhaol a gafodd y Cenedlaetholwyr cyn 1966 ac eithrio yng Nghastell-nedd, Caerffili, Merthyr a Rhondda lle roedd y drefniadaeth leol yn well a lle roedd ei neges radicalaidd ar faterion economaidd a chymdeithasol yn cael mwy o gyhoeddusrwydd a gwrandawiad mwy cydymdeimladol, yn arbennig ymhlith sosialwyr. Erbyn 1960 roedd Aelwydydd yr Urdd a datblygiad Ysgolion Cymraeg yn foddion i gryfhau ymwybyddiaeth

Gymreig yn yr ardaloedd lle roeddynt wedi ymsefydlu ac mae'n sicr bod cysylltiad anuniongyrchol rhwng y rhain a'r cynnydd ym mhoblogrwydd cenedlaetholdeb. Er gwaethaf yr anfanteision roedd y Blaid wedi llwyddo i sefydlu ei hunan fel grym gwleidyddol erbyn y 1960au ac wedi datblygu o fod yn grŵp ymwthiol diwylliannol. Roedd hi wedi addasu ei hathroniaeth i gwrdd ag anghenion Cymru gyfan, wedi magu hyder trwy brofiad, ac wedi datblygu ei threfniadaeth genedlaethol.

Ceisiwyd esbonio goroesiad cenedlaetholdeb Cymreig am gyfnod mor hir yn nhermau economaidd yn unig, fel adwaith yn erbyn datblygiadau diwydiannol anghydradd. Tra bo'r safbwynt hwn yn un cyfleus i haneswyr Marcsaidd mae'n anodd ei ddefnyddio fel eglurhad cyffredinol am genedlaetholdeb. Yng Nghymru methodd cenedlaetholdeb ag ennill tir yn ystod y dirwasgiad rhwng y rhyfeloedd. Yng Ngwlad y Basg mae cenedlaetholdeb yn gryf er bod yr economi yn llawer mwy llewyrchus nag yn Aragón a Castile lle mae'r ymdeimlad cenedlaethol yn wannach.

Dadleuodd y cymdeithasegwr Michael Hechter fod cenedlaetholdeb i raddau'n anochel oherwydd y berthynas annheg rhwng canolbwynt gwladwriaeth ganolog a'r ardaloedd ymylol, sef yr Alban a Chymru. I raddau mae'n bosibl gweld y berthynas rhwng Llundain a Chymru yn yr un modd â pherthynas y brifddinas â 'threfedigaethau mewnol' ond mae gan Hechter duedd i ddiystyru ffactorau diwylliannol a chenedlaethol. Wedi'r cyfan, os pellter o'r canol yw'r prif ffactor a gyfranna at dwf cenedlaetholdeb pam na ddatblygodd pleidiau tebyg yng ngogledd Lloegr?

Mae gwydnwch a chynnydd cenedlaetholdeb yn ganlyniad i gyfuniad o ffactorau. Yng Nghymru roedd yn adwaith naturiol gan leiafrif cenedlaethol y tu mewn i wladwriaeth aml-ethnig a anwybyddai eu hanghenion. Roedd yr iaith yn werthfawr yng ngolwg lleiafrif dosbarth canol bychan (fel yn Québec) ac yn gymhelliad holl bwysig wrth benderfynu ffurfio a chynnal plaid wladgarol. Ymateb ydoedd i rym canolog y wladwriaeth a oedd nid yn unig yn difetha'r economi Cymreig ond yn dinistrio hunaniaeth ddiwylliannol ac ieithyddol y genedl. Gwelwyd datganoli gwleidyddol fel yr unig ffordd i atal y broses ac i adfywio cenedligrwydd y Cymry. Wrth i ragor o Gymry di-Gymraeg droi at y Blaid ar ôl 1959 gellir deall eu cymhellion yn well yng nghyd-destun y gwelliannau cymdeithasol ac economaidd a fyddai'n dilyn yn naturiol, fe gredent, oddi wrth ddatganoli gwleidyddol. Denwyd hwy gan syniadau Leopold Kohr a Fritz Schumacher er nad oedd y pwyslais ar yr uned fach yn un newydd i'r Blaid: roedd D. J. Davies wedi meithrin syniadau cyffelyb yn ôl yn y 1920au a'r 1930au. Mewn unrhyw ddadansoddiad o genedlaetholdeb Cymreig ni ellir anwybyddu'r ymdeimlad cryf o berthyn i genedl a gorddai gydwybod lleiafrif bychan o wladgarwyr a'r ysbrydoliaeth a gawsant o hanes y gorffennol a'r etifeddiaeth ddiwylliannol. Nid adfywiad economaidd yn unig oedd eu bwriad ond adfywiad cymunedol ar hyd a lled y wlad a fyddai'n eu galluogi i ennill cydraddoldeb cenedlaethol â gwledydd eraill.

Felly, tra oedd gwladwriaeth ganolog yn gwrthod creu'r amodau y credai aelodau Plaid Cymru eu bod yn hanfodol i oroesiad Cymru fel cenedl roedd parhad cenedlaetholdeb yn anochel. Y maen tramgwydd mawr i lwyddiant yr achos cenedlaethol oedd cryfder diwylliannol ac economaidd y wladwriaeth Brydeinig a danseiliai sylfeini ac apêl cenedlaetholdeb. Golygai hyn fod Plaid Cymru erbyn 1964, ar ôl brwydr hir ac anodd, yn dal i wynebu paradocs sylfaenol. Heb yr iaith Gymraeg roedd cenedlaetholdeb i'r mwyafrif o Bleidwyr yn hollol ddi-bwynt ond roedd yr iaith hefyd yn rhwystr i ddatblygiad y Blaid yn yr ardaloedd diwydiannol a threfol. Un o'i blaenoriaethau felly ar ddechrau'r 1960au oedd ceisio ffyrdd i adeiladu sylfaen gwleidyddol ehangach a chadarnach heb aberthu ei hymrwymiad i'r gorffennol a'r gwerthoedd a oedd yn unigryw i genedl y Cymry.

Yr Iaith Gymraeg a Hunaniaeth Genedlaethol, 1914–1964

Am fwy na chwe chan mlynedd ar ôl i Gymru golli ei hannibyniaeth yn y rhyfeloedd yn erbyn Edward I roedd y Gymraeg yn brif iaith, y rhan amlaf yn unig iaith y mwyafrif o'r bobl. Roedd lleoliad a natur ddaearyddol Cymru, prinder cyfathrebau, diwygiadau crefyddol a diddordeb y Cymry yn eu diwylliant yn gyfrifol am ei pharhad yn wyneb dylanwadau Seisnigaidd yr Eglwys Anglicanaidd, y pendefigion di-Gymraeg a pholisïau'r llywodraeth yn Llundain. Ond o fewn canrif arall roedd nifer y Cymry Cymraeg wedi gostwng i lai na chwarter y boblogaeth. Ystyrir y dylanwadau a brysurodd y dirywiad ieithyddol yn yr ymdriniaeth sy'n dilyn.

Newidiadau Economaidd a Demograffig

Er i'r Chwyldro Diwydiannol ddechrau yng Nghymru yn y ddeunawfed ganrif nid effeithiodd ar y gymdeithas Gymraeg hyd ddechrau'r bedwaredd ganrif ar bymtheg ac yn fwyaf arbennig yn y cyfnod rhwng 1860 a dechrau'r Rhyfel Byd Cyntaf. O ganlyniad i dwf y diwydiannau glo, haearn a dur cafwyd newidiadau mawr yn natur a dosbarthiad poblogaeth Cymru. Erbyn chwarter olaf y ganrif honno nid cymdeithas wledig amaethyddol oedd Cymru ond gwlad lle roedd dwy ran o dair o'r trigolion yn byw a gweithio yn y meysydd glo dwyreiniol.

Nid diwydiannaeth ei hun a barodd i'r iaith ddirywio ond cyfuniad o dri ffactor: cyflymder y datblygiadau economaidd yn y cymoedd ac ar hyd yr arfordiroedd; y cynnydd sylweddol yn nifer y mewnfudwyr o Loegr ac Iwerddon a threfn addysg ganolog a gwrth-Gymreig. Ni ellir chwaith anwybyddu'r ffaith fod y rhan fwyaf o'r cyfalaf ar gyfer y datblygiadau newydd wedi dod o Loegr yn hytrach nag oddi wrth dirfeddianwyr Cymreig. Ymhellach, Saesneg oedd iaith masnach, diwydiant a'r gyfundrefn economaidd newydd a pholisi'r ysgolion oll oedd defnyddio'r Saesneg yn unig fel cyfrwng dysgu.

Rhwng 1871 ac 1891 amcangyfrifwyd i nifer y Cymry Cymraeg ostwng o 71 y cant i 54 y cant o'r boblogaeth ac yna i 50 y cant erbyn 1901. Rhwng 1851 a 1901 bu mewnfudiad o 1,210,000 o bobl i sir Forgannwg a daeth dros hanner miliwn ohonynt o'r tu allan i Gymru. Yn yr un sir gostyngodd nifer y Cymry Cymraeg o 65 y cant ym 1851 i 51 y cant ym 1891 ac i 44 y cant erbyn 1901. Llwyddodd rhai ardaloedd yn y cymoedd i gadw eu Cymreictod drwy gymathu'r mewnfudiad ond erbyn y 1890au roedd hyd yn oed y rhain yn methu â gwrthsefyll y dilyw a chanlyniadau Deddf Addysg Forster.

Erbyn dechrau'r ungeinfed ganrif roedd rhaniad ieithyddol clir yng Nghymru. Yn y siroedd gwledig gorllewinol, y Gymraeg oedd iaith gyntaf y mwyafrif helaeth o'r bobl ond yn yr ardaloedd diwydiannol roedd yn amlwg bod yr iaith yn cyflym ddirywio.

Cyfrifiad 1901:

Canran y boblogaeth yn siarad Cymraeg

Siroedd gwledig		Siroedd diwydiannol	
Meirionnydd	94	Y Fflint	49
Aberteifi	93	Morgannwg	44
Môn	92	Mynwy	13
Caernarfon	90	Caerfyrddin	90

Y tu mewn i'r siroedd gwledig roedd y cysylltiad rhwng y trefi a'r iaith Saesneg yr un mor amlwg:

Canran y boblogaeth yn siarad Cymraeg

Sir	Ardaloedd gwledig	Ardaloedd trefol
Môn	93	85
Caernarfon	96	90
Brycheiniog	87	30

Gan fod y trefi, er enghraifft, Y Trallwng, Caerfyrddin ac Aberystwyth, yn ganolfannau gweinyddol, addysgol a masnachol pwysig cyflwynwyd diwylliant ac iaith Lloegr drwyddynt i gefn gwlad Cymru.

Roedd cyfanswm y Cymry Cymraeg wedi disgyn ymhellach erbyn 1911 i 43.5 y cant (977,000). Roedd yn 39 y cant (929,183) ym 1921 a 37.2 y cant (909,000) ddeng mlynedd yn ddiweddarach. Erbyn 1931 felly roedd trai'r iaith Gymraeg wedi creu dwy gymdeithas ieithyddol yng Nghymru. Roedd yr iaith wedi colli tir yn frawychus o sydyn nid yn unig ym maes glo'r deheudir ond hefyd ar hyd arfordir y gogledd, yn arbennig mewn trefi glan y môr poblogaidd megis Llandudno, Penmaen-mawr a Llanfairfechan o ganlyniad i fewnfudiad Seisnig a datblygiad y diwydiant ymwelwyr. Yn ogystal, cynyddodd nifer y siaradwyr uniaith Saesneg yn y pentrefi ar hyd dyffrynnoedd Hafren, Gwy a Fyrnwy, ardaloedd a ffiniai ar Loegr. Tynged gyffelyb a oddiweddodd y Gymraeg yn sir y Fflint a sir Ddinbych lle y disgynnodd canran y Cymry Cymraeg o 57 y cant ym 1901 i 41.2 y cant ym 1931. Y cymunedau a seinigeiddiwyd fwyaf yn y cyfnod hwn oedd Glannau Dyfrdwy, Maelor, Bwcle, Penarlâg, y Waun a Rhiwabon.

Yn y gorllewin, er gwaethaf diboblogi, roedd safle'r iaith yn gryf. Yng Ngwynedd, er enghraifft, ym 1921 roedd 136 o 150 o'r cymunedau yno yn cynnwys mwy na 75 y cant o Gymry Cymraeg. Roedd y sefyllfa yn debyg yn sir Aberteifi, sir Gaerfyrddin a gogledd sir Benfro. Un peth a argoeliai'n ddrwg am y dyfodol oedd safle gwannach yr iaith ymhlith yr ifainc a'r duedd i blant dwyieithog dyfu i fyny yn oedolion di-Gymraeg rhwng 1921 a 1931. Ymhellach, ym 1931 roedd 45.6 y cant o'r bobl dros 45 oed yn ddwyieithog ond dim ond 27.6 y cant o'r plant dan bedair ar ddeg oed.

Ond yn gyffredinol, hyd at ddechrau'r 1920au yn y gorllewin, yn ardaloedd gwledig Clwyd a Morgannwg, ac yn llawer o bentrefi'r canolbarth roedd yr iaith yn gymharol gryf. O gwmpas y prif drefi a'r trefi marchnad, yn yr ardaloedd diwydiannol, ar yr arfordiroedd deheuol a gogleddol, ac yn y dyffrynnoedd a ffiniai ar ganolbarth Lloegr yr oedd yr iaith naill ai wedi cael ei disodli'n llwyr neu yn ildio'n gyflym i bwysau diwylliant hollbresennol a hollgwmpasog Lloegr.

Nifer y siaradwyr Cymraeg ym mhob sir (miloedd)

Sir	1911	1921	1931	1951	1961
Môn	42.7	41.5	41	38.4	37.1
Brycheiniog	22.9	21.4	20.4	16.3	14.9
Arfon	101.2	93.7	91.9	85.1	79.9
Aberteifi	51.1	47.6	46.3	40.6	38.5
Caerfyrddin	127.2	135.5	141.1	127.3	120.9
Dinbych	76.9	70.6	73.1	62.5	57.9
Y Fflint	36.5	32.8	34.1	29.1	27.2
Morgannwg	393.7	368.9	355.4	231.7	201.1
Meirionnydd	39	35.2	35.5	30	27.8
Mynwy	35.2	26.9	25	14.1	14.4
Trefaldwyn	22.4	20.4	18.8	15.3	13.6
Penfro	27.4	26.2	25.5	23.3	21.8
Maesyfed	1.1	1.4	1.0	0.9	0.8
Cyfanswm	977.4	922.1	909.3	714.7	656.0

Ni ellir egluro ei methiant etholiadol yn nhermau ieithyddol yn unig. Soniwyd eisoes sut y clymwyd teyrngarwch yr ardaloedd diwydiannol i raglen y Blaid Lafur gan eu profiad o ddiweithdra rhwng y rhyfeloedd. Nid oedd y drefn ddwy bleidiol chwaith yn rhoi cyfle teg i drydedd blaid ennill digon o bleidleisiau i sicrhau cynrychiolaeth seneddol. Dangosodd profiad y Rhyddfrydwyr yn y 1920au a'r 1960au mor anodd ydoedd i blaid gymharol fawr, heb sôn am blaid fechan, ryddhau gafael y Blaid Lafur a'r Blaid Geidwadol ar y gyfundrefn wleidyddol. Ar adeg etholiad roedd llawer o bleidleisio tactegol wrth i etholwyr roi eu pleidlais yn erbyn un o'r pleidiau mawr yn hytrach nag o blaid eu dewis gwleidyddol naturiol ac effeithiodd hyn yn arbennig ar y pleidiau llai.

Fel pob plaid fach roedd gan y Blaid broblemau ariannol. Yn wahanol i'r Ceidwadwyr a'r Blaid Lafur dibynnai'n llwyr ar gyfraniadau unigolion. Llesteiriwyd ei gallu i drefnu ymgyrchoedd etholiadol cynhwysfawr a rhwng etholiadau effeithiodd adnoddau prin ar waith gwleidyddol bob dydd megis dosbarthu pamffledi, cynnal cyfarfodydd, ffurfio canghennau a datblygu'r drefniadaeth ganolog. Ond i raddau roedd y diffyg adnoddau'n ganlyniad prinder aelodau a'r angen am fwy o ganghennau gweithgar mewn rhannau o Gymru. Heb ymroddiad aelodaeth frwdfrydig roedd hi'n anodd i'r Blaid drosglwyddo ei neges yn lleol. Ni chafodd y Cenedlaetholwyr lawer o sylw gan y Wasg a'r cyfryngau chwaith, datblygiad a allai fod wedi lleddfu rhywfaint ar broblemau eraill.

Ond efallai mai'r ffactor a rwystrodd ddatblygiad y Blaid fwyaf oedd y dimensiwn Prydeinig. Rhwng y 1870au a'r 1960au lleihaodd nifer y Cymry Cymraeg o oddeutu 71 y cant o'r boblogaeth i lai na 25 y cant. Yn ystod yr un cyfnod cyflwynwyd yr un gyfundrefn addysg ar gyfer Cymru a Lloegr a gwaharddwyd defnydd o'r Gymraeg a dysgu hanes a llenyddiaeth Cymru. Cryfhawyd y cysylltiadau â Lloegr a'r iaith Saesneg gan ddatblygiadau masnachol a diwydiannol a'r gwelliant mewn cyfathrebiadau rhwng y ddwy wlad. Unodd y Rhyfel Mawr holl drigolion gwledydd Prydain mewn ymdrech ryfel gynhwysfawr yn erbyn gelynion yr ymerodraeth ac ar ôl i hyn oll gryfhau'r persbectif Prydeinig daeth y dirwasgiad ac ymfudodd mwy na 430,000 o Gymry i Loegr a rhannau eraill o'r byd. Ar ôl rhyfel byd arall a ymladdwyd yn enw democratiaeth Brydeinig, fe lwyddodd llywodraethau'r Blaid Lafur a'r Ceidwadwyr i godi safonau byw gan bwysleisio rhagoriaethau'r ffordd Brydeinig o fyw. Mewn amgylchiadau o'r fath ymddangosai fod dimensiwn Cymreig nid yn unig yn beth anodd i'w gyflawni ond hefyd i rai pobl yn annerbyniol.

Sicrhaodd y dylanwadau economaidd, diwylliannol ac addysgol hyn fod y boblogaeth Gymreig erbyn diwedd yr Ail Ryfel Byd wedi cael ei

O ganol y 1920au hyd ddechrau'r Ail Ryfel Byd roedd Cymru yng ngafael dirwasgiad a orfododd filoedd i adael eu mamwlad i chwilio am waith. Er gwaethaf maint yr ymfudiad hwn arhosodd diweithdra ar gyfartaledd yn uwch na 16 y cant. Ni chynhaliwyd cyfrifad ym 1941 oherwydd y rhyfel ond dangosodd ffigurau 1951 mai'r dirwasgiad ac yna'r rhyfel a effeithiodd fwyaf ar safle'r iaith yn ystod hanner cyntaf y ganrif. Disgynnodd y nifer o Gymry Cymraeg i 714,686 neu 28.9 y cant o'r boblogaeth, cwymp o 8 y cant o fewn ugain mlynedd. Ymhen deng mlynedd arall disgynodd y ganran i 26 y cant.

Er i'r dirywiad arafu yn y 1950au roedd newidiadau lleol amlwg wedi digwydd er dechrau'r 1930au a chryfhawyd tueddiadau dechrau'r cyfnod wrth i'r iaith gael ei disodli'n gyflym yn yr ardaloedd trefol.

Yn siroedd y Fflint a Dinbych gostyngodd nifer y Cymry Cymraeg o 41.2 y cant ym 1931 i 27.2 y cant ym 1961 ond arhosodd y dosbarthiad ieithyddol yr un fath. Ar hyd yr arfordir cynyddodd y boblogaeth Seisnig o ganlyniad i ddatblygiad y diwydiant ymwelwyr a boddwyd rhagor o bentrefi gan y llif o Saeson a oedd yn dewis treulio eu hymddeoliad yng Nghymru. Denodd y ffatrïoedd newydd a sefydlwyd rhwng Treffynnon a Wrecsam ar ôl y rhyfel ragor o fewnfudwyr. Un o ganlyniadau hyn oedd cwymp yn y nifer o Gymry Cymraeg.

Nifer a chanran y siaradwyr Cymraeg

Tref	1931	1951	1961
Abergele	1,665 (65%)	2,674 (37%)	2,484 (32%)
Bae Colwyn	7,534 (37%)	6,493 (30%)	6,097 (27%)
Prestatyn	1,308 (30%)	1,773 (21%)	1,921 (18%)
Y Rhyl	3,698 (28%)	3,485 (19%)	4,714 (18%)

Gellir gweld bod y Cymry Cymraeg wedi tyfu o ran rhif ond am fod mwy o gynnydd ymhlith y di-Gymraeg nid oedd yn bosibl i'r iaith sefydlogi a dal ei thir.

I'r de, yn arbennig yn y pentrefi cefn gwlad, parhaodd y Gymraeg yn brif iaith y mwyafrif, er enghraifft, yn Llandysilio-yn-Iâl, Trelawnyd, Cerrigydrudion, Helygain, Llanrhaeadr-ym-Mochnant a Rhuthun. Yn ardal Wrecsam roedd y Gymraeg yn dal yn iaith bob dydd yn y pentrefi glofaol ymhlith pobl dros 45 oed ond roedd y mwyafrif o'r plant yn tyfu'n Gymry uniaith Saesneg:

Canran y siaradwyr Cymraeg yn y pentrefi glofaol

Pentref	1931	1951	1961
Bers	67	57	47
Rhosllannerchrugog	82	76	73
Pen-y-cae	69	54	54
Mwynglawdd	80	61	59

Ymhlith y plant lleiaf rhwng tair a phedair oed disgynnodd nifer y rhai dwyieithog o 25.7 y cant ym 1931 i 12.7 y cant ym 1961; ymhlith y rhai rhwng deg a phedair ar ddeg oed o 35.1 y cant i 21 y cant; ac ymhlith yr ieuenctid rhwng 15 a 24 oed o 37.8 y cant i 22.3 y cant. Er bod y pentrefi a nodwyd eisoes, ynghyd â dyffrynnoedd Clwyd, Aled a Cheiriog ac ardal Hiraethog yn Gymraeg eu hiaith o hyd, roedd y dirywiad eisoes ar waith: wrth i'r bobl oedrannus farw deuai mewnfudwyr yn aml o'r siroedd Seisnig cyfagos i gymryd eu lle ac am mai Saesneg oedd unig gyfrwng ieithyddol yr ysgolion roedd lleihad sylweddol yn nifer y Cymry Cymraeg yn anochel.

Yng nghadarnleoedd y Gymraeg yn y gorllewin effeithiwyd ar y sefyllfa ieithyddol gan bellter y siroedd oddi wrth brif farchnadoedd Lloegr a chan brinder cyfathrebau da. Tueddai llawer o deuluoedd ifainc i adael yr ardaloedd hyn am resymau economaidd fel y crybwyllwyd eisoes, ac un o ganlyniadau'r cynlluniau adeiladu mawr (y gorsafoedd pŵer niwclear, er enghraifft) oedd mewnfudiad arbenigwyr o Saeson a oedd yn aml iawn yn amharod i ymdoddi i'r cymunedau Cymraeg. Ar y ffermydd gostyngodd nifer y gweithwyr a gyflogid wrth i ffermydd gael eu cysylltu â'i gilydd a defnyddio dulliau mecanyddol newydd.

Yr unig ddiwydiant a oedd ar gynnydd yn y gorllewin oedd y diwydiant ymwelwyr. Rhwng 1931 a 1961 seisnigeiddiwyd cymunedau cyfan wrth i filoedd o bobl ddi-Gymraeg ymddeol neu sefydlu busnes neu westy ar hyd yr arfordir neu yng nghanol Eryri. Roedd y Gymraeg ar drai yn y canolfannau gwyliau poblogaidd: Aberdyfi, Tywyn, Penmaenmawr, Conwy, Llandudno, Abermo, Porth-cawl, Bro Gŵyr, Beddgelert, Capel Curig, Betws-y-coed, Benllech, Biwmares a Llandrillo-yn-Rhos. Erbyn 1961 roedd 21.2 y cant o boblogaeth sir Fôn wedi cael eu geni y tu allan i'r sir ac roedd eu hagwedd tuag at y Gymraeg yn y gymdeithas yn anffafriol ar y cyfan. Problem arall oedd ail gartrefi, pwnc sydd wedi cael ei drafod yn barod. Erbyn y 1960au roedd eu dylanwad dinistriol ar iaith a diwylliant y pentrefi a'r ardaloedd Cymraeg yn dod yn fwyfwy amlwg. Ond i raddau helaeth symptom oedd y tai haf o ddirywiad economaidd cefn gwlad Cymru. Cafodd y gwersylloedd milwrol effaith andwyol ar y

Gymraeg hefyd ym mhentrefi'r ardaloedd gwledig: y Fali, Aberffro, Tywyn, Llanenddwyn, Trawsfynydd a Llangelynnin.

Her arall i'r iaith yn y fro Gymraeg ar ôl 1945 oedd twf pentrefi a maestrefi megis Bow Street, Porthaethwy, Llandegfan a Biwmares yn sgil ehangiad y sefydliadau colegol ym Mangor ac Aberystwyth. Dros y blynyddoedd daeth y rhain yn ynysoedd Seisnig mewn ardaloedd cwbl Gymraeg. Wrth i'r mewnfudwyr hyn ymgartrefu yn y pentrefi cymerasant ran gynyddol yn y bywyd cymdeithasol gan ddangos yn aml wrthwynebiad ffyrnig i addysg Gymraeg mewn ysgolion cynradd ac uwchradd. Dyfarniad un astudiaeth oedd mai'r seisnigo mewnol hwn a fyddai'r prif fygythiad i gryfder yr iaith yn y fro Gymraeg yn y dyfodol.

Roedd ardaloedd eraill â thros dri chwarter o'r boblogaeth yn Gymry Cymraeg ym 1961 gan gynnwys Llangywer, Llanuwchllyn, Brithdir, Llanelltud, Llanaelhaearn, Pistyll a Thudweiliog. Ond roedd ymfudo o ganlyniad i sylfeini economaidd gwan yn peryglu'r gymdeithas Gymraeg hyd yn oed yn y cadarnleoedd hyn.

Erbyn 1961 roedd y ffin ieithyddol wedi symud tua'r gorllewin a chylch y fro Gymraeg wedi ei leihau. Er bod 74 y cant o boblogaeth sir Fôn, sir Gaernarfon, sir Feirionnydd, sir Aberteifi a sir Gaerfyrddin gyda'i gilydd yn Gymry Cymraeg nid oedd yn ganran uchel o boblogaeth gyfan Cymru ac roedd datblygiad y diwydiant ymwelwyr, y trefi colegol, y canolfannau milwrol, ail gartrefi a maestrefi wedi creu bygythiad i'r iaith y tu mewn i'r fro Gymraeg.

Yn y de-ddwyrain gostyngodd canran y siaradwyr Cymraeg o 32 y cant i 17 y cant rhwng 1931 a 1961 yn sir Forgannwg ac o 6 y cant i 3 y cant yn sir Fynwy. Er bod ambell i ardal ar ffiniau gorllewinol y maes glo megis dyffryn Aman, wedi cadw ei Chymreictod nid oedd y rhain yn nodweddiadol o'r rhanbarth yn gyffredinol.

Yn sgil datblygiadau trefol a mewnfudiad daeth priodasau cymysg yn fwy cyffredin ac effeithiodd hyn hefyd ar safle'r iaith. Rhwng 1952 a 1964, er enghraifft, gostyngodd nifer y plant â rhieni Cymraeg 19 y cant, o 66,000 i 53,000, ond cafwyd cynnydd o 20 y cant yn nifer y teuluoedd lle'r oedd un rhiant yn gallu siarad Cymraeg. Bu cynnydd o 10 y cant yn nifer y teuluoedd hollol ddi-Gymraeg. Ar yr aelwydydd Cymraeg llwyddodd 75.5 y cant i gadw'r iaith ond yn y cartrefi lle roedd un rhiant yn uniaith Saesneg roedd y ffigur oddeutu 22 y cant. Gellir gweld o'r ystadegau hyn fod priodasau cymysg yn arwain, yn amlach na pheidio, at golli'r iaith Gymraeg fel iaith yr aelwyd.

Cyfeiriodd astudiaeth Carter a Bowen (1974) at bwysigrwydd yr ardaloedd hynny lle roedd rhwng 40 y cant a 70 y cant o'r boblogaeth yn

Gymry Cymraeg, gan nodi fod y golled ieithyddol yn y cymunedau hyn oddeutu dwywaith y cyfartaledd Cymreig dros gyfnod o ddeng mlynedd.

Cyfeiriwyd yn arbennig at ddwyrain Gwynedd a rhannau o Glwyd lle roedd cydbwysedd ieithyddol rhwng y Gymraeg a'r Saesneg. Roedd tuedd i'r ardaloedd hyn gael eu seisnigeiddio'n llawer cyflymach na chymunedau mwy Cymraeg i'r gorllewin. Gellir cysylltu hyn â pharodrwydd yr oedolion dwyieithog i wneud llawer mwy o ddefnydd o'r Saesneg, yn arbennig yn y siopau ac yn gymdeithasol. Crybwyllwyd priodasau cymysg eisoes, ond yr un mor bwysig oedd dylanwad yr ysgolion Saesneg eu hiaith ac effaith y diwylliant Eingl-Americanaidd. Yn yr ardaloedd hyn hefyd roedd cyfran llawer uwch o'r Cymry Cymraeg heb y gallu i ysgrifennu yn Gymraeg ac roedd hyn yn gam i gyfeiriad unieithrwydd Saesneg.

I grynhoi, rhwng 1911 a 1961 disgynnodd nifer y Cymry Cymraeg o 43.5 y cant (977,400) i 26 y cant (656,000). Roedd natur a dosbarthiad y dirwyiad yn profi bod perthynas agos rhwng datblygiad economaidd a phatrymau ieithyddol: roedd sylfeini economaidd cadarn yn hanfodol er mwyn atal diboblogi a dirywiad yr iaith.

Addysg

Bu addysg bob amser yn ddylanwad pwysig ar ddatblygiad cymdeithasol a seicolegol cenedl. Hyd at ganol y ganrif ddiwethaf Cymraeg oedd iaith y rhan fwyaf o ysgolion Cymru. Ond ym 1870 pasiwyd Deddf Addysg enwog W. E. Forster a gyflwynodd addysg orfodol i blant rhwng pump a thair ar ddeg oed. Pwysleisiodd y ddeddf mai Saesneg fyddai'r unig gyfrwng dysgu yn ysgolion Cymru a Lloegr o hynny allan. O gofio bod y Gymraeg dan fygythiad yn barod oddi wrth effeithiau'r Chwyldro Diwydiannol roedd y ddeddf newydd yn ergyd drom i'r gwladgarwyr hynny a oedd am ei chadw'n iaith fyw trwy Gymru.

Roedd polisi ieithyddol y llywodraeth yn gyson â chyfundrefn economaidd a gwleidyddol ganolog ac yn debyg iawn i bolisïau a oedd wedi cael eu mabwysiadu gan wladwriaethau eraill yn ystod eu cyfnodau imperialaidd, er enghraifft, Ffrainc, Sbaen, a Rwsia. Ym 1852, mewn adroddiad addysg gan y llywodraeth, crynhowyd agwedd y wladwriaeth Seisnig tuag at Gymru a'i hiaith:

> Pa gefnogaeth bynnag y teimlir gan unigolion y dylid ei rhoi i gadw'r iaith Gymraeg o'r agwedd ieithegol neu hynafiaethol dylai llywodraeth bob amser geisio cael ei dominiynau i fod yn gydryw ac i chwalu'r rhagfuriau sy'n rhwystr i gyfathrach rydd rhwng gwahanol rannau ohonynt. Yn hwyr neu'n hwyrach mae'n debyg fe

ddileir y gwahaniaeth iaith rhwng Cymru a Lloegr ac nid yw'r rheini, sy'n ceisio rhwystro oherwydd diddordeb rhamantus yn eu hymddygiad a'u traddodiadau, y fath ddigwyddiad sydd mor ddymunol yn gymdeithasol a gwleidyddol iddynt, yn wir gyfeillion y Cymry.

Llwyddodd yr ysgolion i argraffu ar y disgyblion mai drwy feistroli'r Saesneg y gallent wella eu cyflwr materol yn y byd. Defnyddiwyd yr un dulliau mewn ysgolion yng Nghanada lle y pwysleisiwyd ar y boblogaeth Ffrengig fod Saesneg yn hanfodol i'w dyrchafiad cymdeithasol. Yng Nghymru, fel yn Llydaw, cosbwyd plant am siarad eu hiaith eu hunain a thrwy wneud hyn ac anwybyddu llenyddiaeth, hanes, a daearyddiaeth Cymru hyrwyddwyd dylanwadau Seisnig ar draul traddodiadau Cymreig. Golygai fod llawer o blant yn gallu darllen ac ysgrifennu yn Saesneg ond yn anllythrennog yn eu mamiaith oni bai iddynt gael gwersi yn yr ysgolion Sul. Roedd yn eironig fod yr Anghydffurfwyr yn pwysleisio gwerth y gyfundrefn addysg tra oedd honno'n graddol ddifa a lladd yr iaith a'r diwylliant a oedd yn rhan mor annatod ohoni.

Er gwaethaf y trafferthion a wynebai'r plant Cymraeg yn feunyddiol yn yr ysgolion nid oes llawer o dystiolaeth hyd yn hyn i rieni adweithio yn erbyn y gyfundrefn a oedd yn lladd eu hiaith. Efallai bod hyn yn brawf i'r Cymry gael eu hargyhoeddi gan y cysylltiadau addysgol, economaidd a gwleidyddol â Lloegr fod y Gymraeg yn amherthnasol ac mai buddiol fyddai gadael iddi edwino er mwyn dod yn rhan fwy cyflawn a theilwng o'r Ymerodraeth Brydeinig. Yn sicr, fe effeithiodd y feddylfryd israddol hon ar agwedd eu plant a'u pobl ifanc.

Roedd dylanwad y gyfundrefn addysg ar ei gwaethaf yn yr ardaloedd hynny lle roedd o leiaf hanner y boblogaeth yn uniaith Saesneg a lle roedd ychydig o atgyfnerthiad iddi y tu allan i'r ysgolion. Yng Nghlwyd, er enghraifft, disgynnodd y nifer o blant Cymraeg eu hiaith rhwng pump a naw oed o 44.8 y cant ym 1911 i 12.6 y cant ym 1961 a'r nifer rhwng deg a phedair ar ddeg oed o 46.5 y cant i 21.1 y cant. Yng Ngwynedd, fodd bynnag, lle roedd y Gymraeg yn brif iaith y strydoedd, y gweithfeydd, y chwareli a'r ffermydd nid oedd y newid mor drawiadol. Rhwng 1921 a 1961 gostyngodd y nifer o blant Cymraeg rhwng pump a naw oed o 81.6 y cant i 72.6 y cant ac ymhlith yr oedrannau deg i bedair ar ddeg oed o 84.5 y cant i 75.4 y cant. Ond yn sir Gaerfyrddin roedd effaith negyddol y gyfundrefn addysg yn amlycach o lawer gyda'r nifer o blant dwyieithog yn disgyn o 82 y cant i 45 y cant rhwng 1936 a 1960. Un o ganlyniadau hyn oedd seisnigeiddio ardaloedd megis Porth Twymyn, Llanelli a Chydweli.

Er i'r sefyllfa wella rywfaint pan ddaeth O. M. Edwards yn brif arolygydd Adran Gymraeg y Bwrdd Addysg ym 1907 nid oedd modd troi'r llanw yn ôl. Saesneg oedd iaith y mwyafrif helaeth o'r ysgolion ac ychydig iawn a ddysgid am Gymru a Chymreictod yn y sefydliadau hyn ar unrhyw lefel. Rhygnai'r drefn hon ymlaen hyd at y 1960au heb unrhyw arwydd y byddai'r sefyllfa'n newid yn y dyfodol. Yr unig adwaith ymarferol o bwys yn erbyn y *status quo* oedd y mudiad i sefydlu ysgolion Cymraeg, ond cyfyngwyd dylanwad y rhain i leiafrif bychan o'r boblogaeth. Gellir olrhain patrwm tebyg ym Mhrifysgol Cymru. Cyn yr Ail Ryfel Byd deuai dros 90 y cant o'r myfyrwyr o Gymru ond ym 1957 roedd y ffigur hwn wedi disgyn i 71 y cant ac erbyn 1964 i 50 y cant. Achosodd hyn lawer o ddadlau y tu mewn i'r colegau ynglŷn â phwrpas prifysgol genedlaethol. Mynnai rhai y dylai Prifysgol Cymru roi blaenoriaeth i fyfyrwyr Cymreig yn lle cymryd nifer cynyddol o fyfyrwyr o Loegr. Dadleuent nad oedd llawer o'r myfyrwyr Seisnig wedi dewis dod i Gymru neu fod colegau Cymru yn isel ar eu rhestr o ddewisiadau. Y ddadl a orfu oedd yr un a bwysleisiai y byddai rhoi blaenoriaeth i Gymru yn gostwng safonau academaidd a bod yn rhaid ehangu drwy ddarparu lleoedd ar gyfer myfyrwyr a oedd yn gadael ysgolion uwchradd Lloegr.

Ar ddechrau'r 1960au cafwyd brwydr arall, y tro hwn yn ymwneud â statws ffederal y brifysgol. Yn dilyn argymhelliad gan Gyngor Dosbarth Caerffili y dylid rhannu Prifysgol Cymru yn brifysgolion annibynnol trafodwyd y mater gan Lys y Brifysgol ym 1960 a sefydlwyd pwyllgor i ystyried y manteision a'r anfanteision. Yn y cyfamser mudlosgai'r ffrae rhwng tri o'r penaethiaid colegol a oedd o blaid y rhannu ac Alwyn D. Rees, golygydd *Barn*, pennaeth yr Adran Efrydiau Allanol yn Aberystwyth a phrif gynrychiolydd y garfan a oedd o blaid cadw undod y Brifysgol. Lluniodd y pwyllgor ddau adroddiad, un o blaid ffederaliaeth a'r llall yn ei erbyn. Dadl y cyntaf oedd y gellid addasu gweinyddiaeth y Brifysgol i wynebu'r cymhlethdodau gweinyddol ac ariannol a ddeuai yn sgîl yr ehangu a byrdwn yr ail oedd bod angen rhannu er mwyn hwyluso gweinyddiaeth effeithlon wrth i nifer y myfyrwyr gynyddu. Roedd hon yn frwydr hefyd rhwng cefnogwyr y Brifysgol fel un o sefydliadau cenedlaethol cyntaf Cymru a'r rheini na welai wahaniaeth rhwng colegau Cymru a phrifysgolion Lloegr. Ar 4 Ebrill 1964 pleidleisiodd Llys y Brifysgol o blaid cadw ei statws ffederal a chefnogwyd y penderfyniad gan lawer o awdurdodau lleol ac Anthony Crossland, y Gweinidog Addysg. Roedd yn fuddugoliaeth symbolaidd i'r academyddion hynny a oedd am warchod hunaniaeth sefydliad Cymreig gwerthfawr.

Ond ni fu unrhyw atal ar y cynlluniau i ehangu'r Brifysgol ac er gwaethaf y cynnydd yn nifer y cyrsiau a gynigid drwy gyfrwng y Gymraeg gwanhau a wnaeth statws yr iaith yn y colegau unigol. Cafodd yr ehangu ei amddiffyn gan lawer yn y byd academaidd; roedd rhai o'u dadleuon yn rhesymegol ac eraill yn amheus, ond beth bynnag am hynny roedd Cymreictod y sefydliadau addysg bellach yn crebachu'n ynysoedd bychain ac atgyfnerthwyd y gred nad oedd lle i'r Gymraeg y tu allan i addysg gynradd a rhai ysgolion uwchradd.

Soniwyd yn gynharach am adwaith rhai Cymry yn erbyn y gyfundrefn addysg ganolog a fodolai yng Nghymru. Credai'r rhain fod Cymreigio'r ysgolion yn allweddol i barhad yr iaith. Agorwyd yr Ysgol Gymraeg gyntaf yn Aberystwyth ym 1939 gyda Miss Nora Isaac yn brifathrawes. Yr Urdd oedd yn bennaf gyfrifol am redeg yr ysgol a'r bwriad oedd diogelu etifeddiaeth Gymreig y plant. Drwy osod esiampl o'r math hwn fe lwyddwyd i berswadio rhagor o rieni i geisio addysg Gymraeg i'w plant mewn rhannau eraill o Gymru ac ym 1947 agorwyd yr ysgol Gymraeg gyntaf gan awdurdod lleol yn Llanelli. Erbyn 1951 roedd 13 arall wedi eu sefydlu yng Nghymru ond ysgolion cynradd oedd y rhain i gyd.

Ym 1956 penderfynodd awdurdod addysg sir y Fflint o dan arweiniad y Cyfarwyddwr Addysg Dr Haydn Williams ac yn erbyn gwrthwynebiad ffyrnig o sawl cyfeiriad, sefydlu Ysgol Glan Clwyd yn y Rhyl. Hon oedd yr ysgol uwchradd ddwyieithog gyntaf ac ym 1961 agorwyd un arall yn yr Wyddgrug, sef Ysgol Maes Garmon. Y flwyddyn olynol agorodd awdurdod addysg sir Forgannwg Ysgol Uwchradd Rhydfelen ger Pontypridd ac ym 1963 agorwyd Ysgol Morgan Llwyd yn Wrecsam gan gyngor sir Ddinbych.

Amrywiodd y polisi iaith o sir i sir gan ei fod yn dibynnu cymaint ar agwedd y swyddogion addysg a'r cyngor ac ar ddyfalbarhad y rhieni a ddymunai sefydlu ysgol Gymraeg yn eu hardal hwy. Yn y siroedd lle roedd y Gymraeg gryfaf, er enghraifft, ychydig o bynciau a ddysgid drwy gyfrwng y Gymraeg ar ôl y drydedd flwyddyn rhwng 1945 a 1964. Y rheswm a roddid yn aml am hyn oedd prinder defnyddiau yn y Gymraeg, ond dangosodd llwyddiant ysgolion dwyieithog y dwyrain y gellid goresgyn unrhyw broblemau drwy ymroad a phenderfyniad. I raddau helaeth roedd y cyfiawnhad hwn dros wrthod ymladd o blaid Cymreigio'r ysgolion uwchradd yn adlewyrchiad o'r hen deimlad bod y Gymraeg yn iaith israddol a di-fudd: roedd yn iawn i'w siarad ac i ddysgu plant bach ond nid ar gyfer y pethau pwysig mewn bywyd megis arholiadau safon Gyffredin a safon Uwch. I ddod ymlaen yn y byd yn nhyb rhai roedd angen sicrhau y cymwysterau iawn yn yr iaith gywir sef Saesneg.

Roedd y safbwynt hwn yr un mor gyffredin yn yr ardaloedd trefol ac roedd yn adlewyrchu llwyddiant Deddf Addysg Forster i gymathu meddyliau'r Cymry i gyfeiriad arbennig dros sawl cenhedlaeth. Yn Rhondda ym 1951, er enghraifft, dim ond 196 o blant ysgol gynradd (mewn dwy ysgol ddwyieithog) o gyfanswm o 15,810 a siaradai Gymraeg fel iaith gyntaf. Dangosodd un astudiaeth o agwedd a chymhellion rhieni dosbarth gweithiol y cylch pam y dewisodd rhai gefnogi ysgol ddwyieithog ac eraill ysgol Saesneg. Er nad oedd llawer o wahaniaeth yng nghefndir y rhieni roedd disgwyliadau y rhai a anfonodd eu plant i'r ysgol ddwyieithog yn adlewyrchu gwerthoedd dosbarth canol. Iddynt hwy roedd cadw'r iaith a hunaniaeth y Cymry yn bwysig a gwelent gysylltiad uniongyrchol rhwng addysg ddwyieithog a swyddi yn y dyfodol yn y cyfryngau, llywodraeth leol ac addysg. Ymhlith cefnogwyr yr ysgol Saesneg roedd agosrwydd yr ysgol a phwysigrwydd cael swydd yn flaenoriaethau uchel ond ffactor ymylol oedd yr iaith. Un gwahaniaeth a nodwyd rhwng y ddau grŵp o rieni oedd bod o leiaf un o'r rhieni, neu famgu a thadcu, yn y grŵp cyntaf yn siarad Cymraeg. Felly i rai rhieni roedd cysylltiad rhwng swyddi da a'r iaith ac ni ddylid anwybyddu lleoliad y brifddinas wrth ystyried goblygiadau'r astudiaeth hon. Yn y gogledd-ddwyrain efallai na fyddai'r cysylltiad rhwng iaith, statws a swydd mor glir gan mai Lerpwl, Manceinion a Chaer oedd y canolfannau pwysig.

Mewn ardaloedd eraill gwrthododd yr awdurdodau sefydlu ysgolion Cymraeg er gwaethaf y galw amdanynt. Yn sir Gaerfyrddin, er enghraifft gwrthododd y cyngor Llafur godi ysgol ddwyieithog yn Rhydaman a chaewyd dosbarthiadau Cymraeg ym 1962 ym Mhorth Twymyn, Pentre a Bynea. Saesneg hefyd oedd iaith yr ysgolion yn rhai o ardaloedd mwyaf Cymraeg y sir megis Cwm-du a dyffryn Tywi. Mae'n bosibl mai cymhellion gwleidyddol oedd y tu cefn i wrthwynebiad y cyngor i ysgolion Cymraeg am fod pryder y tu mewn i'r Blaid Lafur fod cysylltiad uniongyrchol rhwng ysgolion Cymraeg a lledaeniad cenedlaetholdeb.

Nid oes unrhyw dystiolaeth fod cysylltiad rhwng yr ysgolion hyn a chenedlaetholdeb gwleidyddol ond llwyddasant, serch hynny, i feithrin cefnogaeth gref ymhlith y disgyblion i'r iaith Gymraeg a'i diwylliant. Yn wir, roedd yr ymwybyddiaeth o Gymreictod ymhlith disgyblion yr ysgolion hyn yn gryfach nag ymhlith disgyblion mewn ysgolion cyffredin yn yr ardaloedd Cymraeg ond nid oes tystiolaeth i'r agwedd gadarnhaol hon tuag at hunaniaeth Gymreig gael ei throsi'n gefnogaeth i Blaid Cymru.

Mewn ardaloedd lle roedd rhwng 40 y cant a 70 y cant o'r boblogaeth yn Gymry Cymraeg tueddai agwedd y disgyblion mewn ysgolion Saesneg eu hiaith i fod yn geidwadol tuag at faterion Cymreig. Roedd y bobl ifanc hyn yn fwy na pharod i droi i'r Saesneg yng nghwmni y di-Gymraeg ac i siarad mwy o Saesneg eu hunain. Cadarnhaodd hyn gred Carter fod ardaloedd fel hyn yn rhai pwysig cyn belled ag yr oedd parhad neu leihad yn nifer y Cymry Cymraeg yn y cwestiwn.

Daeth yr ysgolion dwyieithog yn sir y Fflint a sir Forgannwg yn arloeswyr yn natblygiad addysg drwy gyfrwng y Gymraeg. Ar y dechrau dibynnai llwyddiant yr ysgolion ar gefnogaeth y dosbarth canol proffesiynol. Ond i lwyddo yn y dyfodol roedd yn hanfodol ehangu apêl yr ysgolion drwy ddenu cefnogaeth rhieni dosbarth gweithiol, ac o ddechrau'r 1960au ymlaen daeth yr ysgolion Cymraeg yn fwy atyniadol iddynt. Nid dysgu Cymraeg oedd prif gymhelliad llawer o'r rhieni hyn, ond fe'u denwyd gan yr enw da a enillasai'r ysgolion oherwydd ymroddiad arbennig athrawon i barhad yr iaith a'r tuedd i roi mwy o sylw personol i ddisgyblion. Roedd y ffactorau hyn wedi arwain at wella safonau academaidd a chreu awyrgylch gymdeithasol y tu mewn i'r ysgol.

Er gwaethaf llwyddiant yr ysgolion i ddenu disgyblion o bob dosbarth dangosodd Adroddiad Gittins nad oedd y rhan fwyaf o bobl Cymru o blaid defnyddio'r Gymraeg fel cyfrwng dysgu yn yr ysgolion uwchradd. Hyd yn oed ymhlith rhieni Cymraeg roedd oddeutu 66 y cant yn erbyn addysg Gymraeg ar ôl i'w plant adael yr ysgolion cynradd. Er hynny, pwysleisiodd yr adroddiad bwysigrwydd meithrin y Gymraeg a'r diwylliant Cymreig ym mhob ysgol yn y wlad.

Er i statws yr iaith yn yr ysgolion ddechrau gwella ar ôl 1960 ni ddiflanodd yr anhawster sylfaenol. Gyda'r mwyafrif o drigolion Cymru yn uniaith Saesneg roedd hi'n anodd i gefnogwyr y drefn ddwyieithog ddarbwyllo rhieni di-Gymraeg o werth addysg Gymraeg, ac wrth i fwy o Saeson fewnfudo i Gymru, yn arbennig i'r trefi prifysgol dwysaodd y gwrthwynebiad. Hefyd, er gwaethaf ymdrechion mudiadau rhieni a ymgyrchai'n ddiflino i sefydlu addysg drwy gyfrwng y Gymraeg i'w plant, roedd rhai awdurdodau lleol yn dal i wrthwynebu.

Felly hyd at 1945 llwyddodd cyfundrefn addysg y wladwriaeth Brydeinig i greu patrwm addysgol unffurf drwy Gymru a Lloegr er gwaethaf cefndir ieithyddol a diwylliannol gwahanol y rhan fwyaf o'r Cymry. Un o ganlyniadau hyn oedd meithrin agwedd negyddol at eu hiaith ymhlith ei siaradwyr am iddynt ei chysylltu fwyfwy â diwylliant gwerinol, israddol a sathredig a oedd yn amherthnasol i ofynion yr ugeinfed ganrif.

O ddiwedd yr Ail Ryfel Byd ymlaen dechreuodd y dosbarth canol dwyieithog bwyso ar yr awdurdodau addysg i ddarparu ysgolion

Cymraeg. Anwastad oedd eu llwyddiant gan iddo ddibynnu cymaint ar agwedd awdurdodau unigol ac ymateb ffafriol rhieni, yn enwedig rhieni di-Gymraeg. Ym 1961 cyhoeddodd Cyd-bwyllgor Addysg Cymru fod 68,585 o ddisgyblion rhwng pump a phymtheg oed yn ddwyieithog, neu 17.7 y cant o'r boblogaeth ysgol. Roedd y ffigur yn adlewyrchiad o lwyddiant yr ymgyrchoedd dros addysg Gymraeg er 1945 ond dangosodd hefyd nad oedd y mwyafrif llethol o ysgolion Cymru wedi mabwysiadu polisi cadarnhaol tuag at ddwyieithrwydd.

Dylanwad y Ddau Ryfel Byd

Aeth miloedd lawer o Gymry i ymladd dros Brydain yn y ddau ryfel byd. Ymladdwyd y rhyfel cyntaf dan faner undod cenedlaethol a'r angen i frwydro dros ryddid yn erbyn imperialaeth Almaenig. Roedd hunaniaeth y Cymry yn ddibwys yng nghyd-destun y bygythiad i fodolaeth yr Ymerodraeth Brydeinig.

Ni chododd llawer o'r dosbarth canol Cymreig lais yn erbyn y rhyfel; eithriadau oedd D. Gwenallt Jones a T. H. Parry-Williams. Roedd llenyddiaeth Gymraeg a Chymreig yn ystod y rhyfel yn arf propaganda effeithiol o'i blaid.

Neges *The Welsh Outlook* oedd mai rhyfel ydoedd yn erbyn pobl a gwlad anghristnogol ac roedd yn ddyletswydd felly ar Gristnogion Cymru i ymladd. Dadleuai John Morris Jones, golygydd *Y Beirniad*, ei fod yn wrthdrawiad rhwng dwy athroniaeth a dau wareiddiad hollol wahanol. Roedd gorsymleiddio achosion y rhyfel ac amcanion y cenhedloedd a gymerai ran yn y gyflafan yn wendid difrifol yn yr ymdriniaeth a gynigiai'r Wasg Gymreig ac yn ddynwarediad uniongyrchol o slafaidd o ddehongliadau papurau a chylchgronau Lloegr. Amwys braidd oedd safle cenedlaetholwyr diwylliannol a gefnogai mor ddigwestiwn imperialaeth Brydeinig a Ffrengig yn erbyn imperialaeth gwledydd canoldir Ewrop.

Roedd teyrngarwch i Lloyd George yn ffactor a berswadiodd lawer o Gymry cyffredin na ddeallai bwrpas y rhyfel i aberthu eu bywydau. Gellir dadlau nad gwladgarwch Prydeinig a'u symbylodd ond ffydd yn eu harweinwyr gwleidyddol a phropaganda emosiynol a fanteisiai ar eu hanwybodaeth o'r amodau ar feysydd y gad ac am beth yr oeddynt yn ei ymladd.

Rhoddodd Cytundeb Versailles hwb i fudiadau cenedlaethol mewn rhannau o'r Ymerodraeth Brydeinig, a chreithiau'r rhyfel ei hunan ystyr newydd i basiffistiaeth. Tyfodd to newydd o lenorion yn Lloegr a roddodd fynegiant i'r delfrydau newydd, ond yng Nghymru prin oedd yr awduron, megis A. E. Jones (Cynan), W. J. Gruffydd ac I. D. Hooson a adweithiodd yn erbyn difodiant ac erchylltra'r rhyfel.

Efallai bod hyn yn adlewyrchu 'gwacter ysbrydol', chwedl D. Tecwyn Lloyd. Nid oedd gan Gymru y dyfnder llenyddol nac ysbrydol yn y cyfnod hwn i fedru mynegi'n foddhaol deimladau'r bobl am y rhyfel. Roedd y peiriant propaganda wedi apelio at eu cydwybod Prydeinig ac nid at eu balchder cenedlaethol fel Cymry.

Er i Blaid Genedlaethol Cymru gael ei ffurfio ym 1925 ni chafwyd yr un ymateb cenedlaethol yng Nghymru ag a brofwyd mewn rhannau eraill o'r byd, a dengys hyn cymaint roedd Cymru wedi cael ei chymathu fel rhan o'r wladwriaeth Brydeinig.

Yna, gyda thwf ffasgiaeth rhwng y ddau ryfel a'i bygythiad i sylfeini democratiaeth Ewrop, unwyd y mwyafrif o drigolion Prydain ac roeddynt yn barod i gydymladd i warchod eu hawliau gwleidyddol. Pwysleisiodd blynyddoedd yr Ail Ryfel Byd bwysigrwydd yr achos cyffredin oedd gan Albanwyr, Cymry a Saeson. I'r ddwy genhedlaeth a effeithiwyd gan y rhyfeloedd a'u canlyniadau roedd dyfodol Cymru fel cenedl naill ai'n fater eilradd neu'n amherthnasol, a gwanychwyd yr ymwybyddiaeth Gymreig ac yn sgil hynny safle'r iaith Gymraeg.

Y Wasg

Erbyn hyn fe dderbynia pobl y rhan fwyaf o'u gwybodaeth drwy'r Wasg, y radio a'r teledu. Dan ddylanwad y rhain dros gyfnod o amser y bydd pob cenhedlaeth yn ffurfio ei syniadau am faterion a digwyddiadau'r dydd a'i hagwedd tuag atynt. Ond cyn y datblygodd poblogrwydd eang y teledu yn y 1950au roedd dylanwad y papurau newydd yn bwysicach nag unrhyw gyfrwng arall.

Ar droad yr ugeinfed ganrif y papurau mwyaf poblogaidd yng Nghymru oedd y *Daily Mirror* a'r *Daily Express* ac erbyn canol y 1960au y ddau hyn oedd â'r gafael cryfaf o hyd ond bod y *Daily Mail*, y *Sunday Mirror* a'r *People* wedi datblygu cylchrediad sylweddol hefyd. Papurau 'cenedlaethol' Lloegr felly oedd papurau 'cenedlaethol' Cymru er na roddent y sylw priodol i faterion a oedd o bwys i Gymru.

Yn yr Alban roedd y sefyllfa yn hollol wahanol. Roedd papurau megis y *Daily Record*, y *Scottish Daily Express*, y *Glasgow Herald* a'r *Scotsman* yn gyfrifol am ddarparu newyddion i'r mwyafrif o Albanwyr a bychan iawn oedd cylchrediad y papurau Seisnig. Ychydig o sylw a roddid i faterion Seisnig yn y papurau hyn os nad oeddynt o bwys i bawb ym Mhrydain. Roedd pwyslais y papurau Albanaidd ar ddigwyddiadau cyfoes, storïau poblogaidd a chwaraeon yn yr Alban ynghyd â newyddion rhyngwladol. Cyflwynent y newyddion mewn cyd-destun Albanaidd a byd-eang gan greu persbectif neilltuol yn ogystal â chryfhau hunaniaeth genedlaethol. Yng Nghymru gogwyddai'r newyddion at bersbectif cenedlaethol Lloegr; roedd Cymru yn gyfystyr â Lloegr neu Brydain. Nid newydd am y llofruddiaeth yn Abertawe neu'r tân mawr yn Wrecsam a ymddangosai ym mhrif bapurau Cymru ond y llofruddiaeth yn Southampton neu'r tân mawr yn Birmingham.

Ar wahân i bapurau Lloegr roedd y *Western Mail* yn boblogaidd yn y De a'r *Daily Post* yn y Gogledd, ond tueddai'r rhain i drin Cymru fel dau ranbarth yn hytrach nag un uned. Papur i'r dosbarth canol yn bennaf oedd y *Western Mail* gyda chylchrediad o 103,000 ym 1966 er y darllenid ef gan ryw 400,000 o bobl yn sir Forgannwg, sir Gaerfyrddin, sir Aberteifi a sir Benfro. Yn wahanol i bapurau'r Alban ni roddai'r ddau bapur sylw cynhwysfawr i faterion cenedlaethol Cymreig ac roeddynt yn gyson eu gelyniaeth tuag at genedlaetholdeb a'r iaith Gymraeg. Felly nid oedd gan Gymru bapur 'poblogaidd' cenedlaethol drwy gyfrwng y Saesneg a roddai olwg Gymreig ar faterion y dydd. Dros y blynyddoedd cryfhaodd y papurau Prydeinig (gyda chylchrediad o ddwy filiwn rhyngddynt erbyn canol y 1960au) y meddylfryd Prydeinig a'r ymdeimlad o berthyn i genedl ehangach sef Prydain.

Roedd gan Gymru dros drigain o bapurau lleol a rhanbarthol hefyd, gan gynnwys y *South Wales Echo*, y *South Wales Evening Post*, y *South Wales Argus*, y *Wrexham Leader*, y *North Wales Weekly News*, y *Western Telegraph*, y *West Wales Observer*, y *Cambrian News* a'r *Carmarthen Journal*. Papurau wythnosol oeddynt, ac eithrio'r tri cyntaf, ac ychydig o wahaniaeth oedd rhyngddynt a phapurau lleol rhanbarthau Lloegr. Ni fyddai llawer o newyddion am Gymru yn cael ymdriniaeth yn y papurau hyn ac anaml iawn y ceid erthyglau am sefydliadau cenedlaethol Cymru, am yr iaith neu am destun hanesyddol Cymreig. Yn yr ardaloedd Cymraeg roedd papurau megis y *Carmarthen Journal* a'r *Cambrian News* ar adegau yn arbennig o elyniaethus tuag at yr etifeddiaeth Gymraeg a'r mudiad cenedlaethol ac ni roddent fwy na cholofn fechan i adroddiad neu erthygl yn y Gymraeg er bod y mwyafrif o'u darllenwyr yn ddwyieithog. Un o effeithiau darllen toreth o bapurau Saesneg a'u newyddion Prydeinig oedd graddol gyflyru agwedd y Cymry tuag at eu gwlad, eu hunaniaeth a'u hiaith.

Wrth ystyried papurau newydd a chylchgronau Cymraeg gwelir ar unwaith na allai'r un ohonynt gystadlu â chynnyrch y farchnad Seisnig. Ym 1961 y ddau bapur enwocaf oedd *Y Faner* (safbwynt cenedlaethol) gyda chylchrediad o saith mil ac *Y Cymro* (safbwynt annibynnol) gyda chylchrediad o ddeng mil. Roedd y ddau yn wythnosolion. Ymddangosai un papur gwleidyddol yn rheolaidd sef misolyn Plaid Cymru, *Y Ddraig*

Goch, gyda chylchrediad o ryw bedair mil. Ymhlith y rhai rhanbarthol amlycaf oedd *Yr Herald Cymraeg*, a *Herald Môn* gyda chylchrediad o naw mil yr wythnos. Bu Cymru yn enwog am ei chylchgronau crefyddol ond mae'n annhebyg bod cylchrediad y prif rai gyda'i gilydd (*Y Tyst*, *Y Llan*, *Y Goleuad*, *Seren Gomer*) yn fwy na rhyw saith mil. Ym 1962 sefydlwyd y cylchgrawn *Barn* gyda chylchrediad o tua thair mil a hanner y mis. Dan olygyddiaeth Alwyn D. Rees daeth yn gylchgrawn materion cyfoes dylanwadol iawn ymhlith y dosbarth canol proffesiynol.

Yr hyn a ddaw i'r amlwg o astudio'r ffigurau cylchrediad yw mai ychydig o Gymry Cymraeg a ddarllenai unrhyw fath o gyfnodolyn Cymraeg. O gofio bod nifer yr oedolion dwyieithog wedi amrywio rhwng o leiaf tri chwarter miliwn a hanner miliwn er dechrau'r ugeinfed ganrif roedd cylchrediad o ddeng mil yn isel iawn. Hyd yn oed yn y papurau hyn roedd y mwyafrif o hysbysebion yn Saesneg a oedd yn arwydd pellach i Gymry Cymraeg nad oedd eu hiaith yn addas ar gyfer y byd masnachol ac felly o reidrwydd yn israddol i'r Saesneg.

Y bwlch pwysicaf oedd diffyg papur poblogaidd â digon o storïau amrywiol am broblemau teuluol, trais, rhyw, materion cyfoes a chwaraeon. Milwriaethai ystyriaethau ariannol yn erbyn sefydlu papur dyddiol o'r math hwn ond nid ymddangosodd un wythnosol chwaith. I raddau roedd y methiant yn adlewyrchiad o wendid yn y diwylliant Cymreig er canol y bedwaredd ganrif ar bymtheg, sef y gred bod yn rhaid bob amser gynhyrchu rhywbeth o werth, rhywbeth llenyddol neu grefyddol neu wleidyddol. Roedd hynny'n iawn i ddarllenwyr dosbarth canol a oedd yn falch o gadw safon dda deunydd Cymraeg ond roedd yn annhebyg o ddenu darllenwyr o unrhyw ran arall o'r gymdeithas.

Wrth bwyso a mesur pam y bu i gylchrediad papurau Cymraeg aros yn isel ni ddylid beio prinder arian yn unig ond dylid yn hytrach roi mwy o sylw i agweddau a gwerthoedd yr aelodau hynny o'r gymdeithas Gymraeg a reolai gynhyrchiad cylchgronau a phapurau newydd. Ond er gwaethaf y methiant i gynhyrchu papur poblogaidd Cymraeg mae'n bwysig peidio â diystyru dylanwad y papurau a nodwyd eisoes. Y rhain, wedi'r cyfan, a oedd wedi ffurfio barn llawer o'r dosbarth canol cyn ac ar ôl yr Ail Ryfel Byd ac o'r dosbarth hwn y daeth arweinwyr y frwydr i geisio adfer y Gymraeg a hunaniaeth y Cymry.

Darlledu

Prif iaith y radio a'r teledu oedd Saesneg, wrth gwrs. Yn y dyddiau cynnar pwysodd lleiafrif o Gymry, Cenedlaetholwyr fel rheol, am wasanaeth darlledu annibynnol i Gymru. Dechreuwyd gwneud darllediadau radio o

Gaerdydd ym 1923, Abertawe ym 1924 a Bangor ym 1934 ond ni ddarparodd y gorsafoedd hyn wasanaeth ar yr un raddfa â'r rheini yn yr Alban a Gogledd Iwerddon. Felly ym 1937 ffurfiwyd gwasanaeth cenedlaethol o'r tair canolfan a sefydlwyd yn barod i fod yn gyfrifol am baratoi dramâu a rhaglenni crefyddol, gwleidyddol a chwaraeon yn ogystal â rhai rhaglenni yn yr iaith Gymraeg. Ehangodd y Gorfforaeth darlledu ar ôl cwynion oddi wrth Gyngor Rhanbarthol Cymreig y Blaid Cyngor Darlledu i gadw golwg ar y rhaglenni o Gymru.

Er mai ychydig iawn o raglenni radio a theledu a oedd yn ymdrin â Chymru neu'n cael eu cynhyrchu yn Gymraeg bu cwynion cyson yn y 1950au fod y BBC yng Nghymru yn bleidiol i safbwynt y Cenedlaetholwyr. Ym 1950 gwnaed ymchwiliad gan yr awdurdod darlledu ar ôl cwynion oddi wrth Gyngor Rhanbarthol Cymreig y Blaid Lafur ond ni ddarganfuwyd unrhyw dystiolaeth i gefnogi'r haeriadau. O fewn chwe blynedd roedd rhai aelodau seneddol yn gresynu at ragfarn ar y cyfryngau ond unwaith eto dyfarnodd y pwyllgor a sefydlwyd i drafod y cwynion nad oedd y BBC yn bleidiol i Blaid Cymru. Serch hynny, un o ganlyniadau'r ymateb hwn gan y pleidiau mawr Prydeinig i'r sylw a roddwyd i leiafrif gwleidyddol bach oedd gweithredu polisi gofalus iawn tuag at genedlaetholdeb a ymylai, ar adegau, ar fod yn anwybyddu bwriadol.

Ym 1954 argymhellodd y Cyngor Darlledu y dylai'r BBC yng Nghymru roi cyfle i bob plaid wneud darllediadau rhwng etholiadau. Er nad oedd gan y BBC unrhyw reswm dros wrthwynebu'r argymhelliad pwysodd y Blaid Lafur a'r Ceidwadwyr ar y pencadlys yn Llundain i ymyrryd er mwyn gwahardd y datblygiad. Galwyd aelodau o'r Cyngor Darlledu i Lundain i ddatgan eu safbwynt o flaen pwyllgor yr oedd Attlee, Morrison, Butler a Clement Davies yn aelodau ohono. Dywedodd cadeirydd y cyngor, yr Arglwydd MacDonald, nad oedd unrhyw beth afresymol yn yr argymhellion a gwrthododd ildio i'r ddwy blaid fawr. Yn y diwedd penderfynodd y Postfeistr Cyffredinol, Dr Charles Hill, ymyrryd gyda chefnogaeth y Blaid Lafur a'r Ceidwadwyr, a gwrthododd roi caniatâd i'r cyngor i weithredu ei gynllun.

Ar ddiwedd y 1950au rheolid rhaglenni annibynnol ar gyfer Cymru gan gwmni ym Mryste o'r enw TWW (*Television Wales and the West*) a ddechreuodd ei wasanaeth i Gymru a de-orllewin Lloegr ym 1958. Ond credai amryw o Gymry Cymraeg nad oedd y cwmni yn ddigon cefnogol i'r iaith ac felly ym 1960 llwyddodd carfan o Gymry enwog (gan gynnwys Dr Haydn Williams, Gwynfor Evans, Llywelyn Heycock, Syr Thomas Parry-Williams, Dr Tom Parry a Syr David Hughes Parry) i ennill cefnogaeth Teledu Annibynnol yn Llundain i'w cynllun i ffurfio Cwmni Teledu Cymru. Wynebodd y cwmni newydd anawsterau o'r dechrau am amryw o resymau. Roedd 70 y cant o wylwyr ei ddalgylch darlledu eisoes yn derbyn rhaglenni cwmnïau eraill ac roedd llawer o'r gynulleidfa ar wasgar. Ychydig o brofiad darlledu oedd gan y bwrdd ond aeth ati i agor swyddfeydd a stiwdio fawr newydd yn y brifddinas. Ar ôl deng mis ar yr awyr roedd y cwmni'n gorfod wynebu colledion o £283,485 erbyn 1962 ac yn y flwyddyn ganlynol cymerwyd y cwmni drosodd gan TWW. Dywedodd Gwynfor Evans mai'r broblem fawr i'r cwmni oedd yr amod bod yn rhaid iddo gynhyrchu deg awr yr wythnos o'i raglenni ei hun o gymharu â'r ddwy neu dair awr a ddisgwylid oddi wrth gwmnïau rhanbarthol Lloegr. Ond beth bynnag oedd y rhesymau am fethiant Cwmni Teledu Cymru mae'n debyg mai agwedd hwnnw tuag at raglenni Cymraeg a fu'n gyfrifol am ddatganiad Teledu Annibynnol y byddai disgwyl i TWW bellach ddarlledu deg awr o raglenni Cymreig gan gynnwys saith drwy gyfrwng y Gymraeg.

Cwmni	Blwyddyn	Oriau wythnosol rhaglenni lleol	Oriau wythnosol yn Gymraeg
TWW	1958	8.5	3
Teledu Cymru	1963	5	2.5
TWW	1965	12	5

Rhwng 1959 a 1967 cynyddodd yr amser darlledu a neilltuwyd i'r Gymraeg gan y Corfforaethau Darlledu Prydeinig o 3.3 i 6.1 awr yr wythnos ar y teledu ac o 9.6 i 12.4 awr ar y radio. I gefnogwyr yr iaith nid oedd y sefyllfa yn dderbyniol am fod chwarter y boblogaeth yn y cyfnod hwn yn ddwyieithog. Gwnaeth Ned Thomas gymhariaeth â'r Swistir ym 1964. Yn y wlad honno darperid 32 o oriau yn Almaeneg (roedd y boblogaeth Almaenig yn 3,763,400), 33 o oriau yn Ffrangeg (poblogaeth o 1,625,600) a 25 o oriau yn Eidaleg (poblogaeth o 514,0000). I Thomas profodd hyn na ddylai gwahaniaethau demograffig o reidrwydd arwain at wahaniaethau cyfatebol mewn oriau darlledu.

Ym Mhrydain roedd y sefyllfa yn wahanol ac roedd hi'n anodd i leiafrif bychan iawn o boblogaeth y wladwriaeth argyhoeddi penaethiaid corfforaeth ganolog yn Llundain o gyfiawnder eu hachos. Pwysleisiodd Llys Prifysgol Cymru, Undeb Cymru Fydd, a chyrff eraill wrth gyflwyno tystiolaeth i Bwyllgor Pilkington ym 1959 fod angen gwasanaeth Cymraeg gwell am fod y cyfryngau yn tanseilio'r diwylliant Cymreig. Roedd y BBC eisoes yn darparu gwasanaeth yn Saesneg ar bedair gorsaf radio ac ar y teledu ac roedd Cymru hefyd yn derbyn rhaglenni teledu amryw o gwmnïau annibynnol Lloegr. O safbwynt y cwmnïau annibynnol roedd hi'n hanfodol gwneud elw a byddai cynyddu'r ddarpariaeth Gymraeg yn amharu ar eu perfformiad masnachol. O safbwynt y BBC nid oedd hi'n elyniaethus tuag at yr iaith ond ffactor ymylol ydoedd yng nghyd-destun ei hymrwymiadau ledled Prydain ac yn isel, felly, ar ei rhestr o flaenoriaethau.

Erbyn 1964 roedd y sylw a oedd yn cael ei roi i Gymru a'r Gymraeg ar y cyfryngau yn brin iawn ac roedd pwyslais rhaglenni BBC Cymru a TWW ar faterion Cymreig yn unig. Câi digwyddiadau rhyngwladol eu dadansoddi yn Llundain a'u darlledu oddi yno. Ym marn y BBC a Theledu Annibynnol roedd hyn yn anochel oherwydd prinder adnoddau ond ar lefel arall roedd y gwahaniaeth yn adlewyrchiad o bwysigrwydd Llundain a'r persbectif Prydeinig a amlygwyd gan ymdrech y cyfryngau i hybu'r ddelwedd o Brydain fel un genedl drwy gyfeirio'n gyson at y 'newyddion cenedlaethol' a thrwy raglenni materion cyfoes poblogaidd.

Fodd bynnag, ni ddylid dibrisio'r cynnydd graddol yng nghyfanswm yr oriau a roddwyd i ddarlledu yn Gymraeg. Gellir dadlau hefyd i'r BBC a TWW yng Nghymru lwyddo i gyflwyno dimensiwn Cymreig er gwaethaf ethos sylfaenol Seisnig y sianeli. Ond roedd nifer y rhaglenni Cymraeg yn destun gofid i lawer, i Gymry Cymraeg oherwydd eu prinder ac i Gymry di-Gymraeg am iddynt ymyrryd â rhediad y rhaglenni Saesneg. Trodd llawer at sianeli yn Lloegr er mwyn eu hosgoi. Erbyn 1964 roedd y gwrthdrawiad hwn rhwng buddiannau'r ddwy garfan ymhell o gael ei ddatrys. Roedd llawer o'r boblogaeth ddi-Gymraeg yn ffyrnig yn erbyn unrhyw ehangiad pellach mewn oriau darlledu Cymraeg tra bod cefnogwyr yr iaith yr un mor bendant bod gwasanaeth teledu effeithiol drwy gyfrwng y Gymraeg yn hanfodol i oroesiad yr iaith yn ail hanner yr ugeinfed ganrif.

Crefydd

Bu cyfraniad crefydd i barhad yr iaith Gymraeg ac i hunaniaeth y Cymry fel cenedl yn ffactor allweddol. Roedd cyfieithiad y Beibl i'r Gymraeg yn yr unfed ganrif ar bymtheg a dylanwad y diwygiad Methodistaidd a'r ysgolion Sul yn y bedwaredd ganrif ar bymtheg wedi sicrhau ffyniant yr iaith ymhlith y dosbarth canol a'r dosbarth gweithiol. Roedd Cymreictod ynghlwm wrth grefydd anghydffurfiol a phwysigrwydd y capeli fel canolfannau cymdeithasol a diwylliannol ym mhob rhan o Gymru, yn arbennig yng nghefn gwlad, ond dinistriwyd y gymdeithas gapelgar hon gan y Rhyfel Byd Cyntaf a'r dirwasgiad a'i dilynodd.

Ychydig o ddylanwad uniongyrchol oedd gan yr Anghydffurfwyr ar addysg gyfundrefnol yr ugeinfed ganrif ond ymdrechai llawer o gapeli i ddysgu darllen ac ysgrifennu'r Gymraeg i blant a oedd yn cael eu seisnigeiddio gan drefn addysg Lloegr. Yn sgîl y newidiadau diwydiannol datblygodd chwaraeon, clybiau gweithwyr ac undebaeth lafur ac ni chelai'r capeli eu gwrthwynebiad iddynt fel dylanwadau drwg ar y gymdeithas. Roedd eu hagwedd yn wrth-gynhyrchiol yn y pen draw am iddi ddangos i'r genhedlaeth ifanc fod eu safonau yn perthyn i'r gorffennol. Roedd y clybiau a chyfarfodydd Cymdeithas Addysg y Gweithwyr yn llawer mwy atyniadol iddynt. Wrth droi yn erbyn y capeli trodd pobl hefyd yn erbyn y Gymraeg oherwydd y cysylltiad agos rhwng y ddau. Gellir awgrymu yma rai pwysau allanol ychwanegol na allai'r capeli fel sefydliadau cymdeithasol eu gwrthsefyll yn hawdd: wrth i batrymau gwaith newid cynyddodd nifer y merched a gyflogid a thueddai llawer i adael y gwaith tŷ hyd ddydd Sul, arfer a gyfrannodd at wanhau'r cynulleidfaoedd; ar ôl yr Ail Ryfel Byd gallai llawer mwy o deuluoedd fforddio prynu car a manteisio ar y cyfle i fynd am dro ar y Sadwrn neu'r Sul; un o effeithiau diboblogi yng nghefn gwlad oedd dirywiad cymdeithasol cymunedau a phentrefi a'r capeli a'u gwasanaethai.

Engrhaifft dda o'r cysylltiad agos rhwng crefydd anghydffurfiol a'r Gymraeg oedd y bleidlais ar agor tafarnau ar y Sul a gynhaliwyd ym 1961. Yr ardaloedd a bleidleisiodd o blaid agor oedd Caerdydd ac Abertawe a siroedd Morgannwg, Mynwy, Brycheiniog a'r Fflint. Pan gynhaliwyd yr ail bleidlais ym 1968 dim ond siroedd Môn, Aberteifi, Caernarfon a Meirionnydd a bleidleisiodd o blaid eu cau. Roedd gwahaniaeth pendant felly rhwng y fro Gymraeg a'r gweddill o Gymru. I lawer o Gymry roedd cau'r tafarnau ar y Sul yn arwydd o arwahanrwydd Cymreig ond nid oedd yn adlewyrchiad o gefnogaeth i genedlaetholdeb Cymreig. Cyfeiriodd Carter at y cysylltiad agos rhwng dirywiad ieithyddol a'r lleihad yn y gefnogaeth i gau'r tafarnau rhwng 1961 a 1968:

Sir	Canran o'r bleidlais yn erbyn agor ar y Sul	
	1961	1968
Môn	76	66
Aberteifi	74	64
Trefaldwyn	57	41
Meirionnydd	76	66

Roedd y gostyngiad o 10 y cant i'w esbonio yn ogystal yn nhermau mewnfudiad Seisnig a datblygiad maestrefi yn y siroedd gwledig.

Yn y gorffennol, roedd yr Eglwys yng Nghymru wedi cynrychioli y gyfundrefn Seisnig a'r iaith Saesneg. Ond yn ystod yr ugeinfed ganrif, ac yn arbennig ar ôl yr Ail Ryfel Byd, roedd safbwynt yr eglwys ar faterion Cymreig wedi newid. Mynegodd yr Archesgob Glyn Simon ei ffydd mewn:

. . . cenedlaetholdeb Cymreig goleuedig, cenedlaetholdeb sy'n credu'n ddiffuant fod gan Gymru ei rhan yng Nghynghorau'r Byd, ac yn nhynged yr ynysoedd hyn, ac na fydd yn gallu chwarae'r rhan hon fel y dylai heb gadw'r gwerthoedd ysbrydol a diwylliannol sydd wedi eu hymgorffori mewn iaith hynafol, sydd yn arddangos fwyfwy fod ganddi egni parhaol mewn byd newydd, sy'n bygwth bod yn ddigon diliw.

Ond ni chafodd ymroddiad y capeli a'r eglwys i'r Gymraeg lawer o ddylanwad ymhlith y mwyafrif o Gymry wedi diwedd y Rhyfel Byd Cyntaf. Roedd y dirywiad mewn crefydd gyfundrefnol yn ffenomen gyffredinol yn yr Alban, Lloegr a llawer o wledydd Ewrop. Yng Nghymru roedd hi'n anffodus i gefnogwyr yr iaith fod y gyfundrefn honno yn un o'i chynheiliaid pwysicaf.

Yr Urdd

Yn ystod y cyfnod hwn yr unig gorff a sefydlwyd gyda'r bwriad penodol o warchod buddiannau'r Gymraeg oedd Urdd Gobaith Cymru a ffurfiwyd ym 1922 gan Ifan ab Owen Edwards. Seiliwyd yr Urdd ar y syniad fod Cymru'n genedl a'i hamcan oedd magu cariad a chefnogaeth tuag at yr iaith Gymraeg a'i diwylliant.

Arwyddair y mudiad oedd ffyddlondeb 'i Gymru, Cyd-ddyn a Christ' a chanolbwyntiodd yr arweinwyr ar ennill cefnogaeth yr ifainc i'r egwyddorion hyn drwy gyfrwng eu gweithgareddau. Sefydlwyd llawer o ganghennau yn gysylltiedig ag ysgolion a chapeli ac erbyn 1927 roedd ei haelodaeth yn bum mil. Trefnwyd pob math o gyrsiau yn yr awyr agored — mynydda, dringo, canŵio, nofio a hwylio. Roedd y gwersyll yn Llangrannog ar arfordir Ceredigion nid yn unig yn addas ar gyfer gweithgareddau awyr agored ond hefyd yn ganolfan lle y gellid dysgu'r bobl ifanc am eu hetifeddiaeth Gymreig mewn awyrgylch ddymunol ymhell o ddylanwadau trefol a Seisnig.

Erbyn 1934 roedd yr aelodaeth wedi cyrraedd 50,000 a threfnwyd teithiau tramor er mwyn sefydlu cysylltiadau â phlant gwledydd eraill. O safbwynt yr Urdd roedd hyn yn ddull ymarferol o fynegi ei chefnogaeth i ddelfrydau Cynghrair y Cenhedloedd ac yn nes ymlaen i'r Cenhedloedd Unedig.

Llafuriodd y mudiad yn galed mewn meysydd eraill dros achosion Cymreig, gan gynnwys gwell darpariaeth i'r Gymraeg mewn addysg a darlledu. Ym 1939 llwyddodd i agor yr ysgol Gymraeg gyntaf yn Aberystwyth. Ond y flwyddyn honno, wrth gwrs, y dechreuodd yr Ail Ryfel Byd a dywedodd y llywodraeth y byddai'n rhaid i bobl ifanc rhwng un ar bymtheg a phedair ar bymtheg oed ymuno â mudiad ieuenctid neu ryw gymdeithas filwrol a fyddai'n eu paratoi am y fyddin. Penderfynodd yr Urdd ehangu ei gweithgareddau i gynnwys yr oedran hwnnw drwy sefydlu'r 'Aelwyd'.

Roedd yr Aelwyd yn glwb ieuenctid a oedd yn agored i bawb ond cafodd y gefnogaeth gryfaf yn y siroedd Cymraeg. Yn y de-ddwyrain sefydlwyd clybiau *Young Wales* gyda'r un bwriad o hyrwyddo diddordeb y di-Gymraeg yn niwylliant Cymru. Ymysg eu gweithgareddau roedd gwersylla, eisteddfodau, chwaraeon poblogaidd a chwaraeon awyr agored. Cydweithiodd y mudiad ag awdurdodau lleol i gynhyrchu cylchgronau Cymraeg ac i ddod o hyd i ystafelloedd addas ar gyfer y clybiau.

Rhwng 1937 a 1944 cynyddodd cylchrediad ei brif gylchgrawn, *Cymru'r Plant*, o 1,025 i 54,043 a chododd yr aelodaeth i fwy na 80,000. Erbyn 1945, fodd bynnag, roedd y ffigur wedi gostwng i 44,000 ac yn yr un flwyddyn sefydlwyd Undeb Gwerthwyr a Chyhoeddwyr Llyfrau Cymraeg i hybu marchnad llyfrau Cymraeg.

Syniad arall a wyntyllwyd gan rai o aelodau'r Urdd yn ystod y rhyfel oedd sefydlu coleg gwerin Cymreig wedi'i seilio ar golegau gwerin y gwledydd Sgandinafaidd. Roeddynt yn gyfarwydd â syniadau Nikolai Grundtvig, sylfaenydd yr ysgolion hyn yn Nenmarc. Credent y byddai ehangu ar y gweithgareddau addysgol arferol drwy sefydlu rhywbeth mwy uchelgeisiol yn gam pwysig ymlaen. Gallai coleg gwerin drwytho oedolion o bob oedran nid yn unig yn hanes a llenyddiaeth y genedl ond hefyd mewn syniadau newydd am ddatblygiadau cymdeithasol ac economaidd yng Nghymru yn y dyfodol. Trefnwyd cwrs ym Mro Gŵyr a'i gynnwys wedi'i seilio ar faes llafur damcaniaethol y coleg gwerin arfaethedig. Mynychwyd ef gan aelodau'r mudiad a thraddodwyd darlithiau gan siaradwyr megis Ben Bowen Thomas, Tecwyn Lloyd, Elwyn L. Jones, George M. Ll. Davies a Gareth Alban Davies. Y bwriad oedd sefydlu coleg tebyg i Goleg Harlech gyda'r arian yn cael ei godi drwy gyfraniadau unigol. Wedi llwyddiant y cwrs aethpwyd ati i ffurfio amryw o bwyllgorau i godi'r arian ond methodd y fenter yn y diwedd oherwydd amharodrwydd rhai o arweinwyr yr Urdd i ymestyn gweithgareddau'r mudiad ac effaith Deddf Addysg 1944 a fwriadai, maes o law, ddarparu addysg fwy cynhwysfawr i blant o bob cefndir cymdeithasol.

Erbyn canol y 1960au roedd aelodaeth yr Urdd yn dal oddeutu 45,000 ac roedd rhyw 750 o ganghennau wedi cael eu sefydlu ledled Cymru. Roedd cylchrediad ei holl gyhoeddiadau, gan gynnwys *Cymru'r Plant*, *Hamdden*, *Mynd*, *Bore Da* a *Deryn*, tua hanner miliwn ac roedd yn ddibynnol ar gyfraniadau gwirfoddol am 80 y cant o'i hincwm. Enillodd yr Urdd gefnogaeth awdurdodau lleol a chanolog — arwydd o'i llwyddiant i gadw ei delwedd amhleidiol. Roedd yn fudiad cryf a dylanwadodd ar ddegau o filoedd o bobl ifanc. Daeth llawer ohonynt yn eu tro yn ddylanwadol ym mywyd cyhoeddus Cymru ac mewn addysg.

Cymdeithas yr Iaith Gymraeg

Mewn darlith radio o dan y teitl 'Tynged yr Iaith' ym mis Chwefror 1962 dywedodd Saunders Lewis, cyn-Lywydd Plaid Genedlaethol Cymru ac un o lenorion mwyaf dylanwadol Cymru yn yr ugeinfed ganrif, fod angen sefydlu mudiad poblogaidd a fyddai'n brwydro i atal tranc yr iaith Gymraeg ac ennill iddi statws cydradd â'r Saesneg yng Nghymru.

Ategodd ei sylwadau farn rhai Cenedlaetholwyr nad oedd dulliau cyfansoddiadol ac etholiadol Plaid Cymru wedi cyflawni unrhyw beth o bwys er 1925 a bod y cynnydd yn nifer yr aelodau di-Gymraeg wedi newid y pwyslais ym mholisïau'r blaid i gyfeiriad materion economaidd a chymdeithasol. Sefydlwyd Cymdeithas yr Iaith Gymraeg, mewn ymateb i alwad Lewis, yng nghynhadledd Plaid Cymru ym 1962 er mwyn rhoi mynegiant i ddelfrydau'r Cenedlaetholwyr hyn ac i weithio dros ennill statws swyddogol i'r iaith drwy ddefnyddio dulliau uniongyrchol di-drais. Dyma ei nod ymarferol, ond agwedd arall o'i hymgyrch fyddai meithrin ymwybyddiaeth Gymreig.

Bwriad yr ymgyrch gyntaf oedd sicrhau y darperid gwysion yn y Gymraeg. Ymgasglodd rhai o'r aelodau ym mis Chwefror 1963 i roi sticeri 'Cyfiawnder i'r Iaith' ar eiddo'r llywodraeth. Yna cynhaliwyd gwrthdystiad ar bont Trefechan, Aberystwyth i rwystro cerbydau rhag mynd heibio er mwyn gorfodi'r heddlu i wysio'r protestwyr. Roedd gweithrediadau fel hyn, a'r restiadau a'u dilynodd yn aml iawn, yn rhan hanfodol o dactegau'r mudiad. Drwy hyn câi'r aelodau gyfle i ddatgan eu barn yn y llysoedd ac ar goedd. Iddynt hwy roedd gofynion y gyfraith yn amherthnasol am eu bod hwy yn apelio at gyfraith foesol uwch.

Ym mis Gorffennaf 1963 cyhoeddodd Syr Keith Joseph, y Gweinidog Addysg, ei fwriad i sefydlu pwyllgor, gyda Syr David Hughes Parry yn

16. Saunders Lewis

gadeirydd, i ymchwilio i statws cyfreithiol y Gymraeg. Ymatebodd Cymdeithas yr Iaith drwy atal ei hymgyrch ac yn y cyfamser bu'n llythyru ag awdurdodau lleol, swyddfeydd post, siopau a llu o gyrff a sefydliadau eraill yn galw arnynt i roi statws cydradd i'r Gymraeg.

Ym mis Hydref cyhoeddodd cangen Bangor lythyr newyddion o'r enw *Tafod y Ddraig* ac yn hwn dywedodd Owain Owain y dylai'r mudiad ganolbwyntio ei weithgareddau yn y fro Gymraeg. Roedd Owain yn amlwg dan ddylanwad syniadau'r Athro J. R. Jones a gredai fod cysylltiad agos rhwng tir ac iaith a bod angen atgyfnerthu hyn cyn y gellid hyrwyddo datblygiad diwylliant a gwareiddiad y genedl. Cyn diwedd y 1960au roedd y gwahaniaeth barn rhwng dilynwyr athroniaeth J. R. Jones a chefnogwyr polisi iaith wedi'i anelu at Gymru gyfan wedi achosi rhwyg y tu mewn i'r mudiad.

Roedd gan Gymdeithas yr Iaith tua 300 o aelodau yn y ddwy flynedd gyntaf ond nid oedd yn weithgar iawn oherwydd ymrwymiadau llawer o'r aelodau i Blaid Cymru. Ond ar ôl methiant y Blaid i ennill cyfran barchus o'r bleidlais yn etholiad cyffredinol 1964 penderfynodd ddilyn llwybr llawer mwy milwriaethus ac annibynnol. Cyn hir roedd wedi datblygu'n grŵp ymwthiol hyderus, yn wir, o safbwynt yr iaith, yn un o'r rhai mwyaf llwyddiannus y ganrif hon.

Llenyddiaeth Genedlaethol

Er i Gymru wynebu nifer o broblemau yn economaidd a chymdeithasol yn ystod yr ugeinfed ganrif, eto bu'n gyfnod llewyrchus a ffyniannus i lenyddiaeth yn yr iaith Gymraeg er gwaethaf y dirywiad ystadegol. Drwy ysgrifennu neu farddoni yn y Gymraeg gwnaeth nifer o Gymry ddewis bwriadol i hybu parhad yr iaith. Llenyddiaeth, iddynt hwy, oedd iaith ar ei gorau ac roedd hyn yn arbennig o wir am y sefyllfa yng Nghymru yng nghyfnod y dirwasgiad. Y rhai amlycaf ymhlith llenorion hyn oedd T. Gwynn Jones, T. H. Parry-Williams — ysgolhaig, ysgrifwr a bardd a ganai am y cwlwm clòs rhyngddo a'i fro a'i wlad, ei gefnder R. Williams Parry — prifardd a bardd natur, Kate Roberts — nofelydd ac awdur straeon byrion a ymdriniai â gerwinder bywyd yn ardal y chwareli, D. J. Williams — awdur straeon byrion a oedd yn adlewyrchu ei gefndir amaethyddol a'i argyhoeddiadau cenedlaethol, heddychol a gwaith amrywiol Saunders Lewis a D. Gwenallt Jones. Roedd gan genedlaetholdeb a phwysigrwydd y gwareiddiad Cristnogol Gymreig le canolog yng ngwaith Lewis a soniai Gwenallt am ei sosialaeth, ei genedlaetholdeb, a hefyd ei syniadau crefyddol:

Y mae rhychwant y Groes yn llawer mwy
Na'u Piwritaniaeth a'u Sosialaeth hwy,
Ac y mae lle i ddwrn Karl Marcs yn Ei Eglwys Ef:
Cyd fydd fferm a ffwrnais ar Ei ystad,
Dyneiddiaeth y pwll glo, duwioldeb y wlad;
Tawe a Thywi, Canaan a Chymru, daear a nef.
(Gwenallt, 'Sir Forgannwg a Sir Gaerfyrddin')

Yn y 1930au a'r 1940au effeithiodd datblygiad Natsïaeth a ffasgiaeth ar feddyliau a bywydau miliynau o bobl yn Ewrop. Ni allai Gwenallt anwybyddu'r erchyllterau ar y cyfandir:

Yn y ffyrnau nwy cyn i'r ymennydd droi yn garbon
Pur yr oeddent yn moli dull y pedwerydd . . .
Cyn i'r bwledi sythu'r corff yr oedd yr Ysbryd Glân
Wedi lleddfu'r ofn . . .

Pwy a all rifo erchyllterau barbaraidd dynion?
Y pyllau petrol; y moduron mwrdro;
Lladd cenedl gyfan i ddiddymu hil:
Rhofio cyrff Iddewon i'r ffyrnau nwy
Fel gweithwyr y De yn rhofio ysgrap i'r ffwrneisiau,
A chyn eu llosgi yn tynnu braster o'r cyrff,
Yn plicio gwallt a thynnu aur o'r dannedd:
Golchi ymennydd fel golchi llythrennau ar y llechen,
A gorfodi dyn yn anymwybodol i sgrifennu'r llythrennau
Na fynnai â'r sialc newynog a hanner gwallgof.
(Gwenallt, 'Jezebel ac Elïas')

Cyhoeddwyd cylchgrawn *Y Llenor* am y tro cyntaf ym 1922 o dan olygyddiaeth W. J. Gruffydd. Daeth yn llwyfan pwysig i ddadleuon llenyddol y dydd ac yn gyfrwng i lenorion newydd ddangos eu dawn.

Roedd Saunders Lewis yn y cyfnod hwn yn Llywydd Plaid Genedlaethol Cymru ond cafodd amser hefyd i farddoni, i ysgrifennu y nofel *Monica* ac i gyfrannu colofn wythnosol i *Y Faner* ar faterion cyfoes a rhyngwladol. Yn y 1940au cyhoeddwyd dwy nofel gan awdur newydd o'r enw T. Rowland Hughes oedd yn ymdrin â bywyd pobl gyffredin yng ngogledd Cymru yn ardal chwareli Bethesda (*O Law i Law* ym 1943 a *Chwalfa* ym 1946).

Ar ôl yr Ail Ryfel Byd cyhoeddodd Kate Roberts ragor o nofelau a straeon a drafodai broblemau teuluol a chymdeithasol a daeth nifer o nofelwyr eraill i'r amlwg — Islwyn Ffowc Ellis, T. Llew Jones a Marion Eames yn eu plith. Ymddangosodd casgliadau newydd o farddoniaeth gan feirdd megis Euros Bowen, Kitchener Davies, Pennar Davies, Gwyn Thomas a Bobi Jones. I'r beirdd ar ôl y rhyfel roedd Cymreictod yn thema gyson ond mynegid hefyd deimladau personol ynglŷn â digwyddiadau yn y byd drwy gyfrwng barddoniaeth Gymraeg fodern.

Ni fyddai gwaith y llenorion hyn wedi gweld golau dydd heb ymroddiad y cyhoeddwyr. Canolbwyntiodd Gwasg Gee ar lyfrau safonol a difrifol eu cynnwys. Blaenoriaeth Llyfrau'r Dryw (Christopher Davies yn nes ymlaen) oedd cyhoeddi amrywiaeth o lyfrau mwy poblogaidd, gan gynnwys rhai i blant ac oedolion, er enghraifft, cyfres Crwydro'r Siroedd, ac roedd Gwasg Gomer yn llwyddiannus iawn yn ei hymdrechion i gyhoeddi nofelau ag apêl eang. Yn y maes hwn hefyd roedd yr Eisteddfod Genedlaethol yn bwysig gan iddi roi cyhoeddusrwydd a chyfle i awduron newydd.

Sefydlwyd cymdeithasau llenyddol — yn sir y Fflint a sir Ddinbych, er enghraifft — i drafod a hyrwyddo gweithiau llenyddol a derbyniodd rhai awduron gymorth ariannol oddi wrth y llywodraeth ac oddi wrth Gydbwyllgor Addysg Cymru pan oedd angen cyhoeddi llyfr neilltuol a fyddai'n addysgol ei natur neu'n annhebyg o fod â chylchrediad eang.

Maen tramgwydd mwyaf awduron a chyhoeddwyr oedd amharodrwydd llawer o siopau mawr i werthu llyfrau Cymraeg am fod y galw amdanynt yn gymharol fach. Roedd yn rhaid dibynnu ar nifer fach o siopau llyfrau Cymraeg i gynnal gwerthiant derbyniol. Ond er gwaethaf y cylch cyfyng a ddarllenai gyhoeddiadau Cymraeg yn rheolaidd dangosodd y nifer o bobl a aeth ati i ysgrifennu a barddoni'n gelfydd yn yr iaith ei bod hi'n gyfrwng byw a chyfoes ac yn werth brwydro drosti. Roedd eu cyfraniad yn bwysig i urddas yr iaith a dangosodd safon uchel eu cynnyrch llenyddol nad oedd y Gymraeg yn iaith israddol.

Nid oedd llenyddiaeth Eingl-Gymreig y cyfnod cyn yr Ail Ryfel Byd yn llewyrchus iawn. Yn gynnar yn y ganrif ymddangosodd rhai o lyfrau Caradoc Evans — *My People* (1915) a *Capel Sion* (1916) — portreadau dychanol o fywyd Cymreig a ymosodai'n ddi-flewyn-ar-dafod ar ragrith yr Anghydffurfwyr. Achoswyd llawer o gyffro gan ei waith a thra oedd llawer o'i sylwadau yn graff iawn roedd ei waith yn cynnwys elfen chwerw ddiangen.

Cyfeiriwyd mewn pennod arall at waith Bert Coombes. Roedd ei ddarlun o fywyd yn y cymoedd diwydiannol yn adlewyrchiad cywir, heb fod yn sentimental o gymdeithas glòs a thlodi yr ardaloedd hynny. Roedd llyfrau Jack Jones yn fwy adnabyddus, yn arbennig *Off to Philadelphia in the Morning* (1947) — hanes y cerddor a'r cyfansoddwr Joseph Parry ac *Unfinished Journey* (1937).

Ym 1942 ymddangosodd casgliad o farddoniaeth Alun Lewis (*Raiders' Dawn*) a ysgrifennwyd yn bennaf pan oedd Lewis yn filwr yn y rhyfel. Ychydig o sôn a geir yn ei waith am Gymru ond mewn un darn am fynydd uwchben Aberdâr mae'n dwyn i gof:

> Grey Hebron in a rigid cramp,
> White cheap-jack cinema, the church
> Stretched like a sow beside the stream;
> And mourners in their Sunday best
> Holding a tiny funeral, singing hymns
> That drift insidious on the rain
> Which rises from the steaming fields
> And swathes about the skyline crags
> Till all the upland gorse is drenched
> And all the creaking mountain gates
> Drip brittle tears of crystal peace;
> And in a curtained parlour women hug
> Huge grief, and anger against God.

(Alun Lewis, 'The Mountain over Aberdare')

Bardd di-Gymraeg enwocaf cyfnod y rhyfel ac ar ôl hynny oedd Dylan Thomas. Darllenodd ei waith yn Lloegr, yr Unol Daleithiau ac yn Ewrop ac ym 1954 darlledwyd ei gerdd radio, *Under Milk Wood*, astudiaeth greadigol o'r berthynas rhwng trigolion Ceinewydd yng Ngheredigion.

Wrth sôn yn gynharach am waith awduron di-Gymraeg y 1950au a'r 1960au crybwyllwyd sut y tyfodd ymwybyddiaeth Gymreig yn eu gwaith. Yn aml roedd eu cynnyrch llenyddol yn llai poblogaidd na chynnyrch awduron Cymraeg er gwaethaf y nifer uchel o Gymry di-Gymraeg. Gellir dadlau mai diffyg ymwybyddiaeth genedlaethol ymhlith y boblogaeth ddi-Gymraeg a fu'n gyfrifol am hyn, ac fel y dywedodd Ned Thomas, y ffaith ei bod hi'n anodd i lenor di-Gymraeg fynegi ei Gymreictod drwy gyfrwng y Saesneg o gofio mai'r Gymraeg a fuasai'r llinell-gyswllt rhwng un genhedlaeth a'r llall ar hyd y canrifoedd. Roedd y bardd Idris Davies yn ymwybodol o'r golled hon:

> I lost my native language
> For the one the Saxon spake
> By going to school by order
> For education's sake.

(Idris Davies, 'I was born in Rhymney')

370

Nid oedd Davies ar ei orau wrth sôn am ei Gymreictod ond fel Alun Lewis gallai ysgrifennu â theimlad arbennig wrth ddisgrifio dylanwad dinistriol y dirwasgiad:

> I saw the ghosts of the slaves of The Successful Century
> Marching on the ridges of the sunset
> And wandering among derelict furnaces,
> And they had not forgotten their humiliation,
> For their mouths were full of curses.
> And I cried out aloud, O what shall I do for my fathers
> And the land of my fathers?
> But they cursed and cursed and would not answer
> For they could not forget their humiliation.
>
> (Idris Davies, 'Gwalia Deserta')

Beth bynnag oedd yr eglurhad am fethiant llenyddiaeth Eingl-Gymreig i ddenu cynulleiddfa deilwng roedd yn ddadleniad diddorol o gyflwr meddwl y Cymry. Tra gallai'r Cymry Cymraeg uniaethu eu hunain â thraddodiad diwylliannol hynafol a chadarn roedd diwylliant gweddill poblogaeth Cymru erbyn canol y 1960au yn ffenomen fwy cymhleth ac annelwig a gynhwysai elfen gref o elyniaeth tuag at yr iaith frodorol. Os defnyddir ansawdd a phoblogrwydd llenyddiaeth fel llinyn mesur diwylliant gwlad a chyflwr ysbrydol ei phobl nid oedd y rhagolygon ar gyfer y Gymraeg a Chymreictod erbyn 1964 yn galonogol.

Dylanwadau eraill

Ar ddechrau'r Ail Ryfel Byd daeth nifer o gymdeithasau diwylliannol, crefyddol ac addysgol at ei gilydd i ethol Pwyllgor Amddiffyn Diwylliant Cymru. Ym 1941 unodd y pwyllgor hwn ag Undeb Cenedlaethol y Cymdeithasau Cymraeg a sefydlwyd ym 1913 i ffurfio Undeb Cymru Fydd.

Yn y mudiad newydd hwn roedd cefnogwyr o bob plaid a'u bwriad oedd pwyso ar awdurdodau lleol a chanolog er mwyn diogelu etifeddiaeth genedlaethol Cymru. Yn ystod y rhyfel cwynodd arweinwyr y mudiad wrth y llywodraeth ynglŷn â'r defnydd a wneid o Fynydd Epynt fel ardal hyfforddi milwrol. Hefyd anfonwyd 25,000 o gopïau o'r cylchgrawn *Cofion Cymru* i Gymry yn y lluoedd arfog. Cyhoeddwyd cylchgrawn arall ganddynt ym 1952 ar gyfer athrawon ac athrawesau, *Yr Athro*, a chwe blynedd yn ddiweddarach ymddangosodd cylchgrawn i ferched, *Llythyr Ceridwen*.

371

Ysgrifennydd y mudiad o'r dechrau oedd T. I. Ellis ac ym mis Gorffennaf 1950 trefnodd gynhadledd yn Llandrindod i drafod sefydlu senedd i Gymru gan wahodd cynrychiolwyr o bob lliw gwleidyddol. Penderfynwyd mynd ati i drefnu deiseb ac i gynnal nifer o gyfarfodydd ledled y wlad. Ymhen chwe blynedd, fodd bynnag, daeth yr ymgyrch i ben o ganlyniad i fethiant y ddeiseb i ddylanwadu ar y llywodraeth, methiant mesur ymreolaeth S. O. Davies ym 1950, methiant 30 o aelodau seneddol Cymru i gefnogi'r ymgyrch, diffyg cefnogaeth yn yr ardaloedd trefol, a dyledion o fwy na £1,500.

Ym 1959 trefnodd Undeb Cymru Fydd gynhadledd yng Nghaerdydd i drafod darlledu yng Nghymru. Penodwyd pwyllgor i bwyso'n gyson ar y llywodraeth am well gwasanaeth Cymraeg drwy'r cyfryngau. Prin oedd llwyddiannau'r undeb rhwng 1941 a 1964 a mudiad dosbarth canol proffesiynol ydoedd ar y cyfan. Ond llwyddodd i uno pobl o ddaliadau gwleidyddol gwahanol a thynnu sylw'r cyhoedd a'r awdurdodau at broblemau Cymru mewn cyd-destun cenedlaethol.

Un o elfennau pwysicaf a mwyaf dylanwadol y diwylliant Cymraeg yn ystod y ganrif hon yw'r eisteddfod — boed yn eisteddfod leol a rhanbarthol, eisteddfod Pontrhydfendigaid, eisteddfodau'r Urdd, eisteddfodau colegol neu eisteddfod Ryngwladol Llangollen. Ond y bwysicaf ohonynt, yn sicr, yw'r Eisteddfod Genedlaethol flynyddol a gynhelir bob yn ail yn y de a'r gogledd. O ganlyniad i fesur seneddol Peter Thomas a basiwyd ym 1959 rhoddwyd yr hawl i awdurdodau lleol gefnogi'r ŵyl yn ariannol ond hyd yn oed ar ôl hynny dibynnai ar gyfraniadau gwirfoddol am y rhan fwyaf o'i hincwm. Cymraeg fu prif iaith yr Eisteddfod Genedlaethol erioed ond ym 1950 pasiwyd rheol yn datgan mai honno fyddai unig iaith y cystadlaethau o hynny ymlaen.

Y Genedlaethol yw'r ŵyl ddiwylliannol fwyaf yng Nghymru ac mae'n fan cyfarfod i Gymry o bob rhan o Gymru, Prydain a'r byd. Ond yn bwysicach na hyn mae'n ganolbwynt i lenorion, cerddorion, cantorion, perfformwyr a chrefftwyr. Drwy gynnig gwobrau i enillwyr y nifer cynyddol o gystadlaethau llwyddodd i hudo miloedd lawer o Gymry i ddealltwriaeth well o werth eu hetifeddiaeth. Daeth yn llwyfan i ddoniau pobl Cymru mewn gwahanol feysydd: cydadrodd, adrodd, canu unigol, canu corawl, y ddrama, barddoniaeth, y nofel, canu offerynnau, i enwi ond ychydig. Cafodd groeso gwresog yn yr ardaloedd Cymraeg a di-Gymraeg fel ei gilydd a bu'n gymorth amhrisiadwy i barhad diwylliant y genedl ac i ddelwedd y gymdeithas a'r iaith Gymraeg.

Cymdeithas gyda hanes hir o astudio diwylliant a thraddodiadau Cymru yw Anrhydeddus Gymdeithas y Cymmrodorion yn Llundain. Ers yn agos i ddwy ganrif meithrinodd gariad at lenyddiaeth Gymraeg a bu ei chylchgrawn blynyddol y *Trafodion* yn adnabyddus am erthyglau arbenigol yn ymwneud â phob agwedd ar fywyd a hanes Cymru.

Ym 1962 rhoddodd Pwyllgor Cymreig Cyngor y Celfyddydau £15,000 i sefydlu cwmni drama proffesiynol *The Welsh Theatre Company* a thair blynedd yn ddiweddarach gwnaed cytundeb arall â nifer o actorion Cymraeg a aeth ati i ffurfio Cwmni Theatr Cymru. Pwrpas y cwmnïau hyn oedd cyflwyno dramâu poblogaidd a safonol mewn theatrau, capeli a neuaddau ysgol drwy fynd ar daith ar hyd a lled y wlad.

Er na fu llawer o ddatblygiadau yn ymwneud â'r undebau llafur a oedd yn arwyddocaol i Gymru dylid cyfeirio at ffurfio Undeb Cenedlaethol Athrawon Cymru ym 1940. Gobaith yr undeb oedd sefydlu cyfundrefn addysg annibynnol yng Nghymru a hyrwyddo'r Gymraeg fel cyfrwng a phwnc. Deilliai ei syniadaeth o egwyddorion cenedlaetholdeb Cymreig a buddsoddodd ei incwm i gyd yng Nghymru. Ni chyflawnwyd llawer gan yr undeb yn ei chwarter canrif gyntaf. Roedd llai na 10 y cant o athrawon ac athrawesau Cymru yn perthyn iddo, nid oedd ganddo gynrychiolaeth ar Bwyllgor Burnham, ac ni chafodd yr hawl i eistedd ar Gyd-bwyllgor Addysg Cymru hyd 1967.

Er bod gan Undeb Cenedlaethol yr Athrawon a Chymdeithas Genedlaethol yr Ysgolfeistri drefniadaeth ranbarthol yng Nghymru ni chredai'r athrawon a ffurfiodd UCAC eu bod yn ymateb yn effeithiol i anghenion addysg Gymreig. Ond hyd yn oed ymysg Cenedlaetholwyr o athrawon roedd gwahaniaethau barn ynghylch dibenion UCAC ac arhosodd llawer ohonynt yn aelodau o'r undebau Prydeinig. Un o wendidau'r proffesiwn oedd diffyg undod undebol ac roedd sefydlu'r undeb newydd yn gwanhau ymhellach allu'r proffesiwn i drefnu ymgyrch unedig dros gyflogau ac amodau gwell. Ym 1964 roedd trefniadaeth UCAC yn dal yn wan yn y mwyafrif o ysgolion Cymru. Dadleuai rhai o'i wrthwynebwyr y byddai'n llawer mwy buddiol i'r iaith pe bai'r proffesiwn yn ymladd fel grym unedig i wella safonau addysg ac i gadw'r athrawon gorau yn yr ysgolion drwy gynnal cyflogau teg ac amodau gweithio ffafriol. Roedd hyn yr un mor wir am ysgolion Cymraeg ag yr oedd am ysgolion eraill ac nid oedd aelodaeth o undeb Prydeinig yn debygol o leihau brwdfrydedd athrawon dros ddysgu'r iaith. Safbwynt UCAC oedd bod hawl gan bob cenedl i sefydlu cyrff a chymdeithasau cenedlaethol fel arwydd o'i hunaniaeth ac na fyddai'r undebau Prydeinig byth yn brwydro mor galed dros y Gymraeg ag y byddai undeb Cymreig yn ei wneud.

Datblygiad undebol arall oedd sefydlu Undeb Amaethwyr Cymru. Yn yr ardaloedd gwledig cyflogwyd mwy o bobl mewn amaethyddiaeth yng Nghymru nag yn Lloegr ond roedd yr unedau ffermio dipyn yn llai. Credai llawer o'r ffermwyr Cymreig nad oedd Undeb Cenedlaethol y Ffermwyr yn rhoi digon o sylw a chefnogaeth i'w gofynion am fod y ffermydd yn Lloegr yn fwy o lawer a'u cynrychiolwyr hwy a reolai'r undeb. Felly ym 1955 penderfynodd amryw o ffermwyr Cymru ffurfio Undeb Amaethwyr Cymru, nid am resymau gwleidyddol ond er mwyn hyrwyddo buddiannau'r ffermydd bychain. O fewn blwyddyn roedd gan yr undeb 10,000 o aelodau ond nid oedd yr ymateb yng Nghymru yn unfrydol o'i blaid fel y dangosodd y *Western Mail* ym mis Rhagfyr 1955: 'It's possible to see in this latest insistence on our Welshness the same prickly self assertiveness, the limiting effects of which can be traced in so many of our relations with England and other countries'.

Prif amcan yr undeb newydd oedd diogelu triniaeth gydradd â ffermwyr rhannau eraill o wledydd Prydain a chynrychiolaeth briodol ar fyrddau marchnata ac awdurdodau eraill a oedd yn gysylltiedig ag amaethyddiaeth Gymreig. Roedd gan yr undeb aelodau o bob tuedd wleidyddol megis J. B. Evans, yr ysgrifennydd cyntaf (Ceidwadwr), D. J. Davies (Llafur), Emrys Owen (Plaid Cymru) a Geraint Howells (Rhyddfrydwr), ond gwrthododd y llywodraeth ei gydnabod. Cafodd ei wahardd felly rhag eistedd ar fyrddau a phwyllgorau swyddogol ac felly lleihawyd ei ddylanwad.

Wrth astudio hunaniaeth ac ymwybyddiaeth genedlaethol rhwng 1914 a 1964 gellir gweld y cysylltiad uniongyrchol rhwng datblygiadau economaidd, newidiadau demograffig, y gyfundrefn addysg a'r cyfryngau, a dirywiad yr iaith Gymraeg. Wrth i'r ffactorau hyn a'r ddau ryfel byd gryfhau'r dimensiwn Prydeinig a hunaniaeth Brydeinig gwanychwyd sylfeini Cymreictod a'r ymdeimlad o berthyn i genedl a oedd yn wahanol i Loegr. O gofio'r cysylltiadau gwleidyddol, cymdeithasol, economaidd a diwylliannol agos â Lloegr a phrinder sefydliadau cenedlaethol annibynnol fel yn yr Alban, roedd bodolaeth a pharhad cenedlaetholdeb drwy'r cyfnod yn rhyfeddol ar adegau a chryfhawyd ei apêl ar ôl yr Ail Ryfel Byd.

Er 1945 lledaenodd yr adwaith yn erbyn y dirywiad ieithyddol i sawl maes ym mywyd Cymru gan gynnwys addysg, y Wasg a darlledu. I raddau roedd yr adfywiad hwn yn rhan o broses fwy cyffredinol am i bobl gredu eu bod yn colli eu hunaniaeth oherwydd pwysau trefn wleidyddol ac economaidd ganolog a bod dyletswydd arnynt i frwydro i warchod eu diwylliant a'u traddodiadau.

Roedd yr adwaith yn gryfach ar ôl 1945 oherwydd twf y dosbarth canol

Cymreig, un o ganlyniadau'r newidiadau economaidd a chymdeithasol ar ôl y rhyfel. O'r grŵp hwn y daeth arweinwyr yr adfywiad diwylliannol yng Nghymru. Fel yn Llydaw a Québec reodd y mwyafrif yn athrawon, darlithwyr, gweinidogion a swyddogion llywodraeth leol a gweithient drwy gyfrwng yr ysgolion, y colegau, yr Urdd, y capeli, y radio a'r teledu i geisio lledu eu syniadau ac ennill cydymdeimlad a chefnogaeth i'r iaith ac i etifeddiaeth ddiwylliannol Cymru.

Edrychent ar eu Cymreictod fel rhywbeth a roddai arbenigrwydd iddynt. Nid brwydro yn erbyn datblygiadau'r ugeinfed ganrif oedd eu nod ond diogelu Cymru yn erbyn grymoedd dinistriol canoli diwydiannol, cymdeithasol a gwleidyddol. Roedd llawer iawn ohonynt o blaid mesur o hunanlywodraeth i Gymru ac yn gefnogol iawn i syniadau'r economegwyr Fritz Schumacher a Leopold Kohr, dynion a gredai mewn pwysigrwydd unedau cymdeithasol ac economaidd bychain fel dull o gyflawni cydweithrediad rhwng unigolion a rhwng gwledydd er mwyn sicrhau heddwch a sefydlogrwydd rhyngwladol. Byddent i gyd wedi cytuno â disgrifiad Ned Thomas o'r frwydr yng Nghymru fel un dros ddynoliaeth mewn un gornel fach o'r byd.

Trefedigaethu mewnol oedd disgrifiad Michael Hechter o berthynas Cymru a Lloegr yn yr ugeinfed ganrif er bod y berthynas hon wedi dechrau datblygu ar ôl deddfau uno'r unfed ganrif ar bymtheg. Ystyr y term hwn oedd rheolaeth allanol ar fywyd economaidd, cymdeithasol a diwylliannol un wlad gan wlad gyfagos. Roedd y rheolaeth ganolog hon yn galluogi'r wlad gryfaf i ddatblygu'n economaidd ac yn ddiwylliannol ar draul bywyd cymdeithasol a diwylliannol y genedl wannach. Gellid olrhain patrwm cyffelyb yn Llydaw a Cataluña (Catalonia) ac yn achos America a thrigolion brodorol Brasil a Mecsico.

Roedd y drefn hon wedi creu rhaniadau dwfn ymhlith y Cymry eu hunain, yn arbennig rhwng y rheini a welai'r iaith fel rhan annatod o fywyd cenedlaethol Cymru a'r rhai a'i hystyriai yn amherthnasol i Gymru yn hanner olaf yr ugeinfed ganrif. Barn llawer o Gymry di-Gymraeg oedd bod ceisio diogelu'r iaith a'r diwylliant Cymreig yn ddiystyr ac yn wastraff ar adnoddau tra credai eraill ei fod yn ymdrech i hyrwyddo syniadau lleiafrifol ac elitaidd ar draul y rhan fwyaf o'r boblogaeth. Manteisiodd gwleidyddion y ddwy blaid fawr dros y blynyddoedd ar ofnau etholwyr drwy bortreadu'r Cymry Cymraeg yn y dull hwn. Wrth i'r dosbarth canol dwyieithog ddod yn fwy dylanwadol cryfhaodd yr adwaith yn ei erbyn. Dibynnai llwyddiant y lleiafrif ar awyrgylch o oddefgarwch a pharch ar y ddwy ochr ac er iddo gamu'n bwrpasol i'r cyfeiriad hwn roedd grymoedd gwleidyddol gelyniaethus yn dal i beryglu ei obeithion am y dyfodol.

Llyfryddiaeth

Addison, P., *The Road to 1945: British Politics and the Second World War* (Cape, 1977)

Beckett, J. C., *The Making of Modern Ireland* (Faber and Faber Ltd., 1981)

Bell, J. B., *Secret Army, History of the Irish Republican Army 1916–79* (Academic Press, 1979)

Bevan, Aneurin, *In Place of Fear* (E.P. Publishing Ltd., 1976)

Blake, R., *The Conservative Party from Peel to Thatcher* (Methuen and Co. Ltd., 1975)

Blake, Robert, *A History of Rhodesia* (Eyre Methuen Ltd., 1977)

Bloomfeld, L., *In Search of American Foreign Policy* (Oxford University Press, 1974)

Bogdanon, V. and Skidelsky, R., *The Age of Affluence* (Macmillan, 1970)

Brittain, Vera, *Testament of Youth* (Gollancz, 1933)

Broad, Lewis, *Winston Churchill* (Hutchinson and Co. Ltd., 1952)

Bullock, A., *The Life and Times of Ernest Bevin* (Heinemann, 1967)

Calvocoressi, P., *The British Experience 1945–75* (Pelican, 1981)

— *World Politics Since 1945* (Longman Ltd., 1968)

Campbell, J., *Lloyd George, the Goat in the Wilderness* (Cape, 1977)

Churchill, Winston, *The Gathering Storm* (Cassell, 1948)

Cole, G. D., *The Postwar Condition of Britain* (Greenwood Press, 1976)

Coogan, T. P., *Ireland since the Rising* (Greenwood Press, 1977)

Cordell, Alexander, *The Fire People* (Hodder and Stoughton, 1972)

— *Rape of the Fair Country* (Gollancz, 1959)

— *Song of the Earth* (Gollancz, 1969)

Crosland, A., *The Future of Socialism* (Cape, 1956)

Darby, P., *British Defence Policy East of Suez 1947–68* (Oxford University Press, 1972)

Davies, D. Hywel, *The Welsh Nationalist Party 1925–1945* (Gwasg Prifysgol Cymru, 1983)

Davies, D. J., *The Economics of Welsh Self-Government* (Swyddfa'r Blaid Genedlaethol, 1931)

— *Towards Welsh Freedom* (Plaid Cymru, 1958)

376

Edwardes, M., *The Last Years of British India* (Cassell, 1963)

Edwards, O., Evans, G., Macdiarmid, H. and Rhys, I., *Celtic Nationalism* (Routledge and Kegan Paul Ltd., 1968)

Epstein, L. D., *British Politics in the Suez Crisis* (Pall Mall Press, 1958)

Evans, Gwynfor, *Rhagom i Ryddid* (Plaid Cymru, 1964)

Fisher, N., *Harold Macmillan* (Weidenfeld and Nicolson Ltd., 1982)

Foot, Michael, *Aneurin Bevan* (Davis-Poynter Ltd., 1973)

Francis, H. and Smith, D., *The Fed: a History of South Wales Miners in the Twentieth Century* (Lawrence and Wishart, 1980)

Frankel, J., *British Foreign Policy 1945–73* (Oxford University Press, 1975)

George, D. Lloyd, *Britain's Industrial Future* (Benn, 1928)

— *We Can Conquer Unemployment* (Cassell, 1929)

Gilbert, M., *Winston Churchill 1922–39* (Heinemann Ltd., 1975)

Goldsworthy, D., *Colonial Issues in British Politics 1945–61* (Clarendon Press, 1971)

Graves, R., *Goodbye to All That* (Cape, 1929)

Gregg, P., *The Welfare State 1945* (Harrap Ltd., 1967)

Griffiths, Bruce, *Saunders Lewis* (Gwasg Prifysgol Cymru, 1979)

Grigg, J., *Lloyd George: From Peace to War 1912–16* (Methuen and Co. Ltd., 1985)

Halsey, A., *Trends in British Society since 1900* (Macmillan, 1972)

Harris, K., *Attlee* (Weidenfeld and Nicolson Ltd., 1982)

Hechter, M., *Internal Colonialism: The Celtic Fringe in British National Development, 1536–1966* (Routledge and Kegan Paul Ltd., 1978)

Hogg, Q., *The Case for Conservatism* (Penguin Books Ltd., 1947)

Hughes, T. Rowland, *Cân neu Ddwy* (Gwasg Gee, 1948)

Jones, D. Gwenallt, *Eples* (Gwasg Gomer, 1951)

— *Gwreiddiau* (Gwasg Gomer, 1959)

Jenkins, Islwyn (gol.), *The Collected Poems of Idris Davies* (Gwasg Gomer, 1972)

Jones, J. E., *Tros Gymru* (Gwasg John Penry, 1970)

Jones, J. R., *Prydeindod* (Christopher Davies, 1966)

Jones, R. Brinley (gol.), *Anatomy of Wales* (Gwerin, 1972)

Kennedy, G. A. Studdert, *The Unutterable Beauty* (Mowbray, 1983)

Keynes, J. M., *The Collected Writings of John Maynard Keynes* (The Macmillan Press Ltd., 1973)

Kohr, Leopold, *Is Wales Viable?* (Christopher Davies, 1971)

Lewis, Alun, *Raiders' Dawn* (George Allen and Unwin Ltd., 1942)

Lewis, E. D., *Rhondda Valleys* (University of Wales Press, 1959)

Lewis, Saunders, *Tynged yr Iaith* (BBC, 1962)

— *Egwyddorion Cenedlaetholdeb* (Plaid Genedlaethol Cymru, 1926)

Liddell-Hart, B. H., *History of the First World War* (Cassell, 1970)

Llywelyn-Williams, Alun, *Y Golau yn y Gwyll* (Gwasg Gee, 1979)

Macmillan, H., *Winds of Change* (Macmillan, 1984)

Madgwick, P., Griffiths, N. and Walker, V., *The Politics of Rural Wales* (Hutchinson, 1973)

Mansergh, N., *The Irish Question* (Unwin Paperbacks, 1975)

Marquand, D., *Ramsay Macdonald* (Cape, 1977)

Marwick, A., *British Society since 1945* (Pelican, 1982)

— *The Deluge, British Society and the First World War* (Macmillan, 1973)

— *The Explosion of British Society* (Papermac, 1980)

Mayo, P. E., *The Roots of Identity* (Allen Lane, 1974)

Medlicott, W. N., *Contemporary England 1914–64* (Longman Ltd., 1976)

— *British Foreign Policy since Versailles 1919–63* (Methuen, 1968)

Miller, J., *Survey of Commonwealth Affairs 1963–69* (Oxford University Press, 1974)

Monk, L., *Britain 1945–70* (Bell, 1976)

Monroe, E., *Britain's moment in the Middle East 1914–56* (Chatto and Windus, 1963)

Morgan, K. O., *Consensus and Disunity* (Oxford University Press, 1979)

— *David Lloyd George* (Gwasg Prifysgol Cymru, 1981)

— *David Lloyd George: Welsh Radical as World Statesman* (Gwasg Prifysgol Cymru, 1963)

— *Labour in Power 1945–51* (Oxford University Press, 1984)

— *Lloyd George* (Weidenfeld and Nicolson Ltd., 1974)

— *Rebirth of a Nation: Wales 1880–1980* (Clarendon Press a Gwasg Prifysgol Cymru, 1981)

Mowat, C. L., *Britain between the Wars 1918–40* (Methuen, 1968)

Nehru, J., *An Autobiography* (John Lane, 1936)

Nehru, P., *India's Freedom* (Allen and Unwin, 1963)

Northedge, F., *Descent from Power* (Allen and Unwin, 1974)

O'Farrell, P., *England and Ireland since 1800* (Oxford University Press, 1975)

Orwell, George, *Homage to Catalonia* (Gollancz, 1938)
— *Nineteen Eighty Four* (Gollancz, 1949)
— *The Road to Wigan Pier* (Gollancz, 1937)

Osmond, John, *Creative Conflict: The Politics of Welsh Devolution* (Gwasg Gomer, 1978)

Pandey, B. N., *The Break up of British India* (Macmillan, 1969)

Parry, Cyril, *David Lloyd George* (Gwasg Gee, 1984)

Pelling, H., *A History of British Trade Unionism* (Macmillan, 1976)
— *Origins of the Labour Party* (Oxford University Press, 1966)
— *A Short History of the Labour Party* (Macmillan, 1972)

Philip, A. B., *The Welsh Question* (University of Wales Press, 1975)

Pollard, S., *The Development of the British Economy 1914–67* (Arnold, 1969)

Porter, B., *The Lion's Share* (Longman Ltd., 1984)

Rochstein, Andrew, *The Soldiers' Strikes of 1919* (The Journeyman Press Ltd., 1985)

Seaman, L. C. B., *Post Victorian Britain 1902–1951* (Methuen, 1966)

Sked, P. and Cook, C., *Postwar Britain: a Political History* (Pelican, 1984)

Stephens, Meic, *Linguistic Minorities in Europe* (Gwasg Gomer, 1976)
— *The Welsh Language Today* (Gwasg Gomer, 1973)

Taylor, A. J. P. (gol.), *English History 1914–45* (Oxford University Press, 1965)
— *The First World War* (Hamish Hamilton, 1963)
— *Lloyd George: a Diary by Frances Stevenson* (Hutchinson, 1971)
— (gol.), *Lloyd George: Twelve Essays* (Hamish Hamilton Ltd., 1971)
— *Origins of Second World War* (Hamish Hamilton, 1961)

Temple, William, *Christianity and the Social Order* (Penguin Books Ltd., 1942)

Thomas, H., *The Suez Affair* (Weidenfeld and Nicolson Ltd., 1966)

Thomas, Ned, *The Welsh Extremist: A Culture in Crisis* (Gwasg y Lolfa, 1973)

Williams, Glyn, *Social and Cultural Change in Contemporary Wales* (Routledge and Kegan Paul Ltd., 1978)

Woodward, Llywelyn, *British Foreign Policy in the Second World War*, Vol. I and II (HMSO, 1962)

Young, G. M., *Stanley Baldwin* (Greenwood Press, 1979)

Adroddiadau

Dwyieithrwydd yn yr Ysgol Uwchradd yng Nghymru (Llyfrfa'r Llywodraeth, 1949)

Y Gymraeg mewn Addysg a Bywyd (Llyfrfa'r Llywodraeth, 1927)

Lle'r Gymraeg a'r Saesneg yn Ysgolion Cymru (Llyfrfa'r Llywodraeth, 1953)

Erthyglau

Francis, Hywel, 'The Welsh Miners and the Spanish Civil War', Journal of Contemporary History, vol. v, no. 3 (1970)

Jenkins, R. T., 'The Development of Nationalism in Wales', Sociological Review (1935)

Morgan, K. O., 'Welsh Nationalism: the Historical Background', Journal of Contemporary History, vol. vi, no. 1 (1971)

Tawney, R. H., 'Why Britain Fights', New York Times (21 July 1940)

Williams, Colin, 'Non Violence and the Development of the Welsh Language Society', Welsh History Review, vol. viii, no. 4 (1977)

Williams, Glanmor, 'The Idea of Nationality in Wales', Cambridge Journal (1953)

Mynegai